はしがき

本書『私鉄車両編成表 2023』では、2023(令和05)年4月1日現在在籍する28,219両を網羅しています。

新登場となった新型車は、2025.04に開催が予定されている大阪・関西万博の最寄り駅、夢洲まで延伸(延伸区間はコスモスクエア〜夢洲[仮称]間3km)される大阪市高速電気軌道中央線の400系のほか、福井鉄道フクラムライナーF2000形などです。400系は「未来の鉄道」を思わせるニュースタイルの顔が特徴です。

新規開業路線は、2023.03.18に開業した東急が日吉〜新横浜間の新横浜線、相模鉄道は羽沢横浜国大〜新横浜間の新横浜線で、開業とともに相互直通運転を開始、相鉄の車両は東武東上線森林公園(休日は小川町)、都営地下鉄は三田線西高島平、埼玉高速は浦和美園まで乗入れています。続いて03.27福岡市地下鉄七隈線天神南〜博多間開業です。

大手系の主な車両の動きは、まず京成電鉄は3400形8両、3700形6両が廃車。2022.11.26から金町線、千原線、東成田線にて3500形等によるワンマン運転を開始しています。

東京都交通局は三田線用に新型車両6500形4編成32両、新宿線に10-300形4編成40両、大江戸線用に12-600形2編成16両、日暮里舎人ライナーに330形4編成20両を新製。この結果、新宿線はすべてが10両編成となったほか、2022.05.14から三田線で8両運転を開始。廃車は浅草線用5300形8両、三田線用6300形13編成78両、新宿線用10-300形6編成48両、大江戸線用12-000形2編成16両、日暮里舎人ライナー300形4編成20両です。

京浜急行電鉄は1500形8両が廃車です。

東武鉄道は100系「スペーシア」から2編成12両、「りょうもう」から、200系、250系が1編成ずつ計12両、「きりふり」等に使われた350系が2編成8両のほか、通勤系では10000系12両、6050系12両が廃車となりました。この結果、250系、350系は形式消滅。また蒸気機関車C11123の整備が完了、運転を開始したため、JR北海道から借入れしているC11207を含めて3両体制となっています。

西武鉄道 … 編成を増備、20 …

京王電鉄 … 機能が使えるよ … たほか、7000系 …

小田急電鉄は、5000形3編成30両を増備、廃車は1000形が32両、8000形18両です。

東急電鉄は、田園都市線用2020系の計画上の最終増備となる10両、東横線は「Qシート」の5000系8両、目黒線8両編成化用に3000系6両、5000系10両を新造、目黒線は新横浜線開業を踏まえて全編成が8両となったため、仮車号にて登場した車両を含めた改番が行われています。廃車は、2023.01.25にて営業運転が終わった8000系17両で、在籍両数は7両となりました。

東京地下鉄は、丸ノ内線用に2000系6編成36両、有楽町線、副都心線用17000系が3編成24両、半蔵門線用18000系7編成70両を新製、廃車は、丸ノ内線用02系48両と、有楽町線、副都心線用7000系16両、半蔵門線用8000系80両です。

相模鉄道は、21000系3編成24両を新製。

名古屋鉄道は、9500系2編成16両と9100系2両を新製、廃車は6000系16両です。

近畿日本鉄道は、12200系14両が廃車となり形式消滅。廃車はほかに1000系6両、8000系6両、8400系3両です。

京阪電気鉄道は、2600系3両、2200系7両が廃車となっています。

阪急電鉄は、1300系2編成16両を新造、3300系8両が廃車となっています。

阪神電気鉄道は、5700系2編成8両を新製、同数の5000系が廃車となっています。

南海電気鉄道は増減なし。

大阪市高速電気軌道は、御堂筋線用に30000系2編成、中央線用に30000A系10編成60両と新型車両400系2編成を増備、廃車は御堂筋線10系4編成、中央線20系42両です。

末尾ながら、ご協力を賜りました各社各位には厚く御礼申し上げます。

2023年6月　ジェー・アール・アール

●表紙写真：大阪市高速電気軌道中央線用400系が登場。前面証明が4隅に配された個性的な顔つきは、これまでにないデザイン。来たる関西万博の輸送に活躍が期待されている。緑木車両工場　2022.12.07

●裏表紙写真：近畿日本鉄道「あをによし」。大阪・奈良・京都の古都を結ぶコンセプト特急で、正倉院の宝物がモチーフのデザイン。東花園車　2022.04.23

目　次

私鉄車両編成表

＊本書は **2023年4月1日現在**の私鉄車両の編成を、主要な線区別、使用方別にまとめている。
＊編成表は、車号順（車両の番号の小さい順）もしくは左側を上り方として表示している。
＊矢印で示した駅名は編成の向きを表す目安で、その項に記載された車両・編成の運転区間を表したものではない。
＊編成表は、基本編成での表記を原則としている。
（ただし、実際の使用方が判別しにくいと思われる場合は、実際の使用方で編成表を作成するとともに、特記している）
＊両数表は4月1日現在で集計し、4月1日付の竣工・廃車の取扱い（両数に含むか否か）は、各社の慣例にならっている。
＊大手私鉄と大都市の公営交通（地下鉄）については、優先席・車イス対応スペース・弱冷房車を記号や太字などで区別した。
＊大手私鉄とこれに準ずる企業体の全般検査施工箇所は、車両基地の欄に〔全〕または該当する線区の頁に記入した。
＊車種を表す記号の細かい分類については、原則的に各社の基準による。
＊機関車の出力は、小数点以下を四捨五入して表示している。
＊日付は、すべて西暦で表示してある。
＊車両形式、両数右に表示の丸中数字は片側客用ドア数［路面電車の連接車は編成あたり］

※編成表のおもな記号・略号は以下のとおり
Mc……制御電動車　M……中間電動車　Tc……制御車　T……付随車　Ts……グリーン車

※電車の主要機器については以下の略号で示す（ただし、1両あたりの搭載数を示すものではない）
主制御器……R（抵抗制御）　C（電機子チョッパ）　V（VVVF）
F（界磁チョッパ、界磁位相制御、界磁添加励磁制御、分巻界磁抵抗）
補助電源……M（電動発電機）　S（インバータ）　DD DC-DCコンバータ　＊M、S、DDは冷房用電源兼用
空気圧縮機…CP

※車体形状は以下の略号で示す
①外形
箱形（電車・気動車・客車）　凸形(機関車)　凸形(機関車)　L形(機関車)

②先頭車
非貫通　貫通　非常口付き
＊一般的な貫通式の形態であっても、
幌の取付けなどができないものは非常口付きに含める

③中間車
運転台撤去車で
ドア・仕切の残るもの
簡易運転台取付車

④貫通路・連結器
＋　－
貫通路＝左側は狭幅（標準）、右側は広幅（貫通幌の幅で判断）
連結器＝－は半永久タイプ（半永久形、棒状連結器）
先頭車連結器については5頁参照

⑤集電装置
＝パンタグラフ
＝下枠交差式パンタグラフ
＝Z型・シングルアーム式パンタグラフ
／＝ビューゲル・トロリーポール

⑥冷房（空調）装置
分散式　集中式　床下式

⑦連接車（モノレール・新交通は幌なしで表示）
○●　○○　●○　（● 駆動軸　○ 付随軸）

札幌市交通局　南車両基地・東車両基地・西車両基地・車両センター　409両

南北線(南車両基地)　120両　④

←真駒内　　麻生→

5000形　120両［密連］

女 ①	♿②	③	④	⑤♿	⑥
Tc1 5100	M1 5200	M1 5300	T 5400	M1 5500	Tc2 5600
S	V	V	CP	V	S
5101	5201	5301	5401	5501	5601
5102	5202	5302	5402	5502	5602
5103	5203	5303	5403	5503	5603
5104	5204	5304	5404	5504	5604
5105	5205	5305	5405	5505	5605
5106	5206	5306	5406	5506	5606
5107	5207	5307	5407	5507	5607
5108	5208	5308	5408	5508	5608
5109	5209	5309	5409	5509	5609
5110	5210	5310	5410	5510	5610
5111	5211	5311	5411	5511	5611
5112	5212	5312	5412	5512	5612
5113	5213	5313	5413	5513	5613
5114	5214	5314	5414	5514	5614
5115	5215	5315	5415	5515	5615
5116	5216	5316	5416	5516	5616
5117	5217	5317	5417	5517	5617
5118	5218	5318	5418	5518	5618
5119	5219	5319	5419	5519	5619
5120	5220	5320	5420	5520	5620

東西線(東車両基地)　168両　④

←新さっぽろ　　宮の沢→

8000形　168両［密連］

①	♿②	③	女 ④	⑤	⑥♿	⑦
Tc1 8100	M1 8200	M2 8300	T1 8400	T3 8600	M4 8800	Tc2 8900
S	V	V	CP		V	S
8101	8201	8301	8401	8601	8801	8901
8102	8202	8302	8402	8602	8802	8902
8103	8203	8303	8403	8603	8803	8903
8104	8204	8304	8404	8604	8804	8904
8106	8206	8306	8406	8606	8806	8906
8107	8207	8307	8407	8607	8807	8907
8108	8208	8308	8408	8608	8808	8908
8109	8209	8309	8409	8609	8809	8909
8110	8210	8310	8410	8610	8810	8910
8111	8211	8311	8411	8611	8811	8911
8112	8212	8312	8412	8612	8812	8912
8113	8213	8313	8413	8613	8813	8913
8114	8214	8314	8414	8614	8814	8914
8115	8215	8315	8415	8615	8815	8915
8116	8216	8316	8416	8616	8816	8916
8117	8217	8317	8417	8617	8817	8917
8119	8219	8319	8419	8619	8819	8919
8120	8220	8320	8420	8620	8820	8920
8121	8221	8321	8421	8621	8821	8921
8122	8222	8322	8422	8622	8822	8922
8123	8223	8323	8423	8623	8823	8923
8124	8224	8324	8424	8624	8824	8924
8125	8225	8325	8425	8625	8825	8925
8126	8226	8326	8426	8626	8826	8926

東豊線(西車両基地)　80両　④

←栄町　　福住→

9000形　80両［密連］

①♿	②♿	♿③	♿④	
Tc1 9100	M1 9200	M2 9300	Tc2 9800	新製月日
CP	V	V	S	
9101	9201	9301	9801	15.05.08川重
9102	9202	9302	9802	15.05.29川重
9103	9203	9303	9803	15.06.02川重
9104	9204	9304	9804	15.06.09川重
9105	9205	9305	9805	15.07.01川重
9106	9206	9306	9806	15.07.14川重
9107	9207	9307	9807	15.08.12川重
9108	9208	9308	9808	15.09.15川重
9109	9209	9309	9809	15.10.08川重
9110	9210	9310	9810	15.11.06川重
9111	9211	9311	9811	15.12.08川重
9112	9212	9312	9812	16.01.08川重
9113	9213	9313	9813	16.02.09川重
9114	9214	9314	9814	16.03.07川重
9115	9215	9315	9815	16.04.06川重
9116	9216	9316	9816	16.05.11川重
9117	9217	9317	9817	16.06.03川重
9118	9218	9318	9818	16.06.25川重
9119	9219	9319	9819	16.07.29川重
9120	9220	9320	9820	16.09.06川重

▽9000形は2015.05.28から営業運転開始

▽全般検査は各線区の車両基地で行なう
南車両基地(南北線自衛隊前付近)
東車両基地(東西線ひばりが丘付近)
西車両基地(東西線二十四軒付近)
車両センター（電車事業所前付近）

▼優先席……全車両に設置
▼車イス対応スペース……♿の車両に設置

▼女は女性と子どもの安心車両。
始発から９時まで実施
南北線は、2008.12.15 ～
東西線は、2009.07.13 ～
▼ホームドア(可動式ホーム柵)設置完了に
あわせてワンマン運転実施。
南北線は、2013.04.01 ～
東西線は、2009.04.01 ～
東豊線は、2017.04.01 ～

▽9102編成は、2016.03.17から
北海道日本ハムファイターズ のラッピング車両

形式	両数
5000形	
5100	20
5200	20
5300	20
5400	20
5500	20
5600	20
	120
8000形	
8100	24
8200	24
8300	24
8400	24
8600	24
8800	24
8900	24
	168
9000形	
9100	20
9200	20
9300	20
9800	20
	80
計	368

一条線・山鼻線・山鼻西線・都心線（車両センター）[路面電車]　41両（36＋5）

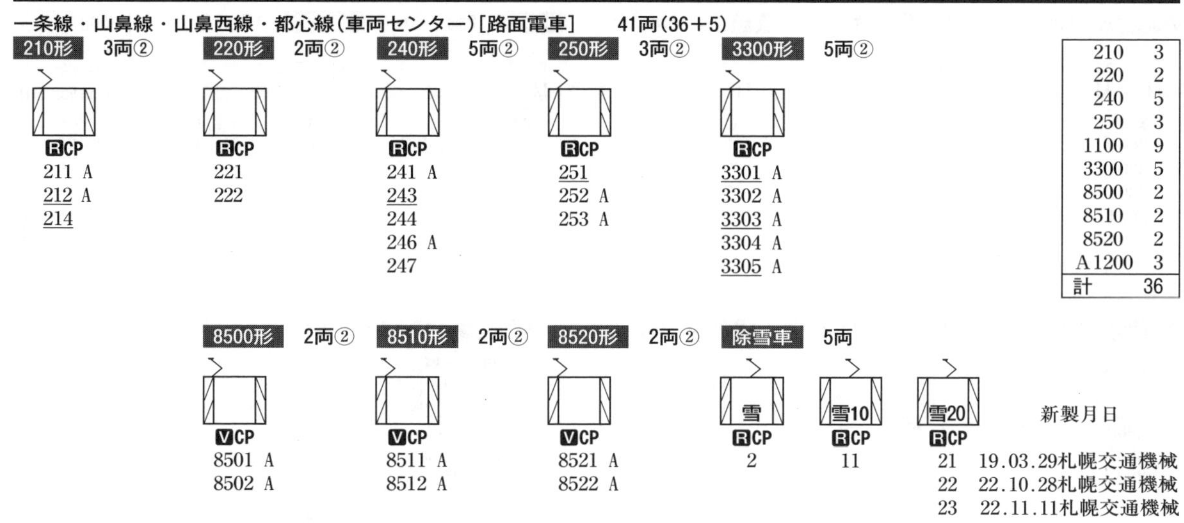

1100形　9両「シリウス」②

A1200形　3両「ポラリス」②

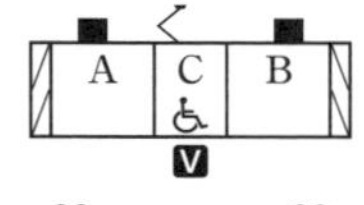

新製月日

●○　○●

A1201	13.03.29アルナ
A1202	14.03.28アルナ
A1203	14.05.09アルナ

▽2020.04.01　上下分離方式の導入により、運送事業は一般財団法人 札幌市交通事業振興公社に。施設・車両の保有整備はこれまで通り札幌市交通局が担う

▽8500形·8510形·8520形はＶＶＶＦ制御(8510形は、2012年度に機器更新)
▽車体塗色　無印＝上半・ベージュ／下半・グリーン(境目に白帯)
　　　　　　Ａ＝新標準色(ライトグリーン・スカート部分ホワイト)
▽3300形は330形の電機品を流用し、車体を新製
▽＿＿は全面広告車
211=ロゴスホールディングス(22.08.01 ～)　212=三井不動産(21.09.01 ～)
221=幌北学園(22.10.01 ～)　246=サイサン(22.07.01 ～)　247=ビッグ(22.09.01 ～)
251=北海道アルバイト情報社(20.11.01 ～)
252=ビッグ(22.07.01 ～)　3301=ワミレスコスメティックス(21.07.01 ～)
3303=有楽製薬(22.04.01 ～)　1106=中ウォークん号[非広告] (22.12.14 ～)
▽Ａ1200形は低床車両、Ｃ車は台車なし。2013.05.05から営業運転開始
▽1100形は低床車両。2018.10.27から営業運転開始
▽1100形・Ａ1200形に車イス対応スペース設置
▽2015.12.20 西４丁目～すすきの間(約400m)開業に伴い環状運転開始。
行先表示は、方向と行先を併記。方向は時計回りが「外回り」、反時計回りが「内回り」。
行先が決まっていない環状運転は「循環」、行先が決まっている場合は電停名を表示

▽札幌市交通資料館(南北線自衛隊前駅南側高架下)に、
地下鉄1000形(1001-1002)、市電10形22、600形601、320形321、M100形101、Ｄ1040形1041、Ａ800形(A801-A802)、雪８、雪11、雪ＤＳＢ１などを保存
ただし、2017.10 ～ 2024年春頃以降開館予定

連結器の種類(区分)　車両と車両をつなぐ両端連結器　(2019 から掲載)

表示	連結器名称など
自連	柴田式自動連結器[旧国鉄機関車等に採用]　など
密連	柴田式密着連結器[ＪＲ各社の電車等に広く採用されている連結器]
	密着連結器(緩衝器内蔵)［おもにモノレール・新交通にて採用］　など
市交密連	市交(旧大阪市交)型密着連結器
トムリンソン	トムリンソン式密着連結器
小型密着	密着式小型自動連結器(ＮＣＢ-Ⅱ形密着連結器)［旧国鉄ＤＣ・ＰＣ等に採用]
小型自連	小型の自動連結器。自連とそのまま連結可
収納	収納[ロマンスカー等連結器が前面に出ていない]
＋	電気連結器装備(先頭車)［中間車に表示は電気連結器装備、ただし貫通路がない場合は連結器]

函館市企業局　交通部

駒場車庫　37両(32＋5)　**37両**

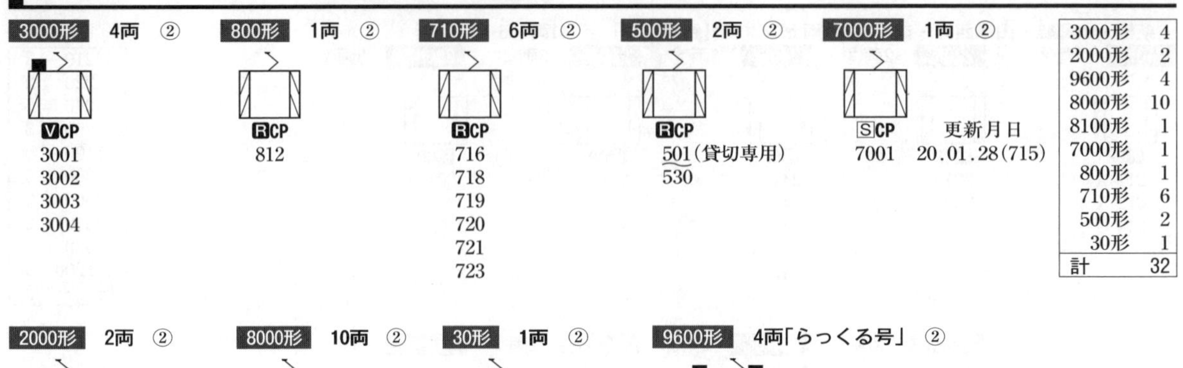

3000形 4両 ②

VCP
3001
3002
3003
3004

800形 1両 ②

RCP
812

710形 6両 ②

RCP
716
718
719
720
721
723

500形 2両 ②

RCP
501(貸切専用)
530

7000形 1両 ②

SCP
7001　更新月日 20.01.28(715)

3000形	4
2000形	2
9600形	4
8000形	10
8100形	1
7000形	1
800形	1
710形	6
500形	2
30形	1
計	32

2000形 2両 ②

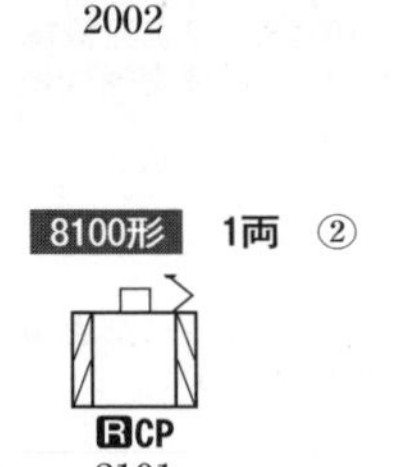

VCP
2001
2002

8000形 10両 ②

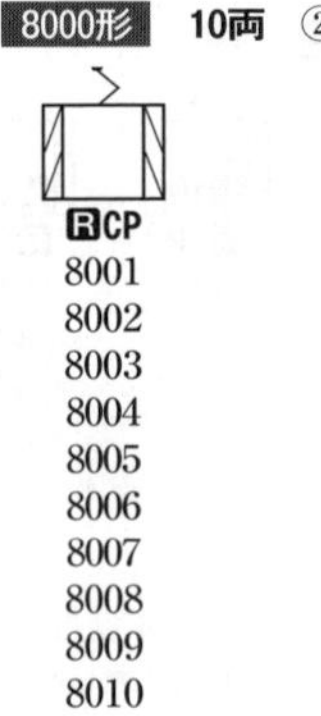

RCP
8001
8002
8003
8004
8005
8006
8007
8008
8009
8010

30形 1両 ②

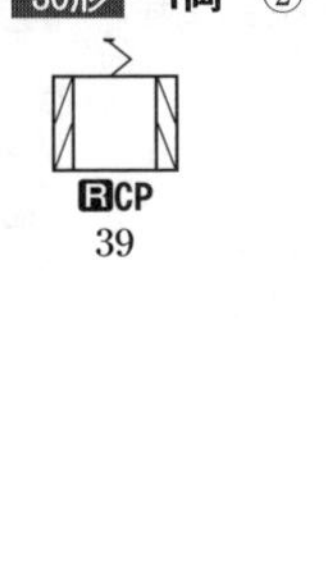

RCP
39

9600形 4両「らっくる号」 ②

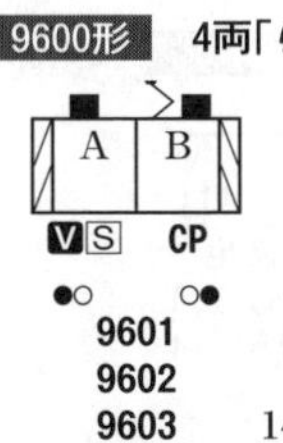

VS　CP
9601
9602
9603　14.01.24新製
9604　18.02.09新製

8100形 1両 ②

RCP
8101

装飾車 3両

RCP
装1
装2
装3

除雪車 2両

RCP
排3
排4

▽～～は車体更新車
▽2000形は2001が8000形に準じた車体、2002は3000形に準じた一段下降窓
▽7000形は710形の車体更新車。制御装置は間接自動→間接非自動、補助電源装置はＳＩＶへ
▽8000形は800形の車体更新車
▽8100形は800形の更新による部分低床車
▽30形(39)は「箱館ハイカラ號」と称する２軸・オープンデッキのレトロ車両。
４月中旬～10月下旬、土曜・休日を中心とした期間運行。
運転日など詳細は函館市企業局交通部のホームページ参照
▽9600形は２車体２台車の超低床車、車イス対応スペースあり
▽車体リニューアル
2001=17.03.17、2002=19.03.22、3001=18.03.23、3002=16.03.18、3004=19.03.25、
8001=17.03.31、8002=18.03.30、8003=19.03.29、8005=23.03.17(車体改良、補助電源装置取替)
▽車両改良(冷房装置=エアコン２台、補助電源装置取替)　8101=21.12.24

●全面広告車スポンサー一覧(2023.04.01 現在)

7001　シゴトガイド(20.04.20 ～)
716　ペシェ・ミニョン(22.11.01)
718　ー休止中ー(22.06.10)
719　長谷川水産
720　西武建設運輸(20.03.01 ～)
721　函館市役所市民部国民年金課
723　五島軒(20.04. ～)
812　ー非広告車両ー
39　ー非広告車両ー
501　ー非広告車両ー
530　ー非広告車両ー
2001　ゴールドジム
2002　コカ・コーラ
3001　マリンブルー号(復刻)(22.12.01)
3002　HK-R 函太郎(20.04.01 ～)
3003　五勝手屋
3004　タナベ食品
8001　函館カールレイモン
8002　函館米穀
8003　うみ街信用金庫(17.01.23 ～信用金庫名称変更)
8004　不動産企画ウィル(21.09.28)
8005　ー非広告車両ー(22.03.28)
8006　ジャックス
8007　ＭＳ保険サービス北海道(19.10.01 ～)
8008　ニューメディア函館センター
8009　いちたかガスワン
8010　布目(15.11.17 ～)
8101　美鈴商事(22.01.17)
9601　転生したらスライムだった件[講談社](21.10.01)
9602　コバック(21.02.15 ～)
9603　ー非広告車両ー
9604　道水(21.07.13)

▽2011.04.01　函館市交通局は、函館市企業局交通部と組織改編

道南いさりび鉄道　函館（ＪＲ北海道函館運輸所構内）　9両

←函館（ＪＲ北海道）・五稜郭　　木古内→

キハ40形　9両［小型密着］　②

キハ
40

1793　ながまれ仕様
1796　濃赤色（17.06.03～営業）
1798　旧国鉄急行形色（19.03.17～営業）
1799　ながまれ仕様
1807　旧国鉄標準色（朱色。18.06.02～営業）
1810　濃緑色（17.03.26～営業）
1812　山吹色（17.12.04～営業）
1814　３列座席　山吹色（16.07.13～営業）
1815　３列座席　白塗色（17.08.01～営業）

▽2016.03.26　ＪＲ北海道江差線（五稜郭～木古内間 37.8km）を承継して開業。
開業に合わせ、清川口（北斗市役所・かなで～る前）、渡島当別（トラピスト修道院入口）　以上２駅に副駅名
▽車体所属標記は　南イサ

津軽鉄道　五所川原機関区　17両

←津軽五所川原　　津軽中里→

津軽21形　5両②［小型密着］

21-101
21-102
21-103
21-104
21-105

ＤＬ　2両［自連］
ＤＤ350形
ＤＤ35 1（180ps×2）
ＤＤ35 2（220ps×2）

客車　5両［自連］
オハフ33形②　331
オハ46形②　462　463
ナハフ1200形②　1202　1203

ラッセル車　1両［自連］
キ100形
キ101

貨車　4両［自連］
トム１形1･2･3
タム500形501

▽オハ462はイベント車、オハフ33形とオハ46形は石炭ストーブ付き
▽客車列車（気動車を併結）は、冬期（12月１日～３月31日）を中心に運転
〔冬季=「ストーブ列車」、夏季=「風鈴列車」、秋季=「鈴虫列車」。運転日など詳細は津軽鉄道のホームページなどを参照〕
▽津軽21形はワンマン運転が可能。車イス対応スペース設置。愛称は「走れメロス」
▽ＤＬには季節やイベントに応じたヘッドマークを取付け

青函トンネル記念館　1両

←体験坑道　　鋼索　　青函トンネル記念館→

セイカン１

▽1988.07.09開業
▽ＪＲ津軽線三厩駅から竜飛行き外ヶ浜町循環バス〔外ヶ浜町営バス〕30分、
青函トンネル記念館前下車
▽営業期間…4月21日～ 11月06日（2023年度）
詳細は、青函トンネル記念館のホームページを参照

青い森鉄道　運輸管理所(青森信号場)　22両

←青森　目時・盛岡(ＩＧＲいわて銀河鉄道)→

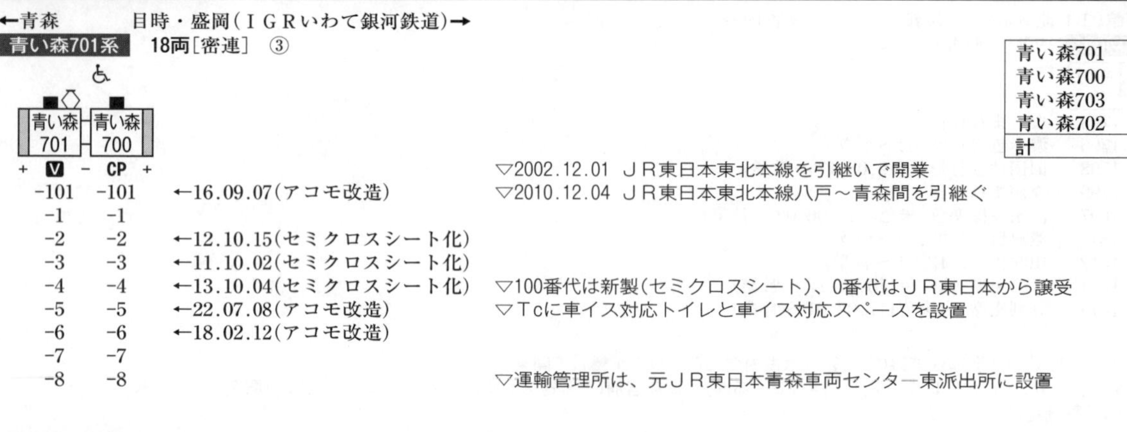

青い森701系　18両［密連］　③

青い森701	9
青い森700	9
青い森703	2
青い森702	2
計	22

青い森701	青い森700	
-101	-101	←16.09.07(アコモ改造)
-1	-1	
-2	-2	←12.10.15(セミクロスシート化)
-3	-3	←11.10.02(セミクロスシート化)
-4	-4	←13.10.04(セミクロスシート化)
-5	-5	←22.07.08(アコモ改造)
-6	-6	←18.02.12(アコモ改造)
-7	-7	
-8	-8	

▽2002.12.01　ＪＲ東日本東北本線を引継いで開業
▽2010.12.04　ＪＲ東日本東北本線八戸～青森間を引継ぐ

▽100番代は新製(セミクロスシート)、0番代はＪＲ東日本から譲受
▽Tcに車イス対応トイレと車イス対応スペースを設置

▽運輸管理所は、元ＪＲ東日本青森車両センター東派出所に設置

青い森703系　4両［密連］　③

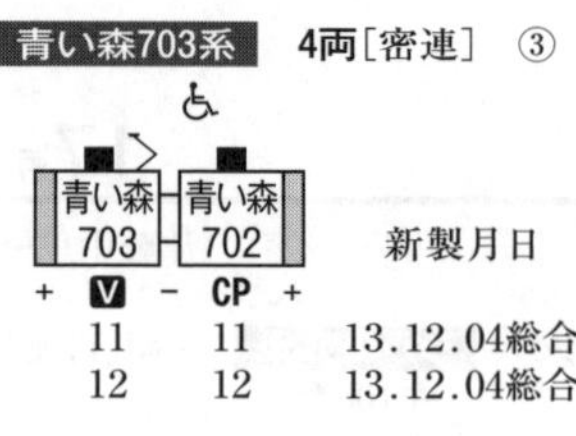

青い森703	青い森702	新製月日
11	11	13.12.04総合
12	12	13.12.04総合

ＩＧＲいわて銀河鉄道　運輸管理所(盛岡駅)　14両

←八戸(青い森鉄道)・目時　盛岡・北上(ＪＲ東日本)→

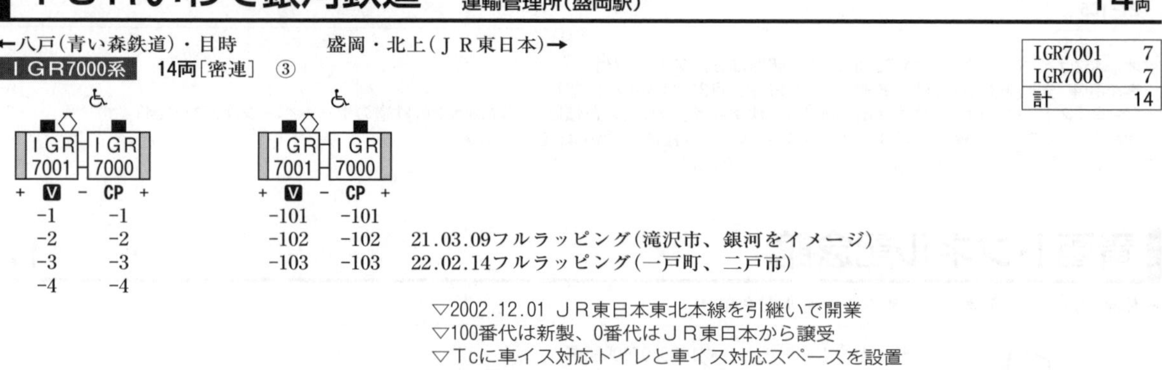

ＩＧＲ7000系　14両［密連］　③

IGR7001	7
IGR7000	7
計	14

ＩＧＲ7001	ＩＧＲ7000
-1	-1
-2	-2
-3	-3
-4	-4

ＩＧＲ7001	ＩＧＲ7000	
-101	-101	
-102	-102	21.03.09フルラッピング(滝沢市、銀河をイメージ)
-103	-103	22.02.14フルラッピング(一戸町、二戸市)

▽2002.12.01　ＪＲ東日本東北本線を引継いで開業
▽100番代は新製、0番代はＪＲ東日本から譲受
▽Tcに車イス対応トイレと車イス対応スペースを設置
▽100番代はセミクロスシート

弘南鉄道 車両区・平賀検修所・大沢検修所 30両

弘南線(車両区・平賀検修所) 14両[小型密着]

←弘前　黒石→

7000形 14両③

Mc 7150	Mc 7100	Mc 7020	Mc 7010
F	- MCP	F	- MCP
7154	Ⓕ7101※	7021	7011
7152	7102	7022	7012
7153	7103	7023	7013
7155	7105		

▽Ⓕはフランジ塗油器取付
▽全車ワンマンカー
▽※=イベント車両(23.01.18)

電気機関車 1両[自連]
ＥＤ33形
ＥＤ333
(93kW×4)

ラッセル車 1両[自連]
キ100形　キ104

貨車 1両[自連]
ホキ800形　ホキ1245

デハ7010	3
デハ7020	3
デハ7100	4
デハ7150	4
計	14

大鰐線(車両区・大沢検修所) 10両[小型密着]

←中央弘前　大鰐→

7000形 8両③　6000形 2両③

Mc 7000	Mc 7000	Mc 6000	Mc 6000
F	- MCP	F	- MCP
7032	7031	6008	6007
7034	7033		
7038	7037		
7040	7039		

電気機関車 1両[自連]
ＥＤ22形
ＥＤ221
(66kW×4)

ラッセル車 1両[自連]
キ100形　キ105

貨車 1両[自連]
ホキ800形
ホキ1246

デハ7000	8
デハ6000	2
計	10

▽デハ6000･7010･7020･7100･7150形は東洋電機、デハ7000形は日立の電機品を使用
▽旧形式対照：デハ6000形＝東京急行電鉄6000系、デハ7010･7020･7100･7150形＝東京急行電鉄7000系
▽電車はステンレス車体、ただし、デハ6000形はセミステンレス
▽全車ワンマンカー

八戸臨海鉄道 八戸貨物機関区 7両

DL 3両[自連]

ＤＤ56形
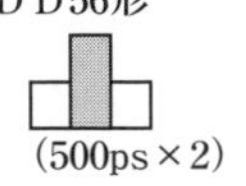
(500ps×2)
DD56 4　←14.07.01北陸重機

ＤＤ16形
(800ps×1)
DD16303

ＤＥ10形
(1350ps×1)
DE101761　20.04.24譲受

貨車 4両[自連]
ホキ800形
ホキ1734･1738･1758･1759

▽路線は、八戸貨物〔青い森鉄道〕～北沼間 8.5km

▽ホキ800形はバラスト運搬用で、青い森鉄道の保線作業にも使用
▽DD16形の旧形式＝ＪＲ東日本DD16形
　DE10形の旧型式＝ＪＲ東日本DE10形
▽DD56 2・3は2020.04.09廃車(譲渡)

秋田内陸縦貫鉄道　阿仁合車両区　11両

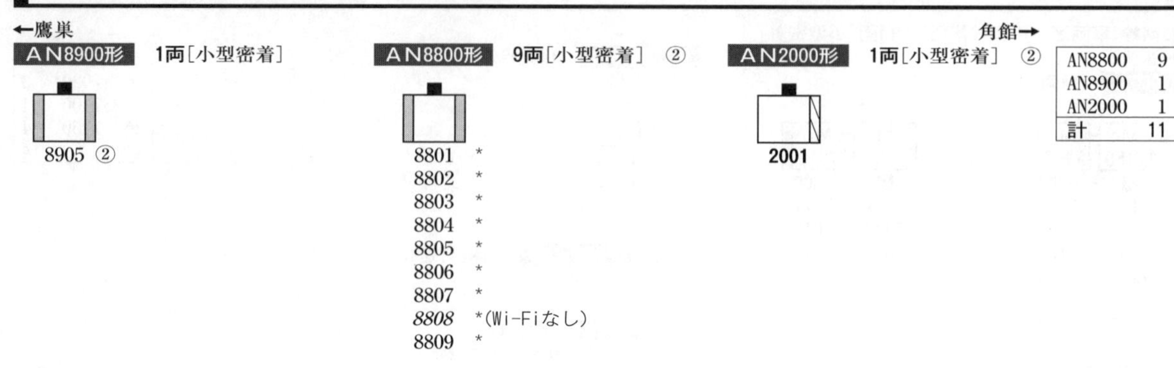

←鷹巣　　角館→

AN8900形　1両［小型密着］

8905 ②

AN8800形　9両［小型密着］ ②

8801 *
8802 *
8803 *
8804 *
8805 *
8806 *
8807 *
8808 *(Wi-Fiなし)
8809 *

AN2000形　1両［小型密着］ ②

2001

形式	両数
AN8800	9
AN8900	1
AN2000	1
計	11

▽1986.11.01 国鉄角館線と阿仁合線を引継ぎ開業、1989.04.01 比立内～松葉間開業

▽8905はトイレ付き
▽2001はラウンジ・トイレ・車イス対応スペース(太字)付きのイベント仕様
　観光列車　秋田縄文号　2021.02.11に改造。同日、車両をお披露目
▽斜字はお座敷車で、イベント、団体用。展望車両(AN2001)と連結、「お座敷もりよし号」にて運転する日もある
▽AN8800·8900形は全車エンジン更新済み(DMF13HS→DMF13HZ)
▽* 印は秋田犬列車 改修工事車
　(①車両改修　②シート張替　③車内外秋田犬ラッピング　④Wi-Fi[外国語ガイド音声ペン取付])
　AN8801=17.12　AN8802=18.02　AN8803=18.12　AN8804=17.10　AN8806=17.07　AN8807=17.01　AN8809=16.12
　AN8805=17.02(車体改修)、20.02(観光列車「笑[EMI]」列車に改修、座席変更)
　AN8808=19.03(車体改修)、18.04(トイレ洋式化＋叉鬼[またぎ]列車に改修)
▽AN8808=車体改修、車内改修、ワンマン機器更新(22.03)
▽AN8904は21.09.12ラストランをもって廃車

由利高原鉄道　矢島運転車両基地　5両

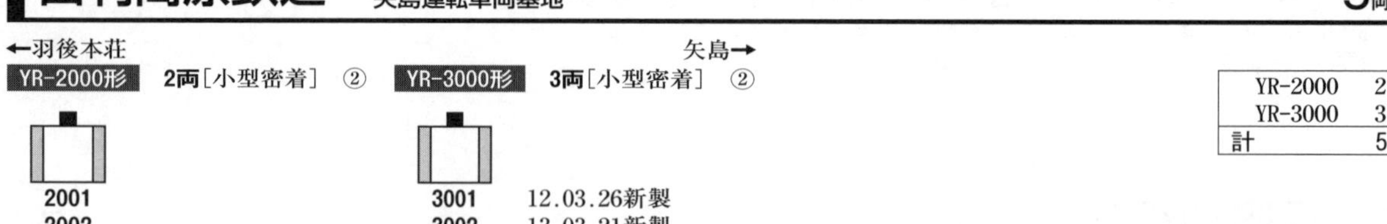

←羽後本荘　　矢島→

YR-2000形　2両［小型密着］ ②

2001
2002

YR-3000形　3両［小型密着］ ②

3001　12.03.26新製
3002　13.03.21新製
3003　14.03.20新製

形式	両数
YR-2000	2
YR-3000	3
計	5

▽1985.10.01 国鉄矢島線を引き継いで開業

▽編成両数…２両＝2D、1D、4D、3D、その他の列車は単行(2010.04.01から)
▽全車両に「おばこ」の愛称付き
▽YR-2000形・YR-3000形は車イス対応スペース、トイレ付き
▽2002はロングシート、木製テーブル、ビデオ、カラオケ、ＢＳ放送付きのイベント対応車
▽2001は18.06.24 鳥海おもちゃ列車「なかよしこよし」
▽リニューアル、ラッピング=YR2001(23.03.10)、YR2002(22.09.10)

三陸鉄道　運行本部(宮古)　26両

リアス線

←盛・釜石　　　　宮古・久慈→

36形　**26両**［小型密着］ ②

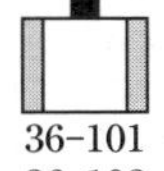

36-101
36-102
36-105
36-109
36-202
36-207
36-208
36-209
36-701　←13.02.24新潟トランシス
36-702　←13.02.24新潟トランシス
36-703　←13.02.24新潟トランシス
36-704　←14.03.24新潟トランシス
36-705　←14.03.24新潟トランシス
36-706　←14.03.24新潟トランシス
36-711　←18.11.16新潟トランシス
36-712　←18.11.16新潟トランシス
36-713　←18.11.16新潟トランシス
36-714　←18.11.16新潟トランシス
36-715　←19.03.04新潟トランシス
36-716　←19.03.04新潟トランシス
36-717　←19.03.04新潟トランシス
36-718　←19.03.04新潟トランシス
36-R1　←14.03.28改造
36-R2　←14.03.28改造
36-R3　←14.03.24新潟トランシス
36-Z1　←14.03.24新潟トランシス

▽2014.04.05　南リアス線吉浜～釜石間運転再開。これにて南リアス線全線復旧
▽2014.04.06　北リアス線小本～田野畑間運転再開。これにて北リアス線全線復旧
▽2019.03.23　ＪＲ東日本山田線釜石～宮古間の移管を受けて、同区間復旧。
南リアス線(盛～釜石間)、北リアス線(宮古～久慈間)は、
リアス線(盛～釜石～宮古～久慈間、営業キロ163.0km)に。定期列車運行開始は03.24

▽36-Ｚ形·36-Ｒ形·36-700形は相互に連結可能(電気指令式ブレーキ採用)
36-100形·36-200形との連結はできない
▽全車両トイレ付き
▽36-Ｚ形・36-Ｒ形・36-700形は車イス対応スペースあり(トイレまたは出入口付近)
▽36-200形には飲料水の自動販売機を設置
▽36-R1·R2はレトロ調車両「さんりくしおさい」、
36-R3はレトロ調車両、36-Z1はお座敷車「さんりくはまかぜ」
▽36-100形、200形はリニューアル車(ブレーキの二重化、空気バネ台車に交換、
エンジン出力を300ps→330psにアップ)
▽ラッピング車両
701＝「ゴルゴ13」(22.06～)
702＝「スマイルとうほくプロジェクト」(22.03～)
703＝「ゾロリ」(21.03～)
704＝「三陸元気！ＧＯＧＯ号」(23.04～)［連続テレビ小説「あまちゃん」放送開始10周年記念］

岩手開発鉄道　盛　48両

←赤崎・盛　　　　岩手石橋→

ＤＬ　**3両**［自連］

ＤＤ56形
(600ps×2)
ＤＤ5601

ＤＤ56形
(600ps×2)
ＤＤ5651　21.02.17　機関換装(DMF31SD1→6L16CX［600PS］)
ＤＤ5653　19.12.12　機関換装(DMF31SD1→6L16CX)

貨車　**45両**(私有貨車)［自連］
ホキ100形
101·102·105～107·109～114
116·119～138·140～152

▽ホキ116、122、123、151、152=21.03.19 制御弁変更(EA-1制御弁化)
▽DD5601=22.01.19機関換装(DMF31SD1→6L16CX［600PS］)
▽冷房装置追設工事　DD5651=22.05.31、DD5653=22.06.02
▽2023.07　DD5602 が増備予定

仙台市交通局　富沢車庫・荒井車庫　144両

南北線(富沢車庫)　84両

←富沢　　　　　　　　泉中央→

1000N系　84両(アルミ車体)［密連］④

	①	②♿	③♿	④
	Tc1 1100N	M1 1200N	M2 1300N	Tc2 1600N
	－	V	－ ⓈCP －	
01	1101	1201	1301	ⓟ1601
02	1102	1202	1302	ⓟ1602
03	1103	1203	1303	1603
04	1104	1204	1304	1604
05	1105	1205	1305	1605
06	1106	1206	1306	1606
07	1107	1207	1307	1607
08	1108	1208	1308	1608
09	1109	1209	1309	1609
10	1110	1210	1310	1610
11	1111	1211	1311	1611
12	1112	1212	1312	1612
13	1113	1213	1313	1613
14	1114	1214	1314	1614
15	1115	1215	1315	1615
16	1116	1216	1316	1616
17	1117	1217	1317	1617
18	1118	1218	1318	1618
19	1119	1219	1319	ⓟ1619
20	1120	1220	1320	1620
21	1121	1221	1321	1621

▽全列車ワンマン運転。全駅ホーム柵設置
▽ⓟはレール塗油器取付車
▽７人掛けシートに縦手すりを設置。これにより６人掛けと変更
▽1000N系の車号末尾にNは付かない

▼優先席……全車両に設置
▼車イス対応スペース……♿の車両に設置

1000N系		
	1100N	21
	1200N	21
	1300N	21
	1600N	21
		84
2000系		
	2100	15
	2200	15
	2400	15
	2500	15
		60
計		144

東西線(荒井車庫)　60両

←荒井　　　　　　　八木山動物公園→

2000系　60両(アルミ車体)［密連］③

	①♿	②♿	♿③	♿④
	Mc1 2100	M1 2200	M2 2400	Mc2 2500
	ⓈCP －	V －	V －	ⓈCP
01	2101	2201	2401	2501
02	2102	2202	2402	2502
03	2103	2203	2403	2503
04	2104	2204	2404	2504
05	2105	2205	2405	2505
06	2106	2206	2406	2506
07	2107	2207	2407	2507
08	2108	2208	2408	2508
09	2109	2209	2409	2509
10	2110	2210	2410	2510
11	2111	2211	2411	2511
12	2112	2212	2412	2512
13	2113	2213	2413	2513
14	2114	2214	2414	2514
15	2115	2215	2415	2515

▽鉄輪式リニアモーター方式
▽全列車ワンマン運転。全駅ホーム柵設置
▽全車両に車イス対応スペース、優先席を設置
▽リンク式操舵台車採用

▽東西線(荒井～八木山動物公園間)は、2015.12.06開業。
途中、仙台駅にて、地下鉄南北線、ＪＲ(東北新幹線・東北本線・仙山線・仙石線)と接続

▽仙台市電保存館(富沢車両基地構内、公開は土休日を中心に開館)に、モハ１形１、モハ100形123、モハ400形413などを保存、展示

仙台空港鉄道　6両

←仙台（ＪＲ東日本）・名取　仙台空港→

SAT721系　6両［密連］　③

クモハSAT721	3
クハSAT720	3
計	6

Mc 721 – Tc 720

＋ V	− SCP ＋
-101	**-101**
-102	**-102**
-103	**-103**

▽2007.03.18開業
▽クモハSAT721形の連結面に荷物置場、
　クハSAT720形に車イス対応スペース（太字）と車イス対応トイレを設置
▽車両の検修はＪＲ東日本の仙台車両センターで実施

仙台臨海鉄道　仙台港機関区　5両

DL　5両［自連］

ＳＤ55形

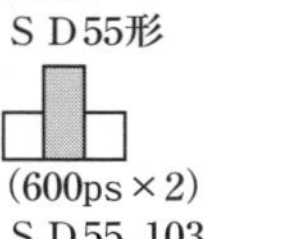

（600ps×2）
ＳＤ55 103

ＤＥ65形

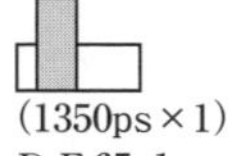

（1350ps×1）
ＤＥ65 1
ＤＥ65 2
ＤＥ65 3
ＤＥ65 5

▽ＳＤ55103は、ＤＤ55形のエンジンを換装して改番
▽秋田臨海鉄道から借入中であったＤＥ65 2は2017.03.17に譲受。1250PS
　19.11.20=ナンバープレートのブロックプレート化
▽ＤＥ65 1は、元ＪＲ東日本ＤＥ151538(20.10.04譲受、21.10.01運用開始［全検施工］)
▽ＤＥ65 3は、元ＪＲ東日本ＤＥ101536(19.07.05譲受、20.06.01運用開始［全検施工］)
▽ＤＥ65 5は、元秋田臨海鉄道ＤＥ101250(21.03.01譲受、21.03.31運用開始)
　このＤＥ65 5のみ、向きが逆(エンド異なる)
▽ＤＥ65 1・3・5　のエンジンは1350PS

▽路線は、陸前山王〔東北本線〕～仙台港～仙台北港間 5.4km、仙台港～仙台埠頭間 1.6km、仙台港～仙台西港間 2.5km
▽東日本大震災からの復旧
　2011.11.25＝陸前山王～仙台西港間、2012.03.13＝仙台埠頭駅のレール輸送、2012.03.19＝仙台港駅コンテナ貨物輸送、
　仙台港～仙台北港間は2012.09.07復旧、油タンク輸送開始

山形鉄道　荒砥運転所　6両

←赤湯　荒砥→

YR-880形　4両［小型密着］　②

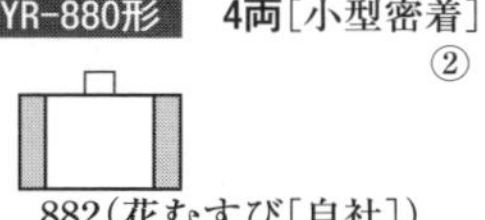

882（花むすび［自社］）
883（ベニ花　白鷹町）
884（サクラ　南陽市）
886（アヤメ　長井市）

YR-880-2形　2両［小型密着］　②

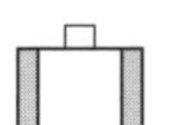

887
888（ダリア　川西町）

▽1988.10.25 ＪＲ東日本長井線を引継ぎ開業
▽車両ごとの愛称は、県花や沿線の都市を
　代表する花にちなんだもの
▽YR-880-2形はオールロングシートでトイレなし
▽YR-882 2013.08.31=エンジンを13ＨＺに換装
▽YR-882 17.01.10=ロングシート化
▽2023.04.22　開業100周年

福島交通　桜水車庫　16両

←福島　飯坂温泉→

7000系　2両（ステンレス車体）［小型密着］　③

Mc 7100 – Mc 7200

F	− MCP
7101	7202

1000系　14両（ステンレス車体）［小型密着］③

Mc 1100 – Tc 1200

V	− SCP
1107	**1208**
1103	**1204**
1101	**1201** ←19.01.09
1105	**1206** ←19.01.09

Mc 1100 – M 1300 – Tc 1200

V	− V	− SCP
1109	**1313**	**1210**
1111	**1314**	**1212**

1000系		
	1100	6
	1200	6
	1300	2
7000系		
	7100	1
	7200	1
計		16

▽7000系の冷房装置は簡易床上形
▽３両編成は平日朝夕ラッシュ時のみ運転
▽7000系は19.03.31限りにて定期運行終了

▽1000系は17.04.01から営業運転を開始
▽1200・1300に車イス対応スペース（太字）設置

阿武隈急行　車両基地(梁川駅構内)　20両

←福島　槻木・仙台(JR東日本)→

8100系　10両[密連]　②

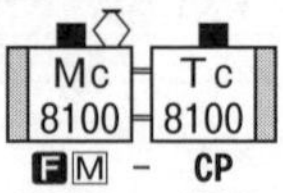

Mc 8100 - Tc 8100

FM - CP

8107 8108
8109 8110
8111 8112
8115 8116
8117 8118

AB900系　10両(ステンレス車体)[密連]　③

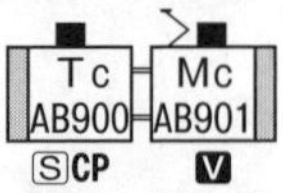

Tc AB900 - Mc AB901

SCP　V

AB900-1 AB901-1 19.03.15総合
AB900-2 AB901-2 20.03.26総合
AB900-3 AB901-3 22.03.15総合
AB900-4 AB901-4 23.03.15総合
AB900-5 AB901-5 23.03.15総合

8100系	
AM8100	5
AT8100	5
AB900系	
AB900	5
AB901	5
計	20

▽2019.07.01営業運転開始
▽AB900に車イス対応大型トイレ
▽AB900-2 編成=22.07.24(ポケモンラッピング電車「阿武急ラブラス＆ラッキートレイン」)

▽1986.07.01 国鉄丸森線を引継ぎ開業
▽丸森～福島間は1988.07.01開業
▽8100系の全ドアは半自動式。AT8100形にトイレ
▽全車、ＡＴＳ-Ｐsを搭載
▽全車両、行先表示器ＬＥＤ化、標識灯カバーを変更

福島臨海鉄道　鉄道事業所　4両

DL　4両[自連]

ＤＤ56形 (600ps×2)
ＤＤ56 1
ＤＤ56 2

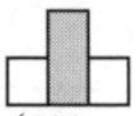

ＤＤ55形 (600ps×2)
ＤＤ5531

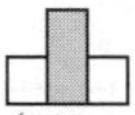

ＤＢ25形 (200ps×1)
ＤＢ25 3

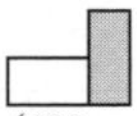

▽路線は、泉〔常磐線〕～小名浜間 4.8km

▽ＤＤ56形、ＤＤ55形が本線用、
ＤＢ25形は入換用
ＤＤ55 31=2012.09.25機関換装(600ps×2)
▽ＤＢ25形は東邦亜鉛㈱が所有
▽ＤＤ55·ＤＤ56形の塗色は赤をベースにクリーム色の帯

▽2015.01.13 東日本大震災の復興事業に伴い、
小名浜駅を西側に約600m移転、営業開始。
この移転工事完成に伴い、営業キロ数を変更

野岩鉄道　技術区　4両

←(東武鉄道)・新藤原　会津高原尾瀬口→

6050系　4両[密連]　②

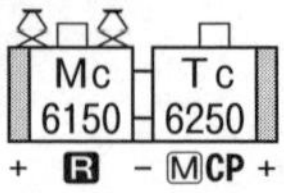

Mc 6150 - Tc 6250　2パン化

+ R - MCP +

61102 62102 18年度
61103 62103 18.02.21 改修工事中

▽車両の管理は東武鉄道に委託
▽営業キロ数は、新藤原～会津高原尾瀬口間30.7km
▽クハ6250形にトイレ設備
▽2022.03.12改正にて、会津鉄道会津高原尾瀬口～会津田島間乗入れ終了

会津鉄道　田島車両基地(田島駅構内)　11両

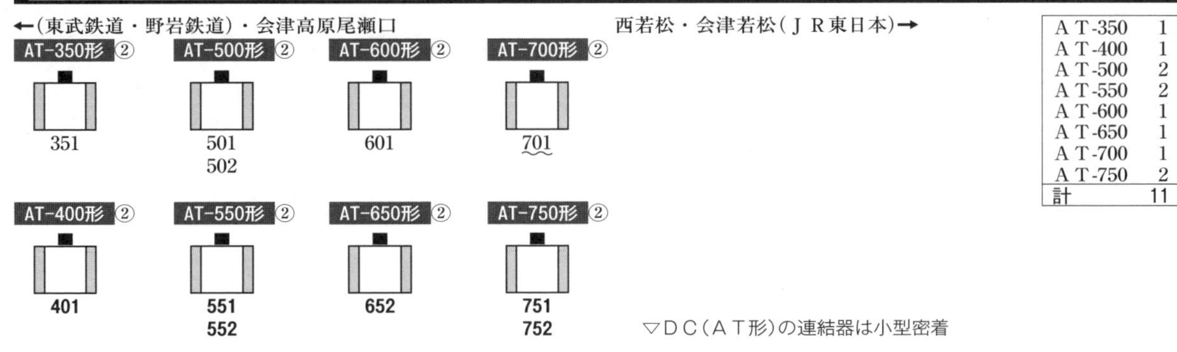

ＡＴ-350	1
ＡＴ-400	1
ＡＴ-500	2
ＡＴ-550	2
ＡＴ-600	1
ＡＴ-650	1
ＡＴ-700	1
ＡＴ-750	2
計	11

▽ＤＣ(ＡＴ形)の連結器は小型密着

▽1987.07.16　ＪＲ会津線を引継ぎ開業
▽太字の車両はトイレ付き(AT-400·550·650·750形は車イス対応)
▽6050系は、2022.03.12改正にて、野岩鉄道、東武鉄道への乗入れ終了。03.31にて廃車
▽AT-351はトロッコ車(AT-401とともに2021.07.10、会津木綿を基調としたデザインにラッピング変更)
▽AT-401は愛称「風覧望」、会津若松寄りがハイデッカーの展望室・半室お座敷車両で、AT-351と連結
▽旧形式：AT-400＝ＪＲキハ40
▽AT-500·550形は全長18.5m、エンジン出力350ps、
▽AT-502は14.06.27、野口英世肖像画から「ゆるキャラ」に変更
AT-552は、14.04.05から「花咲くあいづ」をイメージ、沿線市町村の「ゆるキャラ」を配置
AT-501＝12.03.25(自転車を固定する器具を車内に設置[２箇所、合計６台]に伴い定員変更)
12.03.17(車体塗装を白を基調に緑のライン、窓枠部黒に変更)
AT551＝22.07.16(ラッピングを「猫駅長」に変更)
▽AT-600·650形はエンジン出力420ps、転換式クロスシート、車イス対応スペース付き、「AIZUマウントエクスプレス号」に使用
▽AT-700·750形はエンジン出力420ps、回転式リクライニングシート、通路床面にカーペットを敷き、
外装は極上の会津キャンペーンである「深みのある赤色」を基調に、窓枠は黒、ワンポイントマーク「あかべぇ」の
マスコットを貼り付け、一目で「会津」をイメージするカラーリングとした。
前8500形の後継車両として「ＡＩＺＵマウントエクスプレス号」に使用
▽「ＡＩＺＵマウントエクスプレス号」は、2012.03.17から、東武日光まで乗入れ開始。
磐越西線喜多方までは、引続き、土休日を中心に延長運転

わたらせ渓谷鐵道　大間々検修庫　15両

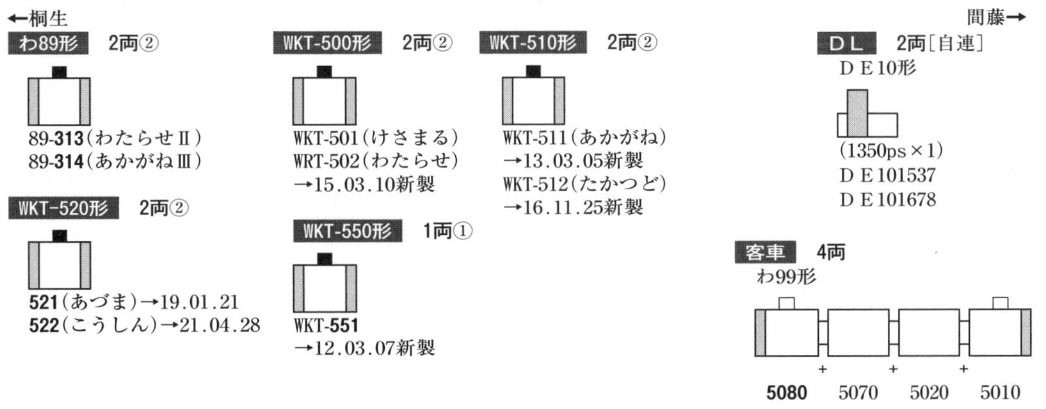

▽1989.03.29　ＪＲ東日本足尾線を引継ぎ開業
▽わ89形は、セミクロス。フランジ塗油器取付
▽太字はトイレ付き
▽ＷＫＴ-500形は、ロングシート、車イス対応スペースあり、フランジ塗油器付き
▽ＷＫＴ-510形は、セミクロスシート、車イス対応スペースあり、フランジ塗油器付き
ＷＫＴ-511のみ「トロッコわっしー号」カラー(４～11月は「トロッコわっしー号」に連結して運転)
▽ＷＫＴ-550形は、「トロッコわっしー号」。クロスシート、車イス対応スペースあり、フランジ塗油器付き
窓周りは赤と橙(オレンジ)の「トロッコわっしー号」カラー
▽WKT520形はクロスシート、車イス対応スペースあり、フランジ塗油器付き
▽わ99形は「トロッコわたらせ渓谷号」に使用。
5020(かわせみ)・5070(やませみ)は、京王電鉄5000系から改造のトロッコ客車(客用扉なし)。
5010・5080は元ＪＲスハフ12形で、5010の便所・洗面所は使用中止。
車体外部に5010＝ＷＲ１、5080＝ＷＲ２と標記されている。
▽「トロッコわたらせ渓谷号」「トロッコわっしー号」の運転日は、わたらせ渓谷鐵道のホームページなどを参照
▽ＤＣ(わ89・ＷＫＴ形)と客車の連結器は小型密着

上信電鉄 高崎車両区 29両

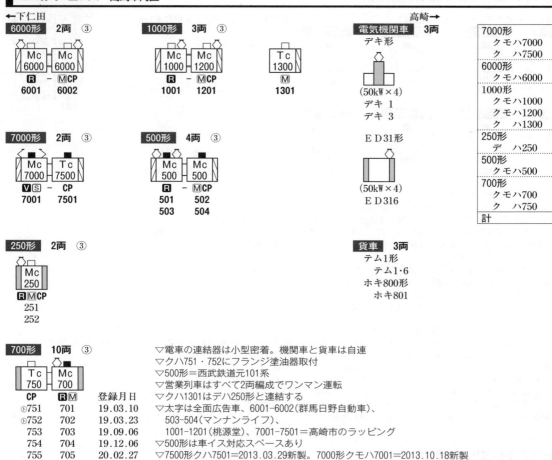

←下仁田　　高崎→

6000形 2両 ③

Mc 6000 - Mc 6000
R － MCP
6001 6002

1000形 3両 ③

Mc 1000 - Mc 1200 ／ Tc 1300
R － MCP ／ M
1001 1201 ／ 1301

電気機関車 3両

デキ形
(50kW×4)
デキ 1
デキ 3

ＥＤ31形
(50kW×4)
ＥＤ316

7000形 2両 ③

Mc 7000 - Tc 7500
VS － CP
7001 7501

500形 4両 ③

Mc 500 - Mc 500
R － MCP
501 502
503 504

250形 2両 ③

Mc 250
RMCP
251
252

貨車 3両

テム1形
テム1･6
ホキ800形
ホキ801

7000形	
クモハ7000	1
ク　ハ7500	1
6000形	
クモハ6000	2
1000形	
クモハ1000	1
クモハ1200	1
ク　ハ1300	1
250形	
デ　ハ250	2
500形	
クモハ500	4
700形	
クモハ700	5
ク　ハ750	5
計	23

700形 10両 ③

Tc 750 - Mc 700

CP	RM	登録月日
Ⓕ751	701	19.03.10
Ⓕ752	702	19.03.23
753	703	19.09.06
754	704	19.12.06
755	705	20.02.27

▽電車の連結器は小型密着。機関車と貨車は自連
▽クハ751・752にフランジ塗油器取付
▽500形＝西武鉄道元101系
▽営業列車はすべて2両編成でワンマン運転
▽クハ1301はデハ250形と連結する
▽太字は全面広告車、6001-6002(群馬日野自動車)、
503-504(マンナンライフ)、
1001-1201(桃源堂)、7001-7501＝高崎市のラッピング
▽500形は車イス対応スペースあり
▽7500形クハ7501＝2013.03.29新製。7000形クモハ7001＝2013.10.18新製
▽700形は19.03.10から運行開始。元ＪＲ東日本107系。702編成は下仁田町ラッピング
703編成は群馬サファリパークのラッピング、704編成はＪＲ東日本時代のまま、
705編成はコーラルレッド色
701編成は桃源堂ラッピング(22.09.02)

上毛電気鉄道 大胡電車庫 17両

←中央前橋　　西桐生→

700形 16両(ステンレス車体)［小型密着］ ③

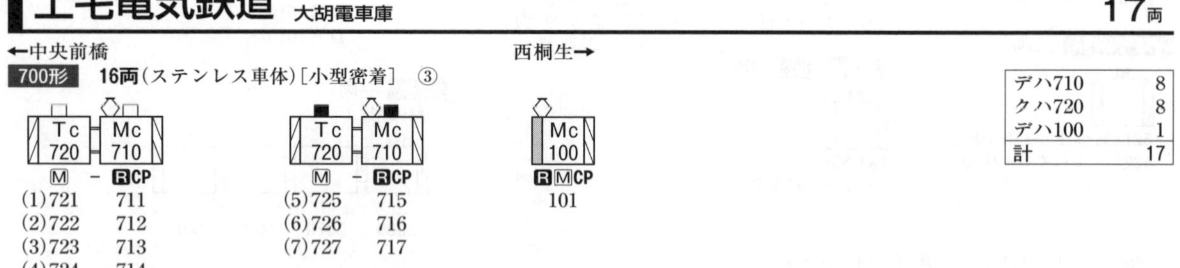

Tc 720 - Mc 710 ／ Tc 720 - Mc 710 ／ Mc 100
M － RCP ／ M － RCP ／ RMCP

Tc	Mc	Tc	Mc	Mc
(1)721	711	(5)725	715	101
(2)722	712	(6)726	716	
(3)723	713	(7)727	717	
(4)724	714			
(8)728	718			

デハ710	8
クハ720	8
デハ100	1
計	17

▽デハ101の塗色は茶色(ブドウ色2号)、おもに貸切運行用に使用される[自連]、2扉
▽デハ710形・クハ720形はワンマン車、旧形式は京王電鉄3000系
▽先頭部(窓回り)の塗色は(1)＝フィヨルドグリーン、(2)＝ロイヤルブルー、(3)＝フェニックスレッド、
(4)＝サンライトイエロー、(5)＝ジュエルピンク、(6)＝パステルブルー、(7)＝ミントグリーン、(8)＝ゴールデンオレンジ
(4)＝水族館電車(2013.04.28)
▽大胡電車庫にデキ3021(元東京急行電鉄)、テ241(元東武鉄道)を静態保存している

秩父鉄道 熊谷車両区 209両

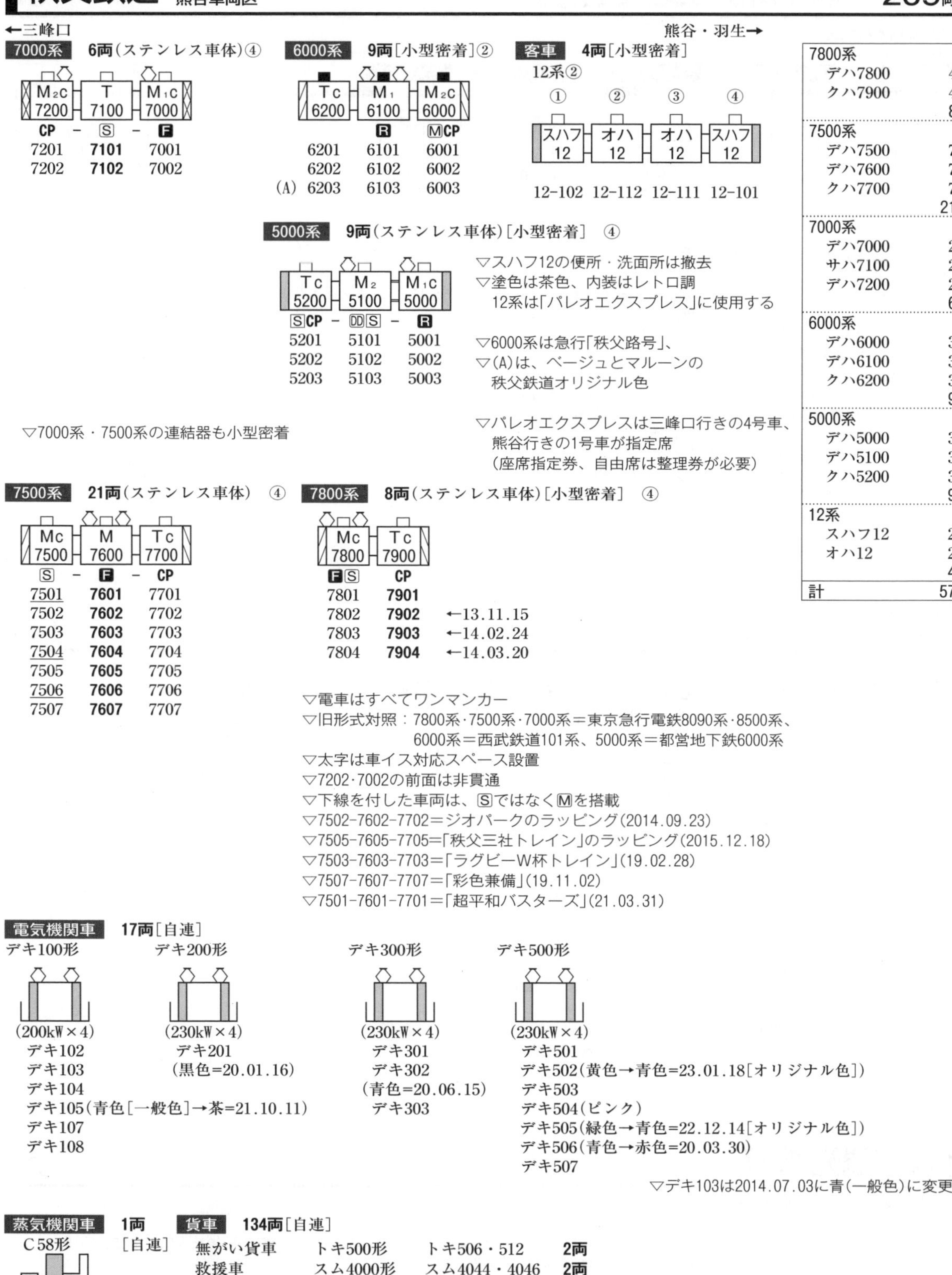

←三峰口　　　　熊谷・羽生→

7000系 6両(ステンレス車体)④

M2c 7200	T 7100	M1c 7000
CP	S	F
7201	**7101**	7001
7202	**7102**	7002

6000系 9両[小型密着]②

	Tc 6200	M1 6100	M2c 6000
		R	M CP
	6201	6101	6001
	6202	6102	6002
(A)	6203	6103	6003

客車 4両[小型密着]

12系②

①	②	③	④
スハフ12	オハ12	オハ12	スハフ12
12-102	12-112	12-111	12-101

5000系 9両(ステンレス車体)[小型密着] ④

Tc 5200	M2 5100	M1c 5000
S CP	DD S	R
5201	5101	5001
5202	5102	5002
5203	5103	5003

▽スハフ12の便所・洗面所は撤去
▽塗色は茶色、内装はレトロ調
12系は「パレオエクスプレス」に使用する

▽6000系は急行「秩父路号」、
▽(A)は、ベージュとマルーンの
秩父鉄道オリジナル色

▽パレオエクスプレスは三峰口行きの4号車、
熊谷行きの1号車が指定席
(座席指定券、自由席は整理券が必要)

▽7000系・7500系の連結器も小型密着

7500系 21両(ステンレス車体) ④

Mc 7500	M 7600	Tc 7700
S	F	CP
7501	**7601**	7701
7502	**7602**	7702
7503	**7603**	7703
7504	**7604**	7704
7505	**7605**	7705
7506	**7606**	7706
7507	**7607**	7707

7800系 8両(ステンレス車体)[小型密着] ④

Mc 7800	Tc 7900	
F S	CP	
7801	**7901**	
7802	**7902**	←13.11.15
7803	**7903**	←14.02.24
7804	**7904**	←14.03.20

形式	両数
7800系	
デハ7800	4
クハ7900	4
	8
7500系	
デハ7500	7
デハ7600	7
クハ7700	7
	21
7000系	
デハ7000	2
サハ7100	2
デハ7200	2
	6
6000系	
デハ6000	3
デハ6100	3
クハ6200	3
	9
5000系	
デハ5000	3
デハ5100	3
クハ5200	3
	9
12系	
スハフ12	2
オハ12	2
	4
計	57

▽電車はすべてワンマンカー
▽旧形式対照：7800系・7500系・7000系＝東京急行電鉄8090系・8500系、
6000系＝西武鉄道101系、5000系＝都営地下鉄6000系
▽太字は車イス対応スペース設置
▽7202・7002の前面は非貫通
▽下線を付した車両は、SではなくMを搭載
▽7502-7602-7702＝ジオパークのラッピング(2014.09.23)
▽7505-7605-7705＝「秩父三社トレイン」のラッピング(2015.12.18)
▽7503-7603-7703＝「ラグビーW杯トレイン」(19.02.28)
▽7507-7607-7707＝「彩色兼備」(19.11.02)
▽7501-7601-7701＝「超平和バスターズ」(21.03.31)

電気機関車 17両[自連]

デキ100形 (200kW×4)
デキ102
デキ103
デキ104
デキ105(青色[一般色]→茶=21.10.11)
デキ107
デキ108

デキ200形 (230kW×4)
デキ201
(黒色=20.01.16)

デキ300形 (230kW×4)
デキ301
デキ302
(青色=20.06.15)
デキ303

デキ500形 (230kW×4)
デキ501
デキ502(黄色→青色=23.01.18[オリジナル色])
デキ503
デキ504(ピンク)
デキ505(緑色→青色=22.12.14[オリジナル色])
デキ506(青色→赤色=20.03.30)
デキ507

▽デキ103は2014.07.03に青(一般色)に変更

蒸気機関車 1両[自連]

C58形
C58363

貨車 134両[自連]

無がい貨車	トキ500形	トキ506・512	**2両**
救援車	スム4000形	スム4044・4046	**2両**
砂利散布車	ホキ1形	ホキ1・2	**2両**
私有貨車	128両		
砿石車	ヲキ100形	ヲキ113・114・116・120・122・123・125～133・135・137～145・147～152・154～162・165～172・174～182・184～243	**115両**
砿石緩急車	ヲキフ100形	ヲキフ115～117・121～124・126～130・132	**13両**

ひたちなか海浜鉄道 那珂湊機関区 8両

湊線(那珂湊機関区)

←阿字ヶ浦　　　　勝田→

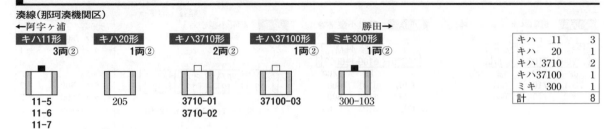

キハ11形	キハ20形	キハ3710形	キハ37100形	ミキ300形
3両②	1両②	2両②	1両②	1両②
11-5 **11-6** **11-7**	205	**3710-01** **3710-02**	**37100-03**	300-103

キハ	11	3
キハ	20	1
キハ	3710	2
キハ	37100	1
ミキ	300	1
計		8

▽全車ワンマンカー。連結器は小型密着
▽旧形式対照
キハ11-5(ＪＲ東海キハ11123)、キハ11-6(東海交通事業キハ11203)、キハ11-7(東海交通事業キハ11204)
キハ11形は2015.12.30から営業運転開始
キハ20形＝水島臨海鉄道キハ20形＝ＪＲキハ20形
ミキ300形＝三木鉄道ミキ300形
▽キハ205は冷房車、朱4号・クリーム4号の塗分け
▽キハ3710·37100形は新塗色(上＝クリーム、下＝濃緑、境目に金帯、扉は黄色)
▽キハ37100形は車イス対応スペースなどバリアフリー関係の充実が図られている
▽ラッピング車　キハ37100-03＝高木製作所(22.04～)
キハ3710-01＝井上工務店
キハ3710-02＝コマツ茨城工場10周年ラッピング
キハ11-5＝磯崎自動車工業(23.04～)
キハ11-7＝クリーニング専科
▼車イス対応スペース…太字の車両に設置

真岡鐵道 検修区(真岡駅構内) 14両

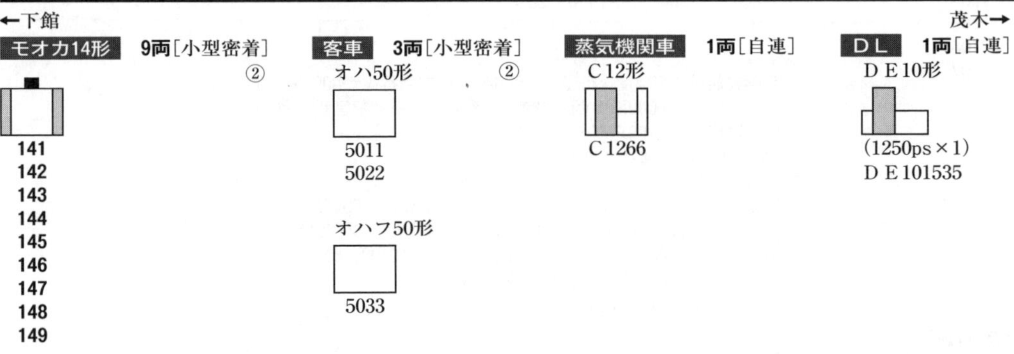

▽1988.04.11 ＪＲ東日本真岡線を引継ぎ開業
▽客車の塗色は茶色に赤帯(帯色は2010年6月29日の出場で白帯から変更)
▽モオカ14形は車イス対応スペース付き
▽ＳＬキューロク館(真岡駅)に、蒸気機関車49671、D51146、スハフ4425、ヨ8593、ワフ15形16、ト1形60、ワ1形12、キハ20247、DE101014、ヨ8016を展示

筑波観光鉄道 2両

←宮脇　鋼索　　筑波山頂→

A　わかば
B　もみじ

▽つくばエクスプレスつくば駅から筑波山シャトルバス約40分、筑池山神社入口から徒歩約15分
▽車体塗色は「わかば」が緑系、「もみじ」が赤系

関東鉄道

56両

常総線　53両(52＋1両)

←取手　　　　　　　　　　　　　　　　　　　　　　下館→

キハ2100形　12両③

2102 -	**2101**
2104	**2103**
2106	**2105**
2108	**2107**
2110	**2109**
2112	**2111**

キハ2300形　10両③

2302 -	**2301**
2304	**2303**
2306	**2305**
2308	**2307**
2310	**2309**

キハ0形　8両③

002 -	001
004	003
006	005
008	007

キハ310形　4両③

316	315
318	317

キハ2200形　4両③

2201
2202
2203
2204

キハ2400形　6両③

2401
2402
2403
2404
2405
2406

キハ5000形　4両③

5001
5002
5003
5004

キハ5010形　2両③

5011
5012

キハ5020形　2両③

5021
5022

形式	両数
キハ　0	8
キハ 310	4
キハ2100	12
キハ2200	4
キハ2300	10
キハ2400	6
キハ5000	4
キハ5010	2
キハ5020	2
計	52

DL　1両

ＤＤ502形

(500ps×1)
ＤＤ502

竜ヶ崎線　3両

←竜ヶ崎　　　　　　　　佐貫→

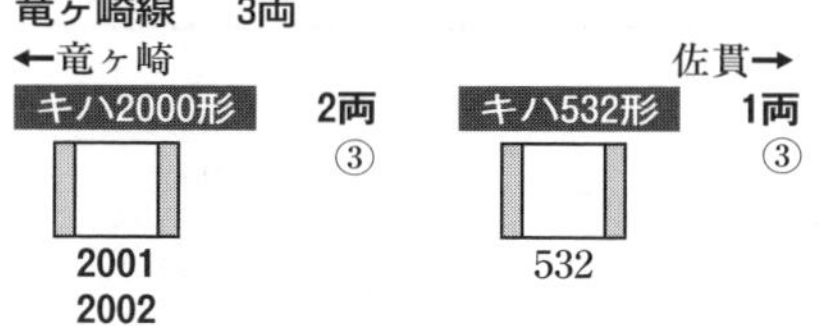

キハ2000形　2両③

2001
2002

キハ532形　1両③

532

形式	両数
キハ2000	2
キハ532	1
計	3

▽旅客車は全車冷房車。連結器は小型密着
▽貫通幌は全車両の下館寄り(竜ヶ崎線車両は佐貫寄り)に取付
▽太字の車両は車イス対応スペース付き
▽全車ワンマンカー
▽キハ2300·2400·5000·5010·5020形は電気指令式ブレーキ
▽車両更新、機関換装他(新潟製→コマツ製)　2105=23.02.16
▽常総線：復刻塗装(赤・クリーム)　2401=21.04.16　2402=21.07.24
▽広告車　2201＋2202=クリーニング専科[15.11.01]
　　　　2002=龍ケ崎市「まいりゅう」ラッピング(3代目)[23.01.28]
　　　　2203=ふらっと294(取手市、つくばみらい市、常総市)[2020.02.27]
　　　　2204=個別指導の明光義塾[22.02.25]
　　　　2403=ろうきんラッピング(青)[22.08.05]
　　　　2404=ろうきんラッピング(ピンク)[23.03.24]
　　　　2405=茨城放送(Lucky FM)[21.04.30]
　　　　5003=茨城県シルバー人材センター[21.07.27]
　　　　5004=鉄道むすめ(関東鉄道、首都圏新都市鉄道)[20.03.07]

鹿島臨海鉄道 神栖駅

18両

←水戸　　　鹿島サッカースタジアム・鹿島神宮（ＪＲ鹿島線）→

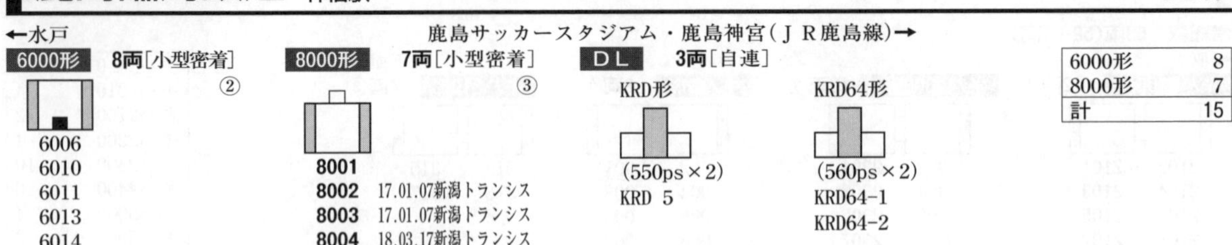

6000形: 6006, 6010, 6011, 6013, 6014, 6015, 6016, 6018

8000形:
8001
8002 17.01.07新潟トランシス
8003 17.01.07新潟トランシス
8004 18.03.17新潟トランシス
8005 19.03.16新潟トランシス
8006 20.03.14新潟トランシス
8007 21.03.13新潟トランシス

KRD形: KRD 5

KRD64形: KRD64-1, KRD64-2

6000形	8
8000形	7
計	15

▽路線は、旅客営業の大洗鹿島線ほか、
　貨物専用の鹿島臨港線（鹿島サッカースタジアム～奥野谷浜間19.2km）がある

▽8000形は2016.03.26から営業運転開始。
　座席はロングシート、車イス対応スペース設置
▽全線でワンマン運転
▽車体広告
　6006＝ガールズ＆パンツァー【両側】(17.12.16)
　6011＝ガールズ＆パンツァー【両面】(15.11.14)
　6013＝クリーニング専科【両面】(15.10.01)→22.11　取外し
　6018＝ガールズ＆パンツァー【両面】(13.11.12)
　6015＝アクアワールド[両面](17.12.29)
　8002＝ＪＸ金属 ラッピング(22.07.10)
　8003＝ＪＸ金属 ラッピング(22.07.10)

銚子電気鉄道 仲ノ町車庫

9両

←銚子　　　外川→

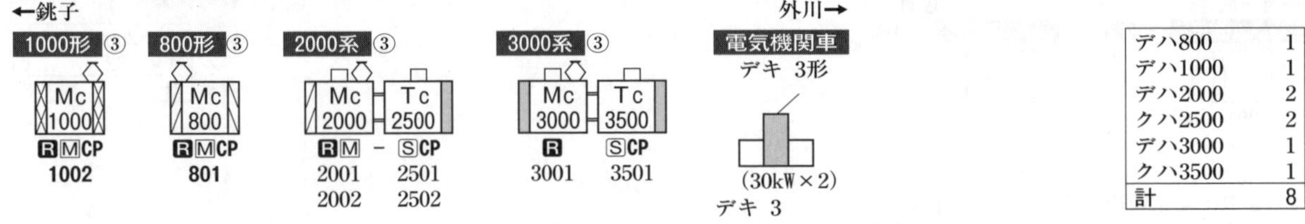

1000形: **1002**

800形: **801**

2000系: 2001 2501 / 2002 2502

3000系: 3001 3501

デキ 3形: デキ 3

デハ800	1
デハ1000	1
デハ2000	2
クハ2500	2
デハ3000	1
クハ3500	1
計	8

▽デハ1000形の旧形式は営団地下鉄2000形
▽太字はワンマンカー
▽3000系（伊予鉄道700系［713＋763］←京王電鉄5000系）は2016.03.26から営業運転開始
▽2000系（伊予鉄道800系←京王電鉄2010系）は2010.07.24から営業運転開始。
　これにともなって、デハ700・800形は2010.09.23限りにて営業運転から離脱。デハ700形は2012年度廃車
▽車体色
　2002-2502＝銚電オリジナル色（ローズピンク＋ベージュ）[2015.04.03」
　デキ3＝黒色[2013.02.09]
▽2001のパンタグラフはPT4322Sへ
▽1002は2015.01.10ラストラン
▽連結器　800形は自連、2000系は小型密着、3000系は小型密着、1000系はアダプター付き、機関車は自連

いすみ鉄道 大多喜運輸区 6両

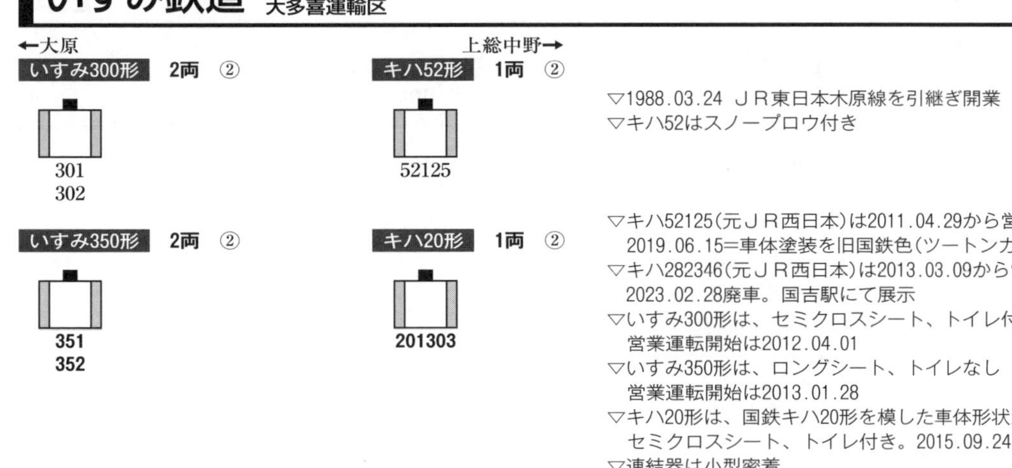

▽1988.03.24 ＪＲ東日本木原線を引継ぎ開業
▽キハ52はスノープロウ付き

▽キハ52125(元ＪＲ西日本)は2011.04.29から営業運転開始
2019.06.15=車体塗装を旧国鉄色(ツートンカラー)
▽キハ282346(元ＪＲ西日本)は2013.03.09から営業運転
2023.02.28廃車。国吉駅にて展示
▽いすみ300形は、セミクロスシート、トイレ付き
営業運転開始は2012.04.01
▽いすみ350形は、ロングシート、トイレなし
営業運転開始は2013.01.28
▽キハ20形は、国鉄キハ20形を模した車体形状が特徴。
セミクロスシート、トイレ付き。2015.09.24から営業運転を開始
▽連結器は小型密着
▼車イス対応スペース…太字の車両に設置

千葉都市モノレール 殿台車両基地(動物公園駅より分岐) 32両

←千葉みなと　県庁前・千城台→

1000形 **16両**(アルミ車体)[密連] ②　**0形** **16両**(アルミ車体)[密連] ②

	♿Mc1 1000	Mc2♿ 1000			♿Mc1 0	Mc2♿ 0	新製月日	
	+ R	SCP +			VCP	VS		
13	**1025**	**1026**	拓匠開発	21	**001**	**002**	12.02.27	千葉県酪農農業協同組合連合会
14	**1027**	**1028**	ユニモちはら台	22	**003**	**004**	12.04.23	キートスチャイルドケア
15	**1029**	**1030**	フィニッシャーリース	23	**005**	**006**	12.09.28	なごみの米屋
16	**1031**	**1032**	博全社	24	**007**	**008**	13.11.30	富士住建
17	**1033**	**1034**	ニッセイアセットメント(緑)	25	**009**	**010**	19.12.20	
18	**1035**	**1036**	安西製作所	26	**011**	**012**	20.02.15	ニチレイ
19	**1037**	**1038**	センチュリー21	27	**013**	**014**	20.07.18	広島建設セナリオハウス
20	**1039**	**1040**	ニッセイアセット マネジメント(青)	28	**015**	**016**	20.10.09	

▽サフェージュ式・直流1500Ｖ
▽VRSCPは屋根上に取付け
▽1000形は塗装車、1025以降は電気連結器を取付
▽全車に車イス対応スペース設置
▽ 0形には、「URBAN FLYER(アーバンフライヤー)」の愛称。塗装車。電気連結器なし
▽運転系統　1号線＝千葉みなと～県庁前。2号線＝千葉みなと～千城台
▽終日2両編成で運転

小湊鐵道 五井気動車区 26両

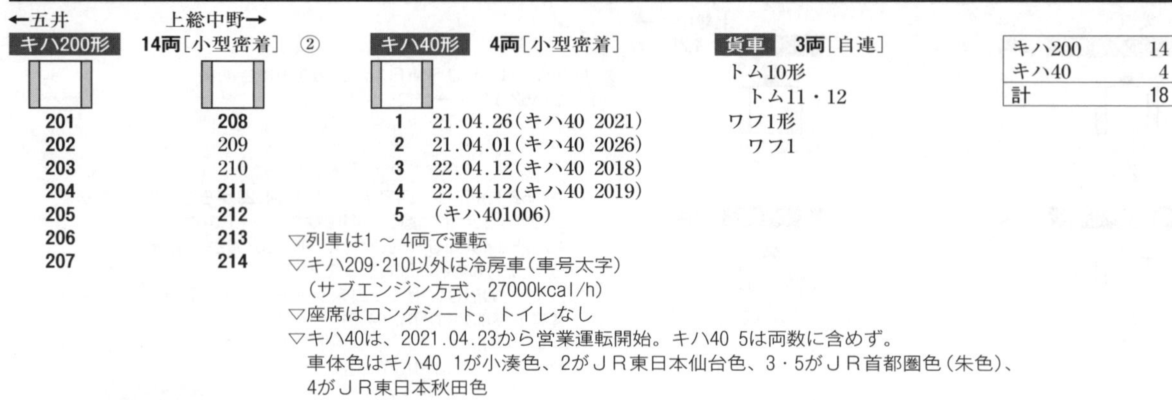

←五井　上総中野→

キハ200形　**14両**［小型密着］②

201
202
203
204
205
206
207

208
209
210
211
212
213
214

キハ40形　**4両**［小型密着］

1　21.04.26（キハ40 2021）
2　21.04.01（キハ40 2026）
3　22.04.12（キハ40 2018）
4　22.04.12（キハ40 2019）
5　（キハ401006）

貨車　**3両**［自連］

トム10形
　トム11・12
ワフ1形
　ワフ1

キハ200	14
キハ40	4
計	18

▽列車は1～4両で運転
▽キハ209･210以外は冷房車（車号太字）
　（サブエンジン方式、27000kcal/h）
▽座席はロングシート。トイレなし
▽キハ40は、2021.04.23から営業運転開始。キハ40 5は両数に含めず。
　車体色はキハ40 1が小湊色、2がＪＲ東日本仙台色、3・5がＪＲ首都圏色（朱色）、
　4がＪＲ東日本秋田色

房総里山トロッコ　**5両**［自連］①

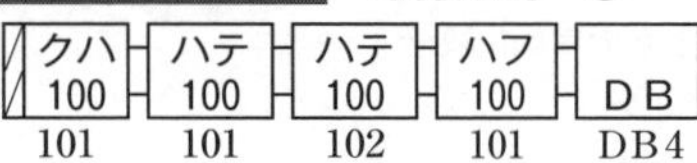

101　101　102　101　DB4

▽「房総里山トロッコ」として運転。2016.11.15から営業運転開始
　2019.05.01 「里山ノロッコ」から改称
▽ＤＢ４は、小湊鉄道開業時に導入した４号蒸気機関車（コッペル社製）を模した
　25ｔディーゼル機関車
▽クハ100形は制御客車。冷房付２軸車
▽ハテ100形はオープン構造の展望車。２軸車
▽ハフ100形は緩急車。冷房付２軸車　　製造はいずれも北陸重機製

京葉臨海鉄道 機関区（村田） 7両

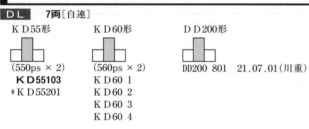

ＤＬ　**7両**［自連］

ＫＤ55形
（550ps × 2）
ＫＤ55103
＊ＫＤ55201

ＫＤ60形
（560ps × 2）
ＫＤ60 1
ＫＤ60 2
ＫＤ60 3
ＫＤ60 4

ＤＤ200形
DD200 801　21.07.01（川重）

▽路線は、蘇我〔外房線・京葉線〕～市原分岐点～浜五井間 8.08km、市原分岐点～京葉市原間 1.06km
　浜五井～椎津間 8.09km、椎津～北袖分岐点～北袖間 2.02km、
　北袖分岐点～京葉久保田間 2.03km　の以上23.08km

▽太字は元国鉄ＤＤ13形
▽＊印　ＫＤ55201は600ps×2
　ＫＤ55201は無線操縦対応準備工事・冷房装置付き
▽ＫＤ55103は更新車で直噴エンジンに取替え

流鉄 流山検車区 10両

←馬橋　流山→

5000系　**10両**［密連］③

クモハ5000	5
クモハ5100	5
計	10

Mc 5100 ― Mc 5000
ⓂCP － Ⓡ

▽編成替　21.11.30 ～　5105-5003
　　　　　22.02.19 ～　5103-5005

5101　5001　「さくら」（ピンクにNを形取ったローズレッド帯）［2018.08］（元「流馬」）
5102　5002　「流星」（オレンジ色にNを形取ったジェットブルー帯）（21.01.21）
5103　5003　「あかぎ」（赤色ベース）←12.03.14営業運転開始。12.02.06譲受（元西武278+277）
5104　5004　「若葉」（黄緑色ベース）←12.12.03営業運転開始。12.11.27譲受（元西武288+287）。22.12.01 Nを片取った濃緑色に
5105　5005　「なの花」（黄色にNを形取った黄緑帯）←13.12.06営業運転開始。13.11.29譲受（元西武272＋271）

▽旧形式一覧
　5000形･5100形＝元西武鉄道クモハ101形
▽全車ワンマンカー。車イス対応スペース（太字）設置

埼玉高速鉄道 浦和美園車両基地 60両

←浦和美園　赤羽岩淵（地下鉄南北線・東急目黒線）→

2000系 **60両**（アルミ車体）［自連］ ④

①	②♿	③	弱④	♿⑤	⑥
CT1 2100	M1-1 2200	Tc2 2500	M1-3 2600	M1-4 2700	CT2 2800
CP	VS		VS	V	CP
2101	2201	2501	2601	2701	2801
2102	2202	2502	2602	2702	2802
2103	2203	2503	2603	2703	2803
2104	2204	2504	2604	2704	2804
2105	2205	2505	2605	2705	2805
2106	2206	2506	2606	2706	2806
2107	2207	2507	2607	2707	2807
2108	2208	2508	2608	2708	2808
2109	2209	2509	2609	2709	2809
2110	2210	2510	2610	2710	2810

▽2001.03.28開業
▽地下鉄南北線、東急目黒線と相互乗入れ
▽ＡＴＯによるワンマン運転、
各駅のホームに可動柵を設置

▼優先席……全車両に設置
▼車イス対応スペース……♿印の車両に設置
▼弱冷房車……4号車

2000系	
2100	10
2200	10
2500	10
2600	10
2700	10
2800	10
計	60

埼玉新都市交通 丸山車庫 84両

←大宮・内宿

1050系 **12両**［密連］ ①

	Mc 1151A	M 1250A	M 1350A	M 1450A	M 1550A	Mc 1651A
	SCP	CCP	SCP	CCP	CCP	SCP
52	*1152*	1252	1352	1452	1552	*1652*
53	*1153*	1253	1353	1453	1553	*1653*

大宮・内宿→

2000系 **42両**（ステンレス車体）［密連］ ①

	♿ Mc 2100	M 2200	M 2300	M 2400	M 2500	♿ Mc 2600	
	SCP	V			V	SCP	
01	2101	2201	2301	2401	2501	2601	（ピンク）
02	2102	2202	2302	2402	2502	2602	（オレンジ）
03	2103	2203	2303	2403	2503	2603	（グリーン）
04	2104	2204	2304	2404	2504	2604	（黄色）
05	2105	2205	2305	2405	2505	2605	（青色）
06	2106	2206	2306	2406	2506	2606	（赤色）
07	2107	2207	2307	2407	2507	2607	（桜色）

▽（　）は車体の帯色を示す。
03 ～ 07編成の運転室背面窓は01･02編成と比べて若干拡大
♿は車イス対応スペース
▽07編成 は 2014.12.02 新製

2020系 **30両**（アルミ合金車体）［密連］ ①

	♿ Mc 2120	M 2220	M 2320	M 2420	M 2520	♿ Mc 2620
	SCP	V			V	SCP
21	2121	2221	2321	2421	2521	2621
22	2122	2222	2322	2422	2522	2622
23	2123	2223	2323	2423	2523	2623
24	2124	2224	2324	2424	2524	2624
25	2125	2225	2325	2425	2525	2625

▽2020系は2016.11.04から営業運転を開始
21編成（15.10.29三菱重）＝グリーンクリスタル（グリーン）、
22編成（16.01.18三菱重）＝ブライトアンバー（オレンジ）
23編成（16.06.03三菱重）＝ピュアルビー（ピンク）、
24編成（19.02.15三菱重）＝ゴールデントパーズ（イエロー）
25編成（20.02.19三菱重）＝トワイライトアメジスト（紫）

1151A	2
1250A	2
1350A	2
1450A	2
1550A	2
1651A	2
	12
2100	7
2200	7
2300	7
2400	7
2500	7
2600	7
	42
2120	5
2220	5
2320	5
2420	5
2520	5
2620	5
	30
計	84

▽新交通システム（三相交流600Ｖ・側方案内方式）
▽冷房装置設置
▽52 ～ 53編成の先頭車前面は曲面ガラスを使用
▽52編成は白地に黒の帯をアクセントとして加え、さらに青いライン（コスミックブルー）を加えた（2019.03.20）
▽53編成は白地に黒の帯をアクセントとして加え、さらに緑のライン（フレッシュグリーン）を加えた（2019.03.30）

▽大宮駅がループ式のため、車両の向きは一定しない

首都圏新都市鉄道 つくばエクスプレス総合基地(守谷付近) 249両

←つくば 守谷・秋葉原→

TX-1000系 84両(アルミ車体)[自連] ④

	女①	②♿ 弱③	④	♿⑤	⑥	
	CT1	M1	T′	M1′	M2′	CT2
	1100	1200	1300	1400	1500	1600
	CP	VS		VS	V	CP
01	1101	**1201**	1301	1401	**1501**	1601	18.03.19＝更新修繕
02	1102	**1202**	1302	1402	**1502**	1602	18.06.27＝更新修繕
03	1103	**1203**	1303	1403	**1503**	1603	18.10.04＝更新修繕
04	1104	**1204**	1304	1404	**1504**	1604	19.01.22＝更新修繕
05	1105	**1205**	1305	1405	**1505**	1605	20.01.21＝更新修繕
06	1106	**1206**	1306	1406	**1506**	1606	19.05.18＝更新修繕
07	1107	**1207**	1307	1407	**1507**	1607	20.03.11＝更新修繕
08	1108	**1208**	1308	1408	**1508**	1608	20.04.30＝更新修繕
09	1109	**1209**	1309	1409	**1509**	1609	21.02.10＝更新修繕
10	1110	**1210**	1310	1410	**1510**	1610	21.03.31＝更新修繕
11	1111	**1211**	1311	1411	**1511**	1611	21.09.01＝更新修繕
12	1112	**1212**	1312	1412	**1512**	1612	21.10.25＝更新修繕
13	1113	**1213**	1313	1413	**1513**	1613	22.04.26＝更新修繕
14	1114	**1214**	1314	1414	**1514**	1614	22.08.09＝更新修繕

TX-2000系 135両(アルミ車体)[自連] ④

	女①	②♿ 弱③		④	♿⑤	⑥		
	CT1	M1	M2	M1′	M2′	CT2		
	2100	2200	2300	2400	2500	2600		
	CP	V	VS	V	VS	CP		
51	2151	**2251**	2351	2451	**2551**	2651	17.12.25＝更新修繕	
52	2152	**2252**	2352	2452	**2552**	2652	19.03.12＝更新修繕	
53	2153	**2253**	2353	2453	**2553**	2653	18.08.15＝更新修繕	
54	2154	**2254**	2354	2454	**2554**	2654	18.11.22＝更新修繕	
55	2155	**2255**	2355	2455	**2555**	2655	18.05.10＝更新修繕	
56	2156	**2256**	2356	2456	**2556**	2656	19.11.26＝更新修繕	
57	2157	**2257**	2357	2457	**2557**	2657	19.10.03＝更新修繕	
58	2158	**2258**	2358	2458	**2558**	2658	20.09.04＝更新修繕	
59	2159	**2259**	2359	2459	**2559**	2659	20.07.15＝更新修繕	
60	2160	**2260**	2360	2460	**2560**	2660	20.12.16＝更新修繕	
61	2161	**2261**	2361	2461	**2561**	2661	20.10.26＝更新修繕	
62	2162	**2262**	2362	2462	**2562**	2662	22.01.14＝更新修繕	
63	2163	**2263**	2363	2463	**2563**	2663	22.03.08＝更新修繕	
64	2164	**2264**	2364	2464	**2564**	2664	21.05.26＝更新修繕	
65	2165	**2265**	2365	2465	**2565**	2665	21.07.12＝更新修繕	
66	2166	**2266**	2366	2466	**2566**	2666	22.06.17＝更新修繕	
67	2167	**2267**	2367	2467	**2567**	2667	19.02.15＝③④号車をロングシート	22.11.17=更新修繕(車内表示機LCD化を除く)
68	2168	**2268**	2368	2468	**2568**	2668	19.07.15＝③④号車をロングシート	23.03.03=更新修繕(車内表示機LCD化を除く)
69	2169	**2269**	2369	2469	**2569**	2669	19.02.21＝③④号車をロングシート	22.09.27=更新修繕(車内表示機LCD化を除く)
70	2170	**2270**	2370	2470	**2570**	2670	19.09.22＝③④号車をロングシート	23.01.13=更新修繕(車内表示機LCD化を除く)
71				2471	**2571**	2671		
72	2172	**2272**	2372	2472	**2572**	2672	20.07.16＝③④号車をロングシート	
73	2173	**2273**	2373	2473	**2573**	2673	20.09.10＝③④号車をロングシート	

形式	両数
TX-1000系	
TX-1100	14
TX-1200	14
TX-1300	14
TX-1400	14
TX-1500	14
TX-1600	14
	84
TX-2000系	
TX-2100	22
TX-2200	22
TX-2300	22
TX-2400	23
TX-2500	23
TX-2600	23
	135
TX-3000系	
TX-3100	5
TX-3200	5
TX-3300	5
TX-3500	5
TX-3500	5
TX-3600	5
	30
計	249

▽2005.08.24開業
▽駅はホームドアを設置、ATO支援により全列車ワンマン運転
▽TX-1000系は秋葉原～守谷間の直流区間専用、
TX-2000系・TX-3000系は全区間を運転できる交直両用車
▽形式・車号ともTX-****となる
▽TX-2000系の③④号車はセミクロスシート。ただしロングシートに変更
▽路線の愛称は「つくばエクスプレス」
▽第67～73編成は窓下に赤帯が追加されている
▽各車両の室内灯をLED灯へ変更
▽更新修繕 1-車外表示機フルカラー化。2-前照灯LED化。3-座席中央部吊手棒増設。4-車内表示機LCDへ

▼優先席……全車両に設置
▼車イス対応スペース……太字の車両に設置
▼弱冷房車…編成図に弱を付した車両

▽女 は女性専用車。平日の始発から 9:00までと
夕方、秋葉原を18:00以降に発車から終電まで

TX-3000系 **30両**(アルミ車体[アルミダブルスキン構体])[自連] ④

	女①	②♿ 弱③	③	④	♿⑤	⑥	
	CT1 3100	M1 3200	M2 3300	M1′ 3400	M2′ 3500	CT2 3600	
	CP	V	VS	V	VS	CP	
81	**3181**	**3281**	**3381**	**3481**	**3581**	**3681**	20.02.26日立
82	**3182**	**3282**	**3382**	**3482**	**3582**	**3682**	20.02.26日立
83	**3183**	**3283**	**3383**	**3483**	**3583**	**3683**	20.03.13日立
84	**3184**	**3284**	**3384**	**3484**	**3584**	**3684**	20.03.10日立
85	**3185**	**3285**	**3385**	**3485**	**3585**	**3685**	20.07.08日立

▽座席はロングシート、SiC素子使用ＶＶＶＦインバータ制御装置、全閉型主電動機、最高速度130km/h
▽各車両に車イスやベビーカー対応フリースペース設置
▽2020.03.14から営業運転開始

山万 車両基地(女子大) 9両

←ユーカリが丘・女子大　　中学校・ユーカリが丘→

1000形 **9両**(アルミ車体)[密連] ①

Mc 1100	T 1300	Mc 1200
1101	1301	1201
1102	1302	1202
1103	1303	1203

▽新交通システム(直流750Ｖ・中央案内方式)
▽制御装置(抵抗制御)は1300形に搭載

1100	3
1200	3
1300	3
計	9

舞浜リゾートライン 36両

10形 **12両**「リゾートライナー」[密連]②

① ② ③ ④ ⑤ ⑥

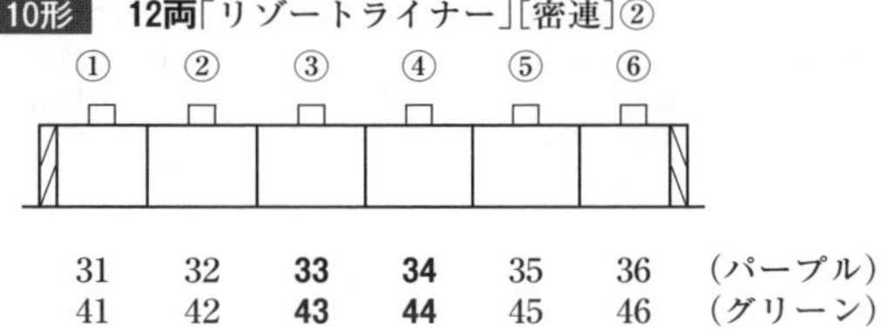

31	32	**33**	**34**	35	36	(パープル)
41	42	**43**	**44**	45	46	(グリーン)

▽2001.07.27開業
▽アルウェーグ式・直流1500Ｖ
▽①号車を先頭とする反時計回りの循環運転、
自動運転で最後部にガイドキャストが乗務する。
リゾートゲートウェイ・ステーション〔京葉線舞浜駅隣接〕→
東京ディズニーランド・ステーション→
ベイサイド・ステーション→
東京ディズニーシー・ステーション→【一周5.00km】
▽(　)内は窓下の帯の色
▼車イス対応スペース…太字の車両に設置

100形 **24両**「リゾートライナー」[密連]②

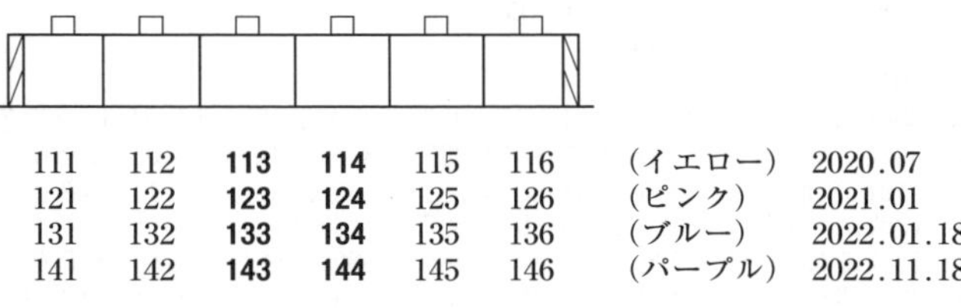

111	112	**113**	**114**	115	116	(イエロー)	2020.07
121	122	**123**	**124**	125	126	(ピンク)	2021.01
131	132	**133**	**134**	135	136	(ブルー)	2022.01.18
141	142	**143**	**144**	145	146	(パープル)	2022.11.18

▽100形は2020.07.03から営業運転開始

新京成電鉄 くぬぎ山車両基地 156両

←松戸　　京成津田沼・千葉中央(京成千葉線)→

80000形 18両(ステンレス車体)[小型密着] ③

Mc	M	弱T	T	M	Mc	
80000	80000	80000	80000	80000	80000	
CP	V	S	S	V	CP	
80016	**80015**	**80014**	**80013**	**80012**	**80011**	19.12.24日車
80026	**80025**	**80024**	**80023**	**80022**	**80021**	21.11.01日車
80036	**80035**	**80034**	**80033**	**80032**	**80031**	22.11.01日車

▽19.12.27から営業運転開始。京成千葉線には乗入れしない

形式		両数
80000形	モハ80000	12
	クハ80000	6
		18
8900形	モハ8900	12
	クハ8900	6
		18
8800形	モハ8800	45
	クハ8800	30
	サハ8800	15
		90
N800形	N800(Mc)	10
	N800(M)	10
	N800(T)	10
		30
計		156

8900形 18両(ステンレス車体)[小型密着] ③

Tc2	M2	弱M1	M2	M1	Tc1	
8900	8900	8900	8900	8900	8900	
	V	S CP	V	S CP		
8918	8917	8916	8913	8912	**8911**	14.09.17=新塗色化＋VVVF更新＋６両化 18.10.23=集電装置更新＋車内表示器更新 21.03.04=SIV更新、22.08.24=CP更新
8928	8927	8926	8923	8922	**8921**	14.09.30=６両化、15.10.22=新塗装色化 19.02.15=VVVF更新 19.12.17=SIV・CP・集電装置更新
8938	8937	8936	8933	8932	**8931**	14.10.10=６両化、16.08.09=新塗装色化+VVVF更新 21.02.24=SIV・空気圧縮器・集電装置更新

8800形 90両[小型密着] ③

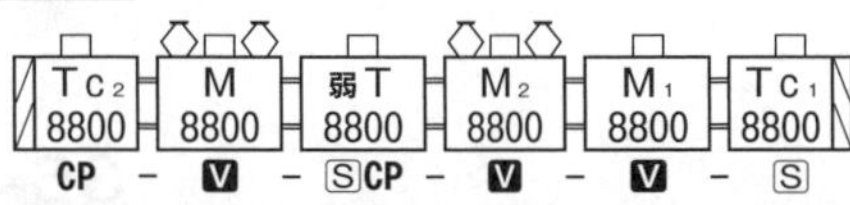

8805-6	8805-5	8805-4	8805-3	8805-2	**8805-1**	11.08.23改造(旧車号=8816-8815-8813-8811-8810-8809)　15.12.18新塗色化
8806-6	8806-5	8806-4	8806-3	8806-2	**8806-1**	11.09.14改造(旧車号=8824-8823-8821-8819-8818-8817)　16.11.14新塗色化
8807-6	8807-5	8807-4	8807-3	8807-2	**8807-1**	11.11.02改造(旧車号=8832-8831-8829-8827-8826-8825)　17.02.24新塗色化
8809-6	8809-5	8809-4	8809-3	8809-2	**8809-1**	12.08.17改造(旧車号=8840-8839-8837-8835-8834-8833)　17.09.27新塗色化
K **8811-6**	8811-5	8811-4	8811-3	8811-2	**8811-1**	12.11.29改造(旧車号=8864-8863-8861-8859-8858-8857)　15.01.09新塗色化
K **8814-6**	8814-5	8814-4	8814-3	8814-2	**8814-1**	13.09.11改造(旧車号=8888-8887-8885-8883-8882-8881)　15.03.09車椅子対応化 15.08.27新塗装化+CP更新

▽新塗色化に合わせて、8806F=側引戸更新　8807F=主制御器更新＋SIV·CP更新＋車内リニューアル＋表示器取付＋車外スピーカ取付
8809F·8813F=CP更新　8810F＝主制御器更新＋SIV·CP更新＋車内リニューアル＋車外スピーカ新設＋パンタグラフシングルアーム化も施工

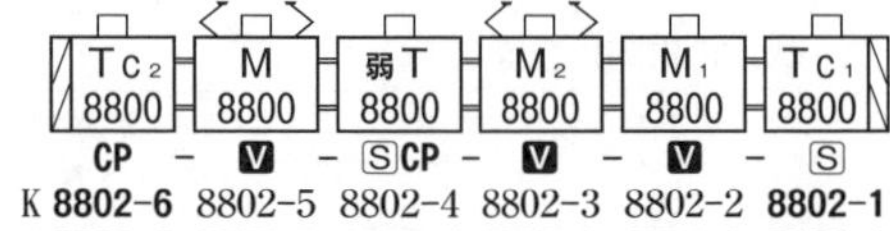

K **8802-6**	8802-5	8802-4	8802-3	8802-2	**8802-1**	15.04.24新塗色化＋CP更新 19.08.05車内リニューアル等
K **8803-6**	8803-5	8803-4	8803-3	8803-2	**8803-1**	16.02.29新塗色化＋機器更新
K **8804-6**	8804-5	8804-4	8804-3	8804-2	**8804-1**	15.06.29新塗色化
K **8808-6**	8808-5	8808-4	8808-3	8808-2	**8808-1**	12.03.30改造(旧車号=8812-8814-8828-8822-8830-8820)　16.04.12新塗色化
8810-6	8810-5	8810-4	8810-3	8810-2	**8810-1**	12.10.03改造(旧車号=8856-8855-8853-8851-8850-8849)　18.02.26新塗色化
K **8812-6**	8812-5	8812-4	8812-3	8812-2	**8812-1**	13.03.11改造(旧車号=8836-8838-8860-8854-8862-8852)　17.11.24新塗色化
K **8813-6**	8813-5	8813-4	8813-3	8813-2	**8813-1**	13.07.13改造(旧車号=8880-8879-8877-8875-8874-8873)　16.06.21新塗色化
8815-6	8815-5	8815-4	8815-3	8815-2	**8815-1**	13.11.13改造(旧車号=8896-8895-8893-8891-8890-8889)　18.07.05新塗色化
K **8816-6**	8816-5	8816-4	8816-3	8816-2	**8816-1**	14.02.22改造(旧車号=8876-8878-8892-8886-8894-8884)　14.08.29新塗色化

▽8803F=20.06.01 主制御器更新、車内リニューアル、集電装置更新、車外スピーカー新設
▽8812F=22.02.08 主制御器更新、車内リニューアル、集電装置更新、電動空気圧縮機更新、表示器更新、車外スピーカー新設
8813F=20.11.02 主制御器・ＳＩＶ更新、車内リニューアル、集電装置更新、京成乗入れ対応、車外スピーカー新設
▽8816F=18.09.25(VVVF更新＋車内リニューアル＋車内表示器更新)
▽8815F=22.12.05 車内リニューアル、集電装置更新、表示器更新、車外スピーカー新設

N800形　**30両**（ステンレス車体）［小型密着］　③

	Mc8 N800	M7 N800	弱T6 N800	T3 N800	M2 N800	Mc1 N800	
	CP	V	S	S	V	CP	
K	**N818**	N817	N816	N813	N812	**N811**	←17.07.31新塗色化
K	**N828**	N827	N826	N823	N822	**N821**	←15.02.23新塗色化
K	**N838**	N837	N836	N833	N832	**N831**	←12.09.22日車　16.09.09=新塗色化　20.09.09=ブレーキ段数7段階化　21.03.11=塗油装置新設
K	**N848**	N847	N846	N843	N842	**N841**	←15.12.22日車
K	**N858**	N857	N856	N853	N852	**N851**	←18.08.22日車

▽N800形の基本仕様は京成電鉄3000形と同じ

▽2006.12.10からデータイムに京成千葉線への
　直通運転を開始（新京成車両の片乗入れ）
▽Kは京成千葉線（千葉中央）乗入れ対応編成

▼優先席……全車両に設置
▼車イス対応スペース……太字の車両に設置
▼弱冷房車……編成図に弱を付した車両

東葉高速鉄道　車両区（八千代緑が丘）　110両

東葉高速線（車両区）　110両

←東葉勝田台　　　　西船橋・中野（地下鉄東西線）→

2000系　**110両**（アルミ車体）［密連］　④

	①	②♿	③F	弱④F	⑤F	⑥F	⑦F	⑧F	♿⑨	⑩	
	CT1 2100	M1′ 2200	M2 2300	T 2400	Mc1 2500	Tc 2600	T′ 2700	M1 2800	M2′ 2900	CT2 2000	
		V	S CP		V CP			V	S CP		
01	2101	2201	2301	2401	2501	2601	2701	2801	2901	2001	22.12.18=デジタル空間波無線対応、ATC改造、ATO準備工事
02	2102	2202	2302	2402	2502	2602	2702	2802	2902	2002	23.01.24=デジタル空間波無線対応、ATC改造、ATO準備工事
03	2103	2203	2303	2403	2503	2603	2703	2803	2903	2003	
04	2104	2204	2304	2404	2504	2604	2704	2804	2904	2004	
05	2105	2205	2305	2405	2505	2605	2705	2805	2905	2005	
06	2106	2206	2306	2406	2506	2606	2706	2806	2906	2006	
07	2107	2207	2307	2407	2507	2607	2707	2807	2907	2007	
08	2108	2208	2308	2408	2508	2608	2708	2808	2908	2008	
09	2109	2209	2309	2409	2509	2609	2709	2809	2909	2009	
10	2110	2210	2310	2410	2510	2610	2710	2810	2910	2010	
11	2111	2211	2311	2411	2511	2611	2711	2811	2911	2011	

▽地下鉄東西線と相互乗入れを実施

▼優先席……全車両に設置
▼車イス対応スペース……♿ の車両に設置。フリースペース（F）を３～８号車に設置
▼弱冷房車……④号車〔弱〕

北総鉄道 車両基地(印西牧の原付近) 64両

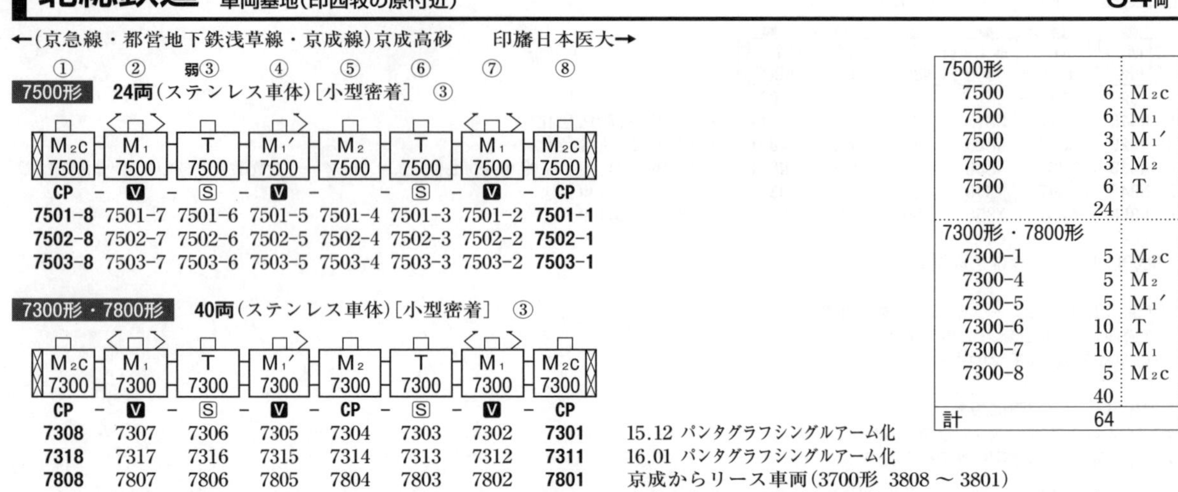

形式	両数	種別
7500形		
7500	6	M2c
7500	6	M1
7500	3	M1′
7500	3	M2
7500	6	T
	24	
7300形・7800形		
7300-1	5	M2c
7300-4	5	M2
7300-5	5	M1′
7300-6	10	T
7300-7	10	M1
7300-8	5	M2c
	40	
計	64	

▼優先席……全車両に設置
▼車イス対応スペース……太字の車両に設置
▼弱冷房車…編成図に弱を付した車両

▽7311編成　車体改修(客室内の改修)[2016.03]
▽7301編成　車体改修(客室内の改修・側窓更新)[16.07.29]
▽客室灯・乗務員室灯ＬＥＤ化　7301・7311編成[17.02.18]
▽車内室内表示装置更新 7301編成=18.10.19　7302編成=18.11.09
▽7301・7308=20.05.29 車イススペース設置
▽7821編成 20.09.09=パンタグラフシングルアーム化
▽7818編成(リース車両)は、2021.06.30、京成に返却(3748 ～ 3741)

千葉ニュータウン鉄道 車両基地(印西牧の原付近) 40両

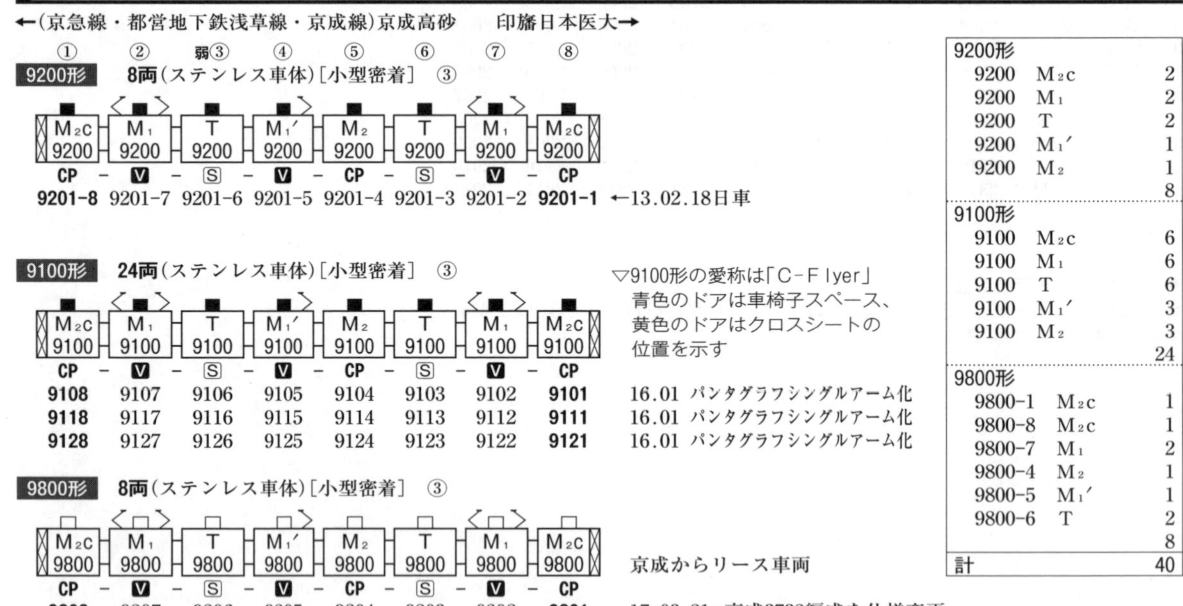

形式	種別	両数
9200形		
9200	M2c	2
9200	M1	2
9200	T	2
9200	M1′	1
9200	M2	1
		8
9100形		
9100	M2c	6
9100	M1	6
9100	T	6
9100	M1′	3
9100	M2	3
		24
9800形		
9800-1	M2c	1
9800-8	M2c	1
9800-7	M1	2
9800-4	M2	1
9800-5	M1′	1
9800-6	T	2
		8
計		40

▽千葉ニュータウン鉄道(小室～印旛日本医大間)は、施設および車両を保有するのみの第３種鉄道事業者で、列車の運行管理、車両整備および駅の運営などは北総鉄道(第２種鉄道事業者)
▽客室灯・乗務員室灯ＬＥＤ化　9101F=17.12.23(18.11.16=新LCD)　9111F=17.12.27　9121F=18.01.06
▽9200形は2013.03.01から営業運転開始

▼優先席……全車両に設置
▼車イス対応スペース……太字の車両に設置
▼弱冷房車…編成図に弱を付した車両
▽京成線・都営地下鉄浅草線・京急線への乗入れは京急空港線羽田空港第1・第2ターミナルまで

京成電鉄　宗吾車両基地・高砂車庫・津田沼車庫・〔全〕宗吾工場　606両

本線・押上線・千葉線・千原線・金町線　620両

←(都営地下鉄浅草線・京急線)押上・京成上野　　成田空港・ちはら台・京成金町(北総線)→

AE形　**72両**(アルミ車体)[収納]　①

⑧	⑦	⑥	⑤WC	④	③	②	①	
M1c AE	M2s AE	T1 AE	T2 AE	M1′ AE	M2N AE	M1 AE	M2c AE	
V	S	CP		V	S	V	CP	
1-8	1-7	1-6	1-5	1-4	1-3	1-2	1-1	
2-8	2-7	2-6	2-5	2-4	2-3	2-2	2-1	
3-8	3-7	3-6	3-5	3-4	3-3	3-2	3-1	
4-8	4-7	4-6	4-5	4-4	4-3	4-2	4-1	
5-8	5-7	5-6	5-5	5-4	5-3	5-2	5-1	
6-8	6-7	6-6	6-5	6-4	6-3	6-2	6-1	
7-8	7-7	7-6	7-5	7-4	7-3	7-2	7-1	
8-8	8-7	8-6	8-5	8-4	8-3	8-2	8-1	
9-8	9-7	9-6	9-5	9-4	9-3	9-2	9-1	19.09.05日車

▽ＡＥ形の車内設備
④号車＝飲料水自販機、AED
⑤号車＝多機能トイレ、車イス対応座席
▽全車禁煙
▽ＡＥ形は2010.07.17から営業運転を開始、成田スカイアクセス経由で日暮里～空港第2ビル間を最速36分で結ぶ
「スカイライナー」「モーニングライナー」「イブニングライナー」に使用

3700形　**92両**(ステンレス車体)[小型密着]　③

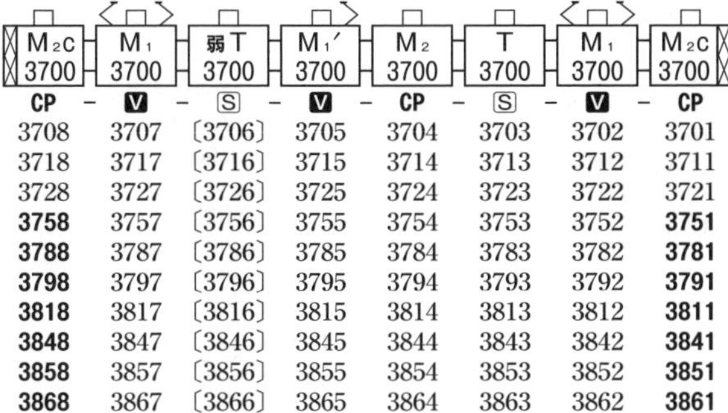

M2c 3700	M1 3700	弱T 3700	M1′ 3700	M2 3700	T 3700	M1 3700	M2c 3700
CP	V	S	V	CP	S	V	CP
3708	3707	〔3706〕	3705	3704	3703	3702	3701
3718	3717	〔3716〕	3715	3714	3713	3712	3711
3728	3727	〔3726〕	3725	3724	3723	3722	3721
3758	3757	〔3756〕	3755	3754	3753	3752	**3751**
3788	3787	〔3786〕	3785	3784	3783	3782	**3781**
3798	3797	〔3796〕	3795	3794	3793	3792	**3791**
3818	3817	〔3816〕	3815	3814	3813	3812	**3811**
3848	3847	〔3846〕	3845	3844	3843	3842	**3841**
3858	3857	〔3856〕	3855	3854	3853	3852	**3851**
3868	3867	〔3866〕	3865	3864	3863	3862	**3861**

▽3768～3761、3778～3771、3808～3801は北総鉄道に賃貸
3738～3731は千葉ニュータウン鉄道に賃貸

▽3788(旧3748)・3787(旧3747)=23.03.01改番

M2c 3700	M1 3700	T 3700	T 3700	M1 3700	M2c 3700
CP	V	S	S	V	CP
3828	3827	3826	3823	3822	**3821**
3838	3837	3836	3833	3832	**3831**

▼優先席……AE形以外の各車両に設置
▼弱冷房車…編成図に弱を付した車両
▼車イス対応スペース……太字の車両に設置

3100形　**48両**(ステンレス車体)[小型密着]　③

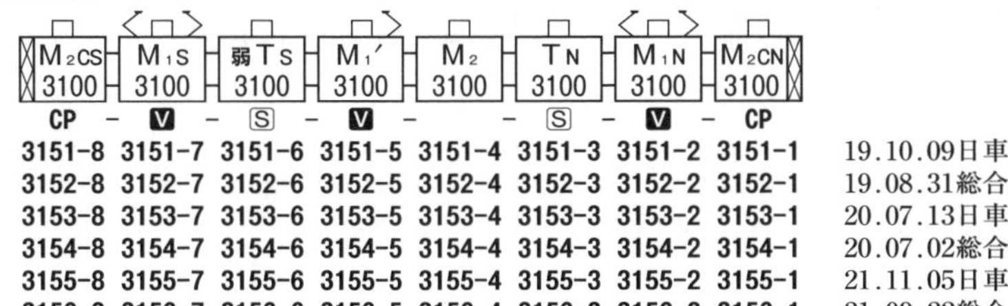

M2cS 3100	M1S 3100	弱TS 3100	M1′ 3100	M2 3100	TN 3100	M1N 3100	M2cN 3100	
CP	V	S	V		S	V	CP	
3151-8	**3151-7**	**3151-6**	**3151-5**	**3151-4**	**3151-3**	**3151-2**	**3151-1**	19.10.09日車
3152-8	**3152-7**	**3152-6**	**3152-5**	**3152-4**	**3152-3**	**3152-2**	**3152-1**	19.08.31総合
3153-8	**3153-7**	**3153-6**	**3153-5**	**3153-4**	**3153-3**	**3153-2**	**3153-1**	20.07.13日車
3154-8	**3154-7**	**3154-6**	**3154-5**	**3154-4**	**3154-3**	**3154-2**	**3154-1**	20.07.02総合
3155-8	**3155-7**	**3155-6**	**3155-5**	**3155-4**	**3155-3**	**3155-2**	**3155-1**	21.11.05日車
3156-8	**3156-7**	**3156-6**	**3156-5**	**3156-4**	**3156-3**	**3156-2**	**3156-1**	21.09.22総合

▽3100形は2019.10.26から営業運転開始。成田スカイアクセス線経由のアクセス特急に充当
▽SiC素子ＶＶＶＦインバータ制御装置搭載。各車両に車イス、ベビーカー対応フリースペースを設置

←(都営地下鉄浅草線・京急線)押上・京成上野　　成田空港・ちはら台・京成金町(北総線)→

3050形　**48両**(ステンレス車体)[小型密着]　③

M2c	M1	弱T	M1′	M2	T	M1	M2c
3050	3050	3050	3050	3050	3050	3050	3050
CP	V	S	V		S	V	CP
3051-8	3051-7	3051-6	3051-5	3051-4	3051-3	3051-2	**3051-1**
3052-8	3052-7	3052-6	3052-5	3052-4	3052-3	3052-2	**3052-1**
3053-8	3053-7	3053-6	3053-5	3053-4	3053-3	3053-2	**3053-1**
3054-8	3054-7	3054-6	3054-5	3054-4	3054-3	3054-2	**3054-1**
3055-8	3055-7	3055-6	3055-5	3055-4	3055-3	3055-2	**3055-1**
3056-8	3056-7	3056-6	3056-5	3056-4	3056-3	3056-2	**3056-1**

3000形　**278両**(ステンレス車体)[小型密着]　③

M2c	M1	弱T	M1′	M2	T	M1	M2c	
3000	3000	3000	3000	3000	3000	3000	3000	
CP	V	S	V		S	V	CP	
3001-8	3001-7	3001-6	3001-5	3001-4	3001-3	3001-2	**3001-1**	
3026-8	3026-7	3026-6	3026-5	3026-4	3026-3	3026-2	**3026-1**	13.02.04日車
3027-8	3027-7	3027-6	3027-5	3027-4	3027-3	3027-2	**3027-1**	13.03.04総合
3028-8	3028-7	3028-6	3028-5	3028-4	3028-3	3028-2	**3028-1**	14.02.24日車
3029-8	3029-7	3029-6	3029-5	3029-4	3029-3	3029-2	**3029-1**	15.03.16総合
3030-8	3030-7	3030-6	3030-5	3030-4	3030-3	3030-2	**3030-1**	15.02.03日車
3033-8	3033-7	3033-6	3033-5	3033-4	3033-3	3033-2	**3033-1**	17.02.01総合
3035-8	3035-7	3035-6	3035-5	3035-4	3035-3	3035-2	**3035-1**	17.02.27日車
3036-8	3036-7	3036-6	3036-5	3036-4	3036-3	3036-2	**3036-1**	18.01.25日車
3037-8	3037-7	3037-6	3037-5	3037-4	3037-3	3037-2	**3037-1**	18.02.16日車
3038-8	3038-7	3038-6	3038-5	3038-4	3038-3	3038-2	**3038-1**	18.02.27日車
3041-8	3041-7	3041-6	3041-5	3041-4	3041-3	3041-2	**3041-1**	19.02.05日車
3042-8	3042-8	3042-7	3042-6	3042-5	3042-4	3042-3	**3042-2**	19.02.22日車

M2c	M1	T	T	M1	M2c	
3000	3000	3000	3000	3000	3000	
CP	V	S	S	V	CP	
3002-8	3002-7	3002-6	3002-3	3002-2	**3002-1**	
3003-8	3003-7	3003-6	3003-3	3003-2	**3003-1**	
3004-8	3004-7	3004-6	3004-3	3004-2	**3004-1**	
3005-8	3005-7	3005-6	3005-3	3005-2	**3005-1**	
3006-8	3006-7	3006-6	3006-3	3006-2	**3006-1**	
3007-8	3007-7	3007-6	3007-3	3007-2	**3007-1**	
3008-8	3008-7	3008-6	3008-3	3008-2	**3008-1**	
3009-8	3009-7	3009-6	3009-3	3009-2	**3009-1**	
3010-8	3010-7	3010-6	3010-3	3010-2	**3010-1**	
3011-8	3011-7	3011-6	3011-3	3011-2	**3011-1**	
3012-8	3012-7	3012-6	3012-3	3012-2	**3012-1**	
3013-8	3013-7	3013-6	3013-3	3013-2	**3013-1**	
3014-8	3014-7	3014-6	3014-3	3014-2	**3014-1**	
3015-8	3015-7	3015-6	3015-3	3015-2	**3015-1**	
3016-8	3016-7	3016-6	3016-3	3016-2	**3016-1**	
3017-8	3017-7	3017-6	3017-3	3017-2	**3017-1**	
3018-8	3018-7	3018-6	3018-3	3018-2	**3018-1**	
3019-8	3019-7	3019-6	3019-3	3019-2	**3019-1**	
3020-8	3020-7	3020-6	3020-3	3020-2	**3020-1**	
3021-8	3021-7	3021-6	3021-3	3021-2	**3021-1**	
3022-8	3022-7	3022-6	3022-3	3022-2	**3022-1**	
3023-8	3023-7	3023-6	3023-3	3023-2	**3023-1**	
3024-8	3024-7	3024-6	3024-3	3024-2	**3024-1**	
3025-8	3025-7	3025-6	3025-3	3025-2	**3025-1**	
3031-8	3031-7	3031-6	3031-3	3031-2	**3031-1**	16.02.09日車
3032-8	3032-7	3032-6	3032-3	3032-2	**3032-1**	16.02.29総合
3034-8	3034-7	3034-6	3034-3	3034-2	**3034-1**	17.02.09日車
3039-8	3039-7	3039-6	3039-3	3039-2	**3039-1**	19.09.04日車
3040-8	3040-7	3040-6	3040-3	3040-2	**3040-1**	19.09.19日車

▽京浜急行線乗入れは、
3000形・3050形・3100形・3400形・3700形の8両編成に限定

▼優先席……各車両に設置
▼弱冷房車…編成図に弱を付した車両
▼車イス対応スペース……太字の車両に設置

形式別両数表

形式	両数
ＡＥ形	
Mc	18
M	36
T	18
	72
3700形	
3700(Mc)	24
3700(M)	44
3700(T)	24
	92
3600形	
3600(Mc)	2
3600(M)	6
3600(T)	2
	10
3500形	
3500(Mc)	21
3500(M)	21
	42
3400形	
3400(Mc)	4
3400(M)	8
3400(T)	4
	16
3100形	
3100(Mc)	12
3100(M)	24
3100(T)	12
	48
3050形	
3000(Mc)	12
3000(M)	24
3000(T)	12
	48
3000形	
3000(Mc)	84
3000(M)	110
3000(T)	84
	278
合　計	606

←(都営地下鉄浅草線)押上・京成上野　　成田空港・ちはら台・京成金町(北総線)→

3400形　**16両**[小型密着]　③

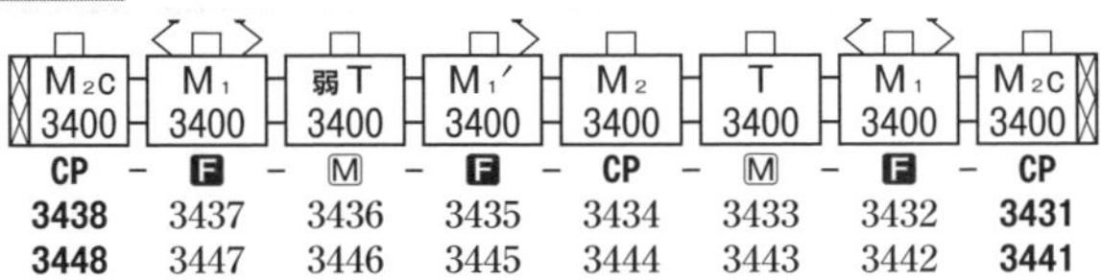

M2c 3400	M1 3400	弱T 3400	M1′ 3400	M2 3400	T 3400	M1 3400	M2c 3400
CP	F	M	F	CP	M	F	CP
3438	3437	3436	3435	3434	3433	3432	**3431**
3448	3447	3446	3445	3444	3443	3442	**3441**

▽3400形はAE車(初代)の主要機器を流用、車体(鋼製)は3700形に準じた形態

3500形　**42両**(ステンレス車体)[小型密着]　③

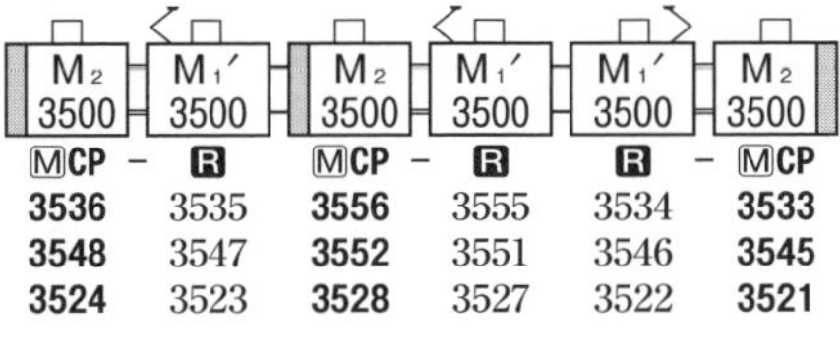

M2 3500	M1′ 3500	M2 3500	M1′ 3500	M1′ 3500	M2 3500
MCP	R	MCP	R	R	MCP
3536	3535	**3556**	3555	3534	**3533**
3548	3547	**3552**	3551	3546	**3545**
3524	3523	**3528**	3527	3522	**3521**

M2 3500	M1′ 3500	M1′ 3500	M2 3500	ワンマン化
MCP	R	R	MCP	
3508	3507	3506	**3505**	22.11.22
3516	3515	3514	**3513**	22.09.12
3544	3543	3542	**3541**	22.07.26

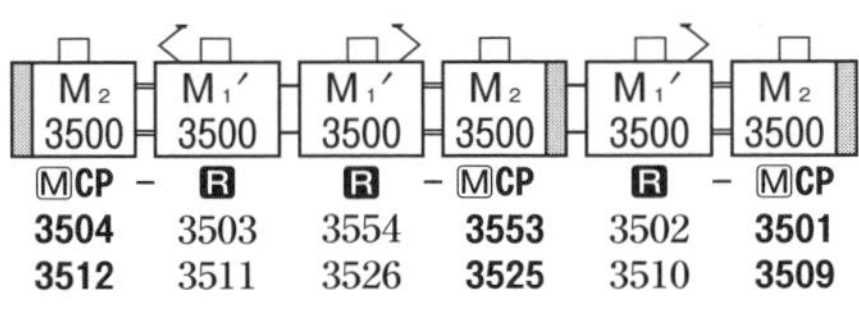

M2 3500	M1′ 3500	M1′ 3500	M2 3500	M1′ 3500	M2 3500
MCP	R	R	MCP	R	MCP
3504	3503	3554	**3553**	3502	**3501**
3512	3511	3526	**3525**	3510	**3509**

3600形　**10両**(ステンレス車体)[小型密着]　③

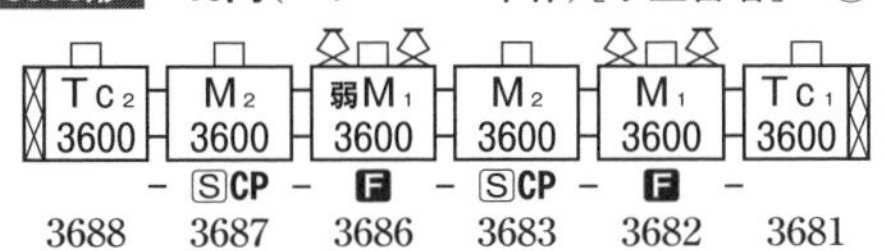

Tc2 3600	M2 3600	弱M1 3600	M2 3600	M1 3600	Tc1 3600
	SCP	F	SCP	F	
3688	3687	3686	3683	3682	3681

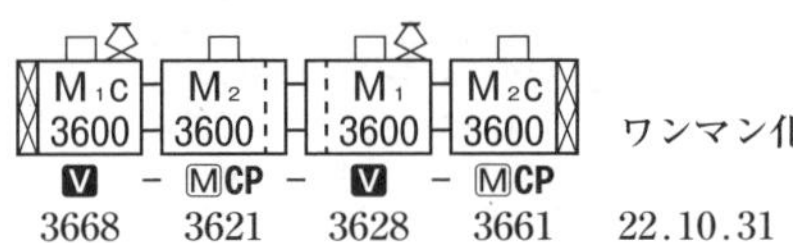

M1c 3600	M2 3600	M1 3600	M2c 3600	ワンマン化
V	MCP	V	MCP	
3668	3621	3628	3661	22.10.31

▽2023.04.01　現在の編成
▽2022.11.26　金町線、千原線、東成田線にてワンマン運転開始

▼優先席……各車両に設置
▼弱冷房車…編成図に弱を付した車両
▼車イス対応スペース……太字の車両に設置

▽3500形(更新車)のM2車の連結面寄り台車はモーターなし
▽3500形では電鉄内の慣例として運転台を表す「c」は用いず、
　中間車を「′」付で区別している
▽北総鉄道、千葉ニュータウン鉄道に賃貸、芝山鉄道に貸出中の車両は、京成電鉄の両数に含まない

▽宗吾車両基地にて、200形モハ204、3000形モハ3004、初代ＡＥ形ＡＥ-61、ＡＥ100形ＡＥ161を保存

芝山鉄道　4両

←東成田　　芝山千代田→

3500形　**4両**(ステンレス車体)[小型密着]　③

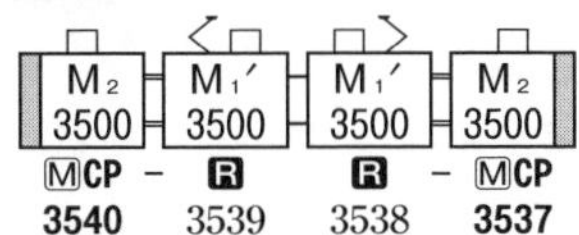

M2 3500	M1′ 3500	M1′ 3500	M2 3500
MCP	R	R	MCP
3540	3539	3538	**3537**

▽22.04.14　緑帯に変更
▼優先席……各車両に設置
▼車イス対応スペース……太字の車両に設置
▼弱冷房車…編成図に弱を付した車両

▽車両は京成電鉄からの借入れで、京成電鉄車と共通運用
▽運転区間は自社線区間を表記

東京都交通局 馬込車両検修場・志村車両検修場・大島車両検修場・木場車両検修場・荒川車両検修所・舎人車両検修所 1353両

浅草線(馬込車両検修場) 216両[帯色はローズ]

←西馬込・泉岳寺(京急線) 押上(京成線)→

5500形 **216両**(ステンレス車体)[18m車][小型密着] ③

♿①	②♿	♿③ 弱	④♿	♿⑤	⑥♿	♿⑦	♿⑧
Mc1 5500	M2 5500	M3 5500	T4 5500	T5 5500	M6 5500	M7 5500	Mc8 5500
V	V	V	S CP	S CP	V	V	V
5501-1	5501-2	5501-3	5501-4	5501-5	5501-6	5501-7	5501-8
5502-1	5502-2	5502-3	5502-4	5502-5	5502-6	5502-7	5502-8
5503-1	5503-2	5503-3	5503-4	5503-5	5503-6	5503-7	5503-8
5504-1	5504-2	5504-3	5504-4	5504-5	5504-6	5504-7	5504-8
5505-1	5505-2	5505-3	5505-4	5505-5	5505-6	5505-7	5505-8
5506-1	5506-2	5506-3	5506-4	5506-5	5506-6	5506-7	5506-8
5507-1	5507-2	5507-3	5507-4	5507-5	5507-6	5507-7	5507-8
5508-1	5508-2	5508-3	5508-4	5508-5	5508-6	5508-7	5508-8
5509-1	5509-2	5509-3	5509-4	5509-5	5509-6	5509-7	5509-8
5510-1	5510-2	5510-3	5510-4	5510-5	5510-6	5510-7	5510-8
5511-1	5511-2	5511-3	5511-4	5511-5	5511-6	5511-7	5511-8
5512-1	5512-2	5512-3	5512-4	5512-5	5512-6	5512-7	5512-8
5513-1	5513-2	5513-3	5513-4	5513-5	5513-6	5513-7	5513-8
5514-1	5514-2	5514-3	5514-4	5514-5	5514-6	5514-7	5514-8
5515-1	5515-2	5515-3	5515-4	5515-5	5515-6	5515-7	5515-8
5516-1	5516-2	5516-3	5516-4	5516-5	5516-6	5516-7	5516-8
5517-1	5517-2	5517-3	5517-4	5517-5	5517-6	5517-7	5517-8
5518-1	5518-2	5518-3	5518-4	5518-5	5518-6	5518-7	5518-8
5519-1	5519-2	5519-3	5519-4	5519-5	5519-6	5519-7	5519-8
5520-1	5520-2	5520-3	5520-4	5520-5	5520-6	5520-7	5520-8
5521-1	5521-2	5521-3	5521-4	5521-5	5521-6	5521-7	5521-8
5522-1	5522-2	5522-3	5522-4	5522-5	5522-6	5522-7	5522-8
5523-1	5523-2	5523-3	5523-4	5523-5	5523-6	5523-7	5523-8
5524-1	5524-2	5524-3	5524-4	5524-5	5524-6	5524-7	5524-8
5525-1	5525-2	5525-3	5525-4	5525-5	5525-6	5525-7	5525-8
5526-1	5526-2	5526-3	5526-4	5526-5	5526-6	5526-7	5526-8
5527-1	5527-2	5527-3	5527-4	5527-5	5527-6	5527-7	5527-8

▽5500形は、2018.06.20から営業運転開始

▽京急線は羽田空港第1・第2ターミナル、金沢文庫などへ、
京成線は北総線を経由、成田空港などへ直通運転

電気機関車 **4両**[電気連結器付密連]

E5000形

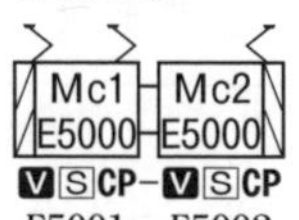

V S CP	V S CP
E5001	E5002
E5003	E5004

▽E5000形は大江戸線車両を馬込車両検修場に入出場させる時の牽引用。
パンタグラフはMc1の2基を浅草線、Mc2の1基を大江戸線で使用する

▼弱冷房車…編成図に弱を付した車両
▼優先席……全車両に設置
▼車イス対応スペース(フリースペース)……太字車両に設置

三田線(志村車両検修場)　248両[帯色はブルー]

←西高島平　　　　　白金高輪(地下鉄南北線・東急目黒線)→

6300形　**144両**(ステンレス車体)[小型密着]　④

① Tc_1 6300	② M_1 6300	③ M_2 6300	弱④ T_1 6300	⑤ M_1 6300	⑥ Tc_2 6300
–	V S –	V CP –	CP	V S –	
6314-1	**6314-2**	6314-3	6314-4	**6314-7**	6314-8
6315-1	**6315-2**	6315-3	6315-4	**6315-7**	6315-8
6316-1	**6316-2**	6316-3	6316-4	**6316-7**	6316-8
6317-1	**6317-2**	6317-3	6317-4	**6317-7**	6317-8
6318-1	**6318-2**	6318-3	6318-4	**6318-7**	6318-8
6319-1	**6319-2**	6319-3	6319-4	**6319-7**	6319-8
6320-1	**6320-2**	6320-3	6320-4	**6320-7**	6320-8
6321-1	**6321-2**	6321-3	6321-4	**6321-7**	6321-8
6322-1	**6322-2**	6322-3	6322-4	**6322-7**	6322-8
6323-1	**6323-2**	6323-3	6323-4	**6323-7**	6323-8
6324-1	**6324-2**	6324-3	6324-4	**6324-7**	6324-8
6325-1	**6325-2**	6325-3	6325-4	**6325-7**	6325-8
6326-1	**6326-2**	6326-3	6326-4	**6326-7**	6326-8
6327-1	**6327-2**	6327-3	6327-4	**6327-7**	6327-8
6328-1	**6328-2**	6328-3	6328-4	**6328-7**	6328-8
6329-1	**6329-2**	6329-3	6329-4	**6329-7**	6329-8
6330-1	**6330-2**	6330-3	6330-4	**6330-7**	6330-8
6331-1	**6331-2**	6331-3	6331-4	**6331-7**	6331-8
6332-1	**6332-2**	6332-3	6332-4	**6332-7**	6332-8
6333-1	**6333-2**	6333-3	6333-4	**6333-7**	6333-8
6334-1	**6334-2**	6334-3	6334-4	**6334-7**	6334-8
6335-1	**6335-2**	6335-3	6335-4	**6335-7**	6335-8
6336-1	**6336-2**	6336-3	6336-4	**6336-7**	6336-8
6337-1	**6337-2**	6337-3	6337-4	**6337-7**	6337-8

6500形　**104両**(ステンレス車体)[小型密着]　④

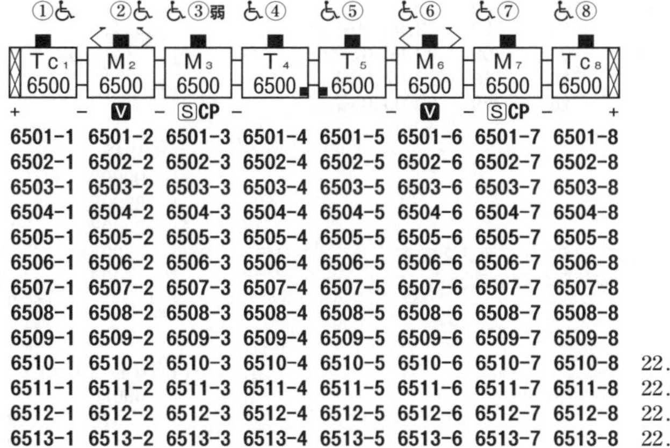

① Tc_1 6500	② M_2 6500	③弱 M_3 6500	④ T_4 6500	⑤ T_5 6500	⑥ M_6 6500	⑦ M_7 6500	⑧ Tc_8 6500	
+ –	V –	S CP –		–	V –	S CP –	+	
6501-1	**6501-2**	**6501-3**	**6501-4**	**6501-5**	**6501-6**	**6501-7**	**6501-8**	
6502-1	**6502-2**	**6502-3**	**6502-4**	**6502-5**	**6502-6**	**6502-7**	**6502-8**	
6503-1	**6503-2**	**6503-3**	**6503-4**	**6503-5**	**6503-6**	**6503-7**	**6503-8**	
6504-1	**6504-2**	**6504-3**	**6504-4**	**6504-5**	**6504-6**	**6504-7**	**6504-8**	
6505-1	**6505-2**	**6505-3**	**6505-4**	**6505-5**	**6505-6**	**6505-7**	**6505-8**	
6506-1	**6506-2**	**6506-3**	**6506-4**	**6506-5**	**6506-6**	**6506-7**	**6506-8**	
6507-1	**6507-2**	**6507-3**	**6507-4**	**6507-5**	**6507-6**	**6507-7**	**6507-8**	
6508-1	**6508-2**	**6508-3**	**6508-4**	**6508-5**	**6508-6**	**6508-7**	**6508-8**	
6509-1	**6509-2**	**6509-3**	**6509-4**	**6509-5**	**6509-6**	**6509-7**	**6509-8**	
6510-1	**6510-2**	**6510-3**	**6510-4**	**6510-5**	**6510-6**	**6510-7**	**6510-8**	22.06.23近車
6511-1	**6511-2**	**6511-3**	**6511-4**	**6511-5**	**6511-6**	**6511-7**	**6511-8**	22.07.13近車
6512-1	**6512-2**	**6512-3**	**6512-4**	**6512-5**	**6512-6**	**6512-7**	**6512-8**	22.08.18近車
6513-1	**6513-2**	**6513-3**	**6513-4**	**6513-5**	**6513-6**	**6513-7**	**6513-8**	22.09.14近車

▽6500形は2022.05.14から営業運転開始

▽地下鉄南北線を経由して東急目黒線日吉まで乗入れ、
2023.03.18　東急・相鉄新横浜線開業にて相鉄線との相互直通運転開始
都営車両の乗入れは新横浜まで延伸
全列車ワンマン運転

▼弱冷房車…編成図に弱を付した車両

▼優先席……全車両に設置

▼車イス対応スペース(フリースペース)……太字車両に設置

新宿線(大島車両検修場)　280両［帯色はルーフ(黄緑)］

←本八幡　　　　　　　　　　　　　　　新宿(京王線)→

10-300形　**280両**(ステンレス車体)［密連］　④

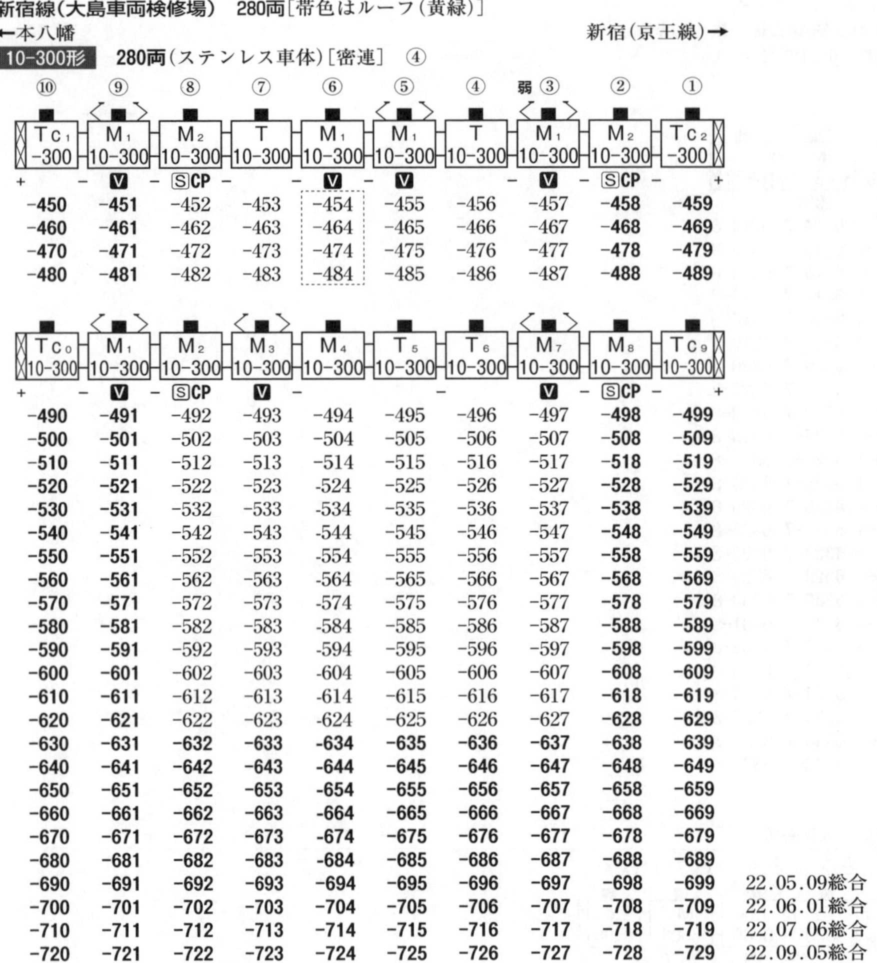

⑩	⑨	⑧	⑦	⑥	⑤	④	弱 ③	②	①
Tc1 -300	M1 10-300	M2 10-300	T 10-300	M1 10-300	M1 10-300	T 10-300	M1 10-300	M2 10-300	Tc2 -300
+	- V -	SCP -		- V -	V		- V -	SCP -	+
-450	**-451**	-452	-453	-454	-455	-456	-457	**-458**	**-459**
-460	**-461**	-462	-463	-464	-465	-466	-467	**-468**	**-469**
-470	**-471**	-472	-473	-474	-475	-476	-477	**-478**	**-479**
-480	**-481**	-482	-483	-484	-485	-486	-487	**-488**	**-489**

Tc0 10-300	M1 10-300	M2 10-300	M3 10-300	M4 10-300	T5 10-300	T6 10-300	M7 10-300	M8 10-300	Tc9 10-300	
+	- V -	SCP	V -			-	V -	SCP -	+	
-490	**-491**	-492	-493	-494	-495	-496	-497	**-498**	**-499**	
-500	**-501**	-502	-503	-504	-505	-506	-507	**-508**	**-509**	
-510	**-511**	-512	-513	-514	-515	-516	-517	**-518**	**-519**	
-520	**-521**	-522	-523	-524	-525	-526	-527	**-528**	**-529**	
-530	**-531**	-532	-533	-534	-535	-536	-537	**-538**	**-539**	
-540	**-541**	-542	-543	-544	-545	-546	-547	**-548**	**-549**	
-550	**-551**	-552	-553	-554	-555	-556	-557	**-558**	**-559**	
-560	**-561**	-562	-563	-564	-565	-566	-567	**-568**	**-569**	
-570	**-571**	-572	-573	-574	-575	-576	-577	**-578**	**-579**	
-580	**-581**	-582	-583	-584	-585	-586	-587	**-588**	**-589**	
-590	**-591**	-592	-593	-594	-595	-596	-597	**-598**	**-599**	
-600	**-601**	-602	-603	-604	-605	-606	-607	**-608**	**-609**	
-610	**-611**	-612	-613	-614	-615	-616	-617	**-618**	**-619**	
-620	**-621**	-622	-623	-624	-625	-626	-627	**-628**	**-629**	
-630	**-631**	**-632**	**-633**	**-634**	**-635**	**-636**	**-637**	**-638**	**-639**	
-640	**-641**	**-642**	**-643**	**-644**	**-645**	**-646**	**-647**	**-648**	**-649**	
-650	**-651**	**-652**	**-653**	**-654**	**-655**	**-656**	**-657**	**-658**	**-659**	
-660	**-661**	**-662**	**-663**	**-664**	**-665**	**-666**	**-667**	**-668**	**-669**	
-670	**-671**	**-672**	**-673**	**-674**	**-675**	**-676**	**-677**	**-678**	**-679**	
-680	**-681**	**-682**	**-683**	**-684**	**-685**	**-686**	**-687**	**-688**	**-689**	
-690	**-691**	**-692**	**-693**	**-694**	**-695**	**-696**	**-697**	**-698**	**-699**	22.05.09総合
-700	**-701**	**-702**	**-703**	**-704**	**-705**	**-706**	**-707**	**-708**	**-709**	22.06.01総合
-710	**-711**	**-712**	**-713**	**-714**	**-715**	**-716**	**-717**	**-718**	**-719**	22.07.06総合
-720	**-721**	**-722**	**-723**	**-724**	**-725**	**-726**	**-727**	**-728**	**-729**	22.09.05総合

▽10-300形の基本仕様はＪＲ東日本のE231系に準じている
　先頭車の形式は、10-300形(10-を略して表示)
▽10両編成は2010.06.01から運転開始
▽10両化に際し、
　[点線枠] 内の車両は車号を-455･-465･-475･-485から変更するとともに、パンタグラフを撤去
▽10-490編成から、ＪＲ東日本Ｅ233系に準じた車内見付けとなり、前面形状等を変更
▽８両編成は、2022.08.10をもって営業運転終了

▼弱冷房車…編成図に弱を付した車両
▼優先席……全車両に設置
▼車イス対応スペース(フリースペース)……太字車両に設置

▽京王線への乗入れは、京王相模原線橋本など

浅草線	
5500形	
Mc	54
M	108
T	54
	216
	216
三田線	
6300形	
M	72
Tc	48
T	24
	144
6500形	
M	52
Tc	26
T	26
	104
	248
新宿線	
10-300形	
M	168
Tc	56
T	56
	280
大江戸線	
12-000形	
Mc	72
M	216
	288
12-600形	
Mc	46
M	138
	184
	472
計	1216

機関車	
E5000形	4
計	4

荒川線	
9000形	2
8900形	8
8800形	10
8500形	5
7700形	8
計	33

日暮里･舎人ライナー	
300形	
Mc	24
M	36
	60
330形	
Mc	14
M	21
	35
320形	
Mc	2
M	3
	5
計	100

大江戸線(木場車両検修場)　472両[帯色はルビー]

←都庁前・蔵前・六本木　　　新宿・光が丘→

12-000形　**288両**(アルミ車体)[密連]　③

	①	②	③	女④♿	♿⑤弱	⑥	⑦	⑧
	$M_{2}c$	M_{1}	M_{2}	M_{1}	M_{1}	M_{2}	M_{1}	$M_{2}c$
	12-000	12-000	12-000	12-000	12-000	12-000	12-000	12-000
	+	− V	ⓈCP −	V	V	− ⓈCP	V −	+
07	−071	−072	−073	**−074**	**−075**	−076	−077	−078
11	−111	−112	−113	**−114**	**−115**	−116	−117	−118
18	−181	−182	−183	**−184**	**−185**	−186	−187	−188
19	−191	−192	−193	**−194**	**−195**	−196	−197	−198
20	−201	−202	−203	**−204**	**−205**	−206	−207	−208
22	−221	−222	−223	**−224**	**−225**	−226	−227	−228
23	−231	−232	−233	**−234**	**−235**	−236	−237	−238
25	−251	−252	−253	**−254**	**−255**	−256	−257	−258
26	−261	−262	−263	**−264**	**−265**	−266	−267	−268
27	−271	−272	−273	**−274**	**−275**	−276	−277	−278
28	−281	−282	−283	**−284**	**−285**	−286	−287	−288
29	−291	−292	−293	**−294**	**−295**	−296	−297	−298
30	−301	−302	−303	**−304**	**−305**	−306	−307	−308
31	−311	−312	−313	**−314**	**−315**	−316	−317	−318
32	−321	−322	−323	**−324**	**−325**	−326	−327	−328
33	−331	−332	−333	**−334**	**−335**	−336	−337	−338
34	−341	−342	−343	**−344**	**−345**	−346	−347	−348
35	−351	−352	−353	**−354**	**−355**	−356	−357	−358
36	−361	−362	−363	**−364**	**−365**	−366	−367	−368
37	−371	−372	−373	**−374**	**−375**	−376	−377	−378
38	−381	−382	−383	**−384**	**−385**	−386	−387	−388
39	−391	−392	−393	**−394**	**−395**	−396	−397	−398
40	−401	−402	−403	**−404**	**−405**	−406	−407	−408
41	−411	−412	−413	**−414**	**−415**	−416	−417	−418
42	−421	−422	−423	**−424**	**−425**	−426	−427	−428
43	−431	−432	−433	**−434**	**−435**	−436	−437	−438
44	−441	−442	−443	**−444**	**−445**	−446	−447	−448
45	−451	−452	−453	**−454**	**−455**	−456	−457	−458
46	−461	−462	−463	**−464**	**−465**	−466	−467	−468
47	−471	−472	−473	**−474**	**−475**	−476	−477	−478
48	−481	−482	−483	**−484**	**−485**	−486	−487	−488
49	−491	−492	−493	**−494**	**−495**	−496	−497	−498
50	−501	−502	−503	**−504**	**−505**	−506	−507	−508
51	−511	−512	−513	**−514**	**−515**	−516	−517	−518
52	−521	−522	−523	**−524**	**−525**	−526	−527	−528
53	−531	−532	−533	**−534**	**−535**	−536	−537	−538

▽鉄輪式リニアモーター方式
▽第7編成以降は無塗装
▽第7編成以降のVVVF制御装置は
GTOからIGBTに変更
▽全列車ワンマン運転
▽2023.01.18から、４号車は平日朝、光が丘発六本木、
大門方面は07:00 ～ 08:30、都庁前発飯田橋、
両国方面は07:15 ～ 08:10、女性専用車に
▼弱冷房車…編成図に弱を付した車両
▼優先席…全車両に設置
▼車イス対応スペース(フリースペース含む)…太字車両に設置

←都庁前・蔵前・六本木　　　新宿・光が丘→

12-600形　**184両**(アルミ車体)[密連]　③

	$M_{2}c$	M_{1}	M_{2}	M_{1}	弱M_{1}	M_{2}	M_{1}	$M_{2}c$	
	12-600	12-600	12-600	12-600	12-600	12-600	12-600	12-600	
	+	− V	ⓈCP −	V	V	− ⓈCP	V −	+	
61	−611	−612	−613	**−614**	**−615**	−616	−617	−618	
62	−621	−622	−623	**−624**	**−625**	−626	−627	−628	
63	−631	−632	−633	**−634**	**−635**	−636	−637	−638	
64	−641	−642	−643	**−644**	**−645**	−646	−647	−648	
65	−651	−652	−653	**−654**	**−655**	−656	−657	−658	
66	−661	−662	−663	**−664**	**−665**	−666	−667	−668	
67	−671	−672	−673	**−674**	**−675**	−676	−677	−678	
68	−681	−682	−683	**−684**	**−685**	−686	−687	−688	
69	−691	−692	−693	**−694**	**−695**	−696	−697	−698	
70	−701	−702	−703	**−704**	**−705**	−706	−707	−708	
71	−711	−712	−713	**−714**	**−715**	−716	−717	−718	
72	−721	−722	−723	**−724**	**−725**	−726	−727	−728	
73	−731	−732	−733	**−734**	**−735**	−736	−737	−738	
74	−741	−742	−743	**−744**	**−745**	−746	−747	−748	
75	−751	−752	−753	**−754**	**−755**	−756	−757	−758	
76	−761	−762	−763	**−764**	**−765**	−766	−767	−768	
77	−771	−772	−773	**−774**	**−775**	−776	−777	−778	
78	−781	−782	−783	**−784**	**−785**	−786	−787	−788	
79	−791	−792	−793	**−794**	**−795**	−796	−797	−798	
80	−801	−802	−803	**−804**	**−805**	−806	−807	−808	
81	−811	−812	−813	**−814**	**−815**	−816	−817	−818	
82	−821	−822	−823	**−824**	**−825**	−826	−827	−828	22.07.24川車
83	−831	−832	−833	**−834**	**−835**	−836	−837	−838	23.03.19川車

日暮里・舎人ライナー(舎人車両検修所) 100両

←日暮里　　見沼代親水公園→

300形 60両(ステンレス車体)[密連] ②

	①	②	弱③	④	⑤
	Mc1 300-1	M2 300-2	M3 300-3	M4 300-4	Mc5 300-5
	CP	V	V	V	CP
01	301-1	301-2	**301-3**	301-4	301-5
03	303-1	303-2	**303-3**	303-4	303-5
04	304-1	304-2	**304-3**	304-4	304-5
05	305-1	305-2	**305-3**	305-4	305-5
06	306-1	306-2	**306-3**	306-4	306-5
07	307-1	307-2	**307-3**	307-4	307-5
11	311-1	311-2	**311-3**	311-4	311-5
12	312-1	312-2	**312-3**	312-4	312-5
13	313-1	313-2	**313-3**	313-4	313-5
14	314-1	314-2	**314-3**	314-4	314-5
15	315-1	315-2	**315-3**	315-4	315-5
16	316-1	316-2	**316-3**	316-4	316-5

330形 35両(アルミ合金)[密連] ②

	①	②	弱③	④	⑤	
	Mc1 330-1	M2 330-2	M3 330-3	M4 330-4	Mc5 330-5	
	CP	V	V	V	CP	
31	**331-1**	**331-2**	**331-3**	**331-4**	**331-5**	
32	**332-1**	**332-2**	**332-3**	**332-4**	**332-5**	
33	**333-1**	**333-2**	**333-3**	**333-4**	**333-5**	
34	**334-1**	**334-2**	**334-3**	**334-4**	**334-5**	22.06.07三菱重
35	**335-1**	**335-2**	**335-3**	**335-4**	**335-5**	22.07.26三菱重
36	**336-1**	**336-2**	**336-3**	**336-4**	**336-5**	22.11.01三菱重
37	**337-1**	**337-2**	**337-3**	**337-4**	**337-5**	23.02.07三菱重

▽330形は2015.10.10から営業運転を開始

320形 5両(アルミ車体)[密連] ②

	①	②	弱③	④	⑤
	Mc1 320-1	M2 320-2	M3 320-3	M4 320-4	Mc5 320-5
	CP	V	V	V	CP
21	321-1	321-2	**321-3**	321-4	321-5

▽320形は2017.05.10から営業運転開始

▽日暮里・舎人ライナーはゴムタイヤによる側方案内式、三相交流600Vの新交通システム
▽冷房装置は床下に装備
▽補助電源として定電圧変圧器、充電整流器を、1・5号車床下に装備

荒川線(荒川車両検修所) 33両

8500形 5両②

Mc 8500

V S CP

8501
8502
8503
8504
8505

8800形 10両 ②

Mc 8800

V S CP

	帯色
8801	ローズピンク
8802	ローズピンク
8803	ローズピンク
8804	ローズピンク
8805	ローズピンク
8806	バイオレット
8807	バイオレット
8808	オレンジ
8809	オレンジ
8810	イエロー

8900形 8両 ②

Mc 8900

V S CP

8901
8902
8903
8904
8905
8906
8907
8908

7700形 8両 ②

Mc 7700

V S CP

7701 [7007]=みどり
7702 [7026]=みどり
7703 [7031]=あお
7704 [7015]=あお
7705 [7018]=あお
7706 [7024]=えんじ
7707 [7005]=えんじ
7708 [7010]=えんじ

▽8900形は2015.09.18から営業運転開始
▽7700形は7000形の大規模改修車。
[ ] 内は旧車号。
2016.05.30から営業運転開始

9000形 2両 ②

Mc 9000

V S CP

9001
9002

▽9000形はレトロ調車体。
塗色(腰板)は9001=エンジ、9002=青
▽8503 ~ 8505は一人掛けクロスシート
▽8500形·8800形·9000形のDDSは屋根上に取付け

▼車イス対応スペース…太字の車両に設置

▽全般検査は各線区の車両検修場(所)で行なう

京浜急行電鉄　新町検車区・金沢検車区・久里浜検車区・〔全〕京急ファインテック久里浜事業所　796両

本線・空港線・大師線・逗子線・久里浜線(新町検車区〔新〕・金沢検車区〔金〕・久里浜検車区〔久〕) 796両

←三崎口・浦賀・逗子・葉山・羽田空港第1・第2ターミナル　　小島新田・品川・泉岳寺(都営地下鉄浅草線・京成線)→

2100形 **80両**(アルミ車体)[密連]　②

	①	②	弱③	④	⑤	⑥	⑦	⑧	
	Muc 2100	T 2100	Tp 2100	Mu 2100	Ms 2100	T 2100	弱Tp 2100	Msc 2100	
	+ VCP –		– S –	V	V –		– S –	VCP +	
金	**2101**	2102	2103	2104	2105	2106	2107	**2108**	←VVVFモーター更新　13.08.20=車体更新
金	**2109**	2110	2111	2112	2113	2114	2115	**2116**	←VVVFモーター更新　14.03.06=車体更新
金	**2117**	2118	2119	2120	2121	2122	2123	**2124**	←VVVFモーター更新　14.08.08=車体更新
久	**2125**	2126	2127	2128	2129	2130	2131	**2132**	←VVVFモーター更新　16.03.14=車体更新
久	**2133**	2134	2135	2136	2137	2138	2139	**2140**	←VVVFモーター更新＋車体更新=15.03.13(KEIKYU BLUE SKY TRAIN)
久	**2141**	2142	2143	2144	2145	2146	2147	**2148**	←VVVFモーター更新　17.03.14=車体更新
久	**2149**	2150	2151	2152	2153	2154	2155	**2156**	←VVVFモーター更新　14.08.15=車体更新
久	**2157**	2158	2159	2160	2161	2162	2163	**2164**	←VVVFモーター更新　15.09.02=車体更新
久	**2165**	2166	2167	2168	2169	2170	2171	**2172**	←VVVFモーター更新　14.11.06=車体更新
久	**2173**	2174	2175	2176	2177	2178	2179	**2180**	←VVVFモーター更新　15.12.01=車体更新

▽2100形は、転換式クロスシート装備。座席指定列車「モーニング・ウィング号」「ウィング号」にも充当

600形 **88両**(アルミ車体)[密連]　③

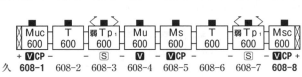

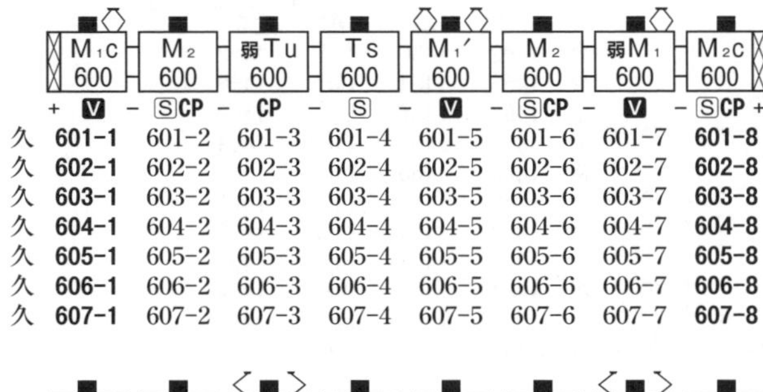

	M_1c 600	M_2 600	弱Tu 600	Ts 600	M_1' 600	M_2 600	弱M_1 600	M_2c 600
	+ V –	S CP –	CP –	S –	V –	S CP –	V –	S CP +
久	**601-1**	601-2	601-3	601-4	601-5	601-6	601-7	**601-8**
久	**602-1**	602-2	602-3	602-4	602-5	602-6	602-7	**602-8**
久	**603-1**	603-2	603-3	603-4	603-5	603-6	603-7	**603-8**
久	**604-1**	604-2	604-3	604-4	604-5	604-6	604-7	**604-8**
久	**605-1**	605-2	605-3	605-4	605-5	605-6	605-7	**605-8**
久	**606-1**	606-2	606-3	606-4	606-5	606-6	606-7	**606-8**
久	**607-1**	607-2	607-3	607-4	607-5	607-6	607-7	**607-8**

	Muc 600	T 600	弱Tp_1 600	Mu 600	Ms 600	T 600	弱Tp_1 600	Msc 600
	+ VCP –		– S –	V –	VCP –		– S –	VCP +
久	**608-1**	608-2	608-3	608-4	608-5	608-6	608-7	**608-8**

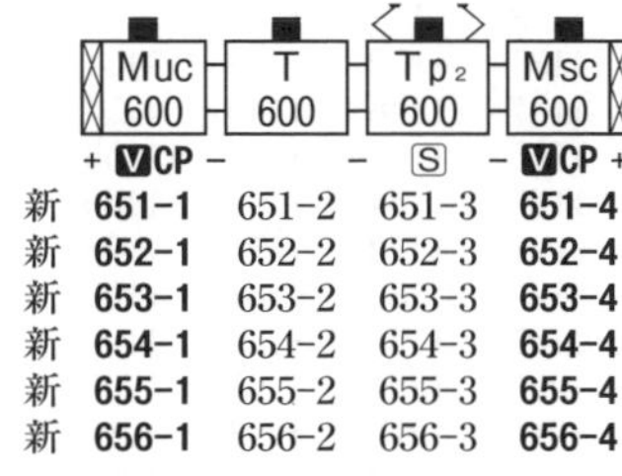

	Muc 600	T 600	Tp_2 600	Msc 600
	+ VCP –		– S –	VCP +
新	**651-1**	651-2	651-3	**651-4**
新	**652-1**	652-2	652-3	**652-4**
新	**653-1**	653-2	653-3	**653-4**
新	**654-1**	654-2	654-3	**654-4**
新	**655-1**	655-2	655-3	**655-4**
新	**656-1**	656-2	656-3	**656-4**

▽606編成はKEIKYU BLUE SKY TRAIN(05.03.14)
▽604編成は08.06.21 ～相直50周年ヘッドマーク掲出
▽600形は全車両車体更新施工済み

▽600形はクロスシート車。改造にて一部をロングシート化

▽車種別使用区分
快特・エアポート快特…2100形(自社線内限定)、600形･1500形･1000形〔8両編成〕(地下鉄乗入れ)
特急…600形･1500形･1000形〔8両編成〕
エアポート急行(自社線内)…600形･1000形〔4両＋4両編成、6両編成など〕
エアポート急行(地下鉄乗入れ)…600形･1500形･1000形〔8両編成〕(大半は他社からの乗入れ車両)
普通…600形･1000形･1500形〔4両･6両編成〕

▼優先席……全車両に設置
▼車イス対応スペース……太字の車両に設置
▼弱冷房車…編成図に弱を付した車両

▽組織改編にともない2018.03.16から車両管理区(管)は久里浜検車区(久)に組織名を変更

←三崎口・浦賀・逗子･葉山・羽田空港第1・第2ターミナル　　小島新田・品川・泉岳寺(都営地下鉄浅草線・京成線)→

1000形 **484両**(アルミ車体またはステンレス車体)[密連]　③

	①	②	弱③	④	⑤	⑥	弱⑦	⑧	
Aℓ	Muc 1000	Tpu 1000	Tu 1000	Mu 1000	Ms 1000	Ts 1000	Tps 1000	Msc 1000	車体更新
	+ VCP −	S	−	− V −	V	−	− S	− VCP +	
金	**1001**	1002	1003	1004	1005	1006	1007	**1008**	17.09.15
新	**1009**	1010	1011	1012	1013	1014	1015	**1016**	19.03.04
新	**1017**	1018	1019	1020	1021	1022	1023	**1024**	19.12.20
新	**1025**	1026	1027	1028	1029	1030	1031	**1032**	
新	**1033**	1034	1035	1036	1037	1038	1039	**1040**	21.12.06
新	**1041**	1042	1043	1044	1045	1046	1047	**1048**	22.08.22
新	**1049**	1050	1051	1052	1053	1054	1055	**1056**	22.03.01
久*1	**1057**	1058	1059	1060	1061	1062	1063	**1064**	23.03.03
久	**1065**	1066	1067	1068	1069	1070	1071	**1072**	21.08.11

	M2uc 1000	M1u 1000	Tu 1000	M1u′ 1000	M2s 1000	Ts 1000	M1s 1000	M2sc 1000	
	+ S −	V	− CP	V	−	− CP −	V	− S +	
久	**1073**	1074	1075	1076	1077	1078	1079	**1080**	
久	**1081**	1082	1083	1084	1085	1086	1087	**1088**	
久	**1089**	1090	1091	1092	1093	1094	1095	**1096**	
久	**1097**	1098	1099	1100	1101	1102	1103	**1104**	
久	**1105**	1106	1107	1108	1109	1110	1111	**1112**	
久	**1113**	1114	1115	1116	1117	1118	1119	**1120**	
久	**1121**	1122	1123	1124	1125	1126	1127	**1128**	
久	**1129**	1130	1131	1132	1133	1134	1135	**1136**	
久	**1145**	1146	1147	1148	1149	1150	1151	**1152**	
久	**1153**	1154	1155	1156	1157	1158	1159	**1160**	
久	**1161**	1162	1163	1164	1165	1166	1167	**1168**	13.08.27総合
久	**1169**	1170	1171	1172	1173	1174	1175	**1176**	14.06.29総合
金	**1177**	1178	1179	1180	1181	1182	1183	**1184**	16.12.22総合
金	**1185**	1186	1187	1188	1189	1190	1191	**1192**	17.02.21総合
金	**1201**	1202	1203	1204	1205	1206	1207	**1208**	17.12.14総合
金	**1209**	1210	1211	1212	1213	1214	1215	**1216**	18.02.19総合
金	**1217**	1218	1219	1220	1221	1222	1223	**1224**	18.03.29総合
久	**1225**	1226	1227	1228	1229	1230	1231	**1232**	19.09.02総合

	M2uc 1000	M1u 1000	弱Tu 1000	Ts 1000	M1s 1000	M2sc 1000	
	+ S CP −	V	−	−	− V	− S CP +	
金	**1301**	1302	1303	1304	1305	**1306**	
金	**1307**	1308	1309	1310	1311	**1312**	
金	**1313**	1314	1315	1316	1317	**1318**	
金	**1319**	1320	1321	1322	1323	**1324**	
金	**1325**	1326	1327	1328	1329	**1330**	
金	**1331**	1332	1333	1334	1335	**1336**	14.01.07川重
新	**1337**	1338	1339	1340	1341	**1342**	14.03.07川重
新	**1343**	1344	1345	1346	1347	**1348**	14.04.22川重
新	**1349**	1350	1351	1352	1353	**1354**	14.05.22川重
新	**1355**	1356	1357	1358	1359	**1360**	14.08.08川重
新	**1361**	1362	1363	1364	1365	**1366**	15.04.09川重
新	**1367**	1368	1369	1370	1371	**1372**	15.12.09川重

▽編成に表示の「Aℓ」はアルミ車体
　1073・1301・1449・1801以降の車両は
　　ステンレス車体(新1000形)
▽2016年度増備車から窓回りクリーム色に、
　前照灯ＬＥＤ化(６・８両編成のみ)
▽号車表示は、都営地下鉄浅草線に準拠
▽17次車　1209 ～・1613 ～ 全面塗装
*1 KEIKYU YELLOW HAPPY TRAIN(2014.04.30)
▽2020年度増備の20次車以降はクロスシート／ロングシート転換機能車。
　　２号車に車イス対応大型トイレ、３号車に男子用小用トイレを設置

Aℓ	Muc1 1000	Tpu1 1000	Tps1 1000	Msc1 1000	
	+ VCP −	S	− S	− VCP +	
金	**1401**	1402	1403	**1404**	
金	**1405**	1406	1407	**1408**	

Aℓ	Muc1 1000	T 1000	Tp 1000	Msc1 1000	2号車 T車化
	+ VCP −		− S	− VCP +	
金	**1409**	1410	1411	**1412**	更新=22.11.17
金	**1413**	1414	1415	**1416**	更新=23.03.15
新	**1417**	1418	1419	**1420**	19.04.12
新	**1421**	1422	1423	**1424**	19.05.24
新	**1425**	1426	1427	**1428**	19.10.18
新	**1429**	1430	1431	**1432**	21.10.26
新	**1433**	1434	1435	**1436**	20.10.28
新	**1437**	1438	1439	**1440**	20.11.24
金	**1441**	1442	1443	**1444**	22.07.20
金	**1445**	1446	1447	**1448**	22.10.26

	M2uc 1000	M1u 1000	M1s 1000	M2sc 1000
	+ S CP −	V	− V	− S CP +
金	**1449**	1450	1451	**1452**
金	**1453**	1454	1455	**1456**
金	**1457**	1458	1459	**1460**
金	**1461**	1462	1463	**1464**
新	**1465**	1466	1467	**1468**
金	**1469**	1470	1471	**1472**
金	**1473**	1474	1475	**1476**
金	**1477**	1478	1479	**1480**
新	**1481**	1482	1483	**1484**
新	**1485**	1486	1484	**1488**
新	**1489**	1490	1491	**1492**

	M2uc 1000	M1u 1000	M1s 1000	M2sc 1000	
	+ S CP −	V	− V	− S CP +	
金	**1801**	1802	1803	**1804**	16.03.04総合
金	**1805**	1806	1807	**1808**	16.03.04総合
金	**1809**	1810	1811	**1812**	16.09.30総合

⑳㉑	M2uc 1000	T1u 1000	T1s 1000	M2sc 1000	
	−	VCP −	V S −	+	
金	**1891-1**	**1891-2**	**1891-3**	**1891-4**	21.03.03総合
金	**1892-1**	**1892-2**	**1892-3**	**1892-4**	21.03.24総合
金	**1893-1**	**1893-2**	**1893-3**	**1893-4**	21.11.08総合
金	**1894-1**	**1894-2**	**1894-3**	**1894-4**	21.12.27総合
金	**1895-1**	**1895-2**	**1895-3**	**1895-4**	22.02.28総合

←三崎口・浦賀・逗子・葉山・羽田空港第1・第2ターミナル　　小島新田・品川・泉岳寺(都営地下鉄浅草線・京成線)→

1500形　**138両**(鋼製車体またはアルミ車体)［密連］ ③

	M1c 1500	M2 1500	弱Tu 1900	Ts 1900	M1 1500	M2 1500	弱M1 1500	M2c 1500
	+ V –	SCP –	CP –	S –	V –	SCP –	V –	SCP +
久	**1707**	1708	1921	1922	1709	1710	1711	**1712**
久	**1713**	1714	1923	1924	1715	1716	1717	**1718**
久	**1719**	1720	1907	1908	1721	1722	1723	**1724**
久	**1725**	1726	1909	1910	1727	1728	1729	**1730**
久	**1731**	1732	1913	1914	1733	1734	1735	**1736**

	M1c 1500	M2 1500	Tu 1900	Ts 1900	M1 1500	M2c 1500
	+ V –	SCP –	CP –	S –	V –	SCP +
新	**1529**	1530	1931	1932	1531	**1532**
新	**1533**	1534	1933	1934	1535	**1536**
新	**1537**	1538	1935	1936	1539	**1540**
新	**1541**	1542	1937	1938	1543	**1544**
新	**1545**	1546	1939	1940	1547	**1548**
新	**1549**	1550	1941	1942	1551	**1552**
新	**1561**	1562	1925	1926	1563	**1564**
金	**1585**	1586	1929	1930	1587	**1588**
金	**1565**	1566	1927	1928	1567	**1568**
金	**1569**	1570	1901	1902	1571	**1572**
金	**1573**	1574	1903	1904	1575	**1576**
金	**1577**	1578	1905	1906	1579	**1580**
金	**1581**	1582	1911	1912	1583	**1584**
新	**1589**	1590	1915	1916	1591	**1592**
新	**1593**	1594	1917	1918	1595	**1596**

	M1c 1500	M2 1500	M1 1500	M2c 1500	
	+ F –	SCP –	F –	SCP +	
新	**1521**	1522	1523	**1524**	＊
新	**1525**	1526	1527	**1528**	

▽1501 ～ 1520は鋼製車体(車号斜字)
　ほかはアルミ車体

▽＊1521は120周年記念塗色
　18.02.25 ～

▼優先席……全車両に設置
▼車イス対応スペース……太字の車両に設置
▼弱冷房車……編成図に弱を付した車両

1000形　続き

	M2uc 1000	M1u 1000	弱Tu 1000	Ts 1000	M1s 1000	M2sc 1000	
	+ SCP –	V –	–	–	V –	SCP +	
金	**1601**	1602	1603	1604	1605	**1606**	16.11.07川重
金	**1607**	1608	1609	1610	1611	**1612**	16.11.29川重
金	**1613**	1614	1615	1616	1617	**1618**	18.01.05川重
新	**1619**	1620	1621	1622	1623	**1624**	18.02.05川重
新	**1625**	1626	1627	1628	1629	**1630**	18.10.10川重
新	**1631**	1632	1633	1634	1635	**1636**	18.06.08川重
新	**1637**	1638	1639	1640	1641	**1642**	18.06.18川重
新	**1643**	1644	1645	1646	1647	**1648**	18.08.08総合
新	**1649**	1650	1651	1652	1653	**1654**	18.12.25川重
金	**1655**	1656	1657	1658	1659	**1660**	19.02.26総合
金	**1661**	1662	1663	1664	1665	**1666**	19.03.19総合
金	**1667**	1668	1669	1670	1671	**1672**	19.06.07川重

配置区別形式・両数表

形式	新町	金沢	久里浜	計
2100形				
デハ2100		12	28	40
サハ2100		12	28	40
		24	56	80
1500形				
デハ1500	44	24	30	98
サハ1900	18	12	10	40
	62	36	40	138
1000形				
デハ1000	100	144	86	330
サハ1000	60	60	34	154
	160	204	120	484
600形				
デハ600	12		46	58
サハ600	12		18	30
	24		64	88
合　計	246	256	280	790

事業用車　**6両**［密連］

デト11·12形

	SCP –	F
新	11	12

デト17·18形

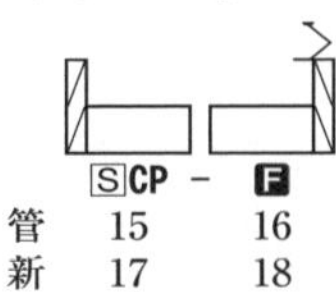

	SCP –	F
管	15	16
新	17	18

▽デト11·12形は資材運搬用、デト17·18形は救援車

▽久里浜事業所にて、デ51形(終焉時、京急140形)、元湘南電鉄デ１形を保存
▽京急グループ本社ビル１階「京急ミュージアム」(横浜市みなとみらい地区)に元湘南電鉄デ１形(京急デハ230形236)を保存、展示

東武鉄道 南栗橋車両管区(春日部・七光台支所・館林)・森林公園検修区 1837両

東武スカイツリーライン・伊勢崎線・日光線(南栗橋車両管区〔栗〕・春日部支所〔 〕) 935両

←浅草(地下鉄日比谷線)　　伊勢崎・東武宇都宮・鬼怒川公園・東武日光(野岩鉄道・会津鉄道)→

N100系(スペーシアX) 12両(アルミ車体)[密連] ①

⑥	WC⑤	④	③	②WC	①
Tc1	M1	M2	M3	M4	Tc2
N100-1	N100-2	N100-3	N100-4	N100-5	N100-6
+ CP −	V −	S −	V −	S −	CP +
N101-1	N101-2	N101-3	N101-4	N101-5	N101-6
N102-1	N102-2	N102-3	N102-4	N102-5	N102-6

▽2023.07.15から営業運転開始予定
▽2023.05.25公式試運転後に配属。両数に含めず

100系(スペーシア) 42両(アルミ車体)[収納] ①(3号車は客用扉なし)

	⑥WC	⑤	④WC	③	②	WC①	
	Mc1	M1	M2	M3	M4	Mc2	
	100-1	100-2	100-3	100-4	100-5	100-6	
	DD −	V +	DDCP −	V	V −	DD	
	101-1	101-2	101-3	101-4	101-5	101-6	デラックスカラー
	102-1	102-2	102-3	102-4	102-5	102-6	デビューカラー
	103-1	103-2	103-3	103-4	103-5	103-6	金色
JR	106-1	106-2	106-3	106-4	106-5	106-6	金色
JR	107-1	107-2	107-3	107-4	107-5	107-6	雅色=12.05.31
JR	108-1	108-2	108-3	108-4	108-5	108-6	デビューカラー
	109-1	109-2	109-3	109-4	109-5	109-6	デビューカラー

200系 36両[収納] ①(4号車は客用扉なし)

⑥WC	⑤	④	WC③	②	WC①	
Mc1	M1	M2	M3	M4	Mc2	
200-1	200-2	200-3	200-4	200-5	200-6	
DD −	F +	F −	DDCP	F −	DDCP	
203-1	203-2	203-3	**203-4**	203-5	203-6	
204-1	204-2	204-3	**204-4**	204-5	204-6	
205-1	205-2	205-3	**205-4**	205-5	205-6	1800系カラー
206-1	206-2	206-3	**206-4**	206-5	206-6	

Mc1	M1	M2	M3	M4	Mc2	
200-1	200-2	200-3	200-4	200-5	200-6	
S −	F −	F −	SCP	F −	SCP	
207-1	207-2	207-3	**207-4**	207-5	207-6	
209-1	209-2	209-3	**209-4**	209-5	209-6	1800系カラー

▽特急用車両は全車禁煙(2007.03.18から)
▽100系の6号車は個室(コンパートメント)専用車、3号車に販売カウンター
JRはJR線に乗入れ可能。1·4·6号車にトイレ、洗面所
▽＊印の編成は「日光詣スペーシア」色(金塗装)
103編成は2015.04.18、106編成は2015.07.18運行開始
▽100系101編成は、2021.12.06から「DRC」色となって運行開始
108(2021.10)・109(2021.06)編成はデビュー当初のカラーに変更
▽200系のFは界磁添加励磁方式
▽200系は特急「りょうもう」に使用、
太字の車両は車イス対応の座席・トイレがある。1·3·6号車に自販機設置
▽500系は、「リバティけごん」「リバティきぬ」「リバティ会津」「リバティりょうもう」のほか、野田線系統の「アーバンパークライナー」、および浅草〜春日部間「スカイツリーライナー」にて使用

▽東武スカイツリーライン系車両数には客車等も含んで計上

500系(リバティ[Revaty]) 51両(アルミ車体) ①

⑥/③	⑤/②WC	④/①	
Mc2	T2	Mc1	
500-1	500-2	500-3	
+ V −	SCP −	V +	
501-1	**501-2**	501-3	16.12.05川重
502-1	**502-2**	502-3	16.12.05川重
503-1	**503-2**	503-3	16.12.05川重
504-1	**504-2**	504-3	17.01.30川重
505-1	**505-2**	505-3	17.01.30川重
506-1	**506-2**	506-3	17.02.20川重
507-1	**507-2**	507-3	17.02.20川重
508-1	**508-2**	508-3	17.02.20川重
509-1	**509-2**	509-3	20.10.07川重
510-1	**510-2**	510-3	20.10.08川重
511-1	**511-2**	511-3	20.10.09川重
512-1	**512-2**	512-3	21.07.14川重
513-1	**513-2**	513-3	21.07.14川重
514-1	**514-2**	514-3	21.07.14川重
515-1	**515-2**	515-3	22.01.19川車
516-1	**516-2**	516-3	22.01.19川車
517-1	**517-2**	517-3	22.01.19川車

▽2017.04.21から営業運転開始
▽連結器は密連
▼車イス対応スペース……太字の車両に設置

▽全般検査は南栗橋車両管区で行なう

←浅草・北千住　　　　　　　　　　　　伊勢崎・東武宇都宮・東武日光→

10000系10000型　**78両**(ステンレス車体)[密連]　④

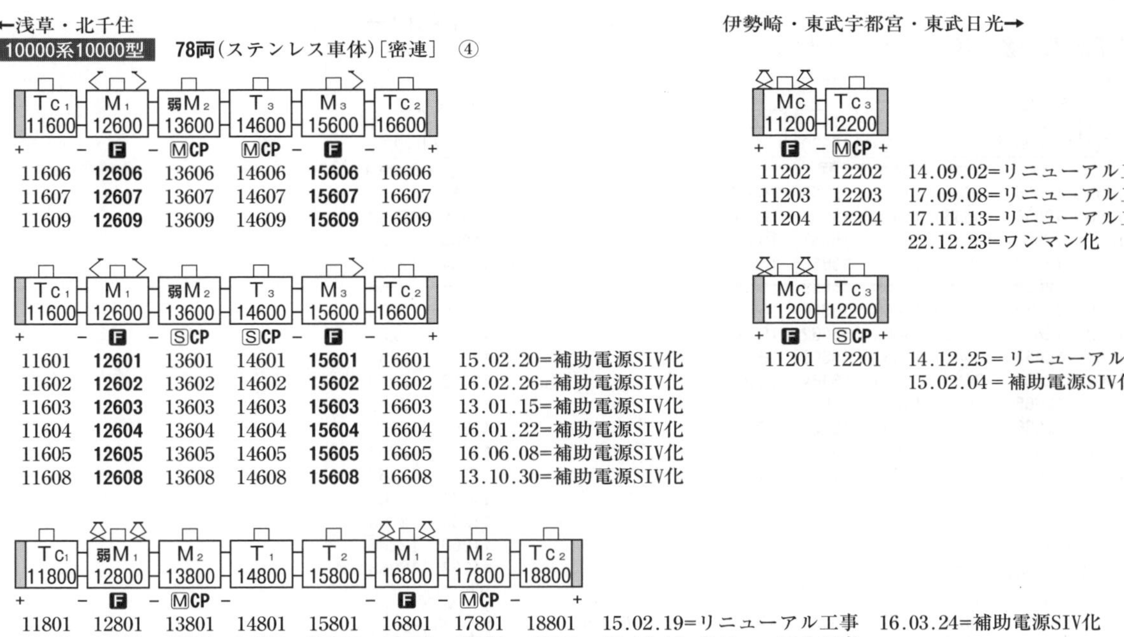

Tc1 11600	M1 12600	弱M2 13600	T3 14600	M3 15600	Tc2 16600
+	− F	− ⓂCP	ⓂCP	− F	− +
11606	**12606**	13606	14606	**15606**	16606
11607	**12607**	13607	14607	**15607**	16607
11609	**12609**	13609	14609	**15609**	16609

Tc1 11600	M1 12600	弱M2 13600	T3 14600	M3 15600	Tc2 16600	
+	− F	− ⓈCP	ⓈCP	− F	− +	
11601	**12601**	13601	14601	**15601**	16601	15.02.20=補助電源SIV化
11602	**12602**	13602	14602	**15602**	16602	16.02.26=補助電源SIV化
11603	**12603**	13603	14603	**15603**	16603	13.01.15=補助電源SIV化
11604	**12604**	13604	14604	**15604**	16604	16.01.22=補助電源SIV化
11605	**12605**	13605	14605	**15605**	16605	16.06.08=補助電源SIV化
11608	**12608**	13608	14608	**15608**	16608	13.10.30=補助電源SIV化

Tc1 11800	弱M1 12800	M2 13800	T1 14800	T2 15800	M1 16800	M2 17800	Tc2 18800	
+	− F	− ⓂCP −			− F	− ⓂCP −	+	
11801	12801	13801	14801	15801	16801	17801	18801	15.02.19=リニューアル工事　16.03.24=補助電源SIV化
11802	12802	13802	14802	15802	16802	17802	18802	14.10.10=リニューアル工事

Mc 11200	Tc3 12200	
+ F	− ⓂCP +	
11202	12202	14.09.02=リニューアル工事
11203	12203	17.09.08=リニューアル工事
11204	12204	17.11.13=リニューアル工事 22.12.23=ワンマン化

Mc 11200	Tc3 12200	
+ F	− ⓈCP +	
11201	12201	14.12.25＝リニューアル 15.02.04＝補助電源SIV化

▼優先席……全車両に設置
▼車イス対応スペース……太字の車両に設置

ＳＬ大樹

←下今市　　　　　　　　　　　　鬼怒川温泉→

客車 **8両**　**貨車** **2両**　**ＤＬ** **2両**　**ＳＬ** **2両**
②

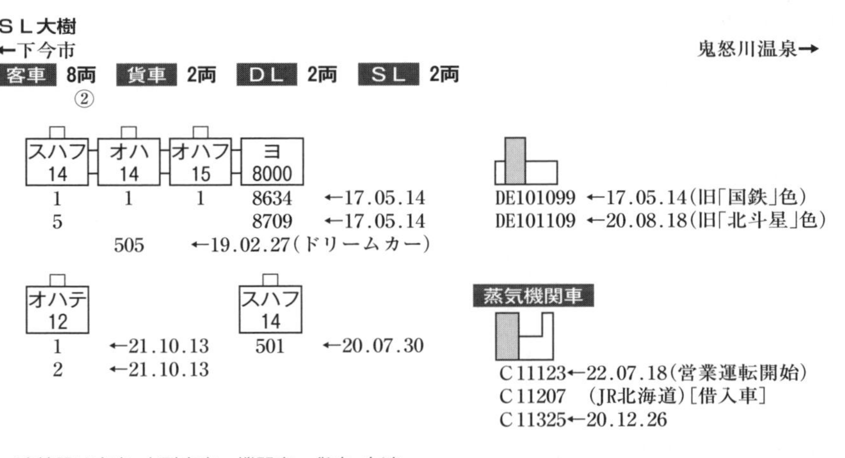

スハフ 14	オハ 14	オハフ 15	ヨ 8000	
1	1	1	8634	←17.05.14
5			8709	←17.05.14
	505			←19.02.27(ドリームカー)

オハテ 12	
1	←21.10.13
2	←21.10.13

スハフ 14	
501	←20.07.30

DE101099 ←17.05.14(旧「国鉄」色)
DE101109 ←20.08.18(旧「北斗星」色)

蒸気機関車

C11123←22.07.18(営業運転開始)
C11207　(JR北海道)[借入車]
C11325←20.12.26

▽連結器は客車=小型客車、機関車・貨車=自連
▽C11325、C11123、客車、貨車は、すべて東武博物館所有(車両数には含む)

←浅草　　　　　　　　伊勢崎・東武宇都宮・東武日光→

10000系10030型　186両(ステンレス車体)[密連]　④

⑥	⑤	④	③	②	①
Tc₁ 11630	M₁ 12630	弱M₂ 13630	T₃ 14630	M₃ 15630	Tc₂ 16630
+	− F −	SCP	SCP	− F −	+
11655	**12655**	13655	14655	**15655**	16655
11656	**12656**	13656	14656	**15656**	16656
11657	**12657**	13657	14657	**15657**	16657
11658	**12658**	13658	14658	**15658**	16658
11659	**12659**	13659	14659	**15659**	16659
11660	**12660**	13660	14660	**15660**	16660
11662	**12662**	13662	14662	**15662**	16662
11663	**12663**	13663	14663	**15663**	16663
11664	**12664**	13664	14664	**15664**	16664
11665	**12665**	13665	14665	**15665**	16665
11666	**12666**	13666	14666	**15666**	16666
11667	**12667**	13667	14667	**15667**	16667
11668	**12668**	13668	14668	**15668**	16668

Mc 11230	Tc₃ 12230
+ F −	SCP +
11251	12251
11252	12252
11253	12253
11254	12254
11255	12255
11256	12256
11257	12257
11258	12258
11259	12259
11260	12260
11261	12261
11262	12262
11263	12263
11264	12264
11265	12265
11266	12266
11268	12268

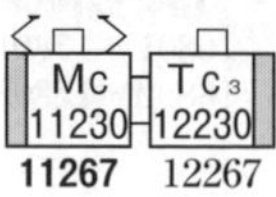

11267　12267

▽先頭車の幌は伊勢崎寄りに取付
▽10000型・10030型2両編成は4両編成の伊勢崎寄りに連結

Tc₁ 11430	M₁ 12430	弱M₂ 13430	Tc₂ 14430	
+	− F −	SCP −	+	
11431	**12431**	13431	14431	15.10.13＝リニューアル工事
11432	**12432**	13432	14432	16.02.17＝リニューアル工事
11433	**12433**	13433	14433	15.08.20＝リニューアル工事
11434	**12434**	13434	14434	16.03.28＝リニューアル工事
11435	**12435**	13435	14435	16.11.17＝リニューアル工事
11436	**12436**	13436	14436	16.09.02＝リニューアル工事
11437	**12437**	13437	14437	17.06.07＝リニューアル工事
11444	**12444**	13444	14444	15.12.18＝リニューアル工事
11447	**12447**	13447	14447	16.06.24＝リニューアル工事
11451	**12451**	13451	14451	
11452	**12452**	13452	14452	
11453	**12453**	13453	14453	
11454	**12454**	13454	14454	
11456	**12456**	13456	14456	
11457	**12457**	13457	14457	
11458	**12458**	13458	14458	
11459	**12459**	13459	14459	
11461	**12461**	13461	14461	

10000系10080型　4両(ステンレス車体)[密連]　④

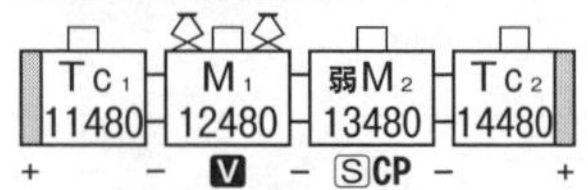

11480　**12480**　13480　14480　15.07.16＝リニューアル工事

50000系50000型　20両(アルミ車体[アルミダブルスキン構体])[密連]　④

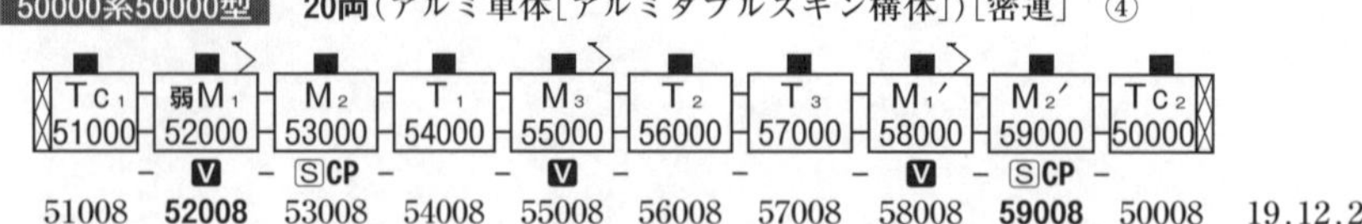

51008	**52008**	53008	54008	55008	56008	57008	58008	**59008**	50008	19.12.24転入
51009	**52009**	53009	54009	55009	56009	57009	58009	**59009**	50009	21.08.23転入

▽50000系50000型は50050型、30000系とともに東京地下鉄半蔵門線乗入れ可能
▽地下鉄半蔵門線への乗入れは、渋谷から東急田園都市線に直通、中央林間まで

▽東武博物館(東武スカイツリーライン東向島駅高架下)に、Ｂ１形５・６、デハ１形５、5700系5701、5700系5703(前部)、1720形1721(前部車体半分)、ＥＤ10形101、ＥＤ5010形5015、日光軌道線200形203、トキ１形などを保存、展示

←(地下鉄半蔵門線)浅草・押上　　　　　　　伊勢崎・東武宇都宮・東武日光→

50000系50050型　**180両**(地下鉄半蔵門線乗入れ車)(アルミ車体[アルミダブルスキン構体])[密連]　④

	⑩	⑨♿	⑧	⑦	⑥	⑤	④	③	♿②弱	①
	Tc1	弱M1	M2	T1	M3	T2	T3	M1′	M2′	Tc2
	51050	52050	53050	54050	55050	56050	57050	58050	59050	50050
		V	SCP		V			V	SCP	
栗	51051	**52051**	53051	54051	55051	56051	57051	58051	**59051**	50051
栗	51052	**52052**	53052	54052	55052	56052	57052	58052	**59052**	50052
栗	51053	**52053**	53053	54053	55053	56053	57053	58053	**59053**	50053
栗	51054	**52054**	53054	54054	55054	56054	57054	58054	**59054**	50054
栗	51055	**52055**	53055	54055	55055	56055	57055	58055	**59055**	50055
栗	51056	**52056**	53056	54056	55056	56056	57056	58056	**59056**	50056
栗	51057	**52057**	53057	54057	55057	56057	57057	58057	**59057**	50057
栗	51058	**52058**	53058	54058	55058	56058	57058	58058	**59058**	50058
栗	51059	**52059**	53059	54059	55059	56059	57059	58059	**59059**	50059
栗	51060	**52060**	53060	54060	55060	56060	57060	58060	**59060**	50060
栗	51061	**52061**	53061	54061	55061	56061	57061	58061	**59061**	50061
栗	51062	**52062**	53062	54062	55062	56062	57062	58062	**59062**	50062
栗	51063	**52063**	53063	54063	55063	56063	57063	58063	**59063**	50063
栗	51064	**52064**	53064	54064	55064	56064	57064	58064	**59064**	50064
栗	51065	**52065**	53065	54065	55065	56065	57065	58065	**59065**	50065
栗	51066	**52066**	53066	54066	55066	56066	57066	58066	**59066**	50066
栗	51067	**52067**	53067	54067	55067	56067	57067	58067	**59067**	50067
栗	51068	**52068**	53068	54068	55068	56068	57068	58068	**59068**	50068

▽51051 ～ 51059編成は側窓簡易開閉式に改造。51060 ～ 51068編成は側窓開閉式

70000系70000型　**126両**(地下鉄日比谷線乗入れ車)(アルミ車体)[密連]　④

⑦♿	⑥♿	弱⑤♿	④♿	③♿	②♿	♿①	
Mc1	M1	M2	M3	M2′	M1′	Mc2	
71700	72700	73700	74700	75700	76700	77700	
CP	V	S	V	S	V	CP	
71701	**72701**	**73701**	**74701**	**75701**	**76701**	**77701**	17.02.27近車
71702	**72702**	**73702**	**74702**	**75702**	**76702**	**77702**	17.03.06近車
71703	**72703**	**73703**	**74703**	**75703**	**76703**	**77703**	17.03.13近車
71704	**72704**	**73704**	**74704**	**75704**	**76704**	**77704**	17.11.27近車
71705	**72705**	**73705**	**74705**	**75705**	**76705**	**77705**	17.12.18近車
71706	**72706**	**73706**	**74706**	**75706**	**76706**	**77706**	18.01.09近車
71707	**72707**	**73707**	**74707**	**75707**	**76707**	**77707**	18.01.15近車
71708	**72708**	**73708**	**74708**	**75708**	**76708**	**77708**	18.02.05近車
71709	**72709**	**73709**	**74709**	**75709**	**76709**	**77709**	18.02.19近車
71710	**72710**	**73710**	**74710**	**75710**	**76710**	**77710**	18.03.05近車
71711	**72711**	**73711**	**74711**	**75711**	**76711**	**77711**	19.01.18近車
71712	**72712**	**73712**	**74712**	**75712**	**76712**	**77712**	19.02.07近車
71713	**72713**	**73713**	**74713**	**75713**	**76713**	**77713**	19.02.14近車
71714	**72714**	**73714**	**74714**	**75714**	**76714**	**77714**	19.03.07近車
71715	**72715**	**73715**	**74715**	**75715**	**76715**	**77715**	19.03.15近車
71716	**72716**	**73716**	**74716**	**75716**	**76716**	**77716**	19.03.28近車
71717	**72717**	**73717**	**74717**	**75717**	**76717**	**77717**	20.01.24近車
71718	**72718**	**73718**	**74718**	**75718**	**76718**	**77718**	20.02.06近車

▼優先席…全車両に設置
▼車イス対応スペース(フリースペースを含む)
…太字の車両に設置
▼弱冷房車…編成図に弱を付した車両

70000系70090型　**42両**(地下鉄日比谷線乗入れ車)(アルミ車体)[密連]　④

⑦♿	⑥♿	弱⑤♿	④♿	③♿	②♿	♿①	
Mc1	M1	M2	M3	M2′	M1′	Mc2	
71790	72790	73790	74790	75790	76790	77790	
CP	V	S	V	S	V	CP	
71791	**72791**	**73791**	**74791**	**75791**	**76791**	**77791**	20.02.28近車
71792	**72792**	**73792**	**74792**	**75792**	**76792**	**77792**	20.02.27近車
71793	**72793**	**73793**	**74793**	**75793**	**76793**	**77793**	20.03.18近車
71794	**72794**	**73794**	**74794**	**75794**	**76794**	**77794**	20.04.02近車
71795	**72795**	**73795**	**74795**	**75795**	**76795**	**77795**	20.05.28近車
71796	**72796**	**73796**	**74796**	**75796**	**76796**	**77796**	20.06.04近車

▽70090型は、座席クロス／ロングシート転換機能を持つ。クロスシートで有料座席指定車として使用
2020.06.06からＴＨライナーに充当

▽70000系は、2017.07.07から営業運転開始

←浅草・南栗橋

東武宇都宮・東武日光→

20000系20410型　12両(ワンマン)(ステンレス車体)[18m車][密連]③

	Tc₁	M₁	M₂	Tc₂	改造月日
	21410	22410	23410	24410	
	－	V	－ SCP	－	
栗	21411	**22411**	**23411**	24411	18.03.30
	[21871]	[22871]	[23871]	[28871]	
栗	21412	**22412**	**23412**	24412	18.07.24
	[21872]	[22872]	[23872]	[28872]	
栗	21413	**22413**	**23413**	24413	18.08.28
	[21873]	[22873]	[23873]	[28873]	

20000系20420型　12両(ワンマン)(ステンレス車体)[18m車][密連]③

	Tc₁	M₁	M₂	Tc₂	
	21420	22420	23420	24420	
	－	V	－ SCP	－	
栗	21421	**22421**	**23421**	24421	18.05.11
	[21811]	[26871]	[27871]	[28811]	
栗	21422	**22422**	**23422**	24422	18.06.22
	[21802]	[26872]	[27872]	[28802]	
栗	21423	**22423**	**23423**	24423	18.10.11
	[21801]	[26873]	[27873]	[28801]	

20000系20430型　32両(ワンマン)(ステンレス車体)[18m車][密連]③

先頭車元５ドア

	Tc₁	M₁	M₂	Tc₂	
	21430	22430	23430	24430	
	－	V	－ SCP	－	
栗	21431	**22431**	**23431**	24431	18.10.14
	[21857]	[24857]	[23857]	[28857]	
栗	21432	**22432**	**23432**	24432	19.03.26
	[21858]	[24858]	[23858]	[28858]	
栗	21433	**22433**	**23433**	24433	19.08.23
	[21851]	[24851]	[23851]	[28851]	
栗	21434	**22434**	**23434**	24434	19.12.20
	[21852]	[24852]	[23852]	[28852]	
栗	21435	**22435**	**23435**	24435	20.08.25
	[21853]	[24853]	[23853]	[28853]	
栗	21436	**22436**	**23436**	24436	21.03.17
	[21856]	[24856]	[23856]	[28856]	
栗	21437	**22437**	**23437**	24437	21.05.28
	[21854]	[24854]	[23854]	[28854]	
栗	21438	**22438**	**23438**	24438	21.12.21
	[21855]	[24855]	[23855]	[28855]	

20000系20440型　28両(ワンマン)(ステンレス車体)[18m車][密連]③

中間車M₂元５ドア

	Tc₁	M₁	M₂	Tc₂	
	21440	22440	23440	24440	
	－	V	－ SCP	－	
栗	21441	**22441**	**23441**	24441	19.01.29
	[21810]	[26857]	[27857]	[28810]	
栗	21442	**22442**	**23442**	24442	19.07.05
	[21806]	[26858]	[27858]	[28806]	
栗	21443	**22443**	**23443**	24443	19.09.27
	[21808]	[26851]	[27851]	[28808]	
栗	21444	**22444**	**23444**	24444	20.02.26
	[21805]	[26852]	[27852]	[28805]	
栗	21445	**22445**	**23445**	24445	20.11.04
	[21803]	[26853]	[27853]	[28803]	
栗	21446	**22446**	**23446**	24446	22.02.26
	[21804]	[26856]	[27856]	[28804]	
栗	21447	**22447**	**23447**	24447	21.09.07
	[21812]	[26854]	[27854]	[28812]	
栗	21448	22448	23448	24448	22.05.13
	[21807]	[26855]	[27855]	[28807]	

▽押しボタン式ドア開閉スイッチ装備

6050系　6両〔栗〕[密連]　②

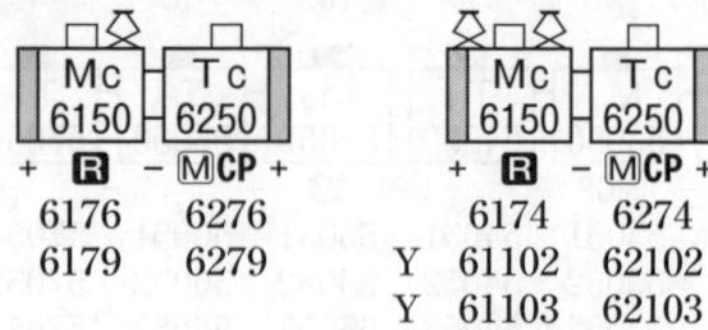

	Mc	Tc
	6176	6276
	6179	6279
	6174	6274
Y	61102	62102
Y	61103	62103

634型　4両〔栗〕[密連]　①

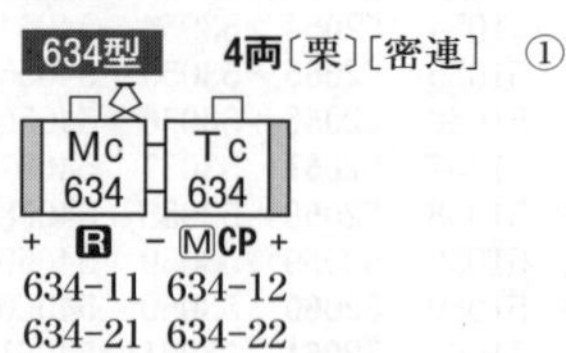

Mc	Tc
634-11	634-12
634-21	634-22

▽634型は、展望車「スカイツリートレイン」(2012.10.25改造)
634-11(旧6177)＋634-12(旧6277)＝青(Sky)
634-21(旧6178)＋634-22(旧6278)＝赤(Tree)
▽6050系のＹ印は野岩鉄道所属車
東武鉄道の車両数には含めない
▽6050系のクハ6250形はトイレ付き

▽ワンマン車、ワンマン運転区間＝亀戸線、大師線、小泉線、佐野線、桐生線、伊勢崎線(館林～伊勢崎)、宇都宮線の全列車

←浅草　　　　　　　　　　　　　　　　　　　　　　　　　　　伊勢崎・東武宇都宮・東武日光→

8000系　**28両**［小型密着］　④

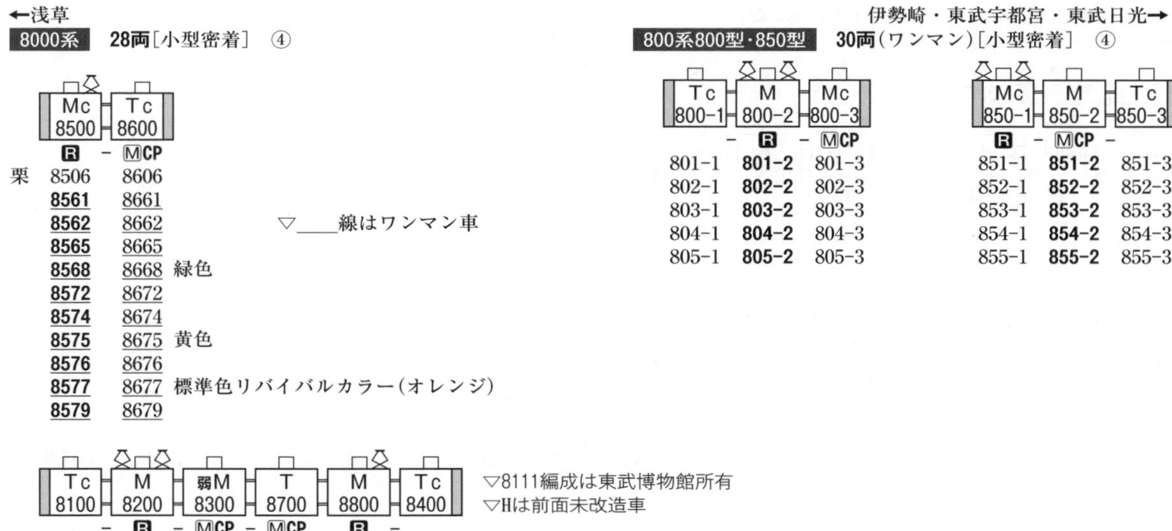

	Mc 8500	Tc 8600	
	R	MCP	
栗	8506	8606	
	8561	8661	
	8562	8662	
	8565	8665	
	8568	8668	緑色
	8572	8672	
	8574	8674	
	8575	8675	黄色
	8576	8676	
	8577	8677	標準色リバイバルカラー(オレンジ)
	8579	8679	

▽____線はワンマン車

	Tc 8100	M 8200	弱M 8300	T 8700	M 8800	Tc 8400	
	–	R	MCP	MCP	R	–	
H	8111	8211	8311	8711	8811	8411	セイジクリーム

▽8111編成は東武博物館所有
▽Hは前面未改造車

▽8568編成は白帯車、8575編成は黄色基調のリバイバルカラー
(17.07.10)

800系800型・850型　**30両**(ワンマン)［小型密着］　④

Tc 800-1	M 800-2	Mc 800-3
–	R	MCP
801-1	**801-2**	801-3
802-1	**802-2**	802-3
803-1	**803-2**	803-3
804-1	**804-2**	804-3
805-1	**805-2**	805-3

Mc 850-1	M 850-2	Tc 850-3
R	MCP	–
851-1	**851-2**	851-3
852-1	**852-2**	852-3
853-1	**853-2**	853-3
854-1	**854-2**	854-3
855-1	**855-2**	855-3

東上線

←池袋　　　　　　　　越生・寄居→

8000系　**44両**(ワンマン)［小型密着］　④

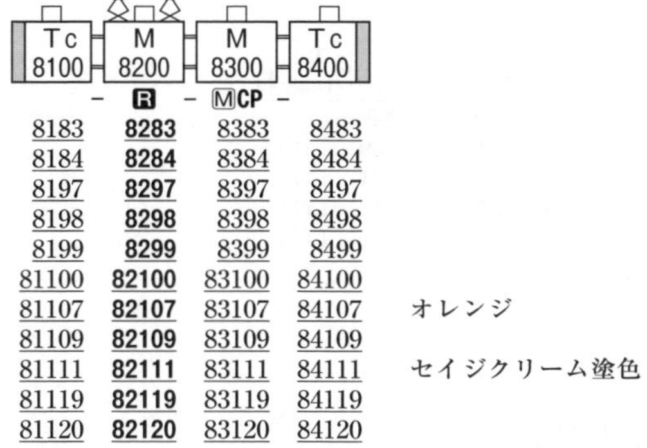

Tc 8100	M 8200	M 8300	Tc 8400	
–	R	MCP	–	
8183	**8283**	8383	8483	
8184	**8284**	8384	8484	
8197	**8297**	8397	8497	
8198	**8298**	8398	8498	
8199	**8299**	8399	8499	
81100	**82100**	83100	84100	
81107	**82107**	83107	84107	オレンジ
81109	**82109**	83109	84109	
81111	**82111**	83111	84111	セイジクリーム塗色
81119	**82119**	83119	84119	
81120	**82120**	83120	84120	

▽ワンマン車は森林公園～寄居間と越生線で使用(森林公園～小川町間は2023.03.18から)
▽81111編成は、東上線開業100周年を記念、セイジクリーム塗色

▼優先席……全車両に設置
▼車イス対応スペース……太字の車両に設置
▼弱冷房車…編成図に弱を付した車両

東上線(森林公園検修区・〔全〕川越工場)　644両

←池袋(地下鉄有楽町線・副都心線)　　越生・寄居→

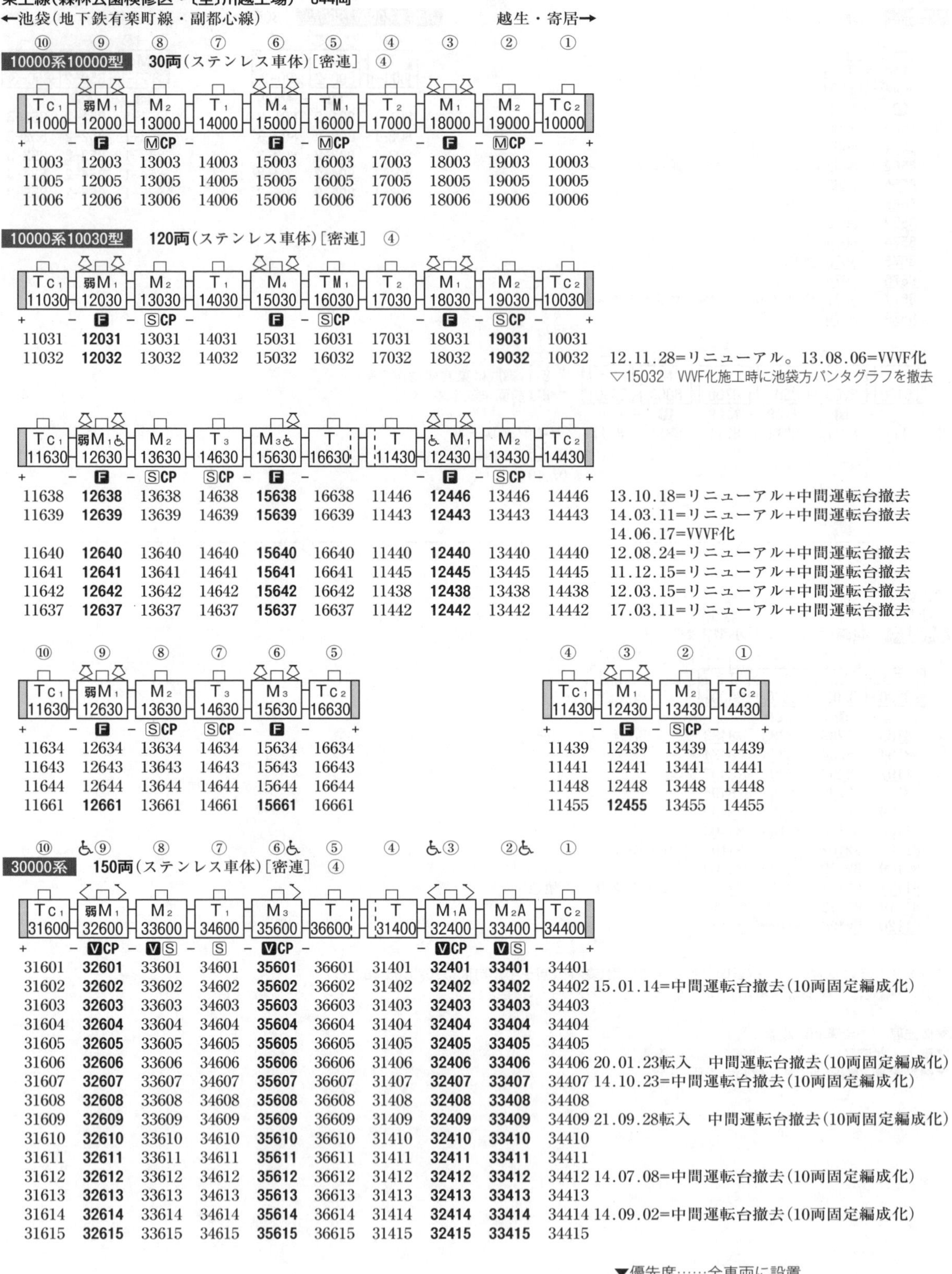

10000系10000型　**30両**(ステンレス車体)[密連]　④

⑩	⑨	⑧	⑦	⑥	⑤	④	③	②	①
Tc1	弱M1	M2	T1	M4	TM1	T2	M1	M2	Tc2
11000	12000	13000	14000	15000	16000	17000	18000	19000	10000
+	F	MCP		F	MCP		F	MCP	+
11003	12003	13003	14003	15003	16003	17003	18003	19003	10003
11005	12005	13005	14005	15005	16005	17005	18005	19005	10005
11006	12006	13006	14006	15006	16006	17006	18006	19006	10006

10000系10030型　**120両**(ステンレス車体)[密連]　④

Tc1	弱M1	M2	T1	M4	TM1	T2	M1	M2	Tc2	
11030	12030	13030	14030	15030	16030	17030	18030	19030	10030	
+	F	SCP		F	SCP		F	SCP	+	
11031	**12031**	13031	14031	15031	16031	17031	18031	**19031**	10031	
11032	**12032**	13032	14032	15032	16032	17032	18032	**19032**	10032	12.11.28=リニューアル。13.08.06=VVVF化 ▽15032　VVVF化施工時に池袋方パンタグラフを撤去

Tc1	弱M1♿	M2	T3	M3♿	T	T	♿M1	M2	Tc2	
11630	12630	13630	14630	15630	16630	11430	12430	13430	14430	
+	F	SCP	SCP	F			F	SCP	+	
11638	**12638**	13638	14638	**15638**	16638	11446	**12446**	13446	14446	13.10.18=リニューアル+中間運転台撤去
11639	**12639**	13639	14639	**15639**	16639	11443	**12443**	13443	14443	14.03.11=リニューアル+中間運転台撤去 14.06.17=VVVF化
11640	**12640**	13640	14640	**15640**	16640	11440	**12440**	13440	14440	12.08.24=リニューアル+中間運転台撤去
11641	**12641**	13641	14641	**15641**	16641	11445	**12445**	13445	14445	11.12.15=リニューアル+中間運転台撤去
11642	**12642**	13642	14642	**15642**	16642	11438	**12438**	13438	14438	12.03.15=リニューアル+中間運転台撤去
11637	**12637**	13637	14637	**15637**	16637	11442	**12442**	13442	14442	17.03.11=リニューアル+中間運転台撤去

⑩	⑨	⑧	⑦	⑥	⑤
Tc1	弱M1	M2	T3	M3	Tc2
11630	12630	13630	14630	15630	16630
+	F	SCP	SCP	F	+
11634	12634	13634	14634	15634	16634
11643	12643	13643	14643	15643	16643
11644	12644	13644	14644	15644	16644
11661	**12661**	13661	14661	**15661**	16661

④	③	②	①
Tc1	M1	M2	Tc2
11430	12430	13430	14430
+	F	SCP	+
11439	12439	13439	14439
11441	12441	13441	14441
11448	12448	13448	14448
11455	**12455**	13455	14455

30000系　**150両**(ステンレス車体)[密連]　④

⑩	♿⑨	⑧	⑦	⑥♿	⑤	④	♿③	②♿	①	
Tc1	弱M1	M2	T1	M3	T	T	M1A	M2A	Tc2	
31600	32600	33600	34600	35600	36600	31400	32400	33400	34400	
+	VCP	VS	S	VCP			VCP	VS	+	
31601	**32601**	33601	34601	**35601**	36601	31401	**32401**	**33401**	34401	
31602	**32602**	33602	34602	**35602**	36602	31402	**32402**	**33402**	34402	15.01.14=中間運転台撤去(10両固定編成化)
31603	**32603**	33603	34603	**35603**	36603	31403	**32403**	**33403**	34403	
31604	**32604**	33604	34604	**35604**	36604	31404	**32404**	**33404**	34404	
31605	**32605**	33605	34605	**35605**	36605	31405	**32405**	**33405**	34405	
31606	**32606**	33606	34606	**35606**	36606	31406	**32406**	**33406**	34406	20.01.23転入　中間運転台撤去(10両固定編成化)
31607	**32607**	33607	34607	**35607**	36607	31407	**32407**	**33407**	34407	14.10.23=中間運転台撤去(10両固定編成化)
31608	**32608**	33608	34608	**35608**	36608	31408	**32408**	**33408**	34408	
31609	**32609**	33609	34609	**35609**	36609	31409	**32409**	**33409**	34409	21.09.28転入　中間運転台撤去(10両固定編成化)
31610	**32610**	33610	34610	**35610**	36610	31410	**32410**	**33410**	34410	
31611	**32611**	33611	34611	**35611**	36611	31411	**32411**	**33411**	34411	
31612	**32612**	33612	34612	**35612**	36612	31412	**32412**	**33412**	34412	14.07.08=中間運転台撤去(10両固定編成化)
31613	**32613**	33613	34613	**35613**	36613	31413	**32413**	**33413**	34413	
31614	**32614**	33614	34614	**35614**	36614	31414	**32414**	**33414**	34414	14.09.02=中間運転台撤去(10両固定編成化)
31615	**32615**	33615	34615	**35615**	36615	31415	**32415**	**33415**	34415	

▼優先席……全車両に設置
▼車イス対応スペース……太字の車両に設置
▼弱冷房車…編成図に弱を付した車両

←池袋(地下鉄有楽町線・副都心線)　　越生・寄居→

50000系50000型　**70両**(アルミ車体[アルミダブルスキン構体])[密連]　④

⑩	♿⑨	⑧	⑦	⑥	⑤	④	③	②♿	①	
Tc$_{1}$	弱M$_{1}$	M$_{2}$	T$_{1}$	M$_{3}$	T$_{2}$	T$_{3}$	M$_{1}'$	M$_{2}'$	Tc$_{2}$	
51000	52000	53000	54000	55000	56000	57000	58000	59000	50000	
	V	SCP		V			V	SCP		
51001	**52001**	53001	54001	55001	56001	57001	58001	**59001**	50001	
51002	**52002**	53002	54002	55002	56002	57002	58002	**59002**	50002	
51003	**52003**	53003	54003	55003	56003	57003	58003	**59003**	50003	
51004	**52004**	53004	54004	55004	56004	57004	58004	**59004**	50004	
51005	**52005**	53005	54005	55005	56005	57005	58005	**59005**	50005	
51006	**52006**	53006	54006	55006	56006	57006	58006	**59006**	50006	▽第1編成の前面は非貫通
51007	**52007**	53007	54007	55007	56007	57007	58007	**59007**	50007	▽51003 ～ 51007編成は側窓開閉式

50000系50070型　**70両**(地下鉄有楽町線・副都心線乗入車)(アルミ車体[アルミダブルスキン構体])[密連]　④

Tc$_{1}$	弱M$_{1}$	M$_{2}$	T$_{1}$	M$_{3}$	T$_{2}$	T$_{3}$	M$_{1}'$	M$_{2}'$	Tc$_{2}$	
51070	52070	53070	54070	55070	56070	57070	58070	59070	50070	
	V	SCP		V			V	SCP		
51071	**52071**	53071	54071	55071	56071	57071	58071	**59071**	50071	
51072	**52072**	53072	54072	55072	56072	57072	58072	**59072**	50072	
51073	**52073**	53073	54073	55073	56073	57073	58073	**59073**	50073	
51074	**52074**	53074	54074	55074	56074	57074	58074	**59074**	50074	
51075	**52075**	53075	54075	55075	56075	57075	58075	**59075**	50075	
51076	**52076**	53076	54076	55076	56076	57076	58076	**59076**	50076 ☆	▽51075編成は側窓簡易開閉式
51077	**52077**	53077	54077	55077	56077	57077	58077	**59077**	50077 ☆	▽☆印の編成はドア間窓開閉可能

50000系50090型　**60両**(アルミ車体[アルミダブルスキン構体])[密連]　④

Tc$_{1}$	弱M$_{1}$	M$_{2}$	T$_{1}$	M$_{3}$	T$_{2}$	T$_{3}$	M$_{1}'$	M$_{2}'$	Tc$_{2}$
51090	52090	53090	54090	55090	56090	57090	58090	59090	50090
	V	SCP		V			V	SCP	
51091	**52091**	53091	54091	55091	56091	57091	58091	**59091**	50091
51092	**52092**	53092	54092	55092	56092	57092	58092	**59092**	50092
51093	**52093**	53093	54093	55093	56093	57093	58093	**59093**	50093
51094	**52094**	53094	54094	55094	56094	57094	58094	**59094**	50094
51095	**52095**	53095	54095	55095	56095	57095	58095	**59095**	50095
51096	**52096**	53096	54096	55096	56096	57096	58096	**59096**	50096

▽50090型は座席クロス/ロングシート変換機能を持つ。朝・夕はクロスシートで座席指定制の「ＴＪライナー」に使用する
また、19.03.16からは「川越特急」(自由席)にも充当

9000系9000型　**80両**・**9050型**　**20両**(地下鉄有楽町線・副都心線乗入車)(ステンレス車体)[密連]　④

Tc$_{1}$	弱M$_{1}$	M$_{2}$	T$_{1}$	M$_{1}$	M$_{3}$	T$_{2}$	M$_{1}$	M$_{4}$	Tc$_{2}$	
9100	9200	9300	9400	9500	9600	9700	9800	9900	9000	
	C	S		C	CP		C	SCP		
9101	9201	9301	9401	9501	9601	9701	9801	9901	9001	
9102	**9202**	9302	9402	9502	9602	9702	9802	**9902**	9002	
9103	**9203**	9303	9403	9503	9603	9703	9803	**9903**	9003	
9104	**9204**	9304	9404	9504	9604	9704	9804	**9904**	9004	
9105	**9205**	9305	9405	9505	9605	9705	9805	**9905**	9005	▽9101編成のパンタグラフは◇、
9106	**9206**	9306	9406	9506	9606	9706	9806	**9906**	9006	地下鉄には乗入れできない
9107	**9207**	9307	9407	9507	9607	9707	9807	**9907**	9007	▽9108編成は軽量ステンレス車体
9108	**9208**	9308	9408	9508	9608	9708	9808	**9908**	9008	補助機器の配置は9050系と同じ

Tc$_{3}$	弱M$_{5}$	M$_{6}$	T$_{3}$	M$_{7}$	M$_{8}$	T$_{4}$	M$_{7}$	M$_{9}$	Tc$_{4}$
9150	9250	9350	9450	9550	9650	9750	9850	9950	9050
	V	SCP		V	SCP		V	SCP	
9151	**9251**	9351	9451	9551	9651	9751	9851	**9951**	9051
9152	**9252**	9352	9452	9552	9652	9752	9852	**9952**	9052

▽地下鉄有楽町線への乗入れは新木場、
副都心線への乗入れは渋谷から東急東横線を経由、横浜高速鉄道元町・中華街まで

▼優先席……全車両に設置
▼車イス対応スペース……太字の車両に設置
▼弱冷房車…編成図に弱を付した車両

東武アーバンパークライン（南栗橋車両管区七光台支所）　258両

←柏　　　　　　　　　　　　　　　　　　　　　　　船橋、大宮→

60000系　**108両**（アルミ車体[アルミダブルスキン構体]）[密連]　④

⑥	⑤	④	③	②	①	
Tc1 61600	M1 62600	弱M2 63600	T1 64600	M3 65600	Tc2 66600	
−	V	− ⓈCP	ⓈCP −	V	−	
61601	**62601**	**63601**	**64601**	**65601**	66601	13.03.21日立
61602	**62602**	**63602**	**64602**	**65602**	66602	13.03.22日立
61603	**62603**	**63603**	**64603**	**65603**	66603	14.01.14日立
61604	**62604**	**63604**	**64604**	**65604**	66604	14.01.15日立
61605	**62605**	**63605**	**64605**	**65605**	66605	14.02.17日立
61606	**62606**	**63606**	**64606**	**65606**	66606	14.02.18日立
61607	**62607**	**63607**	**64607**	**65607**	66607	14.03.19日立
61608	**62608**	**63608**	**64608**	**65608**	66608	14.03.20日立
61609	**62609**	**63609**	**64609**	**65609**	66609	14.12.08日立
61610	**62610**	**63610**	**64610**	**65610**	66610	14.12.09日立
61611	**62611**	**63611**	**64611**	**65611**	66611	15.01.13日立
61612	**62612**	**63612**	**64612**	**65612**	66612	15.01.14日立
61613	**62613**	**63613**	**64613**	**65613**	66613	15.02.16日立
61614	**62614**	**63614**	**64614**	**65614**	66614	15.02.17日立
61615	**62615**	**63615**	**64615**	**65615**	66615	15.03.16日立
61616	**62616**	**63616**	**64616**	**65616**	66616	15.03.17日立
61617	**62617**	**63617**	**64617**	**65617**	66617	15.11.04日立
61618	**62618**	**63618**	**64618**	**65618**	66618	15.11.05日立

▽60000系は2013.06.15から営業運転開始

▼優先席……全車両に設置
▼車イス対応スペース……太字の車両に設置
▼弱冷房車…編成図に弱を付した車両
▽船橋～大宮間直通列車は、
途中、柏にて進行方向が変わる

10000系10030型　**54両**（ステンレス車体）[密連]　④

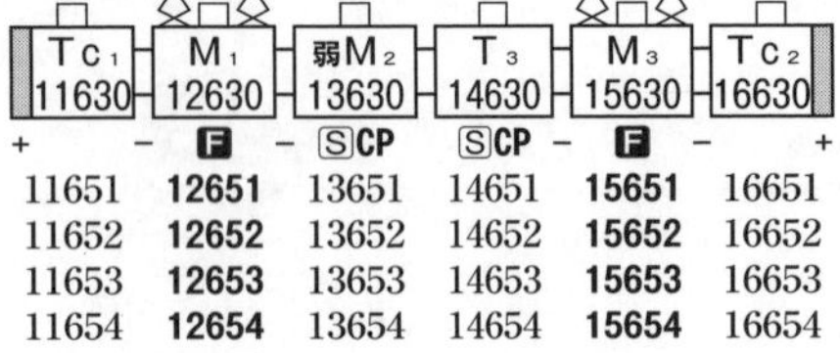

▽10030型は2013.04.20から野田線にて営業運転開始

Tc1 11630	M1 12630	弱M2 13630	T3 14630	M3 15630	Tc2 16630
+	− F	− ⓈCP	ⓈCP −	F −	+
11651	**12651**	13651	14651	**15651**	16651
11652	**12652**	13652	14652	**15652**	16652
11653	**12653**	13653	14653	**15653**	16653
11654	**12654**	13654	14654	**15654**	16654

Tc1 11630	M1 12630	弱M2 13630	T3 14630	M3 15630	Tc2 16630	
+	− F	− ⓈCP	ⓈCP −	F −	+	
11631	**12631**	13631	14631	**15631**	16631	13.05.30=リニューアル
11632	**12632**	13632	14632	**15632**	16632	12.11.28=リニューアル
11633	**12633**	13633	14633	**15633**	16633	15.03.31=リニューアル
11635	**12635**	13635	14635	**15635**	16635	
11636	**12636**	13636	14636	**15636**	16636	

8000系　**96両**[小型密着]　④

Tc 8100	M 8200	弱M 8300	T 8700	M 8800	Tc 8400
−	R +	ⓂCP −	ⓂCP	R −	
8150	8250	8350	8750	8850	8450
8158	**8258**	8358	8758	**8858**	8458
8159	8259	8359	8759	8859	8459
8162	8262	8362	8762	8862	8462
8163	8263	8363	8763	8863	8463
8164	**8264**	8364	8764	**8864**	8464
8165	**8265**	8365	8765	**8865**	8465
8166	**8266**	8366	8766	**8866**	8466
8170	**8270** −	8370 +	8770 −	**8870**	8470
8171	**8271**	8371	8771	**8871**	8471
8172	**8272**	8372	8772	**8872**	8472
8192	**8292**	8392	8792	**8892**	8492
81110	82110	83110	87110	88110	84110
81113	82113	83113	87113	88113	84113
81114	82114	83114	87114	88114	84114
81117	82117	83117	87117	88117	84117

形式別配置両数表　電車

形式	栗	春	七	森	計
N100系					
クハN100-1					
モハN100-2					
モハN100-3					
モハN100-4					
モハN100-5					
クハN100-6					
	0	0	0	0	0
100系					
モハ100-1		7			7
モハ100-2		7			7
モハ100-3		7			7
モハ100-4		7			7
モハ100-5		7			7
モハ100-6		7			7
		42			42
200系					
モハ200-1		6			6
モハ200-2		6			6
モハ200-3		6			6
モハ200-4		6			6
モハ200-5		6			6
モハ200-6		6			6
	0	36	0	0	36
500系					
モハ500-1		17			17
サハ500-2		17			17
モハ500-3		17			17
	0	51	0	0	51
634型					
モハ634	2				2
クハ634	2				2
	4	0	0	0	4
6050系					
モハ6150	3				3
クハ6250	3				3
	6				6
8000系					
クハ8100		1	16	11	28
モハ8200		1	16	11	28
モハ8300		1	16	11	28
クハ8400		1	16	11	28
モハ8500	1	10			11
クハ8600	1	10			11
サハ8700		1	16		17
モハ8800		1	16		17
	2	26	96	44	168
800・850型					
クハ800-1		5			5
モハ800-2		5			5
モハ800-3		5			5
モハ850-1		5			5
モハ850-2		5			5
クハ850-3		5			5
	0	30	0	0	30
9000系					
クハ9100				8	8
モハ9200				8	8
モハ9300				8	8
サハ9400				8	8
モハ9500				8	8
モハ9600				8	8
サハ9700				8	8
モハ9800				8	8
モハ9900				8	8
クハ9000				8	8
	0	0	0	80	80
9050系					
クハ9150				2	2
モハ9250				2	2
モハ9350				2	2
サハ9450				2	2
モハ9550				2	2
モハ9650				2	2
サハ9750				2	2
モハ9850				2	2
モハ9950				2	2
クハ9050				2	2
	0	0	0	20	20
10000系					
クハ11000				3	3
モハ12000				3	3
モハ13000				3	3
サハ14000				3	3
モハ15000				3	3
モハ16000				3	3
サハ17000				3	3
モハ18000				3	3
モハ19000				3	3
クハ10000				3	3
モハ11200		4			4
クハ11200		4			4
クハ11600		9			9
モハ12600		9			9
モハ13600		9			9
サハ14600		9			9
モハ15600		9			9
クハ16600		9			9
クハ11800		2			2
モハ12800		2			2
モハ13800		2			2
サハ14800		2			2
サハ15800		2			2
モハ16800		2			2
モハ17800		2			2
クハ18800		2			2
	0	78	0	30	108
10030型					
クハ11030				2	2
モハ12030				2	2
モハ13030				2	2
サハ14030				2	2
モハ15030				2	2
モハ16030				2	2
サハ17030				2	2
モハ18030				2	2
モハ19030				2	2
クハ10030				2	2
モハ11230		18			18
クハ11230		18			18
クハ11430		18		4	22
サハ11430				6	6
モハ12430		18		10	28
モハ13430		18		10	28
クハ14430		18		10	28
クハ11630		13	9	10	32
モハ12630		13	9	10	32
モハ13630		13	9	10	32
サハ14630		13	9	10	32
モハ15630		13	9	10	32
クハ16630		13	9	4	26
サハ16630				6	6
	0	186	54	120	360
10080型					
クハ11480		1			1
モハ12480		1			1
モハ13480		1			1
クハ14480		1			1
	0	4	0	0	4
20410型					
クハ21410	3				3
モハ22410	3				3
モハ23410	3				3
クハ24410	3				3
	12	0	0	0	12
20420型					
クハ21420	3				3
モハ22420	3				3
モハ23420	3				3
クハ24420	3				3
	12	0	0	0	12
20430型					
クハ21430	8				8
モハ22430	8				8
モハ23430	8				8
クハ24430	8				8
	32	0	0	0	32
20440型					
クハ21440	8				8
モハ22440	8				8
モハ23440	8				8
クハ24440	8				8
	32	0	0	0	32
30000系					
クハ31600				15	15
モハ32600				15	15
モハ33600				15	15
サハ34600				15	15
モハ35600				15	15
サハ36600				15	15
サハ31400				15	15
モハ32400				15	15
モハ33400				15	15
クハ34400				15	15
	0	0	0	150	150
50000系					
クハ51000	2			7	9
モハ52000	2			7	9
モハ53000	2			7	9
サハ54000	2			7	9
モハ55000	2			7	9
モハ56000	2			7	9
サハ57000	2			7	9
モハ58000	2			7	9
モハ59000	2			7	9
クハ50000	2			7	9
	20	0	0	70	90
50050型					
クハ51050	18				18
モハ52050	18				18
モハ53050	18				18
サハ54050	18				18
モハ55050	18				18
モハ56050	18				18
サハ57050	18				18
モハ58050	18				18
モハ59050	18				18
クハ50050	18				18
	180	0	0	0	180
50070型					
クハ51070				7	7
モハ52070				7	7
モハ53070				7	7
サハ54070				7	7
モハ55070				7	7
モハ56070				7	7
サハ57070				7	7
モハ58070				7	7
モハ59070				7	7
クハ50070				7	7
	0	0	0	70	70
50090型					
クハ51090				6	6
モハ52090				6	6
モハ53090				6	6
サハ54090				6	6
モハ55090				6	6
モハ56090				6	6
サハ57090				6	6
モハ58090				6	6
モハ59090				6	6
クハ50090				6	6
	0	0	0	60	60
60000系					
クハ61600			18		18
モハ62600			18		18
モハ63600			18		18
サハ64600			18		18
モハ65600			18		18
クハ66600			18		18
	0	0	108	0	108
70000系					
モハ71700		18			18
モハ72700		18			18
モハ73700		18			18
モハ74700		18			18
モハ75700		18			18
モハ76700		18			18
モハ77700		18			18
	0	126	0	0	126
70090型					
モハ71790		6			6
モハ72790		6			6
モハ73790		6			6
モハ74790		6			6
モハ75790		6			6
モハ76790		6			6
モハ77790		6			6
	0	42	0	0	42
合計	300	621	258	644	1823

西武鉄道 池袋線車両所・新宿線車両所・〔全〕武蔵丘車両検修場(高麗駅付近) 1227両

池袋線・西武秩父線・狭山線・豊島線・西武有楽町線(小手指車両基地〔小〕・武蔵丘車両基地〔武〕) 696両

←飯能・西武球場前・豊島園　　西武秩父、池袋(地下鉄有楽町線・副都心線)→

001系 56両(Laview)(アルミ車体[アルミダブルスキン構体])[密連] ①

	①	②	③	④WC	⑤	⑥	⑦	⑧	
	Tc_1	M_1	M_2	T_1	T_3	M_5	M_6	Tc_2	
	001-01	001-02	001-03	001-04	001-05	001-06	001-07	001-08	
		[V]	[S]CP			[V]	[S]CP		
小	001-A1	001-A2	001-A3	001-A4	001-A5	001-A6	001-A7	001-A8	19.01.15日立
小	001-B1	001-B2	001-B3	001-B4	001-B5	001-B6	001-B7	001-B8	19.02.19日立
小	001-C1	001-C2	001-C3	001-C4	001-C5	001-C6	001-C7	001-C8	19.06.03日立
小	001-D1	001-D2	001-D3	001-D4	001-D5	001-D6	001-D7	001-D8	19.10.14日立
小	001-E1	001-E2	001-E3	001-E4	001-E5	001-E6	001-E7	001-E8	19.12.02日立
小	001-F1	001-F2	001-F3	001-F4	001-F5	001-F6	001-F7	001-F8	20.02.13日立
小	001-G1	001-G2	001-G3	001-G4	001-G5	001-G6	001-G7	001-G8	20.02.28日立

▽2019.03.16から運行開始

4000系 48両(ワンマン)[密連] ②※

	Tc_1	M_1	M_2	Tc_2	
	4001	4101	4101	4001	
	+	[R]	[M]CP	+	
武	4001	4101	<u>4102</u>	4002	
武	4003	4103	4104	4004	
武	4005	4105	4106	4006	
武	4007	4107	4108	4008	
武	4011	4111	4112	4012	
武	4013	4113	4114	4014	
武	4015	4115	4116	4016	
武	4017	4117	4118	4018	
武	4019	4119	4120	4020	
武	4021	4121	4122	4022	
武	4023	4123	4124	4024	
武	4009	4109	4110	4010	←16.03.22観光電車化

▽4000系のTc_1はトイレ付き
飯能～西武秩父間の区間運転に使用
▽__の補助電源は[S]
▽観光電車「52席の至福」は2016.04.17から運行開始
(運行区間は池袋～西武秩父間ほか)
客用扉は３号車(4110)なし。ほかは①

2000系 72両[密連] ④

	Tc_1	弱M_1	M_2	M_3	M_4	M_5	M_6	Tc_2
	2001	2101	2101	2101	2101	2101	2101	2001
	+	[F]	[S]CP	[F]		[F]	[S]CP	+
武	**2071**	2171	2172	2271	2272	2371	2372	**2072**
武	**2077**	2177	2178	2277	2278	2377	2378	**2078**
武	2087	2187	2188	2287	2288	2387	2388	2088

	Tc_1	弱M_1	M_2	M_3	M_4	M_5	M_6	Tc_2	
	2001	2101	2101	2101	2101	2101	2101	2001	
	+	[F]	[S]CP	[F]		[F]	[S]CP	+	
武	**2069**	2169	2170	2269	2270	2369	2370	**2070**	
武	2073	2173	2174	2273	2274	2373	2374	2074	17.01.20=パンSアーム化
武	**2075**	2175	2176	2275	2276	2375	2376	**2076**	
武	**2079**	2179	2180	2279	2280	2379	2380	**2080**	
武	2089	2189	2190	2289	2290	2389	2390	2090	16.09.23=パンSアーム化
武	**2091**	2191	2192	2291	2292	2391	2392	**2092**	

▽■の車両の補助電源は[M]
▽パンSアーム化は、
パンタグラフシングルアーム化

▼優先席……10000系を除く全車両に設置
▼車イススペース……太字の車両に設置
▼弱冷房車…編成図に弱を付した車両

101系 12両(改)[密連] ③

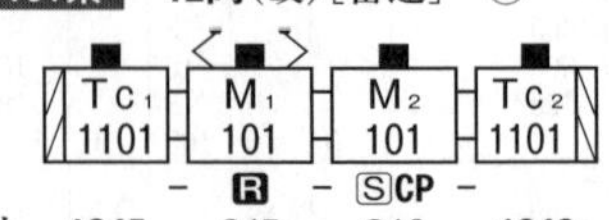

	Tc_1 1101	M_1 101	M_2 101	Tc_2 1101	
小	**1245**	245	246	**1246**	ワ
小	**1247**	247	248	**1248**	ワ

▽263編成は黄色
▽245編成は黄色とベージュのツートンカラー(19.06.18～)
247編成は赤電色(17.12～)

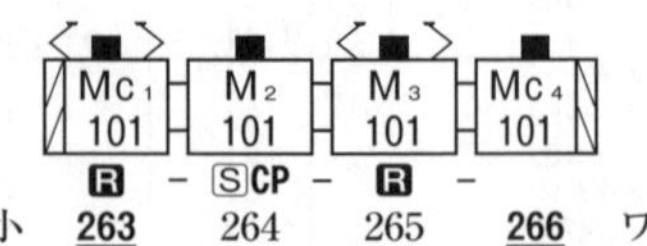

	Mc_1 101	M_2 101	M_3 101	Mc_4 101	
小	<u>**263**</u>	264	265	<u>**266**</u>	ワ

▽ワはワンマン車
▽ワンマン車はスカート付き
▽263～266は牽引車、通常は一般営業に使用

←飯能・西武球場前・豊島園　　西武秩父、池袋(地下鉄有楽町線・副都心線)→

40000系　**160両**(アルミ車体[アルミダブルスキン構体])[密連]　④

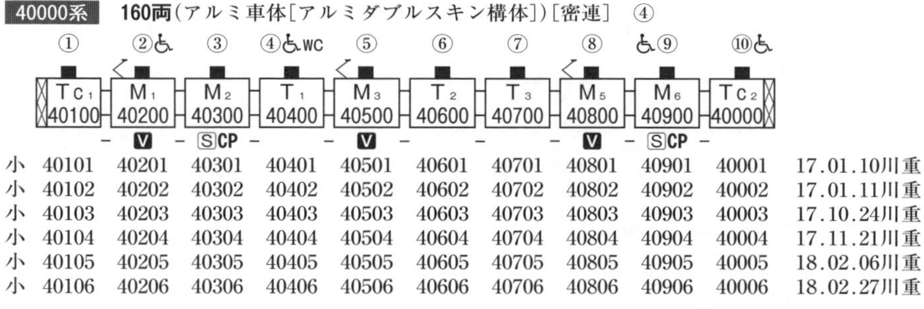

	① Tc₁ 40100	②♿ M₁ 40200	③ M₂ 40300	④♿WC T₁ 40400	⑤ M₃ 40500	⑥ T₂ 40600	⑦ T₃ 40700	⑧ M₅ 40800	♿⑨ M₆ 40900	⑩♿ Tc₂ 40000	
	–	V	– SCP –		– V –		–	– V	– SCP –		
小	40101	40201	40301	40401	40501	40601	40701	40801	40901	40001	17.01.10川重
小	40102	40202	40302	40402	40502	40602	40702	40802	40902	40002	17.01.11川重
小	40103	40203	40303	40403	40503	40603	40703	40803	40903	40003	17.10.24川重
小	40104	40204	40304	40404	40504	40604	40704	40804	40904	40004	17.11.21川重
小	40105	40205	40305	40405	40505	40605	40705	40805	40905	40005	18.02.06川重
小	40106	40206	40306	40406	40506	40606	40706	40806	40906	40006	18.02.27川重

▽2017.03.25から、座席指定列車「S-TRAIN」を中心に営業運転開始。現在は新宿線「拝島ライナー」にも充当
▽座席はクロスシート、ロングシート転換可能。10号車にパートナーゾーン、4号車トイレは車イス対応

	① Tc₁ 40100	②♿ M₁ 40200	③ M₂ 40300	④♿ T₁ 40400	⑤ M₃ 40500	⑥ T₂ 40600	⑦ T₃ 40700	⑧ M₅ 40800	♿⑨ M₆ 40900	⑩♿ Tc₂ 40000	
	–	V	– SCP –		– V –		–	– V	– SCP –		
武	40151	**40251**	40351	**40451**	40551	40651	40751	40851	**40951**	**40051**	19.12.23川重
武	40152	**40252**	40352	**40452**	40552	40652	40752	40852	**40952**	**40052**	20.02.03川重
武	40153	**40253**	40353	**40453**	40553	40653	40753	40853	**40953**	**40053**	20.09.01川重
武	40154	**40254**	40354	**40454**	40554	40654	40754	40854	**40954**	**40054**	20.11.16川重
武	40155	**40255**	40355	**40455**	40555	40655	40755	40855	**40955**	**40055**	21.06.25川重
武	40156	**40256**	40356	**40456**	40556	40656	40756	40856	**40956**	**40056**	21.10.01川車
武	40157	**40257**	40357	**40457**	40557	40657	40757	40857	**40957**	**40057**	21.10.29川車
武	40158	**40258**	40358	**40458**	40558	40658	40758	40858	**40958**	**40058**	22.07.01川車
武	40159	**40259**	40359	**40459**	40559	40659	40759	40859	**40959**	**40059**	23.01.20川車
武	40160	**40260**	40360	**40460**	40560	40660	40760	40860	**40960**	**40060**	23.03.24川車

▽40000系50代は座席がロングシート(固定)

30000系　**84両**(アルミ車体[アルミダブルスキン構体])(拡幅車体)[密連]「スマイルトレイン」　④

	Tc₁ 38100	弱M₁ 38200	M₂ 38300	T₁ 38400	T₃ 38500	M₅ 38600	M₆ 38700	Tc₂ 38800	
	+	– V –	SCP			– V –	SCP –	+	
武	**38103**	**38203**	38303	38403	38503	38603	**38703**	**38803**	
武	**38105**	**38205**	38305	38405	38505	38605	**38705**	**38805**	
武	**38107**	**38207**	38307	38407	38507	38607	**38707**	**38807**	
武	**30108**	**30208**	30308	30408	30508	30608	**30708**	**30808**	
武	**38109**	**38209**	38309	38409	38509	38609	**38709**	**38809**	
武	**38111**	**38211**	38311	38411	38511	38611	**38711**	**38811**	
武	**38112**	**38212**	38312	38412	38512	38612	**38712**	**38812**	12.11.02日立
武	**38113**	**38213**	38313	38413	38513	38613	**38713**	**38813**	12.11.19日立
武	**38114**	**38214**	38314	38414	38514	38614	**38714**	**38814**	12.11.19日立

	Mc 32100	Tc 32200	
	+ V –	SCP +	
武	**32101**	32201	
武	**32102**	32202	
武	**32103**	32203	
武	**32104**	32204	12.11.02日立
武	**32105**	32205	12.11.19日立
武	**32106**	32206	12.12.10日立

←飯能・西武球場前・豊島園　　西武秩父、池袋(地下鉄有楽町線・副都心線)→

20000系　**42両**(アルミ車体[アルミダブルスキン構体])[密連]　④

	①	弱②	③	④	⑤	⑥	⑦	⑧	⑨	⑩	
	Tc1	弱M1	M2	T1	M3	T2	T3	M5	M6	Tc2	
	20100	20200	20300	20400	20500	20600	20700	20800	20900	20000	
		V	ⓈCP		V	CP		V	ⓈCP		
小	**20104**	**20204**	20304	20404	20504	20604	20704	20804	**20904**	**20004**	21.11.10=VVVF変更・CP変更

	Tc1	弱M1	M2	T1	T3	M5	M6	Tc2	
	20100	20200	20300	20400	20700	20800	20900	20000	
		V	ⓈCP			V	ⓈCP		
小	**20151**	**20251**	20351	20451	20751	20851	**20951**	**20051**	21.09.29=VVVF変更・CP変更
小	**20152**	**20252**	20352	20452	20752	20852	**20952**	**20052**	
小	**20153**	**20253**	20353	20453	20753	20853	**20953**	**20053**	22.01.28=VVVF変更・CP変更
小	**20158**	**20258**	20358	20458	20758	20858	**20958**	**20058**	

6000系　**210両**(ステンレス車体)(地下鉄乗入れ対応車)[密連]　④

	①	②	③	④	⑤	⑥	⑦	⑧	弱⑨	⑩	
	Tc1	M1	M2	T1	M3	M4	T2	M5	M6	Tc2	
	6100	6200	6300	6400	6500	6600	6700	6800	6900	6000	
		V	ⓈCP		V	ⓈCP		V	ⓈCP		
小	6104	**6204**	6304	6404	6504	6604	6704	6804	**6904**	6004	17.02.24=VVVF更新工事
小	6105	**6205**	6305	6405	6505	6605	6705	6805	**6905**	6005	17.11.13=VVVF更新工事
小	6106	**6206**	6306	6406	6506	6606	6706	6806	**6906**	6006	17.06.28=VVVF更新工事
小	6107	**6207**	6307	6407	6507	6607	6707	6807	**6907**	6007	17.12.25=VVVF更新工事
小	6109	**6209**	6309	6409	6509	6609	6709	6809	**6909**	6009	19.05.30=VVVF更新工事
小	6110	**6210**	6310	6410	6510	6610	6710	6810	**6910**	6010	17.01.13=VVVF更新工事
小	6111	**6211**	6311	6411	6511	6611	6711	6811	**6911**	6011	17.05.15=VVVF更新工事、23.01.21=情報配信装置更新
小	6112	**6212**	6312	6412	6512	6612	6712	6812	**6912**	6012	18.07.20=VVVF更新工事
小	6113	**6213**	6313	6413	6513	6613	6713	6813	**6913**	6013	17.09.14=VVVF更新工事
小	6114	**6214**	6314	6414	6514	6614	6714	6814	**6914**	6014	17.07.26=VVVF更新工事
小	6115	**6215**	6315	6415	6515	6615	6715	6815	**6915**	6015	17.03.19=VVVF更新工事
小	6116	**6216**	6316	6416	6516	6616	6716	6816	**6916**	6016	18.01.31=VVVF更新工事
小	6117	**6217**	6317	6417	6517	6617	6717	6817	**6917**	6017	17.10.25=VVVF更新工事
小	6151	**6251**	6351	6451	6551	6651	6751	6851	**6951**	6051	18.10.03=VVVF更新工事+屋根・床修繕工事
小	6152	**6252**	6352	6452	6552	6652	6752	6852	**6952**	6052	18.12.18=VVVF更新工事+屋根・床修繕工事
小	6153	**6253**	6353	6453	6553	6653	6753	6853	**6953**	6053	19.03.19=VVVF更新工事+屋根・床修繕工事
小	6154	**6254**	6354	6454	6554	6654	6754	6854	**6954**	6054	19.11.14=VVVF更新工事
小	6155	**6255**	6355	6455	6555	6655	6755	6855	**6955**	6055	20.02.19=VVVF更新工事+屋根・床修繕工事
小	6156	**6256**	6356	6456	6556	6656	6756	6856	**6956**	6056	15.03.27=VVVF更新工事
小	6157	**6257**	6357	6457	6557	6657	6757	6857	**6957**	6057	15.03.27=VVVF更新工事
小	6158	**6258**	6358	6458	6558	6658	6758	6858	**6958**	6058	17.03.21=VVVF更新工事

▽6000系の車号50番代はアルミ車体、56以降は戸袋窓なし
▽6000系は地下鉄副都心線乗入れ対応車、先頭車前面の白色塗装、前面・側面表示器のフルカラーLED化、ATO・TIS装備、ワンハンドルマスコンの採用などを行なった
▽池袋線の列車は、普通＝8両編成、急行系＝8・10両編成

▽地下鉄有楽町線への乗入れは、新木場まで
副都心線への乗入れは、渋谷から東急東横線を経由、横浜高速鉄道元町・中華街まで

▼優先席……全車両に設置
▼車イス対応スペース……太字の車両に設置
▼弱冷房車…編成図に弱を付した車両

形式	小手指	武蔵丘	南入曽	玉川上水	計
001系					
クハ001-01	7				7
モハ001-02	7				7
モハ001-03	7				7
サハ001-04	7				7
サハ001-05	7				7
モハ001-06	7				7
モハ001-07	7				7
クハ001-08	7				7
	56	0	0	0	56
10000系					
クハ10100			5		5
モハ10200			5		5
モハ10300			5		5
サハ10400			5		5
モハ10500			5		5
モハ10600			5		5
クハ10700			5		5
	0	0	35		35
40000系					
クハ40100	6	10			16
モハ40200	6	10			16
モハ40300	6	10			16
サハ40400	6	10			16
モハ40500	6	10			16
モハ40600	6	10			16
サハ40700	6	10			16
モハ40800	6	10			16
モハ40900	6	10			16
クハ40000	6	10			16
	60	100	0	0	160
4000系					
モハ4101		24			24
クハ4001		24			24
	0	48	0	0	48

形式	小手指	武蔵丘	南入曽	玉川上水	計
101系					
モハ101	6			8	14
クハ1101	4			8	12
クモハ101	2				2
	12	0	0	16	28
2000系					
モハ2101		54	54	50	158
クハ2001		18	19	25	62
クモハ2401			14	13	27
クハ2401			11		11
	0	72	98	88	258
6000系					
クハ6100	21			4	25
モハ6200	21			4	25
モハ6300	21			4	25
サハ6400	21			4	25
モハ6500	21			4	25
モハ6600	21			4	25
サハ6700	21			4	25
モハ6800	21			4	25
モハ6900	21			4	25
クハ6000	21			4	25
	210	0	0	40	250
9000系					
クハ9100				5	5
モハ9200				5	5
モハ9900				5	5
クハ9000				5	5
	0	0	0	20	20

形式	小手指	武蔵丘	南入曽	玉川上水	計
20000系					
クハ20100	5		4	7	16
モハ20200	5		4	7	16
モハ20300	5		4	7	16
サハ20400	5		4	7	16
モハ20500	1			7	8
モハ20600	1			7	8
サハ20700	5		4	7	16
モハ20800	5		4	7	16
モハ20900	5		4	7	16
クハ20000	5		4	7	16
	42	0	32	70	144
30000系					
クハ30100				6	6
モハ30200				6	6
モハ30300				6	6
サハ30400				6	6
モハ30500				6	6
モハ30600				6	6
サハ30700				6	6
モハ30800				6	6
モハ30900				6	6
クハ30000				6	6
クハ38100		9	9		18
モハ38200		9	9		18
モハ38300		9	9		18
サハ38400		9	9		18
サハ38500		9	9		18
モハ38600		9	9		18
モハ38700		9	9		18
クハ38000		9	9		18
クモハ32100		6			6
クハ32200		6			6
	0	84	72	60	216
山口線	12				12
	392	304	237	294	1227
		696		531	

新宿線・拝島線・多摩湖線・西武園線・国分寺線・多摩川線(南入曽車両基地〔入〕・玉川上水車両基地〔玉〕) 531両

←西武新宿・国分寺　　　　西武園・多摩湖・拝島・本川越→

10000系 **35両**(ニューレッドアロー)[密連] ①

	①WC	②	③	④	⑤	⑥	WC⑦
	Tc1 10100	M1 10200	M2 10300	T 10400	M3 10500	M4 10600	Tc2 10700
		R	ⓈCP		R	ⓈCP	
入	**10108**	10208	10308	10408	10508	10608	10708
入	**10109**	10209	10309	10409	10509	10609	10709
入	**10110**	10210	10310	10410	10510	10610	10710
入	**10111**	10211	10311	10411	10511	10611	10711

	Tc1 10100	M1 10200	M2 10300	T 10400	M3 10500	M4 10600	Tc2 10700
		V	ⓈCP		V	ⓈCP	
入	**10112**	10212	10312	10412	10512	10612	10712

20000系 **102両**(アルミ車体[アルミダブルスキン構体])[密連] ④

	①	②	③	④	⑤	⑥	⑦	⑧	⑨	⑩	
	Tc1 20100	弱M1 20200	M2 20300	T1 20400	M3 20500	T2 20600	T3 20700	M5 20800	M6 20900	Tc2 20000	
		V	ⓈCP		V	CP		V	ⓈCP		
玉	**20101**	**20201**	20301	20401	20501	20601	20701	20801	**20901**	**20001**	21.08.05=VVVF変更·CP変更
玉	**20102**	**20202**	20302	20402	20502	20602	20702	20802	**20902**	**20002**	
玉	**20103**	**20203**	20303	20403	20503	20603	20703	20803	**20903**	**20003**	22.06.23=CP変更
玉	**20105**	**20205**	20305	20405	20505	20605	20705	20805	**20905**	**20005**	20305=22.07.01CP変更、20905=22.10.28CP変更
玉	**20106**	**20206**	20306	20406	20506	20606	20706	20806	**20906**	**20006**	19.09.03=CP変更、20906=22.05.16CP変更
玉	**20107**	**20207**	20307	20407	20507	20607	20707	20807	**20907**	**20007**	19.10.16=CP変更、20907=22.09.30CP変更
玉	**20108**	**20208**	20308	20408	20508	20608	20708	20808	**20908**	**20008**	

	Tc1 20100	弱M1 20200	M2 20300	T1 20400	T3 20700	M5 20800	M6 20900	Tc2 20000	
		V	ⓈCP			V	ⓈCP		
入	**20154**	**20254**	20354	20454	20754	20854	**20954**	**20054**	21.12.15=VVVF変更·CP変更
入	**20155**	**20255**	20355	20455	20755	20855	**20955**	**20055**	22.03.15=VVVF変更·CP変更
入	**20156**	**20256**	20356	20456	20756	20856	**20956**	**20056**	22.08.05=CP変更
入	**20157**	**20257**	20357	20457	20757	20857	**20957**	**20057**	

▽新宿線の列車は、
普通＝6·8両編成、急行系＝8·10両編成が基準

30000系 **132両**(アルミ車体[アルミダブルスキン構体])(拡幅車体)[密連]「スマイルトレイン」 ④

	Tc1 38100	弱M1 38200	M2 38300	T1 38400	T3 38500	M5 38600	M6 38700	Tc2 38800	
	+	V	ⓈCP			V	ⓈCP	+	
入	**38101**	**38201**	38301	38401	38501	38601	**38701**	**38801**	
入	**38102**	**38202**	38302	38402	38502	38602	**38702**	**38802**	
入	**38103**	**38203**	38303	38403	38503	38603	**38703**	**38803**	
入	**38106**	**38206**	38306	38406	38506	38606	**38706**	**38806**	
入	**38110**	**38210**	38310	38410	38510	38610	**38710**	**38810**	
入	**38115**	**38215**	38315	38415	38515	38615	**38715**	**38815**	13.12.24日立
入	**38116**	**38216**	38316	38416	38516	38616	**38716**	**38816**	14.12.01日立
入	**38117**	**38217**	38317	38417	38517	38617	**38717**	**38817**	16.01.19日立
入	**38118**	**38218**	38318	38418	38518	38618	**38718**	**38818**	16.06.20日立

▼優先席……全車両に設置
▼車イス対応スペース……太字の車両に設置
▼弱冷房車…編成図に弱を付した車両

	①	弱②	③	④	⑤	⑥	⑦	⑧	⑨	⑩	
	Tc1 30100	M1 30200	M2 30300	T1 30400	M3 30500	T2 30600	T3 30700	M5 30800	M6 30900	Tc2 30000	
		V	ⓈCP		V	CP		V	ⓈCP		
玉	**30101**	**30201**	30301	30401	30501	30601	30701	30801	**30901**	**30001**	13.12.24日立
玉	**30102**	**30202**	30302	30402	30502	30602	30702	30802	**30902**	**30002**	13.12.24日立
玉	**30103**	**30203**	30303	30403	30503	30603	30703	30803	**30903**	**30003**	14.10.27日立
玉	**30104**	**30204**	30304	30404	30504	30604	30704	30803	**30904**	**30004**	14.11.17日立
玉	**30105**	**30205**	30305	30405	30505	30605	30705	38805	**30905**	**30005**	15.10.14日立
玉	**30106**	**30206**	30306	30406	30506	30606	30706	38806	**30906**	**30006**	15.10.26日立

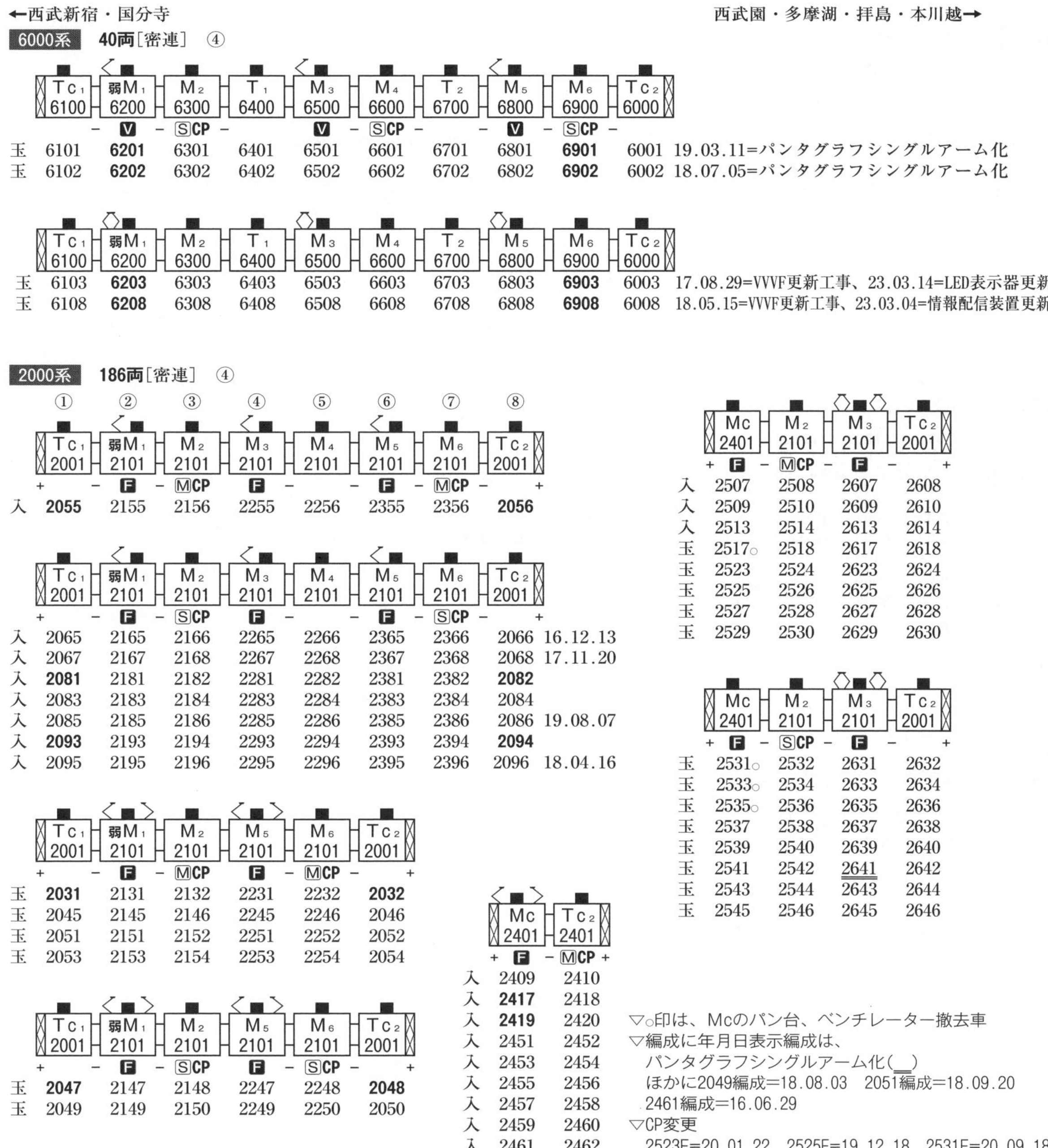

←西武新宿・国分寺　　　　　　西武園・多摩湖・拝島・本川越→

6000系　**40両**［密連］④

	Tc1 6100	弱M1 6200	M2 6300	T1 6400	M3 6500	M4 6600	T2 6700	M5 6800	M6 6900	Tc2 6000	
	–	V	– SCP –		V	– SCP –		– V	– SCP –		
玉	6101	**6201**	6301	6401	6501	6601	6701	6801	**6901**	6001	19.03.11=パンタグラフシングルアーム化
玉	6102	**6202**	6302	6402	6502	6602	6702	6802	**6902**	6002	18.07.05=パンタグラフシングルアーム化

	Tc1 6100	弱M1 6200	M2 6300	T1 6400	M3 6500	M4 6600	T2 6700	M5 6800	M6 6900	Tc2 6000	
玉	6103	**6203**	6303	6403	6503	6603	6703	6803	**6903**	6003	17.08.29=VVVF更新工事、23.03.14=LED表示器更新
玉	6108	**6208**	6308	6408	6508	6608	6708	6808	**6908**	6008	18.05.15=VVVF更新工事、23.03.04=情報配信装置更新

2000系　**186両**［密連］④

	① Tc1 2001	② 弱M1 2101	③ M2 2101	④ M3 2101	⑤ M4 2101	⑥ M5 2101	⑦ M6 2101	⑧ Tc2 2001
	+	– F	– MCP	F	–	– F	– MCP –	+
入	**2055**	2155	2156	2255	2256	2355	2356	**2056**

	Tc1 2001	弱M1 2101	M2 2101	M3 2101	M4 2101	M5 2101	M6 2101	Tc2 2001	
	+	– F	– SCP	F	–	– F	– SCP –	+	
入	2065	2165	2166	2265	2266	2365	2366	2066	16.12.13
入	2067	2167	2168	2267	2268	2367	2368	2068	17.11.20
入	**2081**	2181	2182	2281	2282	2381	2382	**2082**	
入	2083	2183	2184	2283	2284	2383	2384	2084	
入	2085	2185	2186	2285	2286	2385	2386	2086	19.08.07
入	**2093**	2193	2194	2293	2294	2393	2394	**2094**	
入	2095	2195	2196	2295	2296	2395	2396	2096	18.04.16

	Tc1 2001	弱M1 2101	M2 2101	M5 2101	M6 2101	Tc2 2001
	+	– F	– MCP	F	– MCP –	+
玉	**2031**	2131	2132	2231	2232	**2032**
玉	2045	2145	2146	2245	2246	2046
玉	2051	2151	2152	2251	2252	2052
玉	2053	2153	2154	2253	2254	2054

	Tc1 2001	弱M1 2101	M2 2101	M5 2101	M6 2101	Tc2 2001
	+	– F	– SCP	F	– SCP –	+
玉	**2047**	2147	2148	2247	2248	**2048**
玉	2049	2149	2150	2249	2250	2050

	Mc 2401	Tc2 2401
	+ F	– MCP +
入	2409	2410
入	**2417**	2418
入	**2419**	2420
入	2451	2452
入	2453	2454
入	2455	2456
入	2457	2458
入	2459	2460
入	2461	2462
入	2463	2464
入	2465	2466

	Mc 2401	M2 2101	M3 2101	Tc2 2001
	+ F	– MCP	– F	– +
入	2507	2508	2607	2608
入	2509	2510	2609	2610
入	2513	2514	2613	2614
玉	2517○	2518	2617	2618
玉	2523	2524	2623	2624
玉	2525	2526	2625	2626
玉	2527	2528	2627	2628
玉	2529	2530	2629	2630

	Mc 2401	M2 2101	M3 2101	Tc2 2001
	+ F	– SCP	– F	– +
玉	2531○	2532	2631	2632
玉	2533○	2534	2633	2634
玉	2535○	2536	2635	2636
玉	2537	2538	2637	2638
玉	2539	2540	2639	2640
玉	2541	2542	2641	2642
玉	2543	2544	2643	2644
玉	2545	2546	2645	2646

▽○印は、Mcのパン台、ベンチレーター撤去車
▽編成に年月日表示編成は、
　パンタグラフシングルアーム化(＿)
　ほかに2049編成=18.08.03　2051編成=18.09.20
　2461編成=16.06.29
▽CP変更
　2523F=20.01.22　2525F=19.12.18　2531F=20.09.18
　2533F=20.08.31　2535F=20.11.12　2537F=20.02.20
　2545F=20.3.16
▽4両編成と50番代(2045～・2047～・2049～編成を含む)は
　新2000系と呼ばれるモデルチェンジ車
▽2031～・2033～・2417～・2419～編成の通風器は押込型

▽旧横瀬車両基地に、5000系クハ5503(旧レッドアロー)、101系クハ1224、351系クモハ355、
　E31形31、E851形854、E61形61、E71形71、4号蒸気機関車、スム201形201、ワフ101形105を保存

←国分寺・武蔵境　　　　　　　　　　　　　　　　　　　　　　　　　　　是政・西武園・多摩湖→

101系　**16両**(改)[密連]　③

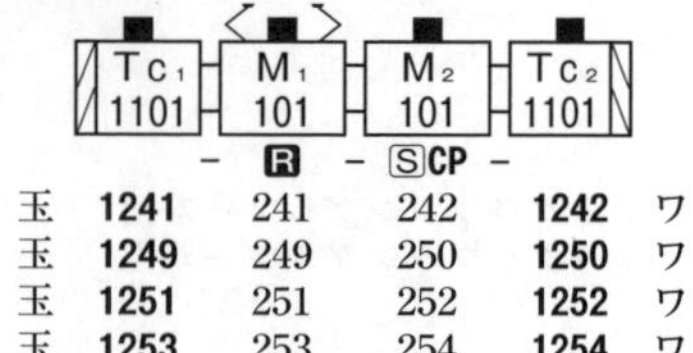

	Tc1	M1	M2	Tc2	
玉	**1241**	241	242	**1242**	ワ
玉	**1249**	249	250	**1250**	ワ
玉	**1251**	251	252	**1252**	ワ
玉	**1253**	253	254	**1254**	ワ

▽241編成は伊豆箱根塗装
249編成は黄色とベージュのツートンカラー
251編成は近江鉄道100形塗装(18.06.13 ～)
253編成は赤電色(18.12.10 ～)

▽ワはワンマン車
▽多摩川線(武蔵境～是政間)にて充当の101系は白糸台車両基地をベースに運用
▽多摩川線(全線)と多摩湖線(国分寺～多摩湖間)は終日ワンマン運転
▽ワンマン車はスカート付き

9000系　**20両**[密着]　④

Tc1 9100 - M1 9200 - M6 9900 - Tc2 9000
- V - SCP -

	Tc1	M1	M6	Tc2		
玉	9102	**9202**	**9902**	9002	21.01.08	ワンマン化＋レール塗油器取付
玉	9103	**9203**	**9903**	9003	21.03.24	ワンマン化＋レール塗油器取付
玉	9104	**9204**	**9904**	9004	21.06.15	ワンマン化
玉	9105	**9205**	**9905**	9005	20.10.07	ワンマン化
玉	9108	**9208**	**9908**	9008	20.07.28	ワンマン化

▽9000系は多摩湖線にて使用

山口線(山口車両基地)　12両

←西武球場前　　　　　　　　　　　　多摩湖→

8500系　**12両**(新交通システム)[密連]　①

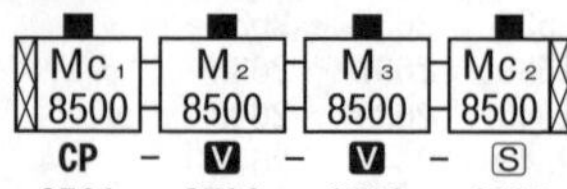

	Mc1	M2	M3	Mc2
小	8501	8502	8503	8504
小	8511	8512	8513	8514
小	8521	8522	8523	8524

▽側方案内方式・ＤＣ750Ｖ
▽愛称＝レオライナー

多摩都市モノレール　多摩都市モノレール運営基地（高松駅から分岐）　64両

←多摩センター　上北台→

1000系　**64両**（アルミ車体）[密連]　②

	Mc1 1100 ♿	M2 1200	M3 1300	Mc2 1400 ♿
	V S CP	V	V	V S CP
01F	1101	1201	1301	1401
02F	1102	1202	1302	1402
03F	1103	1203	1303	1403
04F	1104	1204	1304	1404
05F	1105	1205	1305	1405
06F	1106	1206	1306	1406
07F	1107	1207	1307	1407(1)
08F	1108	1208	1308	1408
09F	1109	1209	1309	1409
10F	1110	1210	1310	1410
11F	1111	1211	1311	1411
12F	1112	1212	1312	1412
13F	1113	1213	1313	1413
14F	1114	1214	1314	1414
15F	1115	1215	1315	1415(2)
16F	1116	1216	1316	1416

▽アルウェーグ式・直流1500V
▽Mc₁・Mc₂の先頭寄り台車はモーターなし
▽ラッピング車両(1)＝ライオン、(2)＝キリン

▽02F･03F･16Fはイベント対応編成
▽前面行先表示器、車内案内表示器をフルカラー化
▽座席は全車ロングシート

▼優先席……全車両に設置
▼車イス対応スペース……♿の車両に設置

1000系	
1100	16
1200	16
1300	16
1400	16
計	64

御岳登山鉄道　2両

←滝本　鋼索　御岳山→

コ-1形

コ-1　日出（黄色）
コ-2　青空（青色）

▽2008.03.22から新型車体で運転（足回りは従来どおり）
▽ＪＲ青梅線御嶽駅からケーブル下（滝本）行き西東京バスに乗車、所要約10分

高尾登山電鉄　2両

←清滝　鋼索　高尾山→

コ-1形

101　あおば
102　もみじ

▽2008.12.23から新型車両で運転
▽京王電鉄高尾線高尾山口駅下車、徒歩3分

大山観光電鉄　2両

←大山ケーブル　鋼索　阿夫利神社→

01　グリーンの車体にゴールドの席
02　グリーンの車体にシルバーの席

▽小田急電鉄小田原線伊勢原駅から大山ケーブル駅行き神奈川中央交通バスに乗車、約30分。終点から徒歩約15分
▽2015.10.01、新型車両デビュー。
架線レスシステムを採用、車体にリチウムイオン電池を搭載。
駅に鋼体架線を設置。駅停車中に充電し、走行時の車内電力をまかなう

京王電鉄　京王線(若葉台・高幡不動検車区)井の頭線(富士見ヶ丘検車区)　881両

京王線(若葉台・高幡不動検車区)　732両(728＋4)

←新宿・新線新宿(都営地下鉄新宿線)　　　　　　橋本・高尾山口・京王八王子→

5000系　**70両**(ステンレス車体)[密連]　④

	⑩♿	♿⑨	♿⑧	♿⑦	♿⑥	♿⑤	♿④	♿③弱	♿②	♿①		
	Tc_1 5700	M_1 5000	M_2 5050	T_1 5500	M_1 5000	M_2 5050	T_2 5550	M_1 5000	M_2 5050	Tc_2 5750		
	+	V	ⓈCP		V			V	ⓈCP	+		
76	**5731**	**5031**	**5081**	**5531**	**5131**	**5181**	**5581**	**5231**	**5281**	**5781**	地	17.06.30総合
77	**5732**	**5032**	**5082**	**5532**	**5132**	**5182**	**5582**	**5232**	**5282**	**5782**	地	17.09.15総合
78	**5733**	**5033**	**5083**	**5533**	**5133**	**5183**	**5583**	**5233**	**5283**	**5783**	地	17.10.13総合
79	**5734**	**5034**	**5084**	**5534**	**5134**	**5184**	**5584**	**5234**	**5284**	**5784**	地	17.11.10総合
80	**5735**	**5035**	**5085**	**5535**	**5135**	**5185**	**5585**	**5235**	**5285**	**5785**	地	17.12.08総合
81	**5736**	**5036**	**5086**	**5536**	**5136**	**5186**	**5586**	**5236**	**5286**	**5786**	地	19.12.13総合
82	**5737**	**5037**	**5087**	**5537**	**5137**	**5187**	**5587**	**5237**	**5287**	**5787**	地	22.10.21総合

▽5000系は、2017.09.29から営業運転開始。2018.02.22から座席指定列車「京王ライナー」運行開始
▽82(5037)編成はリクライニング機能あり。クロスシート時の背もたれを倒すことができる

9000系　**264両**(ステンレス車体)[密連]　④

	⑩	♿⑨	⑧	♿⑦	⑥	♿⑤	④	③弱	♿②	①		
	Tc_1 9700	M_1 9000	M_2 9050	T_1 9500	M_1 9000	T_2 9550	T_2 9550	M_1 9000	M_2 9050	Tc_2 9750		
	+	V	ⓈCP		V			V	ⓈCP	+		
56	9731	**9031**	9081	**9531**	9131	**9581**	9681	9231	**9281**	9781	地	サンリオキャラクターラッピング(18.11.01)
57	9732	**9032**	9082	**9532**	9132	**9582**	9682	9232	**9282**	9782	地	
58	9733	**9033**	9083	**9533**	9133	**9583**	9683	9233	**9283**	9783	地	
59	9734	**9034**	9084	**9534**	9134	**9584**	9684	9234	**9284**	9784	地	
60	9735	**9035**	9085	**9535**	9135	**9585**	9685	9235	**9285**	9785	地	
61	9736	**9036**	9086	**9536**	9136	**9586**	9686	9236	**9286**	9786	地	
62	9737	**9037**	9087	**9537**	9137	**9587**	9687	9237	**9287**	9787	地	
63	9738	**9038**	9088	**9538**	9138	**9588**	9688	9238	**9288**	9788	地	
64	9739	**9039**	9089	**9539**	9139	**9589**	9689	9239	**9289**	9789	地	
65	9740	**9040**	9090	**9540**	9140	**9590**	9690	9240	**9290**	9790	地	
66	9741	**9041**	9091	**9541**	9141	**9591**	9691	9241	**9291**	9791	地	
67	9742	**9042**	9092	**9542**	9142	**9592**	9692	9242	**9292**	9792	地	
68	9743	**9043**	9093	**9543**	9143	**9593**	9693	9243	**9293**	9793	地	
69	9744	**9044**	9094	**9544**	9144	**9594**	9694	9244	**9294**	9794	地	
70	9745	**9045**	9095	**9545**	9145	**9595**	9695	9245	**9295**	9795	地	
71	9746	**9046**	9096	**9546**	9146	**9596**	9696	9246	**9296**	9796	地	
72	9747	**9047**	9097	**9547**	9147	**9597**	9697	9247	**9297**	9797	地	
73	9748	**9048**	9098	**9548**	9148	**9598**	9698	9248	**9298**	9798	地	
74	9749	**9049**	9099	**9549**	9149	**9599**	9699	9249	**9299**	9799	地	
75	9730	**9030**	9080	**9530**	9130	**9580**	9680	9230	**9280**	9780	地	

	⑧	♿⑦	⑥	⑤	④	③弱	♿②	①
	Tc_1 9700	M_1 9000	M_2 9050	T_1 9500	T_2 9550	M_1 9000	M_2 9050	Tc_2 9750
	+	V	ⓈCP			V	ⓈCP	+
48	▪9701	**9001**	9051	9501	9551	9101	**9151**	9751
49	▪9702	**9002**	9052	9502	9552	9102	**9152**	9752
50	▪9703	**9003**	9053	9503	9553	9103	**9153**	9753
51	▪9704	**9004**	9054	9504	9554	9104	**9154**	9754
52	▪9705	**9005**	9055	9505	9555	9105	**9155**	9755
53	▪9706	**9006**	9056	9506	9556	9106	**9156**	9756
54	▪9707	**9007**	9057	9507	9557	9107	**9157**	9757
55	▪9708	**9008**	9058	9508	9558	9108	**9158**	9758

▼優先席……全車両に設置
▼車イススペース(フリースペースを含む)……太字の車両に設置
▼弱冷房車…編成図に弱を付した車両

▽地は地下鉄乗入れ車
▽ ▪印は自動連解装置付き
▽都営地下鉄新宿線への乗入れは本八幡まで

▽京王れーるランド(動物園線多摩動物公園駅)に、6000系デハ6438、5000系クハ5723、2010系デハ2015、2400形デハ2410、3000系クハ3719を保存、展示

←新宿・新線新宿　　　　　　　　　　　　　　　　橋本・高尾山口・京王八王子→

8000系　**244両**(ステンレス車体)[密連]　④

	⑩	♿⑨	⑧	⑦	⑥	⑤	④	♿③ 弱	②	①	
	Tc1 8700	M1 8000	M2 8050	M1 8000	M2 8050	T1 8500	T2 8550	M1 8000	M2 8050	Tc2 8750	
	+	– V –	SCP –	V –	CP –	–	– CP –	V –	SCP –	+	
2	■8702	8002	8052	8102	8152	8502	8552	8202	8252	8752■	16.12.27=4・5号車間貫通化(中間車化)
4	■8704	8004	8054	8104	8154	8504	8554	8204	8254	8854■	17.09.07=4・5号車間貫通化(中間車化)
5	■8705	8005	8055	8105	8155	8505	8555	8205	8255	8755■	15.03.27=4・5号車間貫通化(中間車化)
6	■8706	8006	8056	8106	8156	8506	8556	8206	8256	8856■	18.03.30=4・5号車間貫通化(中間車化)
9	■8709	8009	8059	8109	8159	8759	8809	8209	8259	8859■	18.09.07=4・5号車間貫通化(中間車化)
10	■8710	8010	8060	8110	8160	8760	8810	8210	8260	8860■	19.03.25=4・5号車間貫通化(中間車化)
12	■8712	8012	8062	8112	8162	8512	8562	8212	8262	8862■	19.09.08=4・5号車間貫通化(中間車化)
13	■8713	8013	8063	8113	8163	8513	8563	8213	8263	8763■	14.07.28=4・5号車間貫通化(中間車化)
14	■8714	8014	8064	8114	8164	8514	8564	8214	8264	8764■	12.03.29=5号車形式変更+外幌新設[4号車寄り] 14.11.21=4・5号車間貫通化(中間車化)

	Tc1 8700	M1 8000	M2 8050	M1 8000	M2 8050	T1 8500	T2 8550	M1 8000	M2 8050	Tc2 8750	
	+	– V –	SCP –	V –	–	–	– CP –	V –	SCP –	+	
1	■8701	8001	8051	8101	8151	8501	8551	8201	8251	8751■	16.09.12=4・5号車間貫通化(中間車化)
3	■8703	8003	8053	8103	8153	8503	8553	8203	8253	8753■	14.03.27=4・5号車間貫通化(中間車化) 23.03.22=VVVF更新、車イススペース各車に設置
7	■8707	8007	8057	8107	8157	8507	8557	8207	8257	8757■	16.03.28=4・5号車間貫通化(中間車化)
8	■8708	8008	8058	8108	8158	8508	8558	8208	8258	8758■	21.02.19=VVVF更新、主電動機更新
11	■8711	8011	8061	8111	8161	8511	8561	8211	8261	8761■	15.11.26=4・5号車間貫通化(中間車化) 15.08.03=4・5号車間貫通化(中間車化)

	⑧	♿⑦	⑥	⑤	④	③ 弱	♿②	①	
	Tc1 8700	M1 8000	M2 8050	T1 8500	T2 8550	M1 8000	M2 8050	Tc2 8750	
	+	– V –	SCP –		– CP –	V –	SCP –	+	
22	8728	8028	8078	8528	8578	8128	8178	8778	
23	8729	8029	8079	8529	8579	8129	8179	8779	15.04.21=VVVF更新(永久磁石同期電動機)
24	8730	8030	8080	8530	8580	8130	8180	8780	13.03.27=VVVF更新
25	8731	8031	8081	8531	8581	8131	8181	8781	

	⑧♿	♿⑦	♿⑥	♿⑤	♿④	♿③ 弱	♿②	♿①	
	Tc1 8700	M1 8000	M2 8050	T1 8500	T2 8550	M1 8000	M2 8050	Tc2 8750	
	+	– V –	SCP –		– CP –	V –	SCP –	+	
15	8721	8021	8071	8521	8571	8121	8171	8771	16.03.28=VVVF更新(永久磁石同期電動機)
16	8722	8022	8072	8522	8572	8122	8172	8772	17.03.30=VVVF更新(永久磁石同期電動機)
17	8723	8023	8073	8523	8573	8123	8173	8773	17.12.01=VVVF更新(永久磁石同期電動機)
18	8724	8024	8074	8524	8574	8124	8174	8774	19.12.06=VVVF更新(永久磁石同期電動機)
19	8725	8025	8075	8525	8575	8125	8175	8775	20.03.25=VVVF更新(永久磁石同期電動機)
20	8726	8026	8076	8526	8576	8126	8176	8776	20.08.05=VVVF更新(永久磁石同期電動機)
21	8727	8027	8077	8527	8577	8127	8177	8777	20.11.19=VVVF更新(永久磁石同期電動機)
26	8732	8032	8082	8532	8582	8132	8182	8782	21.08.03=VVVF更新(永久磁石同期電動機)
27	8733	8033	8083	8533	8583	8133	8183	8783	21.11.25=VVVF更新(永久磁石同期電動機)

▽ ■印は自動連解装置付き
▽8000系の先頭車はスカート付き
▽8000系10両編成は、中間車化工事に合わせてVVVF更新実施
▽8732×8、8733×8の台車はボルスタレス式
▽車両入替・車号変更　旧8130→8129・旧8180→8179=15.04.21、旧8129→8130・旧8179→8180=15.04.30(+VVVF更新)
▽13(8013)編成は、グリーンの高尾山をイメージしたラッピング車(15.07.28)
▽15(8021)編成は22.12.02、車体修理、車イススペース各車に設置、8171にパンタグラフ設置

▽全般検査は若葉台工場(若葉台・富士見ケ丘検車区に併設)で行なう
▽列車種別と編成両数(データイム基準)
　特急・急行・区間急行・快速＝10両編成、普通＝8・10両編成(動物園線は4両編成、競馬場線は2両編成)
▽準特急は2022.03.12改正にて消滅(特急停車駅に笹塚、千歳烏山と高尾線各駅が加わったため)
▽都営地下鉄新宿線乗入れ列車は9000系の30番代と5000系
▽9000系は7000系と併結できる
▽相模原線は2010.03.26から、京王線(京王新線・高尾線・競馬場線・動物園線を含む)は2011.10.02からＡＴＣを使用開始

←新宿・新線新宿　　　　　　　　　　　　　　　　　　　　　　　橋本・高尾山口・京王八王子→

7000系　154両（ステンレス車体）［密連］　④

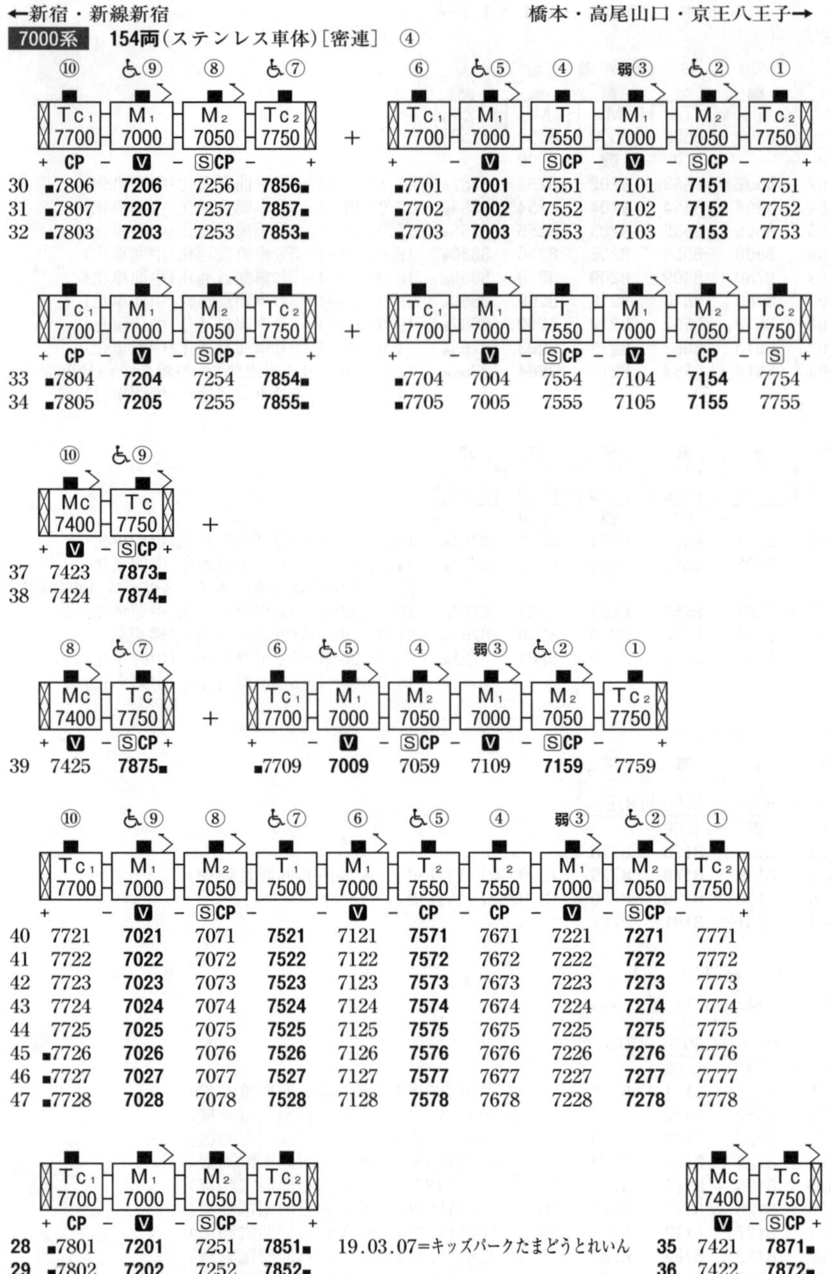

	⑩	♿⑨	⑧	♿⑦	+	⑥	♿⑤	④	弱③	♿②	①
	Tc1 7700	M1 7000	M2 7050	Tc2 7750	+	Tc1 7700	M1 7000	T 7550	M1 7000	M2 7050	Tc2 7750
	CP	V	ⓈCP				V	ⓈCP	V	ⓈCP	
30	■7806	**7206**	7256	**7856**■		■7701	**7001**	7551	7101	**7151**	7751
31	■7807	**7207**	7257	**7857**■		■7702	**7002**	7552	7102	**7152**	7752
32	■7803	**7203**	7253	**7853**■		■7703	**7003**	7553	7103	**7153**	7753

	Tc1 7700	M1 7000	M2 7050	Tc2 7750	+	Tc1 7700	M1 7000	T 7550	M1 7000	M2 7050	Tc2 7750
	CP	V	ⓈCP				V	ⓈCP	V	CP	Ⓢ
33	■7804	**7204**	7254	**7854**■		■7704	7004	7554	7104	**7154**	7754
34	■7805	**7205**	7255	**7855**■		■7705	7005	7555	7105	**7155**	7755

	⑩	♿⑨	+
	Mc 7400	Tc 7750	+
	V	ⓈCP	
37	7423	**7873**■	
38	7424	**7874**■	

	⑧	♿⑦	+	⑥	♿⑤	④	弱③	♿②	①
	Mc 7400	Tc 7750	+	Tc1 7700	M1 7000	M2 7050	M1 7000	M2 7050	Tc2 7750
	V	ⓈCP			V	ⓈCP	V	ⓈCP	
39	7425	**7875**■		■7709	**7009**	7059	7109	**7159**	7759

	⑩	♿⑨	⑧	♿⑦	⑥	♿⑤	④	弱③	♿②	①
	Tc1 7700	M1 7000	M2 7050	T1 7500	M1 7000	T2 7550	T2 7550	M1 7000	M2 7050	Tc2 7750
		V	ⓈCP		V	CP	CP	V	ⓈCP	
40	7721	**7021**	7071	**7521**	7121	**7571**	7671	7221	**7271**	7771
41	7722	**7022**	7072	**7522**	7122	**7572**	7672	7222	**7272**	7772
42	7723	**7023**	7073	**7523**	7123	**7573**	7673	7223	**7273**	7773
43	7724	**7024**	7074	**7524**	7124	**7574**	7674	7224	**7274**	7774
44	7725	**7025**	7075	**7525**	7125	**7575**	7675	7225	**7275**	7775
45	■7726	**7026**	7076	**7526**	7126	**7576**	7676	7226	**7276**	7776
46	■7727	**7027**	7077	**7527**	7127	**7577**	7677	7227	**7277**	7777
47	■7728	**7028**	7078	**7528**	7128	**7578**	7678	7228	**7278**	7778

	Tc1 7700	M1 7000	M2 7050	Tc2 7750	
	CP	V	ⓈCP		
28	■7801	**7201**	7251	**7851**■	19.03.07=キッズパークたまどうとれいん
29	■7802	**7202**	7252	**7852**■	

	Mc 7400	Tc 7750
	V	ⓈCP
35	7421	**7871**■
36	7422	**7872**■

▽7551･7751の補助電源装置はⓂ
▽7871 ～ 7875はスカートなし
▽■印は自動連解装置付き
▽編成番号太字はワンマン対応車、2両編成は競馬場線、4両編成は動物園線で使用
▽32編成　7203=2012.10.18(VVVF化),7003･7103=2012.07.30(VVVF化)，33編成　7204=2012.09.06(VVVF化)
▽32編成　7553･7153=2012.11.15(補助電源SIV化)、28編成は2015.03.20=車内リニューアル工事施工

京王線	732両
5000系	
デハ5000	21
デハ5050	21
クハ5700	7
クハ5750	7
サハ5500	7
サハ5550	7
	70
9000系	
デハ9000	76
デハ9050	56
クハ9700	28
クハ9750	28
サハ9500	28
サハ9550	48
	264
8000系	
デハ8000	68
デハ8050	68
クハ8700	27
クハ8750	27
サハ8500	27
サハ8550	27
	244
7000系	
デハ7000	43
デハ7050	30
デハ7400	5
クハ7700	21
クハ7750	26
サハ7500	8
サハ7550	21
	154
井の頭線	**145両**
1000系	
デハ1000	29
デハ1050	29
デハ1100	29
クハ1700	29
クハ1750	29
	145
合計	877

事業用車　4両［密連］

デヤ 901	クヤ 900	サヤ 912	デヤ 902
VⓈCP			VⓈCP
901	911	912	902

▽クヤ900形は総合高速検測車。愛称は「ＤＡＸ」
▽デヤ901・902は15.09.30総合 製造
▽サヤ912は16.06.21総合 製造

井の頭線(富士見ヶ丘検車区)　145両

←渋谷　　　　　　　　　　　　　　　　吉祥寺→

1000系　**145両**(ステンレス車体)[小型密着]　④

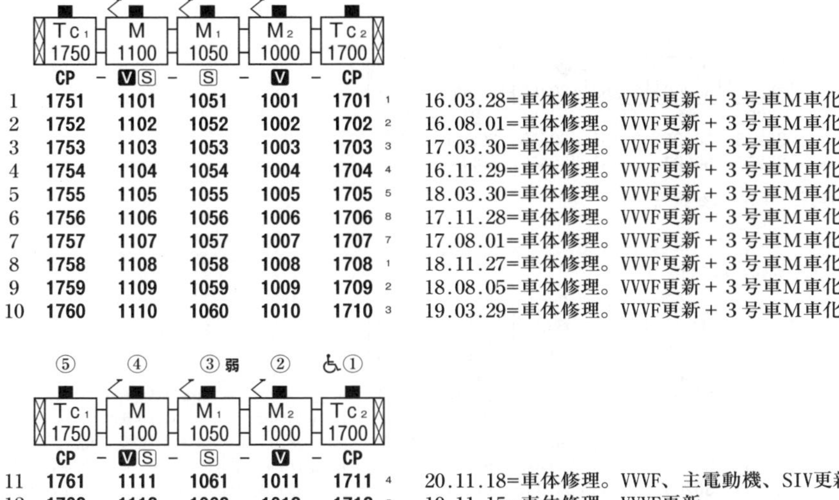

	Tc1 1750	M 1100	M1 1050	M2 1000	Tc2 1700		
1	**1751**	**1101**	**1051**	**1001**	**1701**	1	16.03.28=車体修理。VVVF更新＋３号車M車化
2	**1752**	**1102**	**1052**	**1002**	**1702**	2	16.08.01=車体修理。VVVF更新＋３号車M車化
3	**1753**	**1103**	**1053**	**1003**	**1703**	3	17.03.30=車体修理。VVVF更新＋３号車M車化
4	**1754**	**1104**	**1054**	**1004**	**1704**	4	16.11.29=車体修理。VVVF更新＋３号車M車化
5	**1755**	**1105**	**1055**	**1005**	**1705**	5	18.03.30=車体修理。VVVF更新＋３号車M車化
6	**1756**	**1106**	**1056**	**1006**	**1706**	8	17.11.28=車体修理。VVVF更新＋３号車M車化
7	**1757**	**1107**	**1057**	**1007**	**1707**	7	17.08.01=車体修理。VVVF更新＋３号車M車化
8	**1758**	**1108**	**1058**	**1008**	**1708**	1	18.11.27=車体修理。VVVF更新＋３号車M車化
9	**1759**	**1109**	**1059**	**1009**	**1709**	2	18.08.05=車体修理。VVVF更新＋３号車M車化
10	**1760**	**1110**	**1060**	**1010**	**1710**	3	19.03.29=車体修理。VVVF更新＋３号車M車化

⑤　④　③弱　②　♿①

Tc1 1750 ― M 1100 ― M1 1050 ― M2 1000 ― Tc2 1700

CP - VS - S - V - CP

	Tc1 1750	M 1100	M1 1050	M2 1000	Tc2 1700		
11	**1761**	**1111**	**1061**	**1011**	**1711**	4	20.11.18=車体修理。VVVF、主電動機、SIV更新
12	**1762**	**1112**	**1062**	**1012**	**1712**	5	19.11.15=車体修理。VVVF更新
13	**1763**	**1113**	**1063**	**1013**	**1713**	8	19.09.20=車体修理。VVVF更新
14	**1764**	**1114**	**1064**	**1014**	**1714**	7	20.07.21=車体修理。VVVF、主電動機、SIV更新
15	**1765**	**1115**	**1065**	**1015**	**1715**	1	20.03.24=車体修理。VVVF更新
16	1771	1121	1071	1021	**1721**	7	
17	1772	1122	1072	1022	**1722**	1	
18	1773	1123	1073	1023	**1723**	2	
19	1774	1124	1074	1024	**1724**	3	
20	1775	1125	1075	1025	**1725**	4	
21	1776	1126	1076	1026	**1726**	5	
22	1777	1127	1077	1027	**1727**	8	
23	1778	1128	1078	1028	**1728**	7	
24	1779	1129	1079	1029	**1729**	*	
25	1780	1130	1080	1030	**1730**	2	
26	1781	1131	1081	1031	**1731**	3	
27	1782	1132	1082	1032	**1732**	4	
28	1783	1133	1083	1033	**1733**	5	
29	1784	1134	1084	1034	**1734**	8	

▽下付きの数字･記号は車体色を示す
- 1＝ブルーグリーン
- 2＝アイボリーホワイト
- 3＝サーモンピンク
- 4＝ライトグリーン
- 5＝バイオレット
- 6＝ベージュ(消滅)
- 7＝ライトブルー
- 8＝オレンジベージュ
- *＝レインボーカラー(2012.10.03 ～)

▼優先席……全車両に設置
▼車イススペース……太字の車両および編成図に♿マークを付けた車両に設置
▼弱冷房車…編成図に弱を付した車両
▽車内照明ＬＥＤ化は、井の頭線は2015年にて完了。
　京王線は2018年度対象車完了

小田急電鉄　喜多見検車区・海老名検車区・〔全〕大野総合車両所(相模大野駅隣接)　1063両

←新宿(地下鉄千代田線)、片瀬江ノ島　　唐木田・藤沢・小田原・箱根湯本→

30000形(EXE)　20両(海老名検車区所属)[収納]　①

⑩	⑨	⑧WC	⑦	⑥	⑤WC	④	WC③	②	①
Tc1	M1♥	M2	Tc2′	Tc1′	M1′	T1	♥T2	M2′	Tc2
30050	30000	30100	30150	30250	30200	30350	30450	30500	30550
CP	Ⓢ	Ⓥ	ⓈCP	CP	Ⓥ	Ⓢ	Ⓢ	Ⓥ	CP
30055	〔30005〕	**30105**	30155	30255	**30205**	30355	〔30455〕	30505	30555
30057	〔30007〕	**30107**	30157	30257	**30207**	30357	〔30457〕	30507	30557

▽⑥⑦号車先頭部には自動連解装置[密連]と自動ホロを装備
▽⑨号車の新宿寄り台車はモーターなし

30000形(EXEα)　50両(海老名検車区所属)[収納]　①

Tc1	M1♥	M2	Tc2′	Tc1′	M1′	T1	♥M2′N	M3	Tc2	
30050	30000	30100	30150	30250	30200	30350	30400	30500	30550	
CP	Ⓢ	Ⓥ	ⓈCP	CP	Ⓥ	Ⓢ	Ⓢ	Ⓥ	CP	
30051	〔30001〕	**30101**	30151	30251	**30201**	30351	〔30401〕	30501	30551	16.12.02(リニューアル+VVVF更新など)
30052	〔30002〕	**30102**	30152	30252	**30202**	30352	〔30402〕	30502	30552	17.11.13(リニューアル+VVVF更新など)
30053	〔30003〕	**30103**	30153	30253	**30203**	30353	〔30403〕	30503	30553	21.02.28(リニューアル+制御装置SiC化)
30054	〔30004〕	**30104**	30154	30254	**30204**	30354	〔30404〕	30504	30554	19.05.11+05.06(6)(リニューアル+VVVF更新など)
30056	〔30006〕	**30106**	30156	30256	**30206**	30356	〔30406〕	30506	30556	20.03.30+04.02(4)(リニューアル+VVVF更新など)

▽⑥⑦号車先頭部には自動連解装置[密連]と自動ホロを装備
▽⑨号車は4個モーター

50000形(VSE)　20両(アルミ車体)(喜多見検車区所属)[収納]①(1・10号車は客用扉なし)

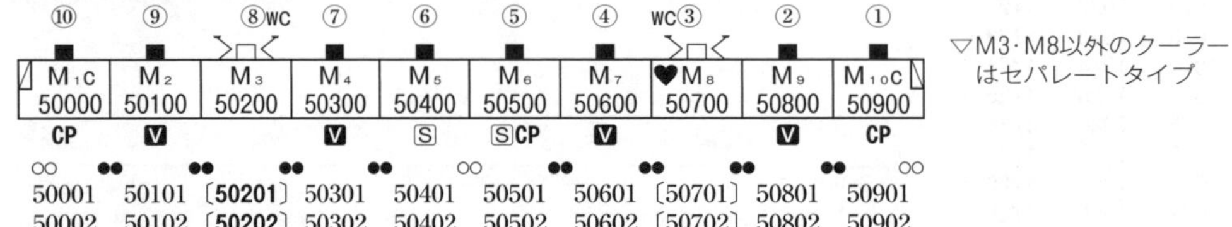

⑩	⑨	⑧WC	⑦	⑥	⑤	④	WC③	②	①
M1c	M2	M3	M4	M5	M6	M7	♥M8	M9	M10c
50000	50100	50200	50300	50400	50500	50600	50700	50800	50900
50001	50101	〔**50201**〕	50301	50401	50501	50601	〔50701〕	50801	50901
50002	50102	〔**50202**〕	50302	50402	50502	50602	〔50702〕	50802	50902

▽M3·M8以外のクーラーはセパレートタイプ

60000形(MSE)　42両(アルミ車体)(海老名検車区所属)[密連]　①

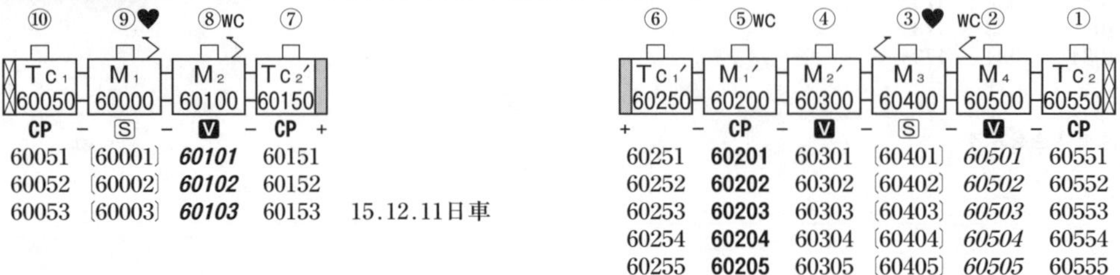

⑩	⑨♥	⑧WC	⑦	
Tc1	M1	M2	Tc2′	
60050	60000	60100	60150	
60051	〔60001〕	***60101***	60151	
60052	〔60002〕	***60102***	60152	
60053	〔60003〕	***60103***	60153	15.12.11日車

⑥	⑤WC	④	③♥	WC②	①	
Tc1′	M1′	M2′	M3	M4	Tc2	
60250	60200	60300	60400	60500	60550	
60251	**60201**	60301	〔60401〕	*60501*	60551	
60252	**60202**	60302	〔60402〕	*60502*	60552	
60253	**60203**	60303	〔60403〕	*60503*	60553	
60254	**60204**	60304	〔60404〕	*60504*	60554	
60255	**60205**	60305	〔60405〕	*60505*	60555	15.11.19日車

▽⑥⑦号車先頭部には自動連解装置[密連]と自動ホロを装備

70000形(GSE)　14両(アルミ車体)(喜多見検車区)[収納]　①

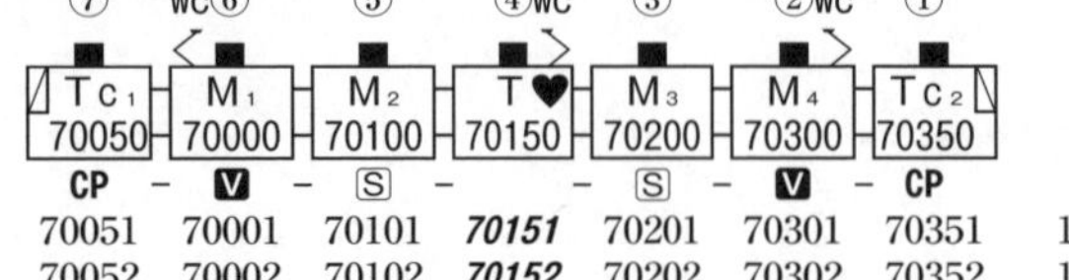

⑦	WC⑥	⑤	④WC	③	②WC	①	
Tc1	M1	M2	T♥	M3	M4	Tc2	
70050	70000	70100	70150	70200	70300	70350	
70051	70001	70101	***70151***	70201	70301	70351	18.01.10日車
70052	70002	70102	***70152***	70202	70302	70352	18.06.22日車

▽70000形は2018.03.17から営業運転開始

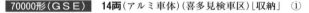

▽特急車は全車禁煙、車内設備は〔　〕=カウンター、太字=車椅子スペース、♥=AED(自動体外式除細動器)
▽60000形は地下鉄千代田線・有楽町線乗入れ対応のほか「ふじさん」(新宿~JR東海御殿場間)にも充当

▽新宿駅4・5番線ホームは、2012.09.30からホームドア使用開始
▽2015.09.12　D-ATS-P運用開始

▽2021(R03).04.19　海老名駅隣接地に鉄道ミュージアム「ロマンスカーミュージアム」開業
展示されているのは、SE車3000形、NSE車3100形、LSE7000形、HiSE車10000形、RSE20000形ロマンスカーのほか、モハ1形10

←新宿、片瀬江ノ島　　　　　　　　　　　　　　　　　　　　　　　　　　　　　　唐木田・藤沢・小田原・箱根湯本→

1000形(1000形・1200形・1700形・1090形)　**98両**(ステンレス車体)(海老名検車区所属[60両]、喜多見検車区所属[70両])[密連]④

⑩	⑨	⑧	⑦	⑥	⑤	④	③	②	①	
Tc1 1090	M1 1040	M2 1140	T1 1190	T2 1290	M3 1240	M4 1340	T3 1390	弱M5 1440	Tc2 1490	
CP	V	S		CP	V	S		V	CP	
1091	1041	1141	**1191**	**1291**	1241	1341	1391	1441	**1491**	
1092	1042	1142	**1192**	**1292**	1242	1342	1392	1442	**1492**	22.02.16＝車体更新＋制御装置Sic化
1093	1043	1143	**1193**	**1293**	1243	1343	1393	1443	**1493**	
1094	1044	1144	**1194**	**1294**	1244	1344	1394	1444	**1494**	

Tc1 1090	M1 1040	M2 1140	T1 1190	T2 1290	M3 1240	M4 1340	T3 1390	弱M5 1440	Tc2 1490	10両固定化
CP	V	S		CP	V	S		V	CP	
1095	1045	1145	**1195**	**1295**	1245	1345	1395	1445	**1495**	16.04.25
[1056	1006	1106	1156	1256	1206	1306	1356	1406	1456]	
1096	1046	1146	**1196**	**1296**	1246	1346	1396	1446	**1496**	17.01.17
[1052	1002	1102	1152	1252	1202	1302	1352	1402	1452]	
1097	1047	1147	**1197**	**1297**	1247	1347	1397	1447	**1497**	21.04.12＝車体更新＋制御装置Sic化
[1055	1005	1105	1181	1381	1205	1305	1355	1405	1455]	

	Tc1 1050	M1 1000	M2 1100	Tc2 1150
	+ CP	VS	VS	CP +
*	**1057**	1007	1107	**1157**
*	**1063**	1013	1113	**1163**
*	**1064**	1014	1114	**1164**
*	**1065**	1015	1115	**1165**
*	**1066**	1016	1116	**1166**
*	**1067**	1017	1117	**1167**
*	**1069**	1019	1119	**1169**

▽ワイド はワイドドア編成、開口幅は1600㎜
▽＊印は、車体更新・ＶＶＶＦ機器更新施工車
　1057 ～＝15.03.18、1063 ～＝15.08.17、1064 ～＝17.04.13
　1065 ～＝20.08.05、1066 ～＝14.11.07、1067 ～＝18.07.11
　1069 ～＝2019年度
▽車体更新＋10両固定編成化に合わせて、Sic適用VVVFインバータ採用、
　ＤＣ電動空気圧縮機、主電動機、駆動装置低騒音化、
　２画面ＴＶＯＳ新設など実施
▽1091 ～＝18.02.20
　1093 ～＝19.03.04
　1094 ～＝19.12.13　同様に車体更新
▽10両編成は喜多見検車区、６両・４両編成は海老名検車区所属

▽異形式同士も組成する場合がある
　８両編成は固定編成のほか、４両＋４両編成にて組成する場合がある
▽6･8･10両編成は小田原寄りから1 ～ 6･8･10号車、4両編成は7 ～ 10号車と表示
▽3号車は「小田急の子育て応援車」(通勤車両)

▼優先席……特急用を除く全車両に設置
▼車イス対応スペース……太字の車両に設置
▼弱冷房車…編成図に弱を付した車両

←(ＪＲ常磐緩行線・地下鉄千代田線)新宿、片瀬江ノ島　　　　唐木田・藤沢・小田原・箱根湯本→

4000形　160両(ステンレス車体)(喜多見検車区所属)[密連]　④

⑩♿	⑨	⑧	⑦	⑥	⑤	④	③	弱②	♿①	
Tc_1	M_1	M_2	M_3	M_4	T_1	T_2	M_5	M_6	Tc_2	
4050	4000	4100	4200	4300	4350	4450	4400	4500	4550	
CP	V	S	V		CP		V	S	CP	
4051	4001	4101	4201	4301	4351	4451	4401	4501	**4551**	
4052	4002	4102	4202	4302	4352	4452	4402	4502	**4552**	
4053	4003	4103	4203	4303	4353	4453	4403	4503	**4553**	
4054	4004	4104	4204	4304	4354	4454	4404	4504	**4554**	
4055	4005	4105	4205	4305	4355	4455	4405	4505	**4555**	
4056	4006	4106	4206	4306	4356	4456	4406	4506	**4556**	
4057	4007	4107	4207	4307	4357	4457	4407	4507	**4557**	
4058	4008	4108	4208	4308	4358	4458	4408	4508	**4558**	
4059	4009	4109	4209	4309	4359	4459	4409	4509	**4559**	
4060	4010	4110	4210	4310	4360	4460	4410	4510	**4560**	
4061	4011	4111	4211	4311	4361	4461	4411	4511	**4561**	
4062	4012	4112	4212	4312	4362	4462	4412	4512	**4562**	
4063	4013	4113	4213	4313	4363	4463	4413	4513	**4563**	
4064	4014	4114	4214	4314	4364	4464	4414	4514	**4564**	
4065	4015	4115	4215	4315	4365	4465	4415	4515	**4565**	12.12.13総合
4066	4016	4116	4216	4316	4366	4466	4416	4516	**4566**	16.12.21総合

▽4000形は地下鉄千代田線乗入れ仕様車
▽2016.03.26改正から、ＪＲ常磐緩行線取手まで乗入れ開始
▽2019.03.16改正から、東京メトロ北綾瀬まで乗入れ開始
▽2019.03.16改正から、10両編成も各停への充当開始

5000形　120両(ステンレス車体)(拡幅車体)(喜多見検車区所属)[密連]　④

⑩♿	⑨♿	⑧♿	⑦♿	⑥♿	⑤♿	④♿	③♿	弱②♿	♿①	
Tc_1	M_1	M_2	T_1	T_2	M_3	M_4	T_3	M_5	Tc_2	
5050	5000	5100	5150	5250	5200	5300	5350	5400	5450	
CP	V	S		CP	V	S		V	CP	
5051	**5001**	**5101**	**5151**	**5251**	**5201**	**5301**	**5351**	**5401**	**5451**	19.11.18川重
5052	**5002**	**5102**	**5152**	**5252**	**5202**	**5302**	**5352**	**5402**	**5452**	20.07.15川重
5053	**5003**	**5103**	**5153**	**5253**	**5203**	**5303**	**5353**	**5403**	**5453**	20.08.04川重
5054	**5004**	**5104**	**5154**	**5254**	**5204**	**5304**	**5354**	**5404**	**5454**	20.09.01川重
5055	**5005**	**5105**	**5155**	**5255**	**5205**	**5305**	**5355**	**5405**	**5455**	21.01.21川重
5056	**5006**	**5106**	**5156**	**5256**	**5206**	**5306**	**5356**	**5406**	**5456**	21.04.01川重
5057	**5007**	**5107**	**5157**	**5257**	**5207**	**5307**	**5357**	**5407**	**5457**	21.06.03日車
5058	**5008**	**5108**	**5158**	**5258**	**5208**	**5308**	**5358**	**5408**	**5458**	21.07.07日車
5059	**5009**	**5109**	**5159**	**5259**	**5209**	**5309**	**5359**	**5409**	**5459**	21.10.14日車
5060	**5010**	**5110**	**5160**	**5260**	**5210**	**5310**	**5360**	**5410**	**5460**	22.04.01川車
5061	**5011**	**5111**	**5161**	**5261**	**5211**	**5311**	**5361**	**5411**	**5461**	22.10.20川車
5062	**5012**	**5112**	**5162**	**5262**	**5212**	**5312**	**5362**	**5412**	**5462**	22.12.21川車

▽SiC素子を用いたＶＶＶＦインバータ制御装置搭載、主電動機、コンプレッサ、空調装置および駆動装置は低騒音型搭載
▽2020.03.26から営業運転開始。地下鉄乗入れはなし

←新宿、片瀬江ノ島　　　　唐木田・藤沢・小田原・箱根湯本→

8000形　**120両**(海老名検車区所属)[密連]　④

⑩♿	⑨	⑧	♿⑦	⑥♿	⑤	④	③	弱②	♿①
Tc1 8050	M1 8000	M2 8100	Tc2 8050	Tc1 8250	M1 8200	M2 8300	T 8400	M3 8500	Tc2 8550
+ ⓈCP −	Ⓢ −	V −	CP +	+ CP −	Ⓢ −	V −	Ⓢ −	V −	CP +
8051	8001	8101	**8151**	**8252**	8202	8302	8452	8502	**8552**
8052	8002	8102	**8152**	**8253**	8203	8303	8453	8503	**8553**
8053	8003	8103	**8153**	**8254**	8204	8304	8454	8504	**8554**
8057	8007	8107	**8157**	**8256**	8206	8306	8456	8506	**8556**
8058	8008	8108	**8158**	**8257**	8207	8307	8457	8507	**8557**
8059	8009	8109	**8159**	**8258**	8208	8308	8458	8508	**8558**
8060	8010	8110	**8160**	**8260**	8210	8310	8460	8510	**8560**
8061	8011	8111	**8161**	**8261**	8211	8311	8461	8511	**8561**
8063	8013	8113	**8163**	**8262**	8212	8312	8462	8512	**8562**
8064	8014	8114	**8164**	**8263**	8213	8313	8463	8513	**8563**
8065	8015	8115	**8165**	**8265**	8215	8315	8465	8515	**8565**
8066	8016	8116	**8166**	**8266**	8216	8316	8466	8516	**8566**

2000形　**72両**(ステンレス車体)(海老名検車区所属)[密連]　④

⑧♿	⑦	⑥	⑤	④	③	弱②	♿①
Tc1 2050	M1 2000	M2 2100	T1 2150	T2 2250	M4 2300	M5 2400	Tc2 2450
−	ⓈCP −	V −		− CP −	ⓈCP −	V −	
2051	2001	2101	2151	2251	2301	2401	**2451**
2052	2002	2102	2152	2252	2302	2402	**2452**
2053	2003	2103	2153	2253	2303	2403	**2453**
2054	2004	2104	2154	2254	2304	2404	**2454**
2055	2005	2105	2155	2255	2305	2405	**2455**
2056	2006	2106	2156	2256	2306	2406	**2456**
2057	2007	2107	2157	2257	2307	2407	**2457**
2058	2008	2108	2158	2258	2308	2408	**2458**
2059	2009	2109	2159	2259	2309	2409	**2459**

▽2000形はワイドドア(1600㎜)

▽小田原寄りから6·8両編成は1 ～ 6·8号車、4両編成は7 ～ 10号車と表示

▼優先席……全車両に設置
▼車イス対応スペース……太字の車両に設置
▼弱冷房車…編成図に弱を付した車両

クヤ31形　**1両**　(喜多見検車区所属)[密連]

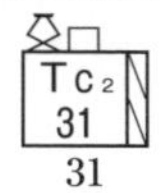

31

▽クヤ31形は軌道・電気総合検測車
3000形に準じたステンレス車体で、
愛称は「テクノインスペクター」。
検測時は8000形8065F・8066Fの小田原寄りに連結

←新宿、片瀬江ノ島　　　　唐木田・藤沢・小田原・箱根湯本→

3000形(3090形・3600形・3200形)

346両(ステンレス車体)(喜多見検車区所属[184両]、海老名検車区所属[162両])[密連]　④

⑩♿	⑨	⑧	⑦	⑥	⑤	④	③	弱 ②	♿①	
Tc1 3090	M1 3040	M2 3140	T1 3190	T2 3290	M3 3240	M4 3340	T3 3390	M5 3440	Tc2 3490	
	– V	– SCP –		– CP	– V	– S	– CPS	– V –		
3091	3041	3141	3191	3291	3241	3341	3391	3441	**3491**	【3280～】
3092	3042	3142	3192	3292	3242	3342	3392	3442	**3492**	【3281～】
3093	3043	3143	3193	3293	3243	3343	3393	3443	**3493**	【3282～】
3094	3044	3144	3194	3294	3244	3344	3394	3444	**3494**	【3278～】
3095	3045	3145	3195	3295	3245	3345	3395	3445	**3495**	【3279～】
3081	3031	3131	3181	3281	3231	3331	3381	3431	**3481**	改造=17.11.30川重
[3665	3615	3715	3765	3865	3815	3915	新車	新車	3965]	新車=17.11.30川重
3082	3032	3132	3182	3282	3232	3332	3382	3432	**3482**	改造=18.12.25川重
[3664	3614	3714	3764	3864	3814	3914	新車	新車	3964]	新車=18.12.25川重
3083	3033	3133	3183	3283	3233	3333	3383	3433	**3483**	改造=19.02.19川重
[3663	3613	3713	3763	3863	3813	3913	新車	新車	3963]	新車=19.02.19川重
3084	3034	3134	3184	3284	3234	3334	3384	3434	**3484**	改造=19.12.17川重
[3662	3612	3712	3762	3862	3812	3912	新車	新車	3962]	新車=19.12.17川重
3085	3035	3135	3185	3285	3235	3335	3385	3435	**3485**	改造=20.02.12川重
[3661	3611	3711	3761	3861	3811	3911	新車	新車	3961]	新車=20.02.12川重
3086	3036	3136	3186	3286	3236	3336	3386	3436	**3486**	改造=19.09.18川重
[3660	3610	3710	3760	3860	3810	3910	新車	新車	3960]	新車=19.09.18川重
3087	3037	3137	3187	3287	3237	3337	3387	3437	**3487**	改造=19.10.28川重
[3659	3609	3709	3759	3859	3809	3909	新車	新車	3959]	新車=19.10.28川重

▽【 】内は旧車号
4～7号車は
10両化時の増備車
▽[ ]内 は旧車号等

⑧♿	⑦	⑥	⑤	④	③	弱 ②	♿①
Tc1 3650	M1 3600	M2 3700	T1 3750	T2 3850	M3 3800	M4 3900	Tc2 3950
	– V	– SCP –		– CP	– V	– SCP –	
3651	3601	3701	3751	3851	3801	3901	**3951**
3652	3602	3702	3752	3852	3802	3902	**3952**
3653	3603	3703	3753	3853	3803	3903	**3953**
3654	3604	3704	3754	3854	3804	3904	**3954**
3655	3605	3705	3755	3855	3805	3905	**3955**
3656	3606	3706	3756	3856	3806	3906	**3956**
3657	3607	3707	3757	3857	3807	3907	**3957**
3658	3608	3708	3758	3858	3808	3908	**3958**

⑥♿	⑤	④	③	弱 ②	♿①
Tc1 3250	M1 3200	M2 3300	M3 3400	M4 3500	Tc2 3550
+	– V	– SCP –	V	– SCP –	+
3251	3201	3301	3401	3501	**3551**
3252	3202	3302	3402	3502	**3552**
3253	3203	3303	3403	3503	**3553**
3254	3204	3304	3404	3504	**3554**
3255	3205	3305	3405	3505	**3555**
3256	3206	3306	3406	3506	**3556**
3257	3207	3307	3407	3507	**3557**
3258	3208	3308	3408	3508	**3558**
3259	3209	3309	3409	3509	**3559**
3260	3210	3310	3410	3510	**3560**
3261	3211	3311	3411	3511	**3561**
3262	3212	3312	3412	3512	**3562**

▽6両編成の1～4編成はワイドドア、
1～12編成のM_2・M_4は
小田原寄り台車がモーターなし

▽8両、10両編成は喜多見、6両編成は海老名検車区配属

形式別配置両数　電車

形式	喜多見	海老名	計
70000形			
クハ70050	2		2
デハ70000	2		2
デハ70100	2		2
サハ70150	2		2
デハ70200	2		2
デハ70300	2		2
クハ70350	2		2
	14	0	14
60000形			
クハ60050		3	3
デハ60000		3	3
デハ60100		3	3
クハ60150		3	3
クハ60250		5	5
デハ60200		5	5
デハ60300		5	5
デハ60400		5	5
デハ60500		5	5
クハ60550		5	5
	0	42	42
5000形			
デハ50000	2		2
デハ50100	2		2
デハ50200	2		2
デハ50300	2		2
デハ50400	2		2
デハ50500	2		2
デハ50600	2		2
デハ50700	2		2
デハ50800	2		2
デハ50900	2		2
	20	0	20
30000形			
クハ30050		7	7
デハ30000		7	7
デハ30100		7	7
クハ30150		7	7
クハ30250		7	7
デハ30200		7	7
サハ30350		7	7
デハ30400		5	5
サハ30450		2	2
デハ30500		7	7
クハ30550		7	7
	0	70	70
8000形			
クハ8050		12	12
デハ8000		12	12
デハ8100		12	12
クハ8050		12	12
クハ8250		12	12
デハ8200		12	12
デハ8300		12	12
デハ8400		12	12
デハ8500		12	12
クハ8550		12	12
	0	120	120

形式	喜多見	海老名	計
1000形			
クハ1050		7	7
デハ1000		7	7
デハ1100		7	7
クハ1150		7	7
クハ1090	7		7
デハ1040	7		7
デハ1140	7		7
サハ1190	7		7
サハ1290	7		7
デハ1240	7		7
デハ1340	7		7
サハ1390	7		7
デハ1440	7		7
クハ1490	7		7
	70	28	98
2000形			
クハ2050		9	9
デハ2000		9	9
デハ2100		9	9
サハ2150		9	9
サハ2250		9	9
デハ2300		9	9
デハ2400		9	9
クハ2450		9	9
	0	72	72

形式	喜多見	海老名	計
3000形			
クハ3250		27	27
デハ3200		27	27
デハ3300		27	27
デハ3400		27	27
デハ3500		27	27
クハ3550		27	27
クハ3650	8		8
デハ3600	8		8
デハ3700	8		8
サハ3750	8		8
サハ3850	8		8
デハ3800	8		8
デハ3900	8		8
クハ3950	8		8
クハ3090	12		12
デハ3040	12		12
デハ3140	12		12
サハ3190	12		12
サハ3290	12		12
デハ3240	12		12
デハ3340	12		12
サハ3390	12		12
デハ3440	12		12
クハ3490	12		12
	184	162	346
4000形			
クハ4050	16		16
デハ4000	16		16
デハ4100	16		16
デハ4200	16		16
デハ4300	16		16
サハ4350	16		16
サハ4450	16		16
デハ4400	16		16
デハ4500	16		16
クハ4550	16		16
	160	0	160
5000形			
クハ5050	12		12
デハ5000	12		12
デハ5100	12		12
サハ5150	12		12
サハ5250	12		12
デハ5200	12		12
デハ5300	12		12
サハ5350	12		12
デハ5400	12		12
クハ5450	12		12
	120	0	120
合計	568	494	1,062

3000形　続き

Tc1 3250	M1 3200	M2 3300	T 3350	弱M3 3400	Tc2 3450	
+	V	SCP	SCP	V	+	
3263	3213	3313	3363	3413	**3463**	
3264	3214	3314	3364	3414	**3464**	
3265	3215	3315	3365	3415	**3465**	←22.11=車体更新、制御装置SiC化
3266	3216	3316	3366	3416	**3466**	←23.01=車体更新、制御装置SiC化
3267	3217	3317	3367	3417	**3467**	
3268	3218	3318	3368	3418	**3468**	←23.03=車体更新、制御装置SiC化
3269	3219	3319	3369	3419	**3469**	
3270	3220	3320	3370	3420	**3470**	
3271	3221	3321	3371	3421	**3471**	
3272	3222	3322	3372	3422	**3472**	
3273	3223	3323	3373	3423	**3473**	
3274	3224	3324	3374	3424	**3474**	
3275	3225	3325	3375	3425	**3475**	
3276	3226	3326	3376	3426	**3476**	
3277	3227	3327	3377	3427	**3477**	

東急電鉄　元住吉検車区・長津田検車区・雪が谷検車区・〔全〕長津田車両工場（恩田駅隣接）　1308両

池上線・東急多摩川線（雪が谷検車区）　93両

←五反田・多摩川　　　　　　　　　　　　　　　　　　　　　　　　　　　　　蒲田→

①　弱②　③
1000系　**48両**（ステンレス車体）［18m車］［自連］　③

Tc 1000	M 1200	Mc 1310	
ⓈCP	Ⓥ	Ⓥ	
1012	**1212**	1313	
1013	**1213**	1312	

Tc 1000	M 1200	Mc 1310	
ⓈCP	ⓋCP	Ⓥ	
1017	**1217**	1317	16.03.28=リニューアル
1019	**1219**	1319	
1020	**1220**	1320	
1021	**1221**	1321	
1022	**1222**	1322	

Mc 1500	M 1600	Tc 1700	
CP	ⓋⓈ	CP	
1501	**1601**	1701	14.07.10［1001-1201-1101］
1502	**1602**	1702	15.12.07［1002-1202-1102］
1503	**1603**	1703	14.05.10［1003-1203-1103］
1504	**1604**	1704	14.05.26［1004-1204-1104］
1505	**1605**	1705	15.03.25［1005-1205-1105］
1507	**1607**	1707	15.03.16［1007-1207-1107］
1508	**1608**	1708	15.06.23［1008-1208-1108］

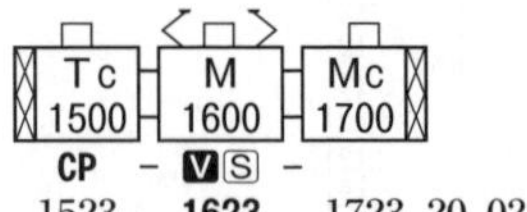

Tc 1500	M 1600	Mc 1700	
CP	ⓋⓈ		
1523	**1623**	1723	20.02.22［1023-1223-1323］
1524	**1624**	1724	16.11.12［1024-1224-1324］

▽1000系1012・1013編成の先頭部非常口は中央に設置
▽1017編成は、リニューアル工事に合わせて、紺・黄色の旧標準色に変更
▽池上線（五反田～蒲田間）・東急多摩川線（多摩川～蒲田間）はワンマン運転

①　弱②　③
7000系　**45両**（ステンレス車体）［18m車］［自連］　③

Mc 7100	M 7200	Tc 7300	
CP	ⓋⓈ	CP	
7101	**7201**	7301	
7102	**7202**	7302	
7103	**7203**	7303	
7104	**7204**	7304	
7105	**7205**	7305	
7106	**7206**	7306	
7107	**7207**	7307	
7108	**7208**	7308	17.12.07総合
7109	**7209**	7309	17.11.17総合
7110	**7210**	7310	18.07.23総合
7111	**7211**	7311	18.10.01総合
7112	**7212**	7312	18.08.10総合
7113	**7213**	7313	18.10.22総合
7114	**7214**	7314	18.08.30総合
7115	**7215**	7315	18.11.01総合

▽7000系と1000系デハ1600形のVVVFインバータ制御装置は補助電源装置（SIV）と一体型

世田谷線（雪が谷検車区上町班）　20両

←下高井戸　　三軒茶屋→
デハ300形　**20両**（ステンレス車体）　②

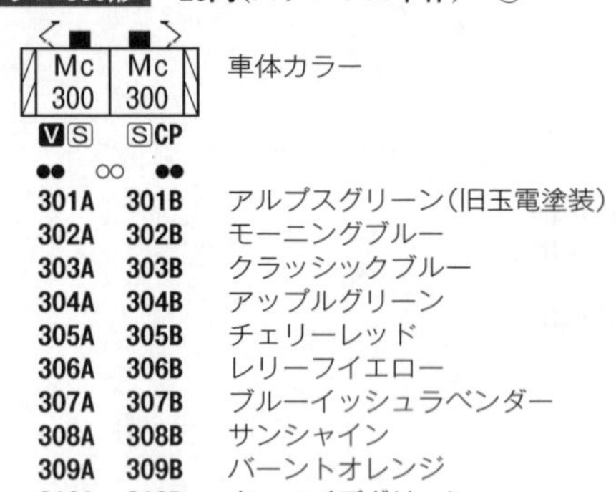

Mc 300	Mc 300	車体カラー
ⓋⓈ	ⓈCP	
301A	**301B**	アルプスグリーン（旧玉電塗装）
302A	**302B**	モーニングブルー
303A	**303B**	クラッシックブルー
304A	**304B**	アップルグリーン
305A	**305B**	チェリーレッド
306A	**306B**	レリーフイエロー
307A	**307B**	ブルーイッシュラベンダー
308A	**308B**	サンシャイン
309A	**309B**	バーントオレンジ
310A	**310B**	ターコイズグリーン

▽2019.09.02 社名を東急に変更
2019.10.01 鉄軌道事業分社化、東急電鉄に社名変更

▼優先席……全車両に設置
▼車イス対応スペース……太字の車両に設置
▼弱冷房車…編成図に弱を付した車両

大井町線(長津田検車区)　150両(146＋4)

←大井町　　　　　　　　　　　　溝の口・長津田→

6000系　**42両**(ステンレス車体)[自連]　④

①	弱②♿	♿③	④	⑤	♿⑥	⑦	
Tc2 6100	M 6200	M 6300	T 6400	M2 6500	M1 6600	Tc1 6700	▽6000系は急行用
－	V	－ V	－ SCP	－ SCP	－ V	－	
6103	**6203**	**6303**	6403	6503	**6603**	6703	③=17.09.21総合。④~⑦改番=17.09.20[6303-6403-6503-6601]
6104	**6204**	**6304**	6404	6504	**6604**	6704	③=18.01.10総合。④~⑦改番=18.01.08[6304-6404-6504-6604]
6105	**6205**	**6305**	6405	6505	**6605**	6705	③=17.11.22総合。④~⑦改番=17.11.20[6305-6405-6505-6605]
6106	**6206**	**6306**	6406	6506	**6606**	6706	③=17.12.13総合。④~⑦改番=17.12.11[6306-6406-6506-6606]

Tc2 6100	M 6200	M 6300	T 6400	M2 6500	M1 6600	Tc1 6700	▽3号車はQシート ▽4～7号車の改番月日は 2019 参照
－	V	－ V	－ SCP	－ SCP	－ V	－	
6101	**6201**	**6301**	6401	6501	**6601**	6701	3号車新製月日=19.05.16総合
6102	**6202**	**6302**	6402	6502	**6602**	6702	3号車新製月日=19.07.05総合

6020系　**14両**(ステンレス車体)[sustina][自連]　④

①♿	弱②♿	③♿	④♿	♿⑤	⑥♿	♿⑦	
Tc2 6120	M2 6220	M1 6320	T 6420	M2 6520	M1 6620	Tc1 6720	▽6020系は急行用 ▽6020系は2018.03.28から営業運転開始
－	VS	－ VCP	－	－ VS	－ VCP	－	▽③号車はQ SEAT。2018.12.14から運行開始
6121	**6221**	***6321***	**6421**	**6521**	**6621**	**6721**	18.01.22総合　③号車=18.10.25総合
6122	**6222**	***6322***	**6422**	**6522**	**6622**	**6722**	18.03.01総合　③号車=18.11.26総合

9000系　**75両**(ステンレス車体)[自連]　④

①	弱②	③	④	⑤	
Tc2 9000	M 9200	M 9400	M0 9600	Tc1 9100	
CP	－ VS	－ VS	－ V	－ CP	
9001	9201	9401	**9601**	9101	
9002	9202	9402	**9602**	9102	
9003	9203	9403	**9603**	9103	
9004	9204	9404	**9604**	9104	
9005	9205	9405	**9605**	9105	
9006	9206	9406	**9606**	9106	
9007	**9207**	9407	**9607**	9107	20.09.29=リニューアル工事・VVVF更新、9207に車イススペース設置
9008	9208	9408	**9608**	9108	
9009	9209	9409	**9609**	9109	
9010	9210	9410	**9610**	9110	
9011	9211	9411	**9611**	9111	
9012	9212	9412	**9612**	9112	
9013	9213	9413	**9613**	9113	
9014	9214	9414	**9614**	9114	
9015	9215	9415	**9615**	9115	

9020系　**15両**(ステンレス車体)[自連]　④

Tc2 9020	M0 9220	M2 9320	M1 9420	Tc1 9120	▽2000系からの改造。[ ]内は旧車号
－	V	－ CPS	－ V	－ CP	
9021	9221	9321	**9421**	9121	19.03.22改造
[2001	2401	2353	2303	2101]	
9022	9222	9322	**9422**	9122	19.02.10改造
[2002	2202	2253	2203	2102]	
9023	9223	9323	**9423**	9123	19.02.14改造
[2003	2302	2453	2403	2103]	

▽大井町線は2009.07.11に溝の口まで延伸

事業用車　**4両**

デヤ 7500	サヤ 7590	デヤ 7550	マニ 50
VSCP+		+VSCP	
7500	7590	7550	MN50(マニ502186)

▽デヤ7500は動力車、デヤ7550は電気検測車、サヤ7590は軌道検測車

▽マニ50は、「THE ROYAL EXPRESS ～ HOKKAIDO CRUISE TRAIN ～」の電源車として使用

東横線(元住吉検車区) 350両

←(地下鉄副都心線)渋谷　　新横浜(相鉄線)・横浜・(横浜高速鉄道)元町・中華街→

5000系　350両(ステンレス車体)[自連] ④

①	②	③	④	⑤	⑥	弱⑦	⑧	
Tc_2	M_2	M_1	T_2	T_1	M_2	M_1	Tc_1	
5100	5200	5300	5400	5500	5600	5700	5800	
	S	V	CP	CP	S	V		
5151	**5251**	5351	5451	5551	5651	**5751**	5851	
5152	**5252**	5352	5452	5552	5652	**5752**	5852	
5153	**5253**	5353	5453	5553	5653	**5753**	5853	
5154	**5254**	5354	5454	5554	5654	**5754**	5854	
5157	**5257**	5357	5457	5557	5657	**5757**	5857	
5158	**5258**	5358	5458	5558	5658	**5758**	5858	
5159	**5259**	5359	5459	5559	5659	**5759**	5859	
5160	**5260**	5360	5460	5560	5660	**5760**	5860	
5161	**5261**	5361	5461	5561	5661	**5761**	5861	
5162	**5262**	5362	5462	5562	5662	**5762**	5862	
5163	**5263**	5363	5463	5563	5663	**5763**	5863	
5164	**5264**	5364	5464	5564	5664	**5764**	5864	
5165	**5265**	5365	5465	5565	5665	**5765**	5865	
5167	**5267**	5367	5467	5567	5667	**5767**	5867	
5168	**5268**	5368	5468	5568	5668	**5768**	5868	
5170	**5270**	5370	5470	5570	5670	**5770**	5870	
5171	**5271**	5371	5471	5571	5671	**5771**	5871	
5172	**5272**	5372	5472	5572	5672	**5772**	5872	
5174	**5274**	5374	5474	5574	5674	**5774**	5874	
5175	**5275**	5375	5475	5575	5675	**5775**	5875	
5176	**5276**	5376	5476	5576	5676	**5776**	5876	13.05.14新製
5177	**5277**	5377	5477	5577	5677	**5777**	5877	16.09.13新製
5178	**5278**	5378	5478	5578	5678	**5778**	5878	19.11.05新製
5118	**5218**	5318	5418	5518	5618	**5718**	5818	
5119	**5219**	5319	5419	5519	5619	**5719**	5819	
5121	**5221**	5321	5421	5521	5621	**5721**	5821	
5122	**5222**	5322	5422	5522	5622	**5722**	5822	緑ラッピング　17.09.14～営業運転

①	②	③	④	⑤	⑥	⑦	⑧	弱⑨	⑩	
Tc_2	M_2	M_1	T_2	T_1	M_1	T_1	M_2	M_1	Tc_1	
5100	5200	5300	5400	5500	5300	5500	5600	5700	5800	
	S	V	CP	CP	V	CP	S	V		
4101	**4201**	4301	4401	4501	4601	4701	4801	**4901**	4001	
4102	**4202**	4302	4402	4502	4602	4702	4802	**4902**	4002	16.04.21 10両復帰
4103	**4203**	4303	4403	4503	4603	4703	4803	**4903**	4003	15.02.08 10両復帰
4104	**4204**	4304	4404	4504	4604	4704	4804	**4904**	4004	
4105	**4205**	4305	4405	4505	4605	4705	4805	**4905**	4005	19年度 10両復帰
4106	**4206**	4306	4406	4506	4606	4706	4806	**4906**	4006	16.11.11 10両復帰
4107	**4207**	4307	4407	4507	4607	4707	4807	**4907**	4007	12.11.01新製
4108	**4208**	4308	4408	4508	4608	4708	4808	**4908**	4008	12.12.01新製
4109	**4209**	4309	4409	4509	4609	4709	4809	**4909**	4009	13.01.03新製
4110	**4210**	4310	4410	4510	4610	4710	4810	**4910**	4010	13.04.20新製 Shibuya Hikarie号
4111	**4211**	4311	4411	4511	4611	4711	4811	**4911**	4011	20.03.13新製(6・7号車)
[5173	**5273**	5373	5473	5573			5673	**5773**	5873]	20.07.10　10両化車号変更

Tc_2	M_2	M_1	T_{1L}	M_L	T_2	T_3	M_2	M_1	Tc_1	
5100	5200	5300	5500	5300	5400	5500	5600	5700	5800	
	S	V	CP	V	CP	CP	S	V		
4112	**4212**	4312	4412	4512	4612	4712	4812	**4912**	4012	④⑤=22.07.01総合
[5166	5266	5366			5466	5566	5666	5766	5866]	22.08.04車号変更
4115	**4215**	4315	4415	4515	4615	4715	4815	**4915**	4015	④⑤=23.02.23総合
[5169	5269	5369			5469	5569	5669	5769	5869]	23.02.23車号変更
			4413	4513						④⑤=23.02.26総合
			4414	4514						④⑤=23.02.26総合

▽2013.03.16から地下鉄副都心線への乗入れ開始。
東武東上線森林公園、西武池袋線飯能まで直通運転
▽2023.03.18 新横浜線(日吉～新横浜間)開業に伴い、相鉄線との相互直通運転開始
東急車は、海老名、湘南台まで乗入れ

▼優先席……全車両に設置　▼車イス対応スペース……太字の車両に設置　▼弱冷房車…編成図に弱を付した車両

▽電車とバスの博物館(田園都市線宮崎台駅)に、デハ510形510、デハ200形204などを展示

鉄道線営業用車　両数表

線　区	東横	目黒	田都	大井町	池上多摩川	
配置区	元住吉		長津田		雪が谷	計
7000系						
デハ7100					15	15
デハ7200					15	15
クハ7300					15	15
	0	0	0	0	45	45
6000系						
クハ6100				6		6
デハ6200				6		6
デハ6300				6		6
サハ6400				6		6
デハ6500				6		6
デハ6600				6		6
クハ6700				6		6
	0	0	0	42	0	42
6020系						
クハ6120				2		2
デハ6220				2		2
デハ6320				2		2
サハ6420				2		2
デハ6520				2		2
デハ6620				2		2
クハ6720				2		2
	0	0	0	14	0	14
3000系						
クハ3100		13				13
デハ3200		13				13
デハ3300		13				13
サハ3400		13				13
デハ3500		13				13
サハ3600		13				13
デハ3700		13				13
クハ3800		13				13
	0	104	0	0	0	104
3020系						
クハ3120		3				3
デハ3220		3				3
デハ3320		3				3
サハ3420		3				3
サハ3520		3				3
デハ3620		3				3
デハ3720		3				3
クハ3820		3				3
	0	24	0	0	0	24

特殊車						
デヤ7550				1		1
デヤ7500				1		1
サヤ7590				1		1
マニMN50				1		1
	0	0	0	4	0	4

線　区	東横	目黒	田都	大井町	池上多摩川	
配置区	元住吉		長津田		雪が谷	計
1000系						
クハ1000					7	7
デハ1200					7	7
デハ1310					7	7
デハ1500					7	7
デハ1600					7	7
クハ1700					7	7
クハ1500					2	2
デハ1600					2	2
デハ1700					2	2
	0	0	0	0	48	48
2020系						
クハ2120			30			30
デハ2220			30			30
デハ2320			30			30
サハ2420			30			30
サハ2520			30			30
デハ2620			30			30
サハ2720			30			30
デハ2820			30			30
デハ2920			30			30
クハ2020			30			30
	0	0	300	0	0	300
9000系						
クハ9000				15		15
デハ9200				15		15
デハ9400				15		15
デハ9600				15		15
クハ9100				15		15
	0	0	0	75	0	75
9020系						
クハ9020				3		3
デハ9220				3		3
デハ9320				3		3
デハ9420				3		3
クハ9120				3		3
	0	0	0	15	0	15
8000系						
デハ8500			3	0		3
デハ8590			0	0		0
デハ8600			2	0		2
デハ8690			0	0		0
デハ8700			1	0		1
デハ8800			1	0		1
サハ8900			0	0		0
	0	0	7	0	0	7

線　区	東横	目黒	田都	大井町	池上多摩川	
配置区	元住吉		長津田		雪が谷	計
5000系						
デハ5200	40	10	18			68
5201～	4		18			
5251～	23					
4201～	13					
5281～		10				
デハ5300	55		17			72
5302～	4		17			
5351～	23					
4301～	13					
4501～	4					
4601～	11					
デハ5400		10	1			11
5401～			1			
5481～		10				
デハ5500			1			1
5501～			1			
デハ5600	40	10	17			67
5602～	4		17			
5651～	23					
5681～		10				
4801～	13					
デハ5700	40	10	17			67
5702～	4		17			
5751～	23					
5781～		10				
4901～	13					
デハ5800			1			1
5801～			1			
デハ5900			18			18
5901～			18			
クハ5000			18			18
5001～			18			
クハ5100	40	10	18			68
5101～	4		18			
5151～	23					
4101～	13					
5181～		10				
クハ5800	40	10				50
5818～	4					
5851～	23					
5881～		10				
4001～	13					
サハ5300		10	1			11
5301～			1			
5381～		10				
サハ5400	40		17			57
5402～	4		17			
5451～	23					
4401～	13					
サハ5500	55	10	17			82
5502～	4		17			
5551～	23					
5581～		10				
4501～	13					
4701～	13					
仮4413	2					
サハ5600			1			1
5601～			1			
サハ5700			1			1
5701～			1			
サハ5800			17			17
5802～			17			
	350	80	180	0	0	610
合計	350	208	487	150	93	1288

1288＋20（世田谷線）＝**1,308両**

田園都市線(長津田検車区)　487両

←(地下鉄半蔵門線)渋谷　　　　中央林間→

5000系　180両(ステンレス車体)[自連]　④

	①	弱②	♿③	④	⑤	⑥	⑦	⑧	♿⑨	⑩	
	Tc2 5100	M 5200	T3 5300	M2 5400	M1 5500	T2 5600	T1 5700	M2 5800	M1 5900	Tc1 5000	
		V	CP	S	V	CP	CP	S	V		
To	5101	5201	**5301**	5401	5501	5601	5701	5801	**5901**	5001	
	Tc2 5100	M2 5200	M1′ 5300	T3 5400	T2 5500	M2 5600	M1 5700	T1 5800	M 5900	Tc1 5000	▽To編成は東武鉄道に乗入れ可能
		S	V	CP	CP	S	V	CP	V		
To	5102	5202	**5302**	5402	5502	5602	5702	5802	**5902**	5002	
To	5103	5203	**5303**	5403	5503	5603	5703	5803	**5903**	5003	
To	5104	5204	**5304**	5404	5504	5604	5704	5804	**5904**	5004	④⑤⑧新製月日=16.07.26
To	5105	5205	**5305**	5405	5505	5605	5705	5805	**5905**	5005	④⑤⑧新製月日=17.05.14
To	5106	5206	**5306**	5406	5506	5606	5706	5806	**5906**	5006	④⑤⑧新製月日=17.01.31
To	5107	5207	**5307**	5407	5507	5607	5707	5807	**5907**	5007	④⑤⑧新製月日=16.11.18
To	5108	5208	**5308**	5408	5508	5608	5708	5808	**5908**	5008	④⑤⑧新製月日=17.04.14
To	5109	5209	**5309**	5409	5509	5609	5709	5809	**5909**	5009	④⑤⑧新製月日=16.10.20
To	5110	5210	**5310**	5410	5510	5610	5710	5810	**5910**	5010	④⑤⑧新製月日=17.03.16
To	5111	5211	**5311**	5411	5511	5611	5711	5811	**5911**	5011	④⑤⑧新製月日=16.08.23
To	5112	5212	**5312**	5412	5512	5612	5712	5812	**5912**	5012	④⑤⑧新製月日=16.05.30
To	5113	5213	**5313**	5413	5513	5613	5713	5813	**5913**	5013	④⑤⑧新製月日=16.06.28
To	5114	5214	**5314**	5414	5514	5614	5714	5814	**5914**	5014	④⑤⑧新製月日=16.12.27
To	5115	5215	**5315**	5415	5515	5615	5715	5815	**5915**	5015	④⑤⑧新製月日=16.03.31
To	5116	5216	**5316**	5416	5516	5616	5716	5816	**5916**	5016	④⑤⑧新製月日=16.03.04
To	5117	5217	**5317**	5417	5517	5617	5717	5817	**5917**	5017	④⑤⑧新製月日=16.02.08
To	5120	5220	**5320**	5420	5520	5620	5720	5820	**5920**	5020	④⑤⑧新製月日=16.01.12

2020系　300両(ステンレス車体[sustina])[自連]　④

①♿	弱②♿	♿③	♿④	♿⑤	♿⑥	♿⑦	♿⑧	♿⑨	♿⑩	
Tc2 2120	M2 2220	M1 2320	T3 2420	T2 2520	M3 2620	T1 2720	M2 2820	M1 2920	Tc1 2020	▽2020系は、2018.03.28から営業運転開始
	VS	VCP			V		VS	VCP		
2121	2221	2321	2421	2521	2621	2721	2821	2921	2021	17.12.08総合
2122	2222	2322	2422	2522	2622	2722	2822	2922	2022	18.02.08総合
2123	2223	2323	2423	2523	2623	2723	2823	2923	2023	18.02.22総合
2124	2224	2324	2424	2524	2624	2724	2824	2924	2024	18.06.07総合
2125	2225	2325	2425	2525	2625	2725	2825	2925	2025	18.06.28総合
2126	2226	2326	2426	2526	2626	2726	2826	2926	2026	18.10.26総合(③号車は元6321=18.11.07改番)
2127	2227	2327	2427	2527	2627	2727	2827	2927	2027	18.11.30総合(③号車は元6322=18.12.10改番)
2128	2228	2328	2428	2528	2628	2728	2828	2928	2028	19.03.07総合
2129	2229	2329	2429	2529	2629	2729	2829	2929	2029	19.03.28総合
2130	2230	2330	2430	2530	2630	2730	2830	2930	2030	19.10.04総合
2131	2231	2331	2431	2531	2631	2731	2831	2931	2031	19.11.01総合
2132	2232	2332	2432	2532	2632	2732	2832	2932	2032	20.01.17総合
2133	2233	2333	2433	2533	2633	2733	2833	2933	2033	20.02.18総合
2134	2234	2334	2434	2534	2634	2734	2834	2934	2034	20.03.06総合
2135	2235	2335	2435	2535	2635	2735	2835	2935	2035	20.03.27総合
2136	2236	2336	2436	2536	2636	2736	2836	2936	2036	20.05.21総合
2137	2237	2337	2437	2537	2637	2737	2837	2937	2037	20.06.11総合
2138	2238	2338	2438	2538	2638	2738	2838	2938	2038	20.10.23総合
2139	2239	2339	2439	2539	2639	2739	2839	2939	2039	20.09.10総合
2140	2240	2340	2440	2540	2640	2740	2840	2940	2040	20.10.19総合
2141	2241	2341	2441	2541	2641	2741	2841	2941	2041	21.04.05総合
2142	2242	2342	2442	2542	2642	2742	2842	2942	2042	21.04.05総合
2143	2243	2343	2443	2543	2643	2743	2843	2943	2043	21.04.05総合
2144	2244	2344	2444	2544	2644	2744	2844	2944	2044	21.04.22総合
2145	2245	2345	2445	2545	2645	2745	2845	2945	2045	21.05.25総合
2146	2246	2346	2446	2546	2646	2746	2846	2946	2046	21.06.28総合
2147	2247	2347	2447	2547	2647	2747	2847	2947	2047	21.07.26総合
2148	2248	2348	2448	2548	2648	2748	2848	2948	2048	21.09.02総合
2149	2249	2349	2449	2549	2649	2749	2849	2949	2049	22.01.20総合
2150	2250	2350	2450	2550	2650	2750	2850	2950	2050	22.06.06総合

▼優先席…全車両に設置
▼車イス対応スペース…太字の車両に設置
▼弱冷房車…編成図に弱を付した車両
▽渋谷から地下鉄半蔵門線に乗入れ、東武伊勢崎線久喜、日光線南栗橋まで直通運転

←(地下鉄半蔵門線)渋谷　　　　　　　　　　　　　　　　　中央林間→

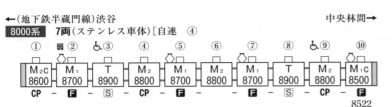

8000系　**7両**(ステンレス車体)[自連　④

①	弱②	♿③	④	⑤	⑥	⑦	⑧	♿⑨	⑩
M2c 8600	M1 8700	T 8900	M2 8800	M1 8700	M2 8800	M1 8700	T 8900	M2 8800	M1c 8500
CP	F	S	CP	F		F	S	CP	F
									8522
8631									8530
8637	8797							0803	8537

▽8000系は2023.01.25営業運転から離脱

目黒線(元住吉検車区)　208両

←(地下鉄南北線)目黒　　　　　　　　　　　　　　　　　日吉・新横浜(相鉄線)→

3000系　**104両**(ステンレス車体)[自連]　④

①	②♿	③	弱④	⑤	⑥	♿⑦	⑧		
Tc2 3100	M2 3200	M1 3300	T 3400	M 3500	T 3600	M1 3700	Tc1 3800	8両化 車号変更	④⑤ 新製月日
	S	V	CP	V	S CP	V			
3101	**3201**	3301	3401	3501	3601	**3701**	3801	22.08.11	21.09.24総合
3102	**3202**	3302	3402	3502	3602	**3702**	3802	23.02.15	22.04.25総合
3103	**3203**	3303	3403	3503	3603	**3703**	3803	22.12.09	22.03.25総合
3104	**3204**	3304	3404	3504	3604	**3704**	3804	23.02.24	22.04.25総合
3105	**3205**	3305	3405	3505	3605	**3705**	3805	23.01.05	22.03.25総合
3106	**3206**	3306	3406	3506	3606	**3706**	3806	22.12.01	22.03.25総合
3107	**3207**	3307	3407	3507	3607	**3707**	3807	22.12.16	22.03.25総合
3108	**3208**	3308	3408	3508	3608	**3708**	3808	23.02.03	22.04.25総合
3109	**3209**	3309	3409	3509	3609	**3709**	3809	22.11.07	22.03.25総合
3110	**3210**	3310	3410	3510	3610	**3710**	3810	22.09.22	21.10.25総合
3111	**3211**	3311	3411	3511	3611	**3711**	3811	22.12.21	21.09.24総合
3112	**3212**	3312	3412	3512	3612	**3712**	3812	23.03.08	21.10.25総合
3113	**3213**	3313	3413	3513	3613	**3713**	3813	23.01.25	21.09.24総合

3020系　**24両**(ステンレス車体)[自連]　④

Tc2 3120	M2 3220	M1 3320	T 3420	T 3520	M2 3620	M1 3720	Tc1 3820	新製月日	8両化
	V S	V CP			V S	V CP			
3121	**3221**	3321	3421	3521	3621	**3721**	3821	19.04.22総合	22.07.13
3122	**3222**	3322	3422	3522	3622	**3722**	3822	19.06.07総合	22.08.23
3123	**3223**	3323	3423	3523	3623	**3723**	3823	19.08.05総合	22.01.05

▽営業運転開始は、2019.11.22。当初は6両編成

5000系　**80両**(ステンレス車体)[自連]　④

①	②♿	③	弱④	⑤	⑥	♿⑦	⑧		
Tc2 5100	M 5200	T 5300	M 5400	T 5500	M2 5600	M1 5700	Tc1 5800	8両化 車号変更	④⑤ 新製月日
	V	S CP	V		S CP	V			
5181	**5281**	5381	5481	5581	5681	**5781**	5881	22.10.03	22.09.01総合
5182	**5282**	5382	5482	5582	5682	**5782**	5882	22.10.10	22.09.01総合
5183	**5283**	5383	5483	5583	5683	**5783**	5883	22.10.17	22.07.25総合
5184	**5284**	5384	5484	5584	5684	**5784**	5884	22.06.27	21.11.25総合
5185	**5285**	5385	5485	5585	5685	**5785**	5885	22.08.12	22.07.25総合
5186	**5286**	5386	5486	5586	5686	**5786**	5886	22.06.17	21.11.25総合
5187	**5287**	5387	5487	5587	5687	**5787**	5887	22.02.23	21.11.25総合
5188	**5288**	5388	5488	5588	5688	**5788**	5888	22.09.15	22.09.01総合
5189	**5289**	5389	5489	5589	5689	**5789**	5889	22.05.30	21.11.25総合
5190	**5290**	5390	5490	5590	5690	**5790**	5890	22.05.20	21.11.25総合

▽8両化に伴う車号変更は4～8号車が対象

▽2023.03.18　東急新横浜線日吉～新横浜間 5.8km開業。
合わせて開業した相鉄新横浜線と線路が繋がり、相互直通運転開始
東急車は、海老名、湘南台まで乗入れ

▼優先席……全車両に設置
▼車イス対応スペース……太字の車両に設置
▼フリースペース……____の車両に設置
▼弱冷房車…編成図に弱を付した車両　　　▽全区間でワンマン運転(ホームドア併用)
▽目黒から地下鉄南北線に乗入れ、都営地下鉄三田線西高島平、埼玉高速鉄道浦和美園まで直通運転

東京地下鉄　上野・中野・千住・深川・綾瀬・和光・鷺沼検車区、小石川・竹ノ塚・行徳・新木場分室　2722両

銀座線(上野検車区)　240両[帯色はオレンジ(レモンイエロー)]

←渋谷　　　　　　浅草→

1000系　**240両**(アルミ車体)[トムリンソン]　③

	①♿	②	③	④	⑤	♿⑥	
	CM1 1100	M1 1200	M1′ 1300	M2 1400	M1 1500	CM2 1000	
	S	V	VCP	S	V	CP	
51	1101	1201	1301	1401	1501	1001	
52	1102	1202	1302	1402	1502	1002	13.05.30日車
53	1103	1203	1303	1403	1503	1003	13.06.27日車
54	1104	1204	1304	1404	1504	1004	13.07.25日車
55	1105	1205	1305	1405	1505	1005	13.08.22日車
56	1106	1206	1306	1406	1506	1006	13.09.19日車
57	1107	1207	1307	1407	1507	1007	13.11.07日車
58	1108	1208	1308	1408	1508	1008	13.11.28日車
59	1109	1209	1309	1409	1509	1009	13.12.19日車
60	1110	1210	1310	1410	1510	1010	14.01.16日車
61	1111	1211	1311	1411	1511	1011	14.02.27日車
62	1112	1212	1312	1412	1512	1012	14.03.20日車
63	1113	1213	1313	1413	1513	1013	14.04.24日車
64	1114	1214	1314	1414	1514	1014	14.05.22日車
65	1115	1215	1315	1415	1515	1015	14.06.19日車
66	1116	1216	1316	1416	1516	1016	14.07.24日車
67	1117	1217	1317	1417	1517	1017	14.08.21日車
68	1118	1218	1318	1418	1518	1018	14.09.18日車
69	1119	1219	1319	1419	1519	1019	14.10.23日車
70	1120	1220	1320	1420	1520	1020	14.11.20日車
71	1121	1221	1321	1421	1521	1021	15.04.23日車
72	1122	1222	1322	1422	1522	1022	15.06.18日車
73	1123	1223	1323	1423	1523	1023	15.07.23日車
74	1124	1224	1324	1424	1524	1024	15.08.20日車
75	1125	1225	1325	1425	1525	1025	15.09.17日車
76	1126	1226	1326	1426	1526	1026	15.10.22日車
77	1127	1227	1327	1427	1527	1027	15.11.26日車

	①♿	②♿	③♿	④♿	⑤♿	♿⑥	
	CM1 1100	M1 1200	M1′ 1300	M2 1400	M1 1500	CM2 1000	
	S	V	VCP	S	V	CP	
78	1128	1228	1328	1428	1528	1028	16.01.06日車
79	1129	1229	1329	1429	1529	1029	16.01.31日車
80	1130	1230	1330	1430	1530	1030	16.03.02日車
81	1131	1231	1331	1431	1531	1031	16.03.24日車
82	1132	1232	1332	1432	1532	1032	16.04.28日車
83	1133	1233	1333	1433	1533	1033	16.05.26日車
84	1134	1234	1334	1434	1534	1034	16.06.23日車
85	1135	1235	1335	1435	1535	1035	16.07.04日車
86	1136	1236	1336	1436	1536	1036	16.08.18日車
87	1137	1237	1337	1437	1537	1037	16.09.22日車
88	1138	1238	1338	1438	1538	1038	16.10.20日車
89	1139	1239	1339	1439	1539	1039	17.01.12日車
90	1140	1240	1340	1440	1540	1040	17.03.09日車

▽89・90編成は特別仕様車(銀座線開通当時の旧1000形をモチーフ)

▽2012.04.11から営業運転を開始
▽主電動機は永久磁石同期電動機

▼優先席……全車両に設置
▼車イス対応スペース(フリースペースを含む)……♿ の車両に設置

丸ノ内線(中野検車区・小石川分室)　318両[帯色はレッド(チェリーレッド)]

←荻窪・方南町　　　　　　　　　　　　池袋→

02系　90両(アルミ車体)[トムリンソン]　③

	①♿	②♿	③♿	④♿	⑤♿	♿⑥
	CT1	M	T	M′	M	CT2
	02100	02200	02300	02400	02500	02600
	ⓂCP	V	Ⓢ	V	V	ⓂCP
01	02101	02201	02301	02401	02501	02601
02	02102	02202	02302	02402	02502	02602
03	02103	02203	02303	02403	02503	02603
04	**02104**	**02204**	**02304**	**02404**	**02504**	**02604**
06	**02106**	**02206**	**02306**	**02406**	**02506**	**02606**
07	**02107**	**02207**	**02307**	**02407**	**02507**	**02607**
08	02108	02208	02308	02408	02508	02608
09	02109	02209	02309	02409	02509	02609
10	02110	02210	02310	02410	02510	02610
11	02111	02211	02311	02411	02511	02611
12	**02112**	**02212**	**02312**	**02412**	**02512**	**02612**
13	**02113**	**02213**	**02313**	**02413**	**02513**	**02613**
14	02114	02214	02314	02414	02514	02614
15	**02115**	**02215**	**02315**	**02415**	**02515**	**02615**
19	**02119**	**02219**	**02319**	**02419**	**02519**	**02619**

▽丸ノ内線(分岐線を含む)はホームドアを完備して
　ワンマン運転
▽車号太字はＶＶＶＦ化により
　永久磁石同期電動機(ＰＭＳＭ)を採用
　(窓下にサインウェーブの飾り帯を追加)
　2012年度施工
　　04=12.06.13　06=12.08.23　13=12.11.02　15=13.01.18
　2013年度施工
　　12=14.02.12　16=13.06.11　17=13.04.01　18=13.08.21
　　19=13.10.31
　2014年度施工
　　07=14.05.27

▽2019.07.05から、６両編成の運転区間は方南町まで延伸。
　分岐線の改正までの６両編成の運転区間は中野富士見町まで
▼優先席……全車両に設置
▼車イス対応スペース……♿の車両に設置

2000系　228両(アルミ車体)[トムリンソン]　③

	①♿	②♿	③♿	④♿	⑤♿	♿⑥	
	CM	M1	M2	M3	M4	CT	
	2100	2200	2300	2400	2500	2000	
	Ⓢ	V		V	Ⓢ	CP	
01	**2101**	**2201**	**2301**	**2401**	**2501**	**2001**	19.02.01日車
02	**2102**	**2202**	**2302**	**2402**	**2502**	**2002**	19.02.01日車
03	**2103**	**2203**	**2303**	**2403**	**2503**	**2003**	19.03.03日車
04	**2104**	**2204**	**2304**	**2404**	**2504**	**2004**	19.03.19日車
05	**2105**	**2205**	**2305**	**2405**	**2505**	**2005**	19.04.09日車
06	**2106**	**2206**	**2306**	**2406**	**2506**	**2006**	19.04.30日車
07	**2107**	**2207**	**2307**	**2407**	**2507**	**2007**	19.05.21日車
08	**2108**	**2208**	**2308**	**2408**	**2508**	**2008**	19.06.18日車
09	**2109**	**2209**	**2309**	**2409**	**2509**	**2009**	19.07.09日車
10	**2110**	**2210**	**2310**	**2410**	**2510**	**2010**	19.07.31日車
11	**2111**	**2211**	**2311**	**2411**	**2511**	**2011**	19.08.27日車
12	**2112**	**2212**	**2312**	**2412**	**2512**	**2012**	19.09.17日車
13	**2113**	**2213**	**2313**	**2413**	**2513**	**2013**	19.10.10日車
14	**2114**	**2214**	**2314**	**2414**	**2514**	**2014**	19.11.19日車
15	**2115**	**2215**	**2315**	**2415**	**2515**	**2015**	19.12.10日車
16	**2116**	**2216**	**2316**	**2416**	**2516**	**2016**	20.01.07日車
17	**2117**	**2217**	**2317**	**2417**	**2517**	**2017**	20.01.28日車
18	**2118**	**2218**	**2318**	**2418**	**2518**	**2018**	20.02.15日車
19	**2119**	**2219**	**2319**	**2419**	**2519**	**2019**	20.03.10日車
20	**2120**	**2220**	**2320**	**2420**	**2520**	**2020**	20.03.31日車
21	**2121**	**2221**	**2321**	**2421**	**2521**	**2021**	20.04.21日車
22	**2122**	**2222**	**2322**	**2422**	**2522**	**2022**	20.06.09日車
23	**2123**	**2223**	**2323**	**2423**	**2523**	**2023**	20.06.30日車
24	**2124**	**2224**	**2324**	**2424**	**2524**	**2024**	20.07.23日車
25	**2125**	**2225**	**2325**	**2425**	**2525**	**2025**	20.08.18日車
26	**2126**	**2226**	**2326**	**2426**	**2526**	**2026**	20.09.30日車
27	**2127**	**2227**	**2327**	**2427**	**2527**	**2027**	20.10.27日車
28	**2128**	**2228**	**2328**	**2428**	**2528**	**2028**	20.11.24日車
29	**2129**	**2229**	**2329**	**2429**	**2529**	**2029**	20.12.22日車
30	**2130**	**2230**	**2330**	**2430**	**2530**	**2030**	21.02.02日車
31	**2131**	**2231**	**2331**	**2431**	**2531**	**2031**	21.02.23日車
32	**2132**	**2232**	**2332**	**2432**	**2532**	**2032**	21.03.16日車
33	**2133**	**2233**	**2333**	**2433**	**2533**	**2033**	22.07.04近車
34	**2134**	**2234**	**2334**	**2434**	**2534**	**2034**	22.09.30近車
35	**2135**	**2235**	**2335**	**2435**	**2535**	**2035**	22.11.09近車
36	**2136**	**2236**	**2336**	**2436**	**2536**	**2036**	22.11.08近車
37	**2137**	**2237**	**2337**	**2437**	**2537**	**2037**	22.11.29近車
38	**2138**	**2238**	**2338**	**2438**	**2538**	**2038**	22.12.27近車

▽2000系は2019.02.23から運行開始
▽非常走行用電源を③号車に装備
▽永久磁石同期電動機(PMSM)を搭載

日比谷線（千住検車区・竹ノ塚分室） 308両［帯色はシルバーホワイト］

←中目黒　　　　北千住（東武スカイツリーライン）→

13000系 308両（アルミ車体）［20m車］［密連］ ④

	①♿	②♿ 弱	③♿	④♿	⑤♿	⑥♿	♿⑦	
	CM1	M1	M2	M3	M2′	M1′	CM2	
	13100	13200	13300	13400	13500	13600	13000	
	CP	V	S	V	S	V	CP	
51	13101	13201	13301	13401	13501	13601	13001	16.12.06近車
52	13102	13202	13302	13402	13502	13602	13002	17.01.04近車
53	13103	13203	13303	13403	13503	13603	13003	17.04.27近車
54	13104	13204	13304	13404	13504	13604	13004	17.05.14近車
55	13105	13205	13305	13405	13505	13605	13005	17.05.31近車
56	13106	13206	13306	13406	13506	13606	13006	17.06.17近車
57	13107	13207	13307	13407	13507	13607	13007	17.07.04近車
58	13108	13208	13308	13408	13508	13608	13008	17.07.21近車
59	13109	13209	13309	13409	13509	13609	13009	17.08.07近車
60	13110	13210	13310	13410	13510	13610	13010	17.08.24近車
61	13111	13211	13311	13411	13511	13611	13011	17.09.10近車
62	13112	13212	13312	13412	13512	13612	13012	17.09.27近車
63	13113	13213	13313	13413	13513	13613	13013	17.10.14近車
64	13114	13214	13314	13414	13514	13614	13014	17.10.31近車
65	13115	13215	13315	13415	13515	13615	13015	17.11.17近車
66	13116	13216	13316	13416	13516	13616	13016	17.12.04近車
67	13117	13217	13317	13417	13517	13617	13017	18.04.12近車
68	13118	13218	13318	13418	13518	13618	13018	18.04.29近車
69	13119	13219	13319	13419	13519	13619	13019	18.05.16近車
70	13120	13220	13320	13420	13520	13620	13020	18.06.07近車
71	13121	13221	13321	13421	13521	13621	13021	18.07.19近車
72	13122	13222	13322	13422	13522	13622	13022	18.08.31近車
73	13123	13223	13323	13423	13523	13623	13023	18.09.27近車
74	13124	13224	13324	13424	13524	13624	13024	18.10.18近車
75	13125	13225	13325	13425	13525	13625	13025	18.11.04近車
76	13126	13226	13326	13426	13526	13626	13026	18.11.21近車
77	13127	13227	13327	13427	13527	13627	13027	18.12.08近車
78	13128	13228	13328	13428	13528	13628	13028	18.12.26近車
79	13129	13229	13329	13429	13529	13629	13029	19.01.23近車
80	13130	13230	13330	13430	13530	13630	13030	19.04.25近車
81	13131	13231	13331	13431	13531	13631	13031	19.05.12近車
82	13132	13232	13332	13432	13532	13632	13032	19.06.06近車
83	13133	13233	13333	13433	13533	13633	13033	19.06.21近車
84	13134	13234	13334	13434	13534	13634	13034	19.07.10近車
85	13135	13235	13335	13435	13535	13635	13035	19.07.27近車
86	13136	13236	13336	13436	13536	13636	13036	19.08.15近車
87	13137	13237	13337	13437	13537	13637	13037	19.09.01近車
88	13138	13238	13338	13438	13538	13638	13038	19.10.04近車
89	13139	13239	13339	13439	13539	13639	13039	19.10.24近車
90	13140	13240	13340	13440	13540	13640	13040	19.11.14近車
91	13141	13241	13341	13441	13541	13641	13041	19.12.01近車
92	13142	13242	13342	13442	13542	13642	13042	19.12.18近車
93	13143	13243	13343	13443	13543	13643	13043	20.04.22近車
94	13144	13244	13344	13444	13544	13644	13044	20.05.13近車

▽北千住から、東武スカイツリーラインに乗入れ、日光線南栗橋まで直通運転
▽2017.03.25から本格的営業運転開始（試使用は2016.12.23 ～ 25）
▽永久磁石同期電動機（PMSM）を搭載

半蔵門線(鷺沼検車区)　250両［帯色はパープル］

←(東武スカイツリーライン)押上　　　　渋谷(東急東横線)→

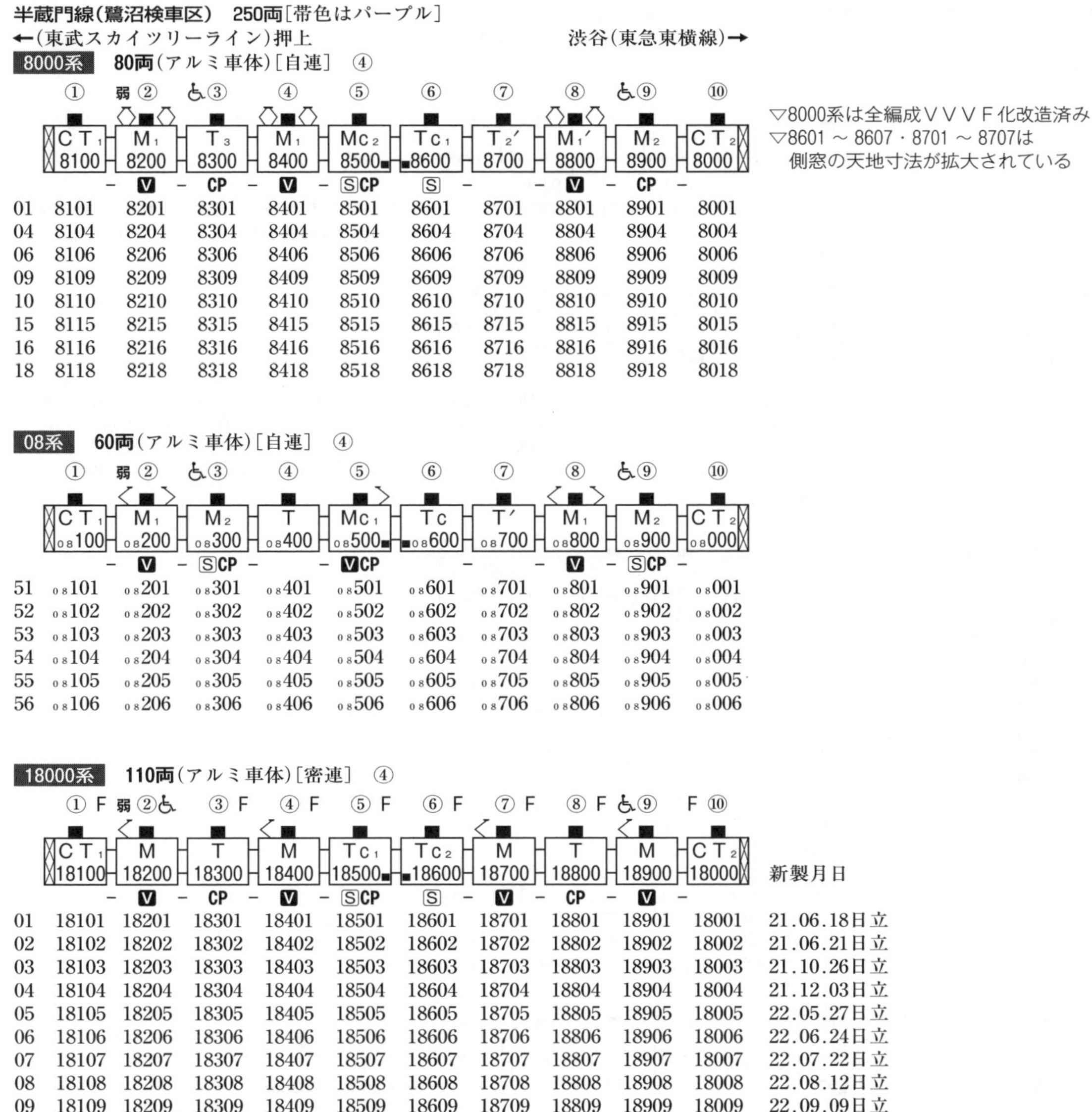

8000系　80両(アルミ車体)［自連］　④

	①	弱②	♿③	④	⑤	⑥	⑦	⑧	♿⑨	⑩
	CT1	M1	T3	M1	Mc2	Tc1	T2′	M1′	M2	CT2
	8100	8200	8300	8400	8500	8600	8700	8800	8900	8000
		V	CP	V	S CP	S		V	CP	
01	8101	8201	8301	8401	8501	8601	8701	8801	8901	8001
04	8104	8204	8304	8404	8504	8604	8704	8804	8904	8004
06	8106	8206	8306	8406	8506	8606	8706	8806	8906	8006
09	8109	8209	8309	8409	8509	8609	8709	8809	8909	8009
10	8110	8210	8310	8410	8510	8610	8710	8810	8910	8010
15	8115	8215	8315	8415	8515	8615	8715	8815	8915	8015
16	8116	8216	8316	8416	8516	8616	8716	8816	8916	8016
18	8118	8218	8318	8418	8518	8618	8718	8818	8918	8018

▽8000系は全編成ＶＶＶＦ化改造済み
▽8601 ～ 8607・8701 ～ 8707は
側窓の天地寸法が拡大されている

08系　60両(アルミ車体)［自連］　④

	①	弱②	♿③	④	⑤	⑥	⑦	⑧	♿⑨	⑩
	CT1	M1	M2	T	Mc1	Tc	T′	M1	M2	CT2
	08100	08200	08300	08400	08500	08600	08700	08800	08900	08000
		V	S CP		V CP			V	S CP	
51	08101	08201	08301	08401	08501	08601	08701	08801	08901	08001
52	08102	08202	08302	08402	08502	08602	08702	08802	08902	08002
53	08103	08203	08303	08403	08503	08603	08703	08803	08903	08003
54	08104	08204	08304	08404	08504	08604	08704	08804	08904	08004
55	08105	08205	08305	08405	08505	08605	08705	08805	08905	08005
56	08106	08206	08306	08406	08506	08606	08706	08806	08906	08006

18000系　110両(アルミ車体)［密連］　④

	① F	弱②♿	③ F	④ F	⑤ F	⑥ F	⑦ F	⑧ F	♿⑨	F ⑩	
	CT1	M	T	M	Tc1	Tc2	M	T	M	CT2	
	18100	18200	18300	18400	18500	18600	18700	18800	18900	18000	新製月日
		V	CP	V	S CP	S	V	CP	V		
01	18101	18201	18301	18401	18501	18601	18701	18801	18901	18001	21.06.18日立
02	18102	18202	18302	18402	18502	18602	18702	18802	18902	18002	21.06.21日立
03	18103	18203	18303	18403	18503	18603	18703	18803	18903	18003	21.10.26日立
04	18104	18204	18304	18404	18504	18604	18704	18804	18904	18004	21.12.03日立
05	18105	18205	18305	18405	18505	18605	18705	18805	18905	18005	22.05.27日立
06	18106	18206	18306	18406	18506	18606	18706	18806	18906	18006	22.06.24日立
07	18107	18207	18307	18407	18507	18607	18707	18807	18907	18007	22.07.22日立
08	18108	18208	18308	18408	18508	18608	18708	18808	18908	18008	22.08.12日立
09	18109	18209	18309	18409	18509	18609	18709	18809	18909	18009	22.09.09日立
10	18110	18210	18310	18410	18510	18610	18710	18810	18910	18010	22.09.30日立
11	18111	18211	18311	18411	18511	18611	18711	18811	18911	18011	22.11.11日立

▼優先席……全車両に設置
▼車イス対応スペース……♿の車両に設置
▼フリースペース……Ｆの車両に設置
▼弱冷房車……②号車

▽東武伊勢崎線久喜、日光線南栗橋と、
東急田園都市線中央林間まで乗入れ

▽地下鉄博物館(東西線葛西駅)に、旧東京高速鉄道100形129カットボディ、
旧東京地下鉄道1000形1001、旧営団地下鉄300形301を保存、展示

東西線(深川検車区・行徳分室)　520両[帯色はスカイブルー(青色)]

←(ＪＲ総武線·東葉高速線)西船橋　　　　　　　　　　中野(ＪＲ中央線)→

05系　**300両**(アルミ車体)[密連]　④

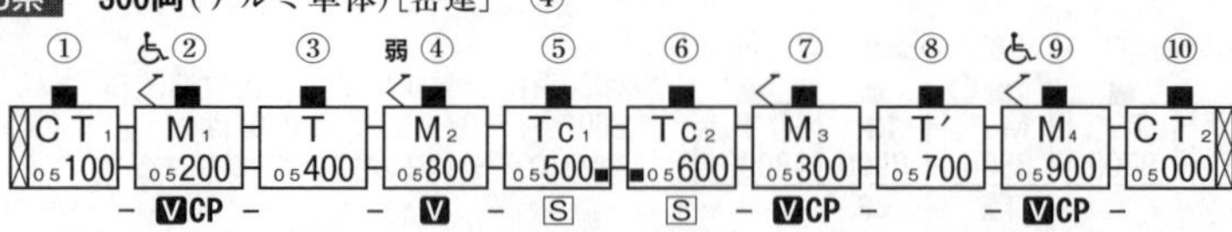

編成	①	②	③	④	⑤	⑥	⑦	⑧	⑨	⑩	備考
14	05114	05214	05414	05814	05514	05614	05314	05714	05914	05014	〔ワイドドア車〕←12.09.27=編成形態変更、VVVF化(主電動機は永久磁石同期電動機)

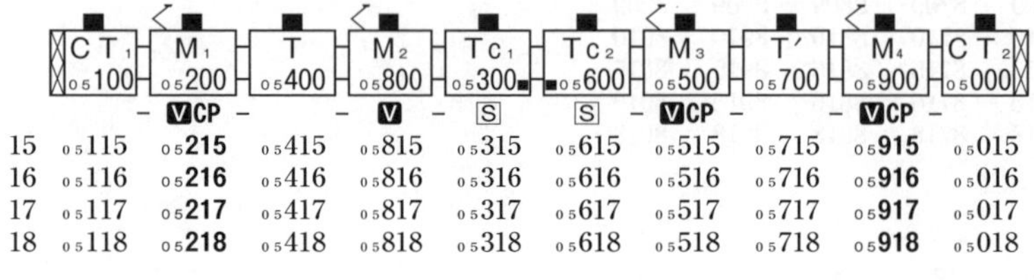

編成	①	②	③	④	⑤	⑥	⑦	⑧	⑨	⑩	備考
15	05115	05**215**	05415	05815	05315	05615	05515	05715	05**915**	05015	〔ワイドドア車〕←16.05.19＝編成形態変更
16	05116	05**216**	05416	05816	05316	05616	05516	05716	05**916**	05016	〔ワイドドア車〕←15.04.07＝編成形態変更
17	05117	05**217**	05417	05817	05317	05617	05517	05717	05**917**	05017	〔ワイドドア車〕←17.01.19＝編成形態変更
18	05118	05**218**	05418	05818	05318	05618	05518	05718	05**918**	05018	〔ワイドドア車〕←14.04.02＝編成形態変更、VVVF化(主電動機は永久磁石同期電動機)

編成	CT1	M1	T	M2	Tc1	Tc2	M3	T′	M1	CT2	備考
	05100	05200	05300	05400	05500	05600	05700	05800	05900	05000	
		VCP		V	S	S	VCP		VCP		
19	05119	05**219**	05319	05419	05519	05619	05719	05819	05**919**	05019	20.05.26 B修
20	05120	05**220**	05320	05420	05520	05620	05720	05820	05**920**	05020	19.11.20 B修
21	05121	05**221**	05321	05421	05521	05621	05721	05821	05**921**	05021	19.05.21 B修
22	05122	05**222**	05322	05422	05522	05622	05722	05822	05**922**	05022	▽22·23編成の補助電源装置はDD
23	05123	05**223**	05323	05423	05523	05623	05723	05823	05**923**	05023	
24	05124	05**224**	05324	05424	05524	05624	05724	05824	05**924**	05024	
25	05125	05**225**	05325	05425	05525	05625	05725	05825	05**925**	05025	
26	05126	05**226**	05326	05426	05526	05626	05726	05826	05**926**	05026	
27	05127	05**227**	05327	05427	05527	05627	05727	05827	05**927**	05027	
28	05128	05**228**	05328	05428	05528	05628	05728	05828	05**928**	05028	
29	05129	05**229**	05329	05429	05529	05629	05729	05829	05**929**	05029	
30	05130	05**230**	05330	05430	05530	05630	05730	05830	05**930**	05030	
31	05131	05**231**	05331	05431	05531	05631	05731	05831	05**931**	05031	
32	05132	05**232**	05332	05432	05532	05632	05732	05832	05**932**	05032	
33	05133	05**233**	05333	05433	05533	05633	05733	05833	05**933**	05033	

編成	CT1	M1′	M2	T	Mc1	Tc	T′	M1	M2′	CT2	備考
	05100	05200	05300	05400	05500	05600	05700	05800	05900	05000	
		V	SCP		VCP			V	SCP		
34	05134	05**234**	05334	05434	05534	05634	05734	05834	05**934**	05034	
35	05135	05**235**	05335	05435	05535	05635	05735	05835	05**935**	05035	
36	05136	05**236**	05336	05436	05536	05636	05736	05836	05**936**	05036	
37	05137	05**237**	05337	05437	05537	05637	05737	05837	05**937**	05037	
38	05138	05**238**	05338	05438	05538	05638	05738	05838	05**938**	05038	
39	05139	05**239**	05339	05439	05539	05639	05739	05839	05**939**	05039	

▽第19～33編成の窓配置は06・07系と同じ

▽第25編成以降は前面デザイン、室内見付け、インバータ装置などを変更

▽第34編成以降は08系と同仕様

編成	CT1	M1′	M2	T	Mc1	Tc	T′	M1	M2′	CT2	備考
	05100	05200	05300	05400	05500	05600	05700	05800	05900	05000	
		V	SCP		VCP			V	SCP		
40	05140	05**240**	05340	05440	05540	05640	05740	05840	05**940**	05040	
41	05141	05**241**	05341	05441	05541	05641	05741	05841	05**941**	05041	
42	05142	05**242**	05342	05442	05542	05642	05742	05842	05**942**	05042	▽第40編成以降は車体の隅柱が面取りされている
43	05143	05**243**	05343	05443	05543	05643	05743	05843	05**943**	05043	

▼優先席……全車両に設置

▼車イス対応スペース……太字の車両に設置

▼フリースペース……＿＿の車両(中野方)に設置

▼弱冷房車……④号車

←（ＪＲ総武線・東葉高速線）西船橋　　　　　　　　　　　　　　　　中野（ＪＲ中央線）→

07系　**60両**（アルミ車体）［密連］　④

	①	②♿	③	弱④	⑤	⑥	⑦	⑧	♿⑨	⑩	
	CT1	M1	T′	M2	Tc1	Tc2	M3	T	M1	CT2	
	07100	07200	07300	07400	07500	07600	07700	07800	07900	07000	
		VCP		V	S	S	VCP		VCP		
71	07101	07201	07301	07401	07501	07601	07701	07801	07901	07001	22.01.05=永久磁石同期電動機（全閉）
72	07102	07202	07302	07402	07502	07602	07702	07802	07902	07002	21.10.25=永久磁石同期電動機（全閉）
73	07103	07203	07303	07403	07503	07603	07703	07803	07903	07003	18.08.15 車両改造
74	07104	07204	07304	07404	07504	07604	07704	07804	07904	07004	19.01.23 車両改造
75	07105	07205	07305	07405	07505	07605	07705	07805	07905	07005	19.08.07 車両改造
76	07106	07206	07306	07406	07506	07606	07706	07806	07906	07006	17.09.03=リニューアル（VVVF更新） 20.03.11 車両改造

15000系　**160両**（アルミ車体）〔ワイトドア車〕［密連］　④

	①F	②♿	③F	弱④F	⑤F	⑥F	⑦F	⑧F	♿⑨	F⑩	
	CT1	M1′	M2	T	Mc1	Tc	T′	M1	M2′	CT2	
	15100	15200	15300	15400	15500	15600	15700	15800	15900	15000	
		V	SCP		VCP			V	SCP		
51	15101	15201	15301	15401	15501	15601	15701	15801	15901	15001	
52	15102	15202	15302	15402	15502	15602	15702	15802	15902	15002	
53	15103	15203	15303	15403	15503	15603	15703	15803	15903	15003	
54	15104	15204	15304	15404	15504	15604	15704	15804	15904	15004	
55	15105	15205	15305	15405	15505	15605	15705	15805	15905	15005	
56	15106	15206	15306	15406	15506	15606	15706	15806	15906	15006	
57	15107	15207	15307	15407	15507	15607	15707	15807	15907	15007	
58	15108	15208	15308	15408	15508	15608	15708	15808	15908	15008	
59	15109	15209	15309	15409	15509	15609	15709	15809	15909	15009	
60	15110	15210	15310	15410	15510	15610	15710	15810	15910	15010	
61	15111	15211	15311	15411	15511	15611	15711	15811	15911	15011	
62	15112	15212	15312	15412	15512	15612	15712	15812	15912	15012	
63	15113	15213	15313	15413	15513	15613	15713	15813	15913	15013	
64	15114	15214	15314	15414	15514	15614	15714	15814	15914	15014	17.02.06日立
65	15115	15215	15315	15415	15515	15615	15715	15815	15915	15015	17.03.06日立
66	15116	15216	15316	15416	15516	15616	15716	15816	15916	15016	17.04.03日立

▽全車、ワイドドア車（1800㎜）
▽2010.05.07から営業運転を開始
▽64編成から、各車両にフリースペースを設置
　位置はFを編成図に表示

▽西船橋から東葉高速鉄道東葉勝田台、ＪＲ総武緩行線津田沼、中野からＪＲ中央緩行線三鷹まで乗入れ

南北線（王子検車区）　**138両**［帯色はエメラルド］

←（埼玉高速鉄道）赤羽岩淵　　　　　　　　　　　　　　　　目黒（東急目黒線）→

9000系　**138両**（アルミ車体）［自連］　④

	①	②♿	③	弱④	♿⑤	⑥
	CT1	M1′	M2′	M1	M2	CT2
	9100	9200	9300	9600	9700	9800
	CP	V	DD	V	DD	CP
09	9109	9209	9309	9609	9709	9809
10	9110	9210	9310	9610	9710	9810
11	9111	9211	9311	9611	9711	9811
12	9112	9212	9312	9612	9712	9812
13	9113	9213	9313	9613	9713	9813
14	9114	9214	9314	9614	9714	9814
15	9115	9215	9315	9615	9715	9815
16	9116	9216	9316	9616	9716	9816
17	9117	9217	9317	9617	9717	9817
18	9118	9218	9318	9618	9718	9818
19	9119	9219	9319	9619	9719	9819
20	9120	9220	9320	9620	9720	9820
21	9121	9221	9321	9621	9721	9821

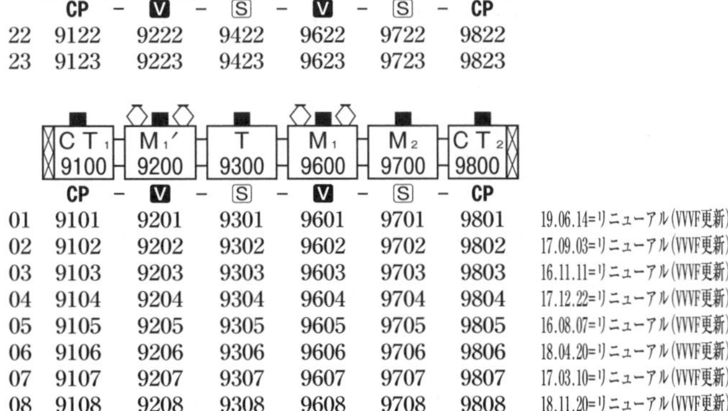

	①	②♿	③	弱④	♿⑤	⑥
	CT1	M1′	T	M1	M2	CT2
	9100	9200	9400	9600	9700	9800
	CP	V	S	V	S	CP
22	9122	9222	9422	9622	9722	9822
23	9123	9223	9423	9623	9723	9823

	CT1	M1′	T	M1	M2	CT2	
	9100	9200	9300	9600	9700	9800	
	CP	V	S	V	S	CP	
01	9101	9201	9301	9601	9701	9801	19.06.14=リニューアル（VVVF更新）
02	9102	9202	9302	9602	9702	9802	17.09.03=リニューアル（VVVF更新）
03	9103	9203	9303	9603	9703	9803	16.11.11=リニューアル（VVVF更新）
04	9104	9204	9304	9604	9704	9804	17.12.22=リニューアル（VVVF更新）
05	9105	9205	9305	9605	9705	9805	16.08.07=リニューアル（VVVF更新）
06	9106	9206	9306	9606	9706	9806	18.04.20=リニューアル（VVVF更新）
07	9107	9207	9307	9607	9707	9807	17.03.10=リニューアル（VVVF更新）
08	9108	9208	9308	9608	9708	9808	18.11.20=リニューアル（VVVF更新）

▽南北線はホームドアを採用、ワンマン運転
▽第16 ～ 21編成の③④号車は2個モーター
▽リニューアル車はクロスシート廃止
　フリースペースを1･3･4･6号車の目黒方に設置
▽2023.03.18　東急新横浜線（日吉～新横浜間）開業に伴い、新横浜まで乗入れ

▼優先席……全車両に設置
▼車イス対応スペース……♿の車両に設置
▼弱冷房車……④号車

▽埼玉高速鉄道浦和美園、東急目黒線日吉まで乗入れ

千代田線(綾瀬検車区)　398両[帯色はグリーン]

←(小田急線)代々木上原　　　　綾瀬(ＪＲ常磐線)・北綾瀬→

16000系　**370両**(アルミ車体)[密連]　④

	①	②♿	③	弱④	⑤	⑥	⑦	⑧	♿⑨	⑩	
	CT1	M1	T1	M1	Tc1	Tc2	M1	T2	M1	CT2	
	16100	16200	16300	16400	16500	16600	16700	16800	16900	16000	
	–	V –	CP –	V –	ⓈCP	Ⓢ –	V –	CP –	V –		
41	16101	16201	16301	16401	16501	16601	16701	16801	16901	16001	
42	16102	16202	16302	16402	16502	16602	16702	16802	16902	16002	
43	16103	16203	16303	16403	16503	16603	16703	16803	16903	16003	
44	16104	16204	16304	16404	16504	16604	16704	16804	16904	16004	
45	16105	16205	16305	16405	16505	16605	16705	16805	16905	16005	
46	16106	16206	16306	16406	16506	16606	16706	16806	16906	16006	
47	16107	16207	16307	16407	16507	16607	16707	16807	16907	16007	
48	16108	16208	16308	16408	16508	16608	16708	16808	16908	16008	
49	16109	16209	16309	16409	16509	16609	16709	16809	16909	16009	
50	16110	16210	16310	16410	16510	16610	16710	16810	16910	16010	
51	16111	16211	16311	16411	16511	16611	16711	16811	16911	16011	
52	16112	16212	16312	16412	16512	16612	16712	16812	16912	16012	
53	16113	16213	16313	16413	16513	16613	16713	16813	16913	16013	
54	16114	16214	16314	16414	16514	16614	16714	16814	16914	16014	
55	16115	16215	16315	16415	16515	16615	16715	16815	16915	16015	12.06.02日立
56	16116	16216	16316	16416	16516	16616	16716	16816	16916	16016	12.06.16日立

	① F	②♿	③ F	弱④ F	⑤ F	⑥ F	⑦ F	⑧ F	♿⑨	F ⑩	
	CT1	M1	T1	M1	Tc1	Tc2	M1	T2	M1	CT2	
	16100	16200	16300	16400	16500	16600	16700	16800	16900	16000	
	–	V –	CP –	V –	ⓈCP	Ⓢ –	V –	CP –	V –		
57	16117	16217	16317	16417	16517	16617	16717	16817	16917	16017	15.09.14日立
58	16118	16218	16318	16418	16518	16618	16718	16818	16918	16018	15.09.26日立
59	16119	16219	16319	16419	16519	16619	16719	16819	16919	16019	15.10.28日立
80	16120	16220	16320	16420	16520	16620	16720	16820	16920	16020	15.11.28日立
81	16121	16221	16321	16421	16521	16621	16721	16821	16921	16021	15.12.19日立
82	16122	16222	16322	16422	16522	16622	16722	16822	16922	16022	16.01.30日立
83	16123	16223	16323	16423	16523	16623	16723	16823	16923	16023	16.03.19日立
84	16124	16224	16324	16424	16524	16624	16724	16824	16924	16024	16.04.09日立
85	16125	16225	16325	16425	16525	16625	16725	16825	16925	16025	16.05.14日立
86	16126	16226	16326	16426	16526	16626	16726	16826	16926	16026	16.06.04日立
87	16127	16227	16327	16427	16527	16627	16727	16827	16927	16027	16.07.16日立
88	16128	16228	16328	16428	16528	16628	16728	16828	16928	16028	16.08.27日立
89	16129	16229	16329	16429	16529	16629	16729	16829	16929	16029	16.06.25川重
90	16130	16230	16330	16430	16530	16630	16730	16830	16930	16030	16.08.06川重
91	16131	16231	16331	16431	16531	16631	16731	16831	16931	16031	16.09.24川重
92	16132	16232	16332	16432	16532	16632	16732	16832	16932	16032	17.02.11川重
93	16133	16233	16333	16433	16533	16633	16733	16833	16933	16033	17.03.04川重
94	16134	16234	16334	16434	16534	16634	16734	16834	16934	16034	17.06.03川重
95	16135	16235	16335	16435	16535	16635	16735	16835	16935	16035	17.06.24川重
96	16136	16236	16336	16436	16536	16636	16736	16836	16936	16036	17.09.09川重
97	16137	16237	16337	16437	16537	16637	16737	16837	16937	16037	17.09.30川重

▽2010.11.04から営業運転を開始
▽主電動機は永久磁石同期電動機

▽代々木上原から小田急線は伊勢原、
　綾瀬からＪＲ常磐線我孫子(朝・夕は取手)まで乗入れ
▽2019.03.16から北綾瀬まで10両編成営業運転開始

▼優先席……全車両に設置
▼車イス対応スペース……♿の車両に設置
▼フリースペース……Fの車両に設置
▼弱冷房車……④号車

←(小田急線)代々木上原　　　　　　　　　　綾瀬(ＪＲ常磐線)・北綾瀬→

6000系　**13両(10+3)**(アルミ車体)[密連]　④

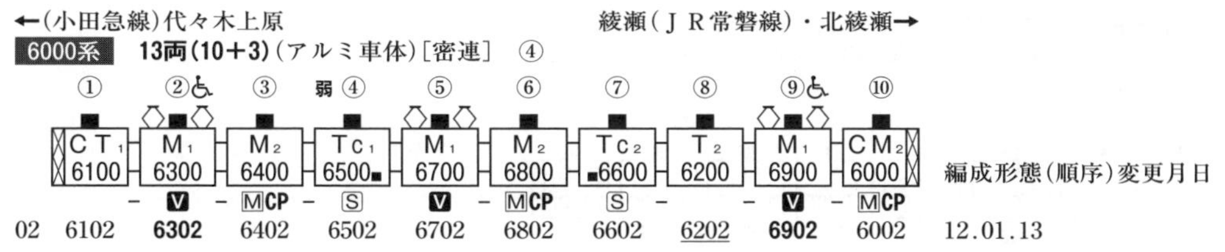

▽2018.10.05 定期運行終了。11.11 ラストラン

区間運転用

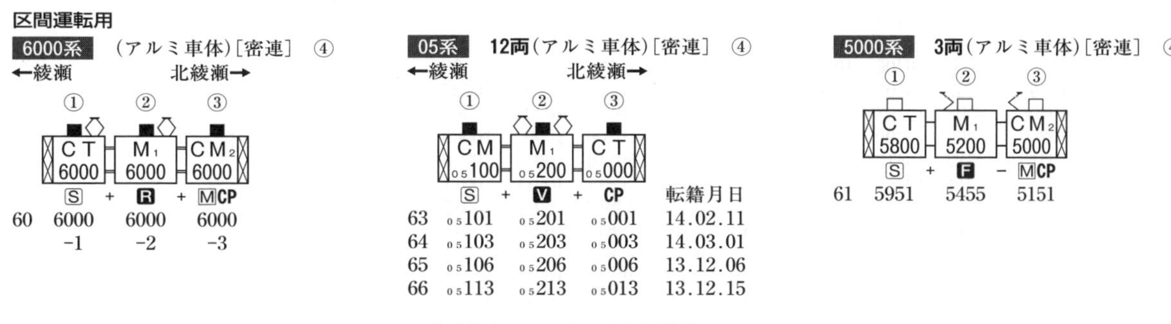

▽6000-1·6000-2·6000-3の台車は5000系と同じ

銀座線		東西線		千代田線		日比谷線		有楽町線・副都心線		半蔵門線	
1000系		05系		16000系		13000系		17000系		8000系	
1100	40	05-100	30	16100	37	13100	44	17100	21	8000	8
1200	40	05-200	30	16200	37	13200	44	17200	21	8100	8
1300	40	05-300	30	16300	37	13300	44	17300	21	8200	8
1400	40	05-400	30	16400	37	13400	44	17400	21	8300	8
1500	40	05-500	30	16500	37	13500	44	17500	6	8400	8
1000	40	05-600	30	16600	37	13600	44	17600	6	8500	8
	240	05-700	30	16700	37	13000	44	17700	21	8600	8
合　計	240	05-800	30	16800	37		308	17800	21	8700	8
丸ノ内線		05-900	30	16900	37	合　計	308	17900	21	8800	8
02系		05-000	30	16000	37	南北線		17000	21	8900	8
02-100	15		300		370	9000系			180		80
02-200	15	07系		6000系		9100	23	10000系		08系	
02-300	15	07-100	6	6000	1	9200	23	10100	36	08-100	6
02-400	15	07-200	6	6100	1	9300　M	13	10200	36	08-200	6
02-500	15	07-300	6	6200	1	9300　T	8	10300	36	08-300	6
02-600	15	07-400	6	6300	1	9400	2	10400	36	08-400	6
	90	07-500	6	6400	1	9600	23	10500	36	08-500	6
2000系		07-600	6	6500	1	9700	23	10600	36	08-600	6
2100	38	07-700	6	6600	1	9800	23	10700	36	08-700	6
2200	38	07-800	6	6700	1		138	10800	36	08-800	6
2300	38	07-900	6	6800	1	合　計	138	10900	36	08-900	6
2400	38	07-000	6	6900	1			10000	36	08-000	6
2500	38		60	6000-1～3	3				360		60
2000	38	15000系			13			7000系		18000系	
	228	15100	16	5000系				7000	1	18100	11
合　計	318	15200	16	5000	1			7100	1	18200	11
		15300	16	5200	1			7200	1	18300	11
		15400	16	5800	1			7100	1	18400	11
		15500	16		3			7400	1	18500	11
		15600	16	05系				7500	1	18600	11
		15700	16	05-100	4			7600	1	18700	11
		15800	16	05-200	4			7700	1	18800	11
		15900	16	05-000	4			7800	1	18900	11
		15000	16		12			7900	1	18000	11
			160	合　計	398				10		110
		合　計	520					合　計	550	合　計	250
										総　計	2,722

有楽町線・副都心線(和光検車区・新木場分室)　550両[帯色はブラウン]

←(東急東横線)渋谷・新木場　　　和光市(東武東上線・西武有楽町線、池袋線)→

10000系　360両(アルミ車体)[密連]　④

	⑩	弱⑨♿	⑧	⑦	⑥	⑤	④	③	♿②	①
	CT1	M1′	Mc2	Tc1	Mc1	Tc2	T	M1	M2	CT2
	10100	10200	10300■	■10400	10500■	■10600	10700	10800	10900	10000
		– V	– SCP +		– V		– CP	– V	– SCP –	
01	10101	10201	10301	10401	10501	10601	10701	10801	10901	10001
02	10102	10202	10302	10402	10502	10602	10702	10802	10902	10002
03	10103	10203	10303	10403	10503	10603	10703	10803	10903	10003
04	10104	10204	10304	10404	10504	10604	10704	10804	10904	10004
05	10105	10205	10305	10405	10505	10605	10705	10805	10905	10005
06	10106	10206	10306 –	10406	10506 –	10606	10706	10806	10906	10006
07	10107	10207	10307	10407	10507	10607	10707	10807	10907	10007
08	10108	10208	10308	10408	10508	10608	10708	10808	10908	10008
09	10109	10209	10309	10409	10509	10609	10709	10809	10909	10009
10	10110	10210	10310	10410	10510	10610	10710	10810	10910	10010
11	10111	10211	10311	10411	10511	10611	10711	10811	10911	10011
12	10112	10212	10312	10412	10512	10612	10712	10812	10912	10012
13	10113	10213	10313	10413	10513	10613	10713	10813	10913	10013
14	10114	10214	10314	10414	10514	10614	10714	10814	10914	10014
15	10115	10215	10315	10415	10515	10615	10715	10815	10915	10015
16	10116	10216	10316	10416	10516	10616	10716	10816	10916	10016
17	10117	10217	10317	10417	10517	10617	10717	10817	10917	10017
18	10118	10218	10318	10418	10518	10618	10718	10818	10918	10018
19	10119	10219	10319	10419	10519	10619	10719	10819	10919	10019
20	10120	10220	10320	10420	10520	10620	10720	10820	10920	10020
21	10121	10221	10321	10421	10521	10621	10721	10821	10921	10021
22	10122	10222	10322	10422	10522	10622	10722	10822	10922	10022
23	10123	10223	10323	10423	10523	10623	10723	10823	10923	10023
24	10124	10224	10324	10424	10524	10624	10724	10824	10924	10024
25	10125	10225	10325	10425	10525	10625	10725	10825	10925	10025
26	10126	10226	10326	10426	10526	10626	10726	10826	10926	10026
27	10127	10227	10327	10427	10527	10627	10727	10827	10927	10027
28	10128	10228	10328	10428	10528	10628	10728	10828	10928	10028
29	10129	10229	10329	10429	10529	10629	10729	10829	10929	10029
30	10130	10230	10330	10430	10530	10630	10730	10830	10930	10030
31	10131	10231	10331	10431	10531	10631	10731	10831	10931	10031
32	10132	10232	10332	10432	10532	10632	10732	10832	10932	10032
33	10133	10233	10333	10433	10533	10633	10733	10833	10933	10033
34	10134	10234	10334	10434	10534	10634	10734	10834	10934	10034
35	10135	10235	10335	10435	10535	10635	10735	10835	10935	10035
36	10136	10236	10336	10436	10536	10636	10736	10836	10936	10036

7000系　10両(その1)(アルミ車体)[密連]　④

	⑩	弱⑨♿	⑧	⑦	⑥	⑤	④	③	♿②	①
	CT1	T2	M1	M2	Tc1	Tc2	M1	M2	M1	CT2
	7100	7200	7300	7400	7500■	■7600	7700	7800	7900	7000
	+	–	V –	MCP –	S	S –	V –	MCP –	MV –	CP
01	7101	7201	7301	7401	7501	7601	7701	7801	7901	7001

▽連結器の種類は編成図と異なる個所のみを示す(以下の編成も同じ)。ただし、一部異なる編成もある
▽点線内の車両は側窓の天地寸法が小さい
▽編成番号の太字は車体更新車

▽東武鉄道・西武鉄道への乗入れは、東武東上線川越市、西武池袋線飯能までが基本
2013.03.16からは、東急東横線への乗入れを開始。横浜高速鉄道元町・中華街まで直通運転
▽2023.03.18　東急新横浜線(日吉～新横浜間)開業に伴い、新横浜まで乗入れ

▼優先席……全車両に設置
▼車イス対応スペース……♿ の車両に設置
▼弱冷房車…編成図に弱を付した車両

←(東急東横線)渋谷・新木場　　　　　　和光市(東武東上線・西武池袋線)→

17000系　**180両**(アルミ車体)[密連]　④

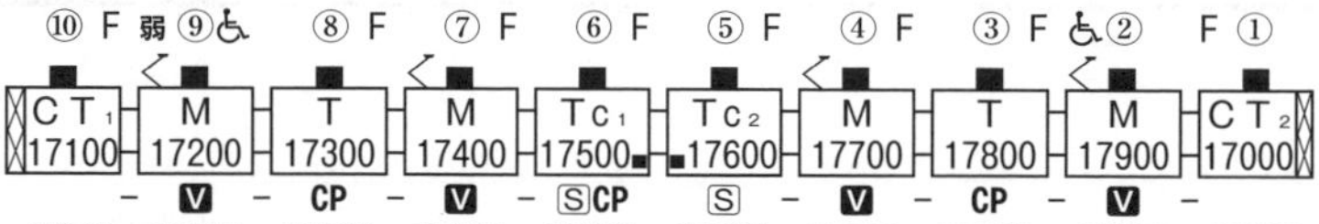

	⑩ F 弱	⑨♿	⑧ F	⑦ F	⑥ F	⑤ F	④ F	③ F ♿	② F	①	
	CT1	M	T	M	Tc1	Tc2	M	T	M	CT2	
	17100	17200	17300	17400	17500	17600	17700	17800	17900	17000	新製月日
	－	V	CP	V	SCP	S	V	CP	V	－	
01	17101	17201	17301	17401	17501	17601	17701	17801	17901	17001	20.09.30日立
02	17102	17202	17302	17402	17502	17602	17702	17802	17902	17002	21.01.05日立
03	17103	17203	17303	17403	17503	17603	17703	17803	17903	17003	20.12.17日立
04	17104	17204	17304	17404	17504	17604	17704	17804	17904	17004	21.03.13日立
05	17105	17205	17305	17405	17505	17605	17705	17805	17905	17005	21.04.03日立
06	17106	17206	17306	17406	17506	17606	17706	17806	17906	17006	21.07.17日立

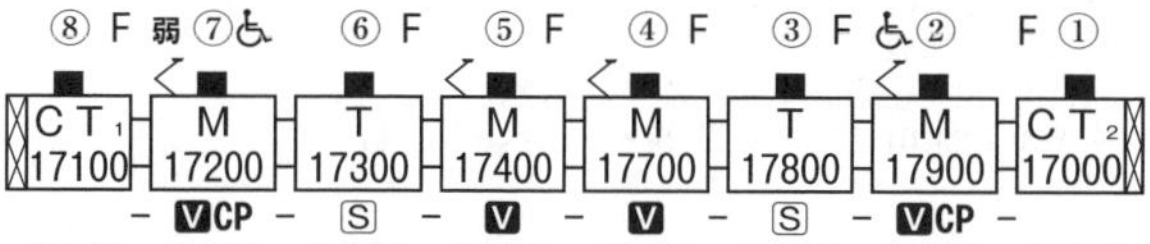

	⑧ F 弱	⑦♿	⑥ F	⑤ F	④ F	③ F ♿	② F	①	
	CT1	M	T	M	M	T	M	CT2	
	17100	17200	17300	17400	17700	17800	17900	17000	新製月日
	－	VCP	S	V	V	S	VCP	－	
81	17181	17281	17381	17481	17781	17881	17981	17081	21.09.01近車
82	17182	17282	17382	17482	17782	17882	17982	17082	21.07.20近車
83	17183	17283	17383	17483	17783	17883	17983	17083	21.10.01近車
84	17184	17284	17384	17484	17784	17884	17984	17084	21.08.28近車
85	17185	17285	17385	17485	17785	17885	17985	17085	21.09.18近車
86	17186	17286	17386	17486	17786	17886	17986	17086	21.10.09近車
87	17187	17287	17387	17487	17787	17887	17987	17087	21.11.13近車
88	17188	17288	17388	17488	17788	17888	17988	17088	21.11.24近車
89	17189	17289	17389	17489	17789	17889	17989	17089	21.12.11近車
90	17190	17290	17390	17490	17790	17890	17990	17090	22.01.22近車
91	17191	17291	17391	17491	17791	17891	17991	17091	22.02.19近車
92	17192	17292	17392	17492	17792	17892	17992	17092	22.03.12近車
93	17193	17293	17393	17493	17793	17893	17993	17093	22.04.02近車
94	17194	17294	17394	17494	17794	17894	17994	17094	22.04.23近車
95	17195	17295	17395	17495	17795	17895	17995	17095	22.05.14近車

▽17000系は、2021(R03).02.21から営業運転開始

▼優先席……全車両に設置
▼車イス対応スペース……♿ の車両に設置
▼フリースペース……Fの車両に設置(3号車は新木場・渋谷方、4号車は和光市方)
▼弱冷房車…編成図に弱を付した車両

東京モノレール 昭和島車両区 120両

10000形	48
2000形	24
1000形	48
計	120

←モノレール浜松町　　羽田空港第2ターミナル→

1000形 54両（アルミ車体）［密連］②

Mc1 1000	M2 1000	M1′ 1000	M2′ 1000	M1 1000	Mc2 1000	
SCP	R	SCP	R	SCP	R	
1007	1008	1009	1010	1011	**1012**	19.11.12=先頭車 車イススペース設置
1037	1038	1039	1040	1041	**1042**	18.01.26=先頭車 車イススペース設置
1043	1044	1045	1046	1047	**1048**	16.06.08=車両リニューアル、16.07.19=リニューアル塗装、18.01.17=先頭車 車イススペース設置
1049	1050	1051	1052	1053	**1054**	14.01=500形塗装、17.02.22=先頭車 車イススペース設置
1061	1062	1063	1064	1065	**1066**	19.04.04=車両リニューアル、16.07.19=リニューアル塗装、先頭車 車イススペース設置
1079	1080	1081	1082	1083	**1084**	20.03.27=先頭車 車イススペース設置
1085	1086	1087	1088	1089	**1090**	13.04=1000形旧塗装、17.03.14=先頭車 車イススペース設置
1091	1092	1093	1094	1095	**1096**	15.11.05=車両リニューアル、20.01.17=先頭車 車イススペース設置

2000形 24両（アルミ車体）［密連］②

Tc1 2000	M1 2000	M2 2000	M3 2000	M4 2000	Tc2 2000	
SCP	V	V	V	V	SCP	
2011	2012	2013	2014	2015	**2016**	17.08.05=車両リニューアル、車体塗装変更
2021	2022	2023	2024	2025	**2026**	18.03.28=車両リニューアル、車体塗装変更
2031	2032	2033	2034	2035	**2036**	15.07.17=2000形リニューアル塗装
2041	2042	2043	2044	2045	**2046**	16.10.28=車両リニューアル、車体塗装変更

▽アルウェーグ式、直流750V

10000形 48両（アルミ車体）［密連］②

Tc1 10000	M1 10000	M2 10000	M3 10000	M4 10000	Tc2 10000	
SCP	V	V	V	V	SCP	
10011	10012	10013	10014	10015	**10016**	14.03.31日立
10021	10022	10023	10024	10025	**10026**	15.01.26日立
10031	10032	10033	10034	10035	**10036**	15.03.31日立
10041	10042	10043	10044	10045	**10046**	16.02.24日立
10051	10052	10053	10054	10055	**10056**	16.10.27日立
10061	10062	10063	10064	10065	**10066**	18.03.29日立
10071	10072	10073	10074	10075	**10076**	19.03.28日立
10081	10082	10083	10084	10085	**10086**	21.03.25日立

▽アルウェーグ式、直流750V

▽＿＿はドア間が一部ロングシート
▽2000形は先頭車がロングシート、中間車はセミクロスシート
▽ラッピング編成
1079編成=全面車体塗装化のラッピング

▼優先席……全車両に設置
▼車イス対応スペース……♿の車両に設置

ゆりかもめ　車両基地(有明～東京ビッグサイトから分岐)　156両

←豊洲　新橋→

7300系　**108両**(アルミ車体)［密連］②

	①	②	③	④	⑤	⑥	
	Mc1 7301	M2 7302	M3 7303	M4 7304	M5 7305	Mc6 7306	
	CP	V	V		V	CP	
31	7311	**7312**	**7313**	**7314**	**7315**	7316	13.10.31三菱重
32	7321	**7321**	**7323**	**7324**	**7325**	7326	13.11.28三菱重
33	7331	**7332**	**7333**	**7334**	**7335**	7336	13.12.21三菱重
34	7341	**7342**	**7343**	**7344**	**7345**	7346	14.02.22三菱重
35	7351	**7352**	**7353**	**7354**	**7355**	7366	14.03.16三菱重
36	7361	**7362**	**7363**	**7364**	**7365**	7366	14.06.16三菱重
37	7371	**7372**	**7373**	**7374**	**7375**	7376	14.09.09三菱重
38	7381	**7382**	**7383**	**7384**	**7385**	7386	14.09.15三菱重
39	7391	**7392**	**7393**	**7394**	**7395**	7396	14.11.23三菱重
40	7401	**7402**	**7403**	**7404**	**7405**	7406	15.01.25三菱重
41	7411	**7412**	**7413**	**7414**	**7415**	7416	15.02.18三菱重
42	7421	**7422**	**7423**	**7424**	**7425**	7426	15.04.27三菱重
43	7431	**7432**	**7433**	**7434**	**7435**	7436	15.07.21三菱重
44	7441	**7442**	**7443**	**7444**	**7445**	7446	15.10.15三菱重
45	7451	**7452**	**7453**	**7454**	**7455**	7456	15.11.19三菱重
46	7461	**7462**	**7463**	**7464**	**7465**	7466	16.01.21三菱重
47	7471	**7472**	**7473**	**7474**	**7475**	7476	16.05.03三菱重
48	7481	**7482**	**7483**	**7484**	**7485**	7486	16.06.17三菱重

▽補助電源装置(トランス)…Mc1・M3・M4に搭載
▽座席はオールロングシート。側扉は両開き戸
▽2014.01.18から営業運転開始

7500系　**48両**(アルミ車体)［密連］②

	①	②	③	④	⑤	⑥	
	Mc1 7501	M2 7502	M3 7503	M4 7504	M5 7505	Mc6 7506	
	CP	V	V		V	CP	
51	7511	**7512**	**7513**	**7514**	**7515**	7516	18.10.17三菱重
52	7521	**7522**	**7523**	**7524**	**7525**	7526	19.05.24三菱重
53	7531	**7532**	**7533**	**7534**	**7535**	7536	19.10.29三菱重
54	7541	**7542**	**7543**	**7544**	**7545**	7546	20.01.06三菱重
55	7551	**7552**	**7553**	**7554**	**7555**	7556	20.03.04三菱重
56	7561	**7562**	**7563**	**7564**	**7565**	7566	20.04.30三菱重
57	7571	**7572**	**7573**	**7574**	**7575**	7576	20.05.24三菱重
58	7581	**7582**	**7583**	**7584**	**7585**	7586	20.09.20三菱重

▽2018.11.11から営業運転開始
▽2001.03.22　新橋駅(現駅)開業。仮駅を廃止
▽2006.03.27　有明～豊洲間開業

▽路線・車両の愛称は「ゆりかもめ」
▽電気方式＝三相交流600V
▽案内方式＝側方案内式
▽補助電源装置(トランス)＝Mc1・Mc6に搭載
▽冷房装置＝各車の床下に搭載
▽座席は一部ロングシート、
　側扉は引き戸

▼優先席……全車両に設置
▼車イス対応スペース……太字の車両に設置

東京臨海高速鉄道　八潮車両基地(東京テレポート～天王洲アイルから分岐)　80両

←川越(ＪＲ埼京線)・大崎　　　　新木場→

70-000形　**80両**(ステンレス車体)［密連］④

	①♿	②	③	④	⑤	⑥	⑦	⑧	弱⑨	♿⑩	
	Tc′ 70-	M2 70-	M1 70-	T 70-	M2 70-	M1 70-	T 70-	M2 70-	M1 70-	Tc 70-	機器更新
		ⓈCP	Ⓥ		CP	Ⓥ		ⓈCP	Ⓥ		
Z 1	70-019	70-018	70-017	70-016	70-015	70-014	70-013	70-012	70-011	70-010	11.03
Z 2	70-029	70-028	70-027	70-026	70-025	70-024	70-023	70-022	70-021	70-020	11.06
Z 3	70-039	70-038	70-037	70-036	70-035	70-034	70-033	70-032	70-031	70-030	13.10
Z 6	70-069	70-068	70-067	70-066	70-065	70-064	70-063	70-062	70-061	70-060	15.06
Z 7	70-079	70-078	70-077	70-076	70-075	70-074	70-073	70-072	70-071	70-070	16.10
Z 8	70-089	70-088	70-087	70-086	70-085	70-084	70-083	70-082	70-081	70-080	17.12
Z 9	70-099	70-098	70-097	70-096	70-095	70-094	70-093	70-092	70-091	70-090	18.05
Z10	70-109	70-108	70-107	70-106	70-105	70-104	70-103	70-102	70-101	70-100	18.08

▼優先席……全車両に設置
▼車イス対応スペース……♿の車両に設置
▼弱冷房車…編成図に弱を付した車両
▽弱冷房車は、2019.11から４号車から９号車に変更

▽1996.03.30　新木場～東京テレポート間開業
2001.03.31　東京テレポート～天王洲アイル間開業
2002.12.01　天王洲アイル～大崎間開業。ＪＲ埼京線との相互直通運転開始

横浜高速鉄道　54両

←渋谷(東急東横線)・横浜　　　　元町・中華街→

Y500系　**48両**(ステンレス車体)［自連］④

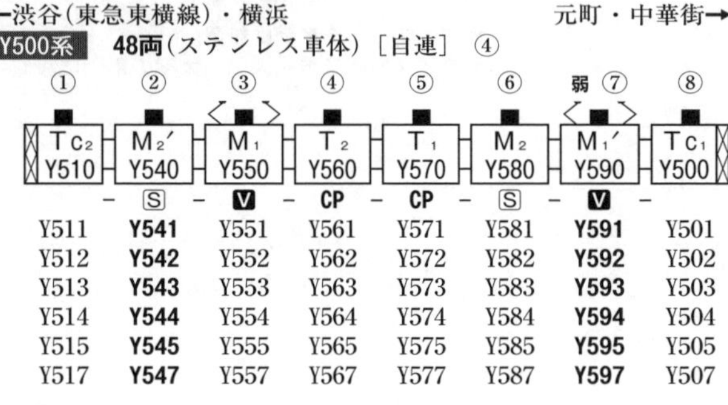

①	②	③	④	⑤	⑥	弱⑦	⑧
Tc2 Y510	M2′ Y540	M1 Y550	T2 Y560	T1 Y570	M2 Y580	M1′ Y590	Tc1 Y500
	Ⓢ	Ⓥ	CP	CP	Ⓢ	Ⓥ	
Y511	**Y541**	Y551	Y561	Y571	Y581	**Y591**	Y501
Y512	**Y542**	Y552	Y562	Y572	Y582	**Y592**	Y502
Y513	**Y543**	Y553	Y563	Y573	Y583	**Y593**	Y503
Y514	**Y544**	Y554	Y564	Y574	Y584	**Y594**	Y504
Y515	**Y545**	Y555	Y565	Y575	Y585	**Y595**	Y505
Y517	**Y547**	Y557	Y567	Y577	Y587	**Y597**	Y507

▽2004.02.01 開業
▽2013.03.16から、
地下鉄副都心線・東武東上線・
西武池袋線への乗入れを開始
▽Y517編成は、Y516編成[除籍]の代替
東急から入籍(17.05.31)

←長津田　　こどもの国→

Y000系　**6両**(ステンレス車体)［自連］

Tc Y000	Mc Y010	
CP	ⓋⓈ	
Y001	**Y011**	うし電車
Y002	**Y012**	ひつじ電車
Y003	**Y013**	

▼優先席……全車両に設置
▼車イス対応スペース……太字の車両に設置
▼弱冷房車…編成図に弱を付した車両

▽車両の運行・検修は東急電鉄に委託

▽1997.08.01 社会福祉法人 こどもの国協会から施設を譲受、第３種鉄道事業者に。第２種鉄道事業者は東急電鉄
▽2000.03.29　通勤線化完成

横浜シーサイドライン　幸浦車両基地(並木中央駅に隣接)　90両

←金沢八景　　新杉田→

2000形　**90両**(ステンレス車体)［密連］①

	①	弱②	③	④	⑤	
	Mc1 2000	M2 2000	M3 2000	M4 2000	Mc5 2000	
	CP V	S	V	S	V CP	
31	**2311**	2312	**2313**	2314	**2315**	
32	**2321**	2322	**2323**	2324	**2325**	
33	**2331**	2332	**2333**	2334	**2335**	
34	**2341**	2342	**2343**	2344	**2345**	
35	**2351**	2352	**2353**	2354	**2355**	
36	**2361**	2362	**2363**	2364	**2365**	
37	**2371**	2372	**2373**	2374	**2375**	12.09.12総合
38	**2381**	2382	**2383**	2384	**2385**	12.11.19総合
39	**2391**	2392	**2393**	2394	**2395**	12.12.18総合
40	**2401**	2402	**2403**	2404	**2405**	13.01.29総合
41	**2411**	2412	**2413**	2414	**2415**	21.03.12総合
42	**2421**	2422	**2423**	2424	**2425**	13.07.08総合
43	**2431**	2432	**2433**	2434	**2435**	13.11.06総合
44	**2441**	2442	**2443**	2444	**2445**	13.12.25総合
45	**2451**	2452	**2453**	2454	**2455**	14.02.25総合
46	**2461**	2462	**2463**	2464	**2465**	14.04.28総合
47	**2471**	2472	**2473**	2474	**2475**	19.09.18総合
48	**2481**	2482	**2483**	2484	**2485**	19.10.23総合

▽1989.07.05開業
▽新交通システム(直流750V・側方案内方式)

▽2000形は、2011.02.26から営業運転開始。セミクロスシート
▽冷房装置は床下と両端天井部の分割タイプ

▼優先席……全車両に設置
▼車イス対応スペース……太字の車両に設置

▽2013.10.01　横浜新都市交通から社名変更

神奈川臨海鉄道　塩浜機関区・横浜支社　7両

塩浜機関区(川崎貨物)　**DL**　**5両**［自連］

DD55形
(500ps×2)
DD5517　22.03.24 機関換装
DD5518　23.03.28 エンジン取替

DD60形
(560ps×2)
DD601
DD602
DD603 ←14.05 日車

横浜本牧　**DL**　**2両**［自連］

DD55形
(500ps×2)
DD5516
DD5519

▽路線は、川崎貨物～千鳥町間 4.2km、川崎貨物～浮島町間 3.9km、根岸〔根岸線〕～本牧埠頭間 5.6km
▽川崎貨物(東海道本線) ～水江町間 2.06kmは2017.10に廃止
▽車両転配　22.06=DD5516⇔DD5518

横浜市交通局 上永谷車両基地・川和車両基地 296両

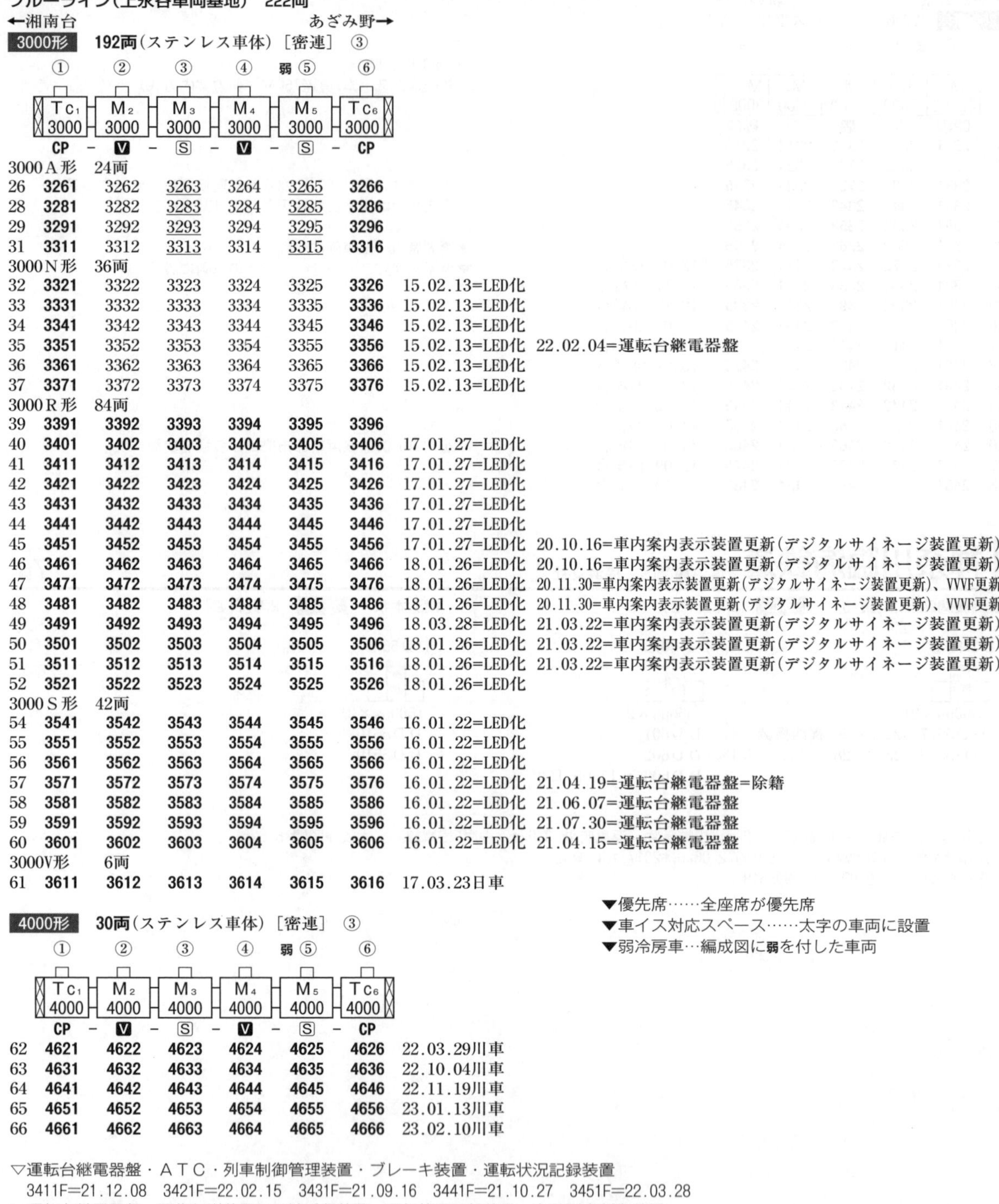

ブルーライン（上永谷車両基地） 222両

←湘南台　　　　　　　　　　あざみ野→

3000形 192両（ステンレス車体）［密連］ ③

	①	②	③	④	弱⑤	⑥	
	Tc1 3000	M2 3000	M3 3000	M4 3000	M5 3000	Tc6 3000	
	CP	V	S	V	S	CP	
3000A形 24両							
26	**3261**	3262	3263	3264	3265	**3266**	
28	**3281**	3282	3283	3284	3285	**3286**	
29	**3291**	3292	3293	3294	3295	**3296**	
31	**3311**	3312	3313	3314	3315	**3316**	
3000N形 36両							
32	**3321**	3322	3323	3324	3325	**3326**	15.02.13=LED化
33	**3331**	3332	3333	3334	3335	**3336**	15.02.13=LED化
34	**3341**	3342	3343	3344	3345	**3346**	15.02.13=LED化
35	**3351**	3352	3353	3354	3355	**3356**	15.02.13=LED化 22.02.04=運転台継電器盤
36	**3361**	3362	3363	3364	3365	**3366**	15.02.13=LED化
37	**3371**	3372	3373	3374	3375	**3376**	15.02.13=LED化
3000R形 84両							
39	**3391**	**3392**	**3393**	**3394**	**3395**	**3396**	
40	**3401**	**3402**	**3403**	**3404**	**3405**	**3406**	17.01.27=LED化
41	**3411**	**3412**	**3413**	**3414**	**3415**	**3416**	17.01.27=LED化
42	**3421**	**3422**	**3423**	**3424**	**3425**	**3426**	17.01.27=LED化
43	**3431**	**3432**	**3433**	**3434**	**3435**	**3436**	17.01.27=LED化
44	**3441**	**3442**	**3443**	**3444**	**3445**	**3446**	17.01.27=LED化
45	**3451**	**3452**	**3453**	**3454**	**3455**	**3456**	17.01.27=LED化 20.10.16=車内案内表示装置更新（デジタルサイネージ装置更新）
46	**3461**	**3462**	**3463**	**3464**	**3465**	**3466**	18.01.26=LED化 20.10.16=車内案内表示装置更新（デジタルサイネージ装置更新）
47	**3471**	**3472**	**3473**	**3474**	**3475**	**3476**	18.01.26=LED化 20.11.30=車内案内表示装置更新（デジタルサイネージ装置更新）、VVVF更新
48	**3481**	**3482**	**3483**	**3484**	**3485**	**3486**	18.01.26=LED化 20.11.30=車内案内表示装置更新（デジタルサイネージ装置更新）、VVVF更新
49	**3491**	**3492**	**3493**	**3494**	**3495**	**3496**	18.03.28=LED化 21.03.22=車内案内表示装置更新（デジタルサイネージ装置更新）
50	**3501**	**3502**	**3503**	**3504**	**3505**	**3506**	18.01.26=LED化 21.03.22=車内案内表示装置更新（デジタルサイネージ装置更新）
51	**3511**	**3512**	**3513**	**3514**	**3515**	**3516**	18.01.26=LED化 21.03.22=車内案内表示装置更新（デジタルサイネージ装置更新）
52	**3521**	**3522**	**3523**	**3524**	**3525**	**3526**	18.01.26=LED化
3000S形 42両							
54	**3541**	**3542**	**3543**	**3544**	**3545**	**3546**	16.01.22=LED化
55	**3551**	**3552**	**3553**	**3554**	**3555**	**3556**	16.01.22=LED化
56	**3561**	**3562**	**3563**	**3564**	**3565**	**3566**	16.01.22=LED化
57	**3571**	**3572**	**3573**	**3574**	**3575**	**3576**	16.01.22=LED化 21.04.19=運転台継電器盤=除籍
58	**3581**	**3582**	**3583**	**3584**	**3585**	**3586**	16.01.22=LED化 21.06.07=運転台継電器盤
59	**3591**	**3592**	**3593**	**3594**	**3595**	**3596**	16.01.22=LED化 21.07.30=運転台継電器盤
60	**3601**	**3602**	**3603**	**3604**	**3605**	**3606**	16.01.22=LED化 21.04.15=運転台継電器盤
3000V形 6両							
61	**3611**	**3612**	**3613**	**3614**	**3615**	**3616**	17.03.23日車

▼優先席……全座席が優先席
▼車イス対応スペース……太字の車両に設置
▼弱冷房車…編成図に弱を付した車両

4000形 30両（ステンレス車体）［密連］ ③

	①	②	③	④	弱⑤	⑥	
	Tc1 4000	M2 4000	M3 4000	M4 4000	M5 4000	Tc6 4000	
	CP	V	S	V	S	CP	
62	**4621**	**4622**	**4623**	**4624**	**4625**	**4626**	22.03.29川車
63	**4631**	**4632**	**4633**	**4634**	**4635**	**4636**	22.10.04川車
64	**4641**	**4642**	**4643**	**4644**	**4645**	**4646**	22.11.19川車
65	**4651**	**4652**	**4653**	**4654**	**4655**	**4656**	23.01.13川車
66	**4661**	**4662**	**4663**	**4664**	**4665**	**4666**	23.02.10川車

▽運転台継電器盤・ＡＴＣ・列車制御管理装置・ブレーキ装置・運転状況記録装置
3411F=21.12.08　3421F=22.02.15　3431F=21.09.16　3441F=21.10.27　3451F=22.03.28
▽運転台継電器盤、画像伝送装置ミリ波受信装置、運転状況記録装置、自動列車制御装置、列車制御管理装置、ブレーキ装置更新
46=22.06.22、47=22.08.01、48=22.09.15、49=22.10.28、50=22.12.12、51=23.01.31
▽画像伝送装置ミリ波受信装置更新
35=22.05.16、36=22.06.15、40=22.07.27、52=23.03.13

グリーンライン(川和車両基地) 74両

←中山 日吉→

10000形 **74両**(アルミ車体)［密連］ ③

①	②	弱③	④	
Mc1 10000	M2 10000	M5 10000	Mc6 10000	
ⓈCP	Ⓥ	Ⓥ	ⓈCP	
10011	10012	10015	10016	20.06.30=VVVF・SIV・ブレーキ装置・ＡＴＣ/Ｏ・自動放送装置更新
10021	10022	10025	10026	20.08.26=VVVF・SIV・ブレーキ装置・ＡＴＣ/Ｏ・自動放送装置更新
10041	10042	10045	10046	20.12.16=VVVF・SIV・ブレーキ装置・ＡＴＣ/Ｏ・車内外案内表示装置・列車制御管理装置更新
10051	10052	10055	10056	21.05.27=VVVF・SIV・ブレーキ装置・ＡＴＣ/Ｏ・自動放送装置・車内外案内表示器・列車制御管理装置更新
10061	10062	10065	10066	21.07.19=VVVF・SIV・ブレーキ装置・ＡＴＣ/Ｏ・自動放送装置・車内外案内表示器・列車制御管理装置更新
10071	10072	10075	10076	21.11.09=VVVF・SIV・ブレーキ装置・ＡＴＣ/Ｏ・自動放送装置・車内外案内表示器・列車制御管理装置更新
10081	10082	10085	10086	20.05.01=VVVF・SIV・ブレーキ装置・ＡＴＣ/Ｏ・車内外案内表示装置・列車制御管理装置更新
10091	10092	10095	10096	21.09.13=VVVF・SIV・ブレーキ装置・ＡＴＣ/Ｏ・自動放送装置・車内外案内表示器・列車制御管理装置更新
10101	10102	10105	10106	21.01.15=VVVF・SIV・ブレーキ装置・ＡＴＣ/Ｏ・自動放送装置更新
10131	10132	10135	10136	21.03.09=VVVF・SIV・ブレーキ装置・ＡＴＣ/Ｏ・自動放送装置更新
10141	10142	10145	10146	21.03.31=VVVF・SIV・ブレーキ装置・ＡＴＣ/Ｏ・自動放送装置更新
10151	10152	10155	10156	22.03.31=VVVF・SIV・ブレーキ装置・ＡＴＣ/Ｏ・自動放送装置・車内外案内表示器・列車制御管理装置更新
10161	10162	10165	10166	14.03.29川重=LED
10171	10172	10175	10176	14.03.29川重=LED

①	②	③	④	⑤	⑥	
Mc1 10000	M2 10000	M3 10000	M4 10000	M5 10000	Mc6 10000	
ⓈCP	Ⓥ	Ⓥ	Ⓥ	Ⓥ	ⓈCP	
10031	10032	10033	10034	10035	10036	③④=22.12.02川車
10111	10112	10113	10114	10115	10116	③④=23.03.31川車
10121	10122	10123	10124	10125	10126	③④=22.09.24川車

▽ブルーライン、グリーンラインともワンマン運転
▽3000形は3000Ａ形(第1次車)、
3000Ｎ形(2次車)＝前面のデザインを変更、
3000Ｒ形(3次車)＝バケットシートを採用、シート中間に握り棒を設置、運転台はワンハンドルマスコン
3000Ｓ形(4次車)＝2000形の台車、ブレーキ、ＡＴＣ、ＳＩＶなどを再利用
▽2014年度から、室内灯ＬＥＤ化工事を開始
10000形10011 ～ 10151編成は18.01.31にて完了
同編成は20.02.03前照灯もＬＥＤ化
▽10161編成はラッピング「10周年記念装飾列車」
2018.02.25から運行開始
▽____の補助電源はDD
▽列車制御装置、デジタルサイネージ更新
10111編成=22.12.02
▽主幹制御装置オーバーホール、ＩＴＶモニタ・ミリ波受信装置更新
10161編成=22.10.01
▽グリーンラインは2008.03.30開業。6両編成は2022.09.24から運転開始

▽横浜市電保存館(ＪＲ根岸駅から市営バス21系統に乗車、市電保存館前下車、横浜駅東口から市営バス102系統に乗車、滝頭下車など)に、
500形523、1000形1007、1100形1104、1300形1311、
1500形1510、1600形1601などを保存、展示

相模鉄道 かしわ台車両センター 430両

本線・いずみ野線(かしわ台車両センター) 404(400+4)両

←横浜・新横浜(東急東横線、目黒線)　　湘南台・海老名→

20000系 **70両**(アルミ車体[アルミダブルスキン構体])[自連] ④

	① F	F ②	F ③	F ④	F ⑤	F ⑥	F ⑦	F ⑧	弱F⑨	F ⑩	
	Tc2	M1	T1	M2	M3	T2	M4	T3	M5	Tc1	
	20100	20200	20300	20400	20500	20600	20700	20800	20900	20000	
	CP	V	S	V	V		V	S	V	CP	
YN	20101	20201	20301	20401	20501	20601	20701	20801	20901	20001	18.02.11日立
YN	20102	20202	20302	20402	20502	20602	20702	20802	20902	20002	20.08.11日立
YN	20103	20203	20303	20403	20503	20603	20703	20803	20903	20003	20.09.30日立
YN	20104	20204	20304	20404	20504	20604	20704	20804	20904	20004	20.10.12日立
YN	20105	20205	20305	20405	20505	20605	20705	20805	20905	20005	20.11.17日立
YN	20106	20206	20306	20406	20506	20606	20706	20806	20906	20006	20.12.16日立
YN	20107	20207	20307	20407	20507	20607	20707	20807	20907	20007	21.01.13日立

▽20000系は2018.02.11から営業運転開始
▽YN 表示は車体塗色 YOKOHAMA NAVYBLUE
▽*F*は車イス、ベビーカー対応スペース(20101は横浜方)

21000系 **56両**(アルミ車体[アルミダブルスキン構体])[自連] ④

	① F	② F	F ③	F ④	F ⑤	F ⑥	弱F⑦	F ⑧	
	Tc2	M1	T1	M3	M4	T2	M5	Tc1	
	21100	21200	21300	21400	21500	21600	21700	21800	
	CP	V	S	V	V		V	CP	
YN	21101	21201	21301	21401	21501	21601	21701	21801	22.03.09日立
YN	21102	21202	21302	21402	21502	21602	21702	21802	21.09.01日立
YN	21103	21203	21303	21403	21503	21603	21703	21803	21.10.01日立
YN	21104	21204	21304	21404	21504	21604	21704	21804	21.12.01日立
YN	21105	21205	21305	21405	21505	21605	21705	21805	22.11.01日立
YN	21106	21206	21306	21406	21506	21606	21706	21806	22.12.01日立
YN	21107	21207	21307	21407	21507	21607	21707	21807	23.01.02日立

11000系 **50両**(ステンレス車体)(拡幅車体)[自連] ④

	①♿	②	③	④	⑤	⑥	⑦	⑧	弱⑨	♿⑩	
	Tc2	M1	M2	M3	M4	T1	T2	M5	M6	Tc1	
	11000	11100	11200	11300	11400	11500	11600	11700	11800	11900	
	CP	V	S	V		CP		V	S	CP	
N	11001	11101	11201	11301	11401	11501	11601	11701	11801	11901	
N	11002	11102	11202	11302	11402	11502	11602	11702	11802	11902	
N	11003	11103	11203	11303	11403	11503	11603	11703	11803	ⓣ11903	
N	11004	11104	11204	11304	11404	11504	11604	11704	11804	11904	
N	11005ⓣ	11105	11205	11305	11405	11505	11605	11705	11805	ⓣ11905	13.03.01総合

▽ラッピング車両　11004F=21.03.22 ～ 22.03.18「そうにゃんトレイン」(第８弾)
　　　　　　　　　11003F=22.03.21 ～ 22.03.25「そうにゃんトレイン」(第９弾)
　　　　　　　　　11001F=23.03.26 ～ 「そうにゃんトレイン」(第10弾)
▽塗油器設置　クハ11001=21.02.15、11002=20.06.12、11003=19.12.20、11004=20.07.09、11005=19.11.25

▽N は新塗色編成
▽____はセミクロスシート車(車種はM_s)
▽斜字はシングルアームパンタグラフ(編成図記載以外)
▽各系列とも横浜寄りから①～⑩号車の表示あり
▽ST相直対応工事完了車は、
20101×10=22.09.22、20102×10=22.08.24、20103×10=22.07.28、20104×8=22.06.01
20105×10=22.02.04、20106×10=21.12.24、20107×10=21.11.29、
21101×8=22.03.09　21102×8=22.04.04、21103×8=22.04.27、21104×8=22.07.04
21105 ～ 21107編成は新製時に取付
▽2023.03.18、新横浜線羽沢横浜国大～新横浜間 4.2㎞開業。
同時に開業となった東急新横浜線日吉～新横浜間と線路が繋がり、東急との相互直通運転開始。
相鉄車両の乗り入れ区間は、東京都交通局三田線は西高島平、東京メトロ南北線は埼玉高速鉄道浦和美園、東急は東京メトロ副都心線を経由、東武東上線森林公園(土曜・休日は小川町)まで。
乗入れ車両は、20000系は東急東横線、21000系は東急目黒線方面に
20101F、2102Fは「相鉄・東急新横浜線開業記念号」として５月末まで運転予定(ラッピング)

形式	両数
21000系	
クハ21100	7
モハ21200	7
サハ21300	7
モハ21700	7
モハ21500	7
サハ21600	7
モハ21700	7
クハ21800	7
	56
20000系	
クハ20100	7
モハ20200	7
サハ20300	7
モハ20400	7
モハ20500	7
サハ20600	7
モハ20700	7
サハ20800	7
モハ20900	7
クハ20000	7
	70
11000系	
クハ11000	5
モハ11100	5
モハ11200	5
モハ11300	5
モハ11400	5
サハ11500	5
サハ11600	5
モハ11700	5
モハ11800	5
クハ11900	5
	50
12000系	
クハ12100	6
モハ12200	6
モハ12300	6
モハ12400	6
モハ12500	6
サハ12600	6
サハ12700	6
モハ12800	6
モハ12900	6
クハ12000	6
	60
10000系	
モハ10100	16
モハ10200	16
モハ10300	3
クハ10500	8
クハ10700	8
サハ10600	19
	70
9000系	
モハ9100R	18
モハ9200R	18
クハ9500R	6
クハ9700R	6
サハ9600R	12
	60
8000系	
モハ8100	18
モハ8200	18
クハ8500	6
クハ8700	6
サハ8600	12
	60
合計	402

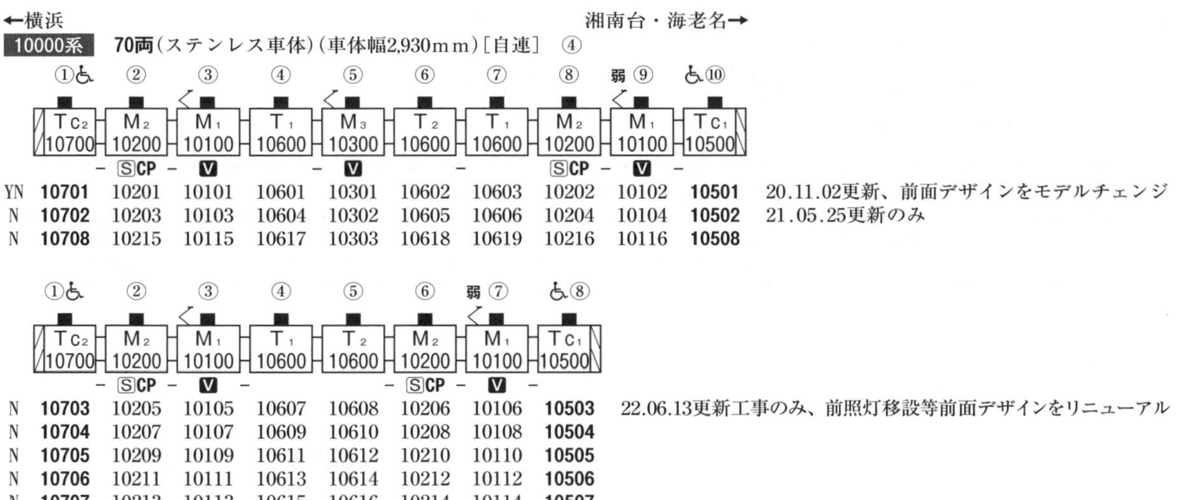

←横浜　　　　　　　　　　　　　　　　　　　　　　湘南台・海老名→

10000系　**70両**(ステンレス車体)(車体幅2,930mm)[自連]　④

	①♿	②	③	④	⑤	⑥	⑦	⑧	弱⑨	♿⑩	
	Tc2 10700	M2 10200	M1 10100	T1 10600	M3 10300	T2 10600	T1 10600	M2 10200	M1 10100	Tc1 10500	
		– ⓈCP –	Ⓥ		– Ⓥ	–		ⓈCP –	Ⓥ –		
YN	**10701**	10201	10101	10601	10301	10602	10603	10202	10102	**10501**	20.11.02更新、前面デザインをモデルチェンジ
N	**10702**	10203	10103	10604	10302	10605	10606	10204	10104	**10502**	21.05.25更新のみ
N	**10708**	10215	10115	10617	10303	10618	10619	10216	10116	**10508**	

	①♿	②	③	④	⑤	⑥	弱⑦	♿⑧	
	Tc2 10700	M2 10200	M1 10100	T1 10600	T2 10600	M2 10200	M1 10100	Tc1 10500	
		– ⓈCP –	Ⓥ –		–	ⓈCP –	Ⓥ –		
N	**10703**	10205	10105	10607	10608	10206	10106	**10503**	22.06.13更新工事のみ、前照灯移設等前面デザインをリニューアル
N	**10704**	10207	10107	10609	10610	10208	10108	**10504**	
N	**10705**	10209	10109	10611	10612	10210	10110	**10505**	
N	**10706**	10211	10111	10613	10614	10212	10112	**10506**	
N	**10707**	10213	10113	10615	10616	10214	10114	**10507**	

▽更新(車内リニューアル)工事に際して、ＶＶＶＦ装置、ＳＩＶ装置、ＣＰ更新、車体塗装も変更
▽更新工事に合わせて、10703編成は前面、側面表示器更新

←横浜・(ＪＲ東日本線)池袋・新宿　　　　　　　　　　湘南台・海老名→

12000系　**60両**(ステンレス車体)(拡幅車体)[小型密着]　④

	① ***F***	***F*** ②	***F*** ③	***F*** ④	***F*** ⑤	***F*** ⑥	***F*** ⑦	***F*** ⑧	***F*** ⑨弱	***F*** ⑩	
	Tc2 12100	M6 12200	M5 12300	M4 12400	M3 12500	T2 12600	T1 12700	M2 12800	M1 12900	Tc1 12000	
		– CP –	Ⓥ –	ⓈCP –	Ⓥ –	–		– ⓈCP –	Ⓥ –		
YN	**12101**	**12201**	**12301**	**12401**	**12501**	**12601**	**12701**	**12801**	**12901**	**12001**	19.02.26総合
YN	**12102**	**12202**	**12302**	**12402**	**12502**	**12602**	**12702**	**12802**	**12902**	**12002**	19.05.20総合
YN	**12103**	**12203**	**12303**	**12403**	**12503**	**12603**	**12703**	**12803**	**12903**	**12003**	19.06.24総合
YN	**12104**	**12204**	**12304**	**12404**	**12504**	**12604**	**12704**	**12804**	**12904**	**12004**	19.07.16総合
YN	**12105**	**12205**	**12305**	**12405**	**12505**	**12605**	**12705**	**12805**	**12905**	**12005**	19.09.25総合
YN	**12106**	**12206**	**12306**	**12406**	**12506**	**12606**	**12706**	**12806**	**12906**	**12006**	20.02.25総合

▽2019.04.20から運行開始。2019.11.30から相鉄・ＪＲ相互直通運転開始。新宿まで乗入れ
▽***F***は車イス、ベビーカー対応スペース

←横浜　　　　　　　　　　　　　　　　　　　　　　湘南台・海老名→

9000系　**60両**(アルミ車体)　[自連]　④

	①	②	③	弱④	⑤	⑥	⑦	⑧	弱⑨	⑩	
	Tc2 9700R	M1 9100R	M2 9200R	T2 9600R	Ms1 9100R	M2 9200R	T1 9600R	Ms1 9100R	M2 9200R	Tc1 9500R	
		– Ⓥ –	ⓂCP +		– Ⓥ +	ⓂCP –		+ Ⓥ –	ⓂCP –		
YN	**9702**	9104	9204	9603	*9105*	9205	9604	9106	*9206*	**9502**	17.06.05=車内リニューアル+LED化
YN	**9703**	9107	9207	9605	9108	9208	9606	9109	9209	**9503**	16.03.04=車内リニューアル+LED化
YN	**9704**	9110	9210	9607	9111	9211	9608	9112	9212	**9504**	17.11.30=車内リニューアル+LED化
YN	**9705**	9113	9213	9609	9114	9214	9610	9115	9215	**9505**	16.11.08=車内リニューアル+LED化
YN	**9706**	*9116*	*9216*	9611	*9117*	*9217*	9612	*9118*	*9218*	**9506**	18.12.12=車内リニューアル+LED化
YN	**9707**	*9119*	*9219*	9613	*9120*	*9220*	9614	*9121*	*9221*	**9507**	19.10.09=車内リニューアル+LED化

▽ＶＶＶＦ機器取替にて、ＶＶＶＦ制御装置をＡＴＲ-Ｈ8180からＶＦＩ-ＨＲ2820Ｑへ変更
▽9702 ～ 9707編成は車内を中心としたリニューアル工事に合わせて、各車両の形式を変更。また車体塗装色を YOKOHAMA NAVYBLUE(YN)と変更。前面デザインモデルチェンジ

▽N は新塗色
▽YN はYOKOHAMA NAVYBLUE色
▽斜字はシングルアーム式パンタグラフ(編成図記載以外)
▽ †印の編成は前面のデザインがモデルチェンジされている
▽＿＿はセミクロスシート車(車種はTs)

▼優先席……全車両に設置
▼車イス対応スペース……太字の車両に設置
▼フリースペース……***F***の車両に設置
▼弱冷房車…編成図に弱を付した車両

←横浜　　　　　　　　　　　　　　　　　　　　　　　　湘南台・海老名→

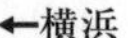 **60両**（アルミ車体）［自連］ ④

	Tc2 8700	M1 8100	M2 8200	T 8600	Ms1 8100	M2 8200	T 8600	Ms1 8100	M2 8200	Tc1 8500	
		– V	– CP	S	– V	CP	– S	V	– CP		
N	**8708**	*8122*	*8222*	8615	8123	8223	8616	*8124*	*8224*	**8508**	←16.04.28=LED化+VVVF更新+SIV更新
YN	**8709**	*8125*	*8225*	8617	8126	8226	8618	*8127*	*8227*	**8509**	←15.03.31=LED化 17.03.22=VVVF更新+SIV更新
N	**8710**	*8128*	*8228*	8619	*8129*	8229	8620	*8130*	*8230*	**8510**	←16.02.12=LED化+VVVF更新+SIV更新
N	**8711**	8131	8231	8621	8132	8232	8622	8133	8233	**8511**	←16.03.14=LED化。18.02.27=VVVF更新+SIV更新
N	**8712**	*8134*	*8234*	8623	*8135*	*8235*	8624	*8136*	*8236*	**8512**	←16.03.07=LED化。18.06.01=VVVF更新+SIV更新
N	**8713**	*8137*	*8237*	8625	*8138*	8238	8626	*8139*	*8239*	**8513**	←16.03.22=LED化。19.04.02=VVVF更新+SIV更新

▽8713編成は、2019.04.02 冷房装置をFTUR-375からHRB504-5、STVをSVH260-RG4076Aに変更（改良）
▽8709編成は、20.03.11 車内リニューアル。合わせて塗装を YOKOHAMA NAVYBLUEに
▽8708 ～ 8710編成は、前面デザインをモデルチェンジ
▽前照灯移設　8708編成=22.12.14　8710編成=23.02.08

モヤ700形 **4両**（事業用車）

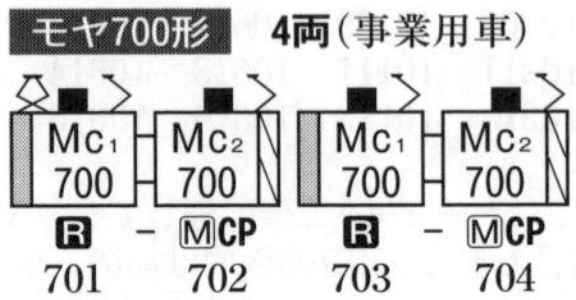

▽検測用パンタグラフ（集電機能なし）
▽701は架線検測車、702は架線観測車、704は事故復旧車

湘南モノレール 深沢車庫　　21両

←大船　　　　　　　　　　湘南江の島→

5000系 **21両**（アルミ車体）［密連］ ②

Mc1 5600C	M2 5200	Mc3 5600C		
VS	CP	V		
5601	5201	**5602**	（赤）	←12.12.13（5600A→5600C）

Mc1 5600B	M2 5200A	Mc3 5600B		
VS	CP	V		
5603	5203	**5604**	（青）	←13.06.11（5600→5600B）
5605	5205	**5606**	（緑）	←13.11.20（5600→5600B）

Mc1 5600D	M2 5200A	Mc3 5600D		
VS	CP	V		
5607	5207	**5608**	（黄）	
5609	5209	**5610**	（紫）	←15.11.16三菱重　17.07.26からラッピング車両「OJICO®（オジコ）トレイン」として運行中
5611	5211	**5612**	（黒）	←16.02.18三菱重
5613	5213	**5614**	（ピンク）	←16.05.24三菱重

▽5000系の冷房装置は屋根上集中式
▽（　）は車体帯の色
▼車イス対応スペース…太字車両に設置

5600C形	2
5600B形	4
5600D形	8
5200形	1
5200A形	6
計	21

▽サフェージュ式・直流1500V

江ノ島電鉄 極楽寺検車区 30両

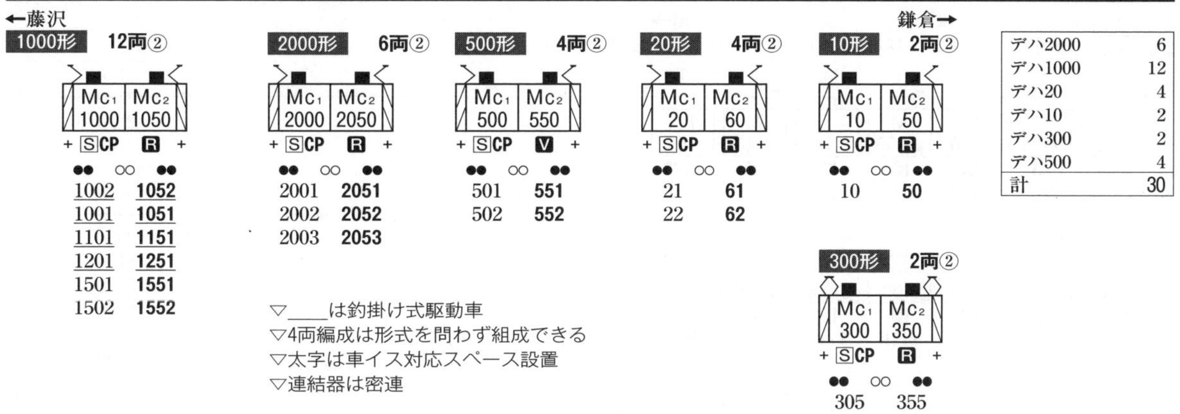

デハ2000	6
デハ1000	12
デハ20	4
デハ10	2
デハ300	2
デハ500	4
計	30

▽2017年度改造　2002-2052＝17.12.11(更新修繕＋フリースペース新設＋座席配置変更＋パンタグラフシングルアーム化＋車体塗色を標準色に変更＋ドアチャイム新設等)

▽2018年度改造　2003-2053＝18.12.11(更新修繕+フリースペース新設+座席配置変更+パンタグラフシングルアーム化+車体塗色を標準色に変更+ドアチャイム新設)

▽極楽寺検車区にて、100形108(愛称：タンコロ)を保存

箱根登山鉄道 入生田検車区 29両

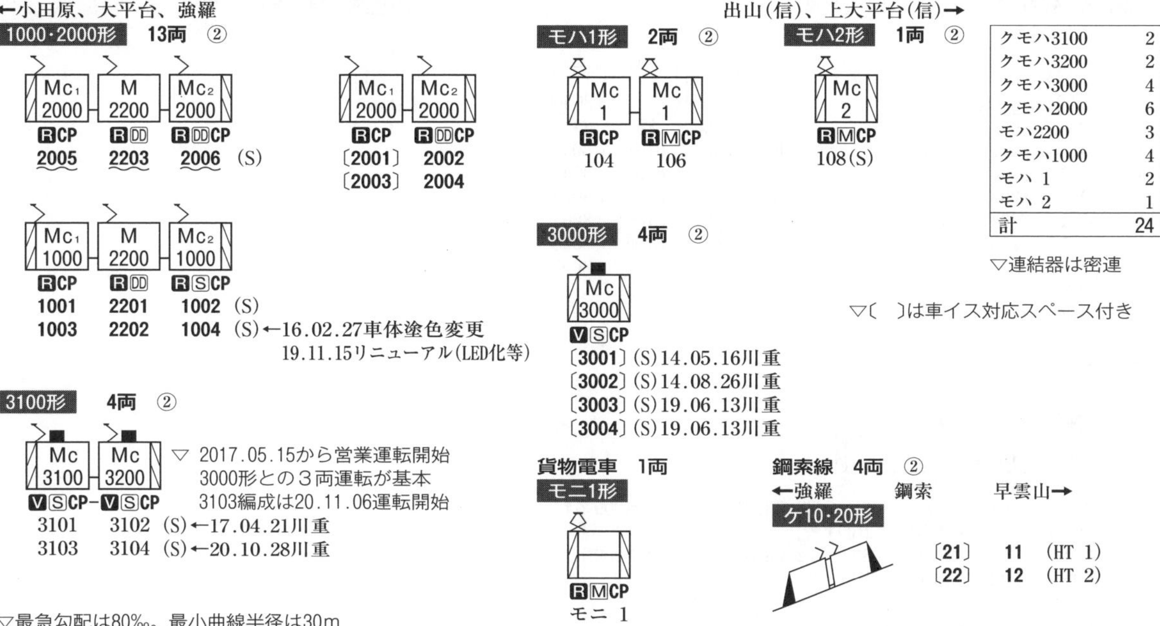

クモハ3100	2
クモハ3200	2
クモハ3000	4
クモハ2000	6
モハ2200	3
クモハ1000	4
モハ 1	2
モハ 2	1
計	24

▽最急勾配は80‰。最小曲線半径は30m

▽鋼索線は車両取替え、機器更新工事のため
2019.12.03 ～ 2020.03.19まで運休。
2020.03.20からケ10形・ケ20形にて運行再開

▽﹏﹏は氷河急行色。17.02.16=前面塗色変更＋前照灯変更
▽太字は冷房車、1000・2000形は連結面の床上に設置
▽(S)はセミクロスシートまたはクロスシート車。そのほかはロングシート車。ボックスシート(ボ)
▽1000形は「ベルニナ号」、2000形は「サン・モリッツ号」。3000·3100·3200形は「アレグラ号」の愛称付き
▽3両編成の時は、小田原寄りの車両のパンタグラフは使用しない
▽1001編成は19.03.19 パンタグラフシングルアーム化
▽2001編成は19.06.28 パンタグラフシングルアーム化、2005編成は18.10.29 パンタグラフシングルアーム化
▽車両再生工事実施　2001編成=22.02.28、2003編成=23.03.27
▽モニ１　22.09.08=特別工事実施、照明器具ＬＥＤ化(前照灯、室内灯等)、ドライブレコーダー取付
▽登山電車の車両は、箱根湯本～強羅間にて運転。小田原～箱根湯本間は小田急の車両が乗入れ
▽途中、出山(信)、大平台、上大平台(信)にて進行方向が変わる
▽おもな駅の標高　小田原＝14m、箱根湯本＝96m、強羅＝541m
▽2019.10.16 台風19号により被災、鉄道線運休。2020.07.20、復旧作業完了に伴い運転再開
▽2022.04.01　箱根ロープウェイと合併。存続会社は箱根登山鉄道

伊豆急行 伊豆高原車両区

74両

形式	両数
モ　ハ2100	14
ク　ハ2150	6
サ　ハ2170	1
サ　ロ2180	2
ク　ハ3000	2
モ　ハ3100	2
モ　ハ3200	2
ク　ハ3050	2
モ　ハ8100	6
モ　ハ8200	8
ク　ハ8000	14
クモハ8150	8
クモハ8250	6
クモハ100	1
計	74

←熱海（ＪＲ東日本）・伊東　　伊豆急下田→

2100系　**23両**（リゾート21）［収納］②（クハ2150・サロ2180は客用扉①）

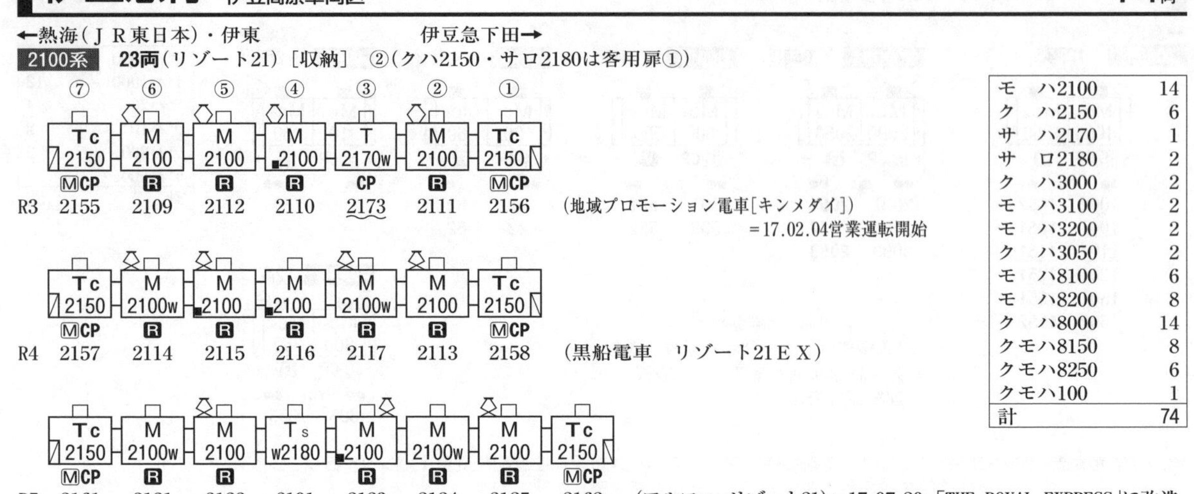

⑦ Tc 2150 ⓂCP / ⑥ M 2100 Ⓡ / ⑤ M 2100 Ⓡ / ④ M 2100 Ⓡ / ③ T 2170w CP / ② M 2100 Ⓡ / ① Tc 2150 ⓂCP

R3　2155　2109　2112　2110　2173　2111　2156　（地域プロモーション電車［キンメダイ］）
=17.02.04営業運転開始

Tc 2150 ⓂCP / M 2100w Ⓡ / M 2100 Ⓡ / M 2100 Ⓡ / M 2100w Ⓡ / M 2100 Ⓡ / Tc 2150 ⓂCP

R4　2157　2114　2115　2116　2117　2113　2158　（黒船電車　リゾート21ＥＸ）

Tc 2150 ⓂCP / M 2100w Ⓡ / M 2100 Ⓡ / Ts w2180 / M 2100 Ⓡ / M 2100w Ⓡ / M 2100 Ⓡ / Tc 2150 ⓂCP

R5　2161　2121　2122　2191　2123　2124　2125　2162　（アルファ・リゾート21）←17.07.20=「THE ROYAL EXPRESS」に改造

⑤ Ts w2180
2182

▽特急「リゾート踊り子」に使用できるのはR4の1本
「THE ROYAL EXPRESS」は、2017.07.21、ＪＲ横浜～伊豆急下田間にて運行開始
▽サロ2180形は「ROYAL BOX」
特急「リゾート踊り子」に使用の場合のみ⑤号車として連結、グリーン車扱いとなる（8両化）
▽サロ2180形の星空天井の絵柄のテーマは以下のとおり
2182＝星空と港町夜景

8000系　**42両**（ステンレス車体）［密連］④

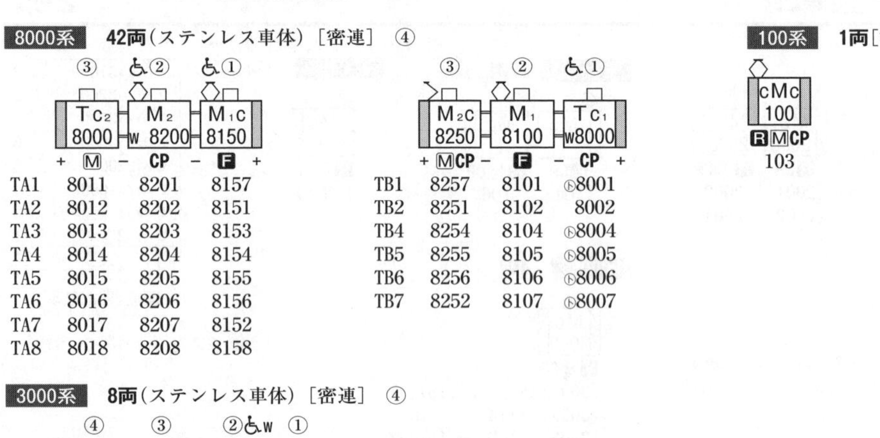

③ Tc2 8000 + Ⓜ − / ♿② M2 w 8200 CP / ♿① M1c 8150 − Ⓕ +

編成	8000	8200	8150
TA1	8011	8201	8157
TA2	8012	8202	8151
TA3	8013	8203	8153
TA4	8014	8204	8154
TA5	8015	8205	8155
TA6	8016	8206	8156
TA7	8017	8207	8152
TA8	8018	8208	8158

③ M2c 8250 + ⓂCP − / ② M1 8100 Ⓕ / ♿① Tc1 w8000 − CP +

編成	8250	8100	8000
TB1	8257	8101	Ⓡ8001
TB2	8251	8102	8002
TB4	8254	8104	Ⓡ8004
TB5	8255	8105	Ⓡ8005
TB6	8256	8106	Ⓡ8006
TB7	8252	8107	Ⓡ8007

100系　**1両**［密連］②

cMc 100 ⓇⓂCP
103

3000系　**8両**（ステンレス車体）［密連］④

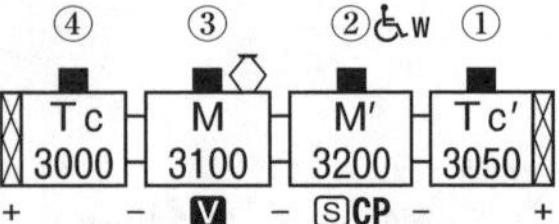

④ Tc 3000 + / ③ M 3100 − Ⓥ / ②♿w M′ 3200 − ⓈCP − / ① Tc′ 3050 +

Y 1　3001　3101　3201　3051　22.03.31［元JR東日本209系］
［Tc2109　M2118　M′2118　Tc′2109］
Y 2　3002　3102　3202　3052　22.03.31［元JR東日本209系］
［Tc2101　M2102　M′2102　Tc′2101］

▽8000系の形式区分は便宜的なもの
▽8000系は元東京急行電鉄8000系、車内は海側がクロスシート、山側がロングシート
▽3000系は元ＪＲ東日本209系。先頭車の座席はセミクロスシート、中間車はロングシート。
愛称は「アロハ電車」。スカート色は3000形が青、3500形は赤
▽ＪＲ伊東線乗入れ列車は8000系６両編成、3000系４両編成とリゾート21
▽編成図 w にトイレ設備設置
▽♿に車椅子スペース設置
▽Ⓡはレール塗油器取付
▽8011·8013·8015·8016·8017·8018はセラジェット（砂撒き装置）付き
▽100系のクモハ103は、2002.04.27にて営業運転を終了したが、
2011.11.02に試運転を実施。2011.11.05からイベント用として営業運転に復帰
2019.07.07　引退記念特別運行開催

▽2013.08.31　伊豆高原運輸区から変更

伊豆箱根鉄道 大場電車工場・大雄山線分工場 54両

大雄山線(大雄山線分工場) 21両

←小田原

5000系 **21両**［密連］ ③

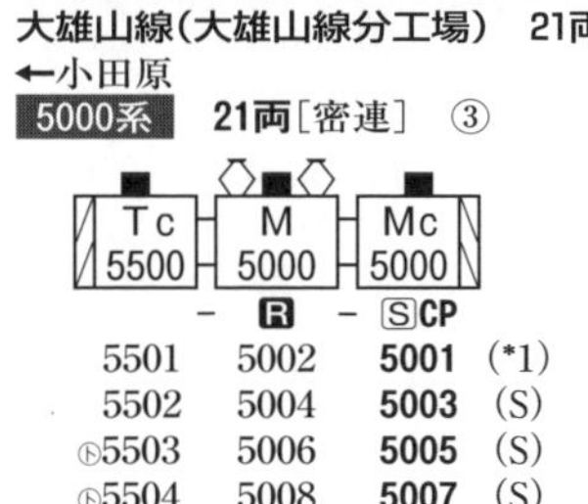

5501 5002 **5001** (*1)
5502 5004 **5003** (S)
Ⓕ5503 5006 **5005** (S)
Ⓕ5504 5008 **5007** (S)
5505 5010 **5009** (S)

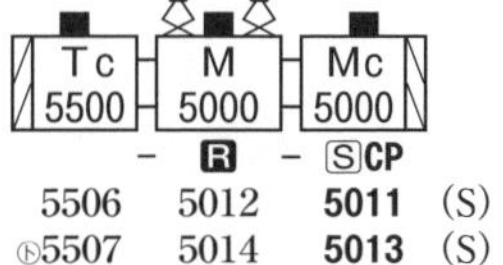

5506 5012 **5011** (S)
Ⓕ5507 5014 **5013** (S)

大雄山→

工事専用車 **1両**［自連］

コデ165形

165（機関車代用）←18.03.15旧国電茶色に変更

大雄山線	
クモハ5000	7
モハ5000	7
クハ5500	7
	21
駿豆線	
モハ7100	2
モハ7300	2
クハ7500	2
クモハ3000	6
モハ3000	6
クハ3500	6
モハ1300	2
モハ1400	2
クハ2200	2
	30
計	51

駿豆線(大場電車工場) 30両

←三島

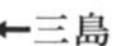 **18両**［密連］ ③

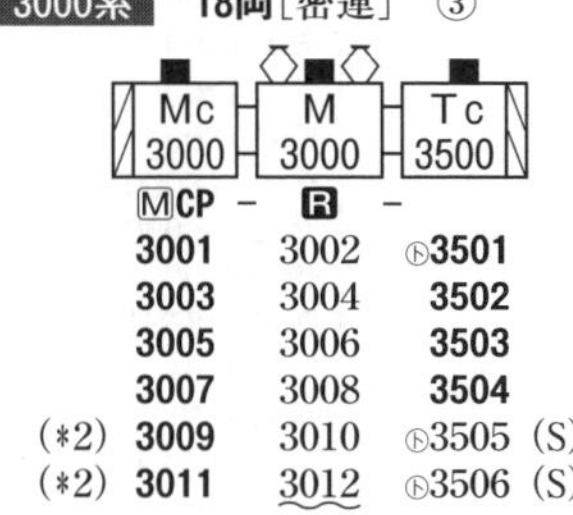

3001 3002 Ⓕ**3501**
3003 3004 **3502**
3005 3006 **3503**
3007 3008 **3504**
(*2) **3009** 3010 Ⓕ3505 (S)
(*2) **3011** 3012 Ⓕ3506 (S)

7000系 **6両**［密連］ ③

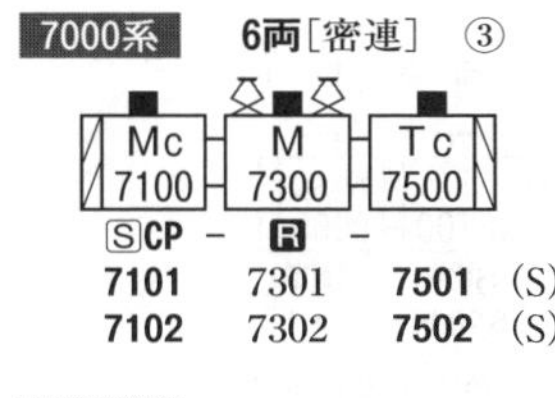

7101 7301 **7501** (S)
7102 7302 **7502** (S)

1300系 **6両**［密連］ ③

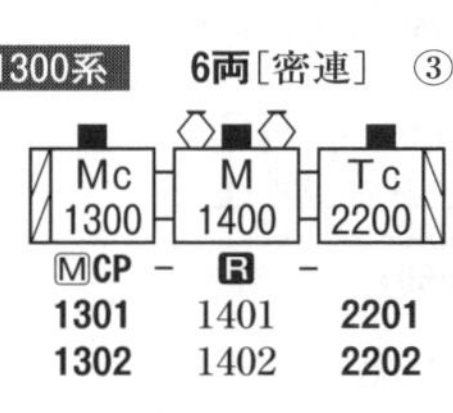

1301 1401 **2201** イエローパラダイストレイン(西武色)=16.12.10 営業運転開始
1302 1402 **2202**

修善寺→

電気機関車 **2両**［自連］

ＥＤ31形

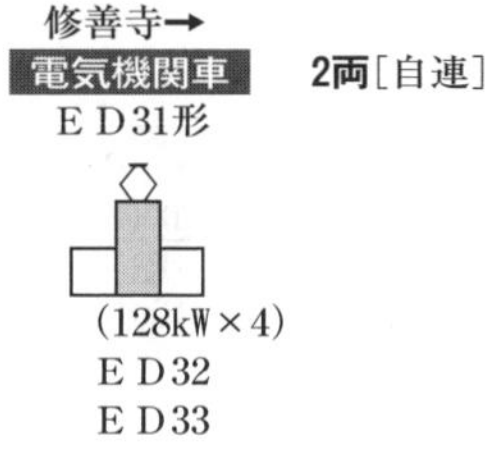

(128kW×4)
ＥＤ32
ＥＤ33

▽駿豆線は2009.04.01からワンマン運転(ＪＲからの直通列車を除く)

(*1) …5001はⓂⓅ。西武赤電色
(*2) …3009･3011はⓈⓅ
▽(S)はステンレス車体
▽3000系はセミクロスシート、7000系は転換クロスシート、1300系、5000系はロングシート
▽Ⓕ印はフランジ塗油器取付車
▽3012のパンタグラフは◇
▽1300系は元西武鉄道101系
▽3001編成 18.06.08=豆相鉄道当時の軌道線の車体色(グリーン、クリーム色)
5007編成 19.03.27=ブルー帯及び前面を黄色に変更(Yellow Shining Train)
5009編成 19.09.17=ミントグリーン(Mint Spectacie Train)色に変更
▽ラッピング車両 3011編成 HAPPY PARTY TRAIN(アニメ ラブライブサンシャイン)=17.04.08 ～運行開始
▼車イス対応スペース…太字の車両に設置

十国峠 2両

十国鋼索線 2両

 ②

←十国峠山麓 鋼索 十国峠山頂→

1 日金
2 十国

▽JR熱海駅から伊豆箱根バス約40分。十国峠登り口下車
▽2021.12.01 伊豆箱根鉄道から分社、独立
▽2022.02.01 富士急行が全株式を伊豆箱根鉄道から購入。富士急行グループ傘下に
▽2022.11.05 ケーブルカー名称を十国峠ケーブルカーから十国峠パノラマケーブルカーと変更。合わせて駅名を十国登り口は十国峠山麓、十国峠は十国峠山頂と変更

岳南電車　岳南鉄道車両区(岳南富士岡)　6両

←吉原　　　　　　　　　　　　　　　　　　　　　　　　岳南江尾→

8000形　2両[小型密着]　③

Tc 8100 ─ Mc 8000
ⓂCP － Ⓕ
8101　**8001**

7000形　2両[小型密着]　③

Mc 7000
ⒻⓈCP
7001
7003

9000形　2両[小型密着]　③

Mc 9100 ─ Mc 9000
ⓂCP － Ⓡ
9101　**9001**

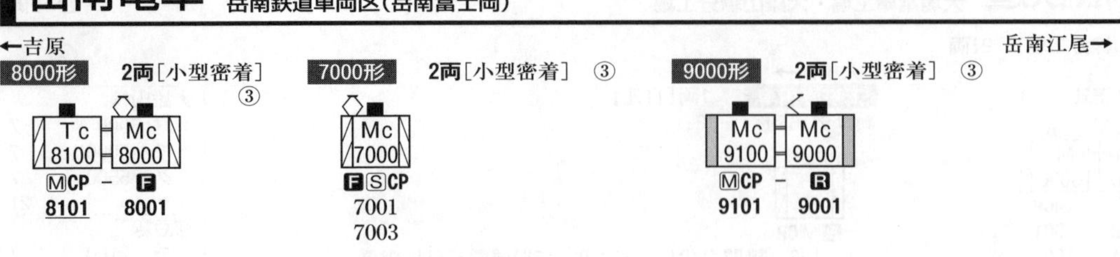

▽2013.04.01から、鉄道事業分社化にともない岳南鉄道から変更
▽2012.03.16限りにて、貨物輸送終了
▽7000形·8000形はワンマンカー、元京王電鉄3000系。7001はブルーグリーンへ車体塗色変更(2016.03.20)
▽通常は7000形によるワンマン運転、7001·7003は連結運転可能
▽9000形は、2018.11.17から運行開始。車内はクロスシートが主体。車体塗色は赤色を基調に白の帯
▽太字は車椅子スペース付き
▽前面(窓回り)の色は7000形＝オレンジ、8000形＝グリーン
▽8000形は2022.11.12　旧5000系をイメージしたカラーに入線20周年を記念して変更

富士山麓電気鉄道　鉄道技術センター(富士山)　32両

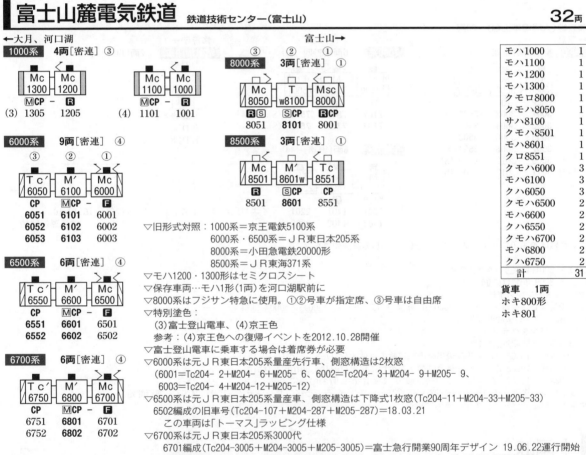

←大月、河口湖　　　　　　　　　　　富士山→

1000系　4両[密連]　③

Mc 1300 ─ Mc 1200
ⓂCP － Ⓡ
(3) 1305　1205

Mc 1100 ─ Mc 1000
ⓂCP － Ⓡ
(4) 1101　1001

8000系　3両[密連]　①

③ Mc 8050 ─ ② T w8100 ─ ① Msc 8000
ⓇⓈ　ⓈCP　ⓇCP
8051　**8101**　8001

8500系　3両[密連]　①

Mc 8501 ─ M′ 8601w ─ Tc 8551
Ⓡ　ⓈCP　CP
8501　**8601**　8551

6000系　9両[密連]　④

③ Tc′ 6050 ─ ② M′ 6100 ─ ① Mc 6000
CP　ⓂCP － Ⓕ
6051　**6101**　6001
6052　**6102**　6002
6053　**6103**　6003

6500系　6両[密連]　④

Tc′ 6550 ─ M′ 6600 ─ Mc 6500
CP　ⓂCP － Ⓕ
6551　**6601**　6501
6552　**6602**　6502

6700系　6両[密連]　④

Tc′ 6750 ─ M′ 6800 ─ Mc 6700
CP　ⓂCP － Ⓕ
6751　**6801**　6701
6752　**6802**　6702

モハ1000	1
モハ1100	1
モハ1200	1
モハ1300	1
クモロ8000	1
クモハ8050	1
サハ8100	1
クモハ8501	1
モハ8601	1
クロ8551	1
クモハ6000	3
モハ6100	3
クハ6050	3
クモハ6500	2
モハ6600	2
クハ6550	2
クモハ6700	2
モハ6800	2
クハ6750	2
計	31

貨車　1両
ホキ800形
ホキ801

▽旧形式対照：1000系＝京王電鉄5100系
　　6000系・6500系＝ＪＲ東日本205系
　　8000系＝小田急電鉄20000形
　　8500系＝ＪＲ東海371系
▽モハ1200・1300形はセミクロスシート
▽保存車両…モハ1形(1両)を河口湖駅前に
▽8000系はフジサン特急に使用。①②号車が指定席、③号車は自由席
▽特別塗色：
　(3)富士登山電車、(4)京王色
　参考：(4)京王色への復帰イベントを2012.10.28開催
▽富士登山電車に乗車する場合は着席券が必要
▽6000系は元ＪＲ東日本205系量産先行車、側窓構造は2枚窓
　(6001=Tc204- 2+M204- 6+M205- 6、6002=Tc204- 3+M204- 9+M205- 9、
　6003=Tc204- 4+M204-12+M205-12)
▽6500系は元ＪＲ東日本205系量産車、側窓構造は下降式1枚窓(Tc204-11+M204-33+M205-33)
　6502編成の旧車号(Tc204-107＋M204-287＋M205-287)＝18.03.21
　この車両は「トーマス」ラッピング仕様
▽6700系は元ＪＲ東日本205系3000代
　6701編成(Tc204-3005＋M204-3005＋M205-3005)＝富士急行開業90周年デザイン 19.06.22運行開始
　6702編成(Tc204-3001＋M204-3001＋M205-3001)＝「ナルト」ラッピング 19.07.26運行開始
▽8000系の冷房装置はＣＵ-45(床中形)。「フジサン特急」に充当
　中間車はＣＵ-702(天井形)、先頭車は運転室にＣＵ-25も装備。営業開始日は2014.07.12
　クモロ8050→クモハ8050、サロ8100→サハ8100に形式変更(16.05.19)
▽8500系は「富士山ビュー特急」に充当
▽wはトイレ
▼車イス対応スペース…太字の車両に設置
▽途中、富士山にて進行方向が変わる

▽河口湖駅前にて、モハ1(富士山麓電気鉄道モハ1)、
　下吉田駅ではスハネフ1420が保存、展示
▽2022(R04).04.01　富士急行 鉄道部門は鉄道事業分社化にともない富士山麓電気鉄道に

アルピコ交通 新村車庫　10両

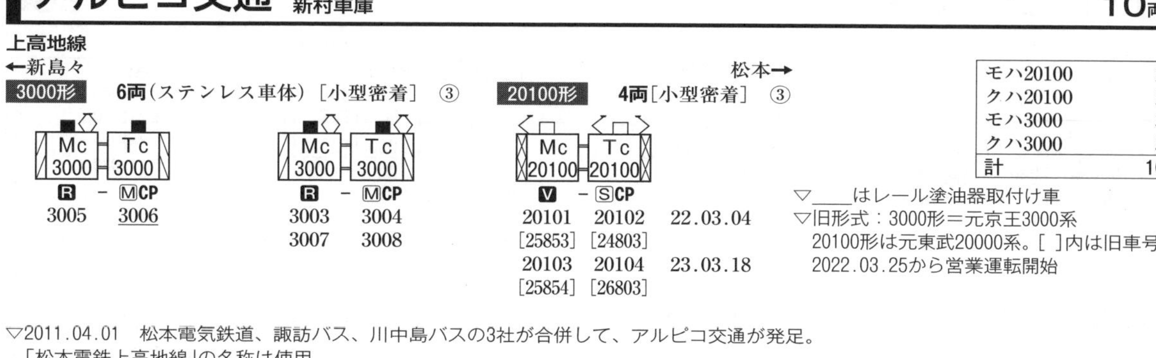

上高地線
←新島々　松本→

3000形　6両（ステンレス車体）［小型密着］ ③

Mc 3000	Tc 3000
R	- MCP
3005	3006
3003	3004
3007	3008

20100形　4両［小型密着］ ③

Mc 20100	Tc 20100	
V	- SCP	
20101 [25853]	20102 [24803]	22.03.04
20103 [25854]	20104 [26803]	23.03.18

モハ20100	2
クハ20100	2
モハ3000	3
クハ3000	3
計	10

▽____はレール塗油器取付け車
▽旧形式：3000形＝元京王3000系
20100形は元東武20000系。［ ］内は旧車号。
2022.03.25から営業運転開始

▽2011.04.01　松本電気鉄道、諏訪バス、川中島バスの3社が合併して、アルピコ交通が発足。
「松本電鉄上高地線」の名称は使用
▽クハ3000形とモハ20100形のパンタグラフは霜取用で、冬期以外は使用しない
▽3005-3006 は上高地線イメージキャラクター「渕東なぎさ」のラッピング（2013.03.20）
▽3003-3004 は10形の復刻ラッピング。21.08.14休車
▽車内ＡＶ装置設置：3003-3004=2015.05.11、3005-3006=2014.03.21

しなの鉄道 運輸区（戸倉駅構内）　56両

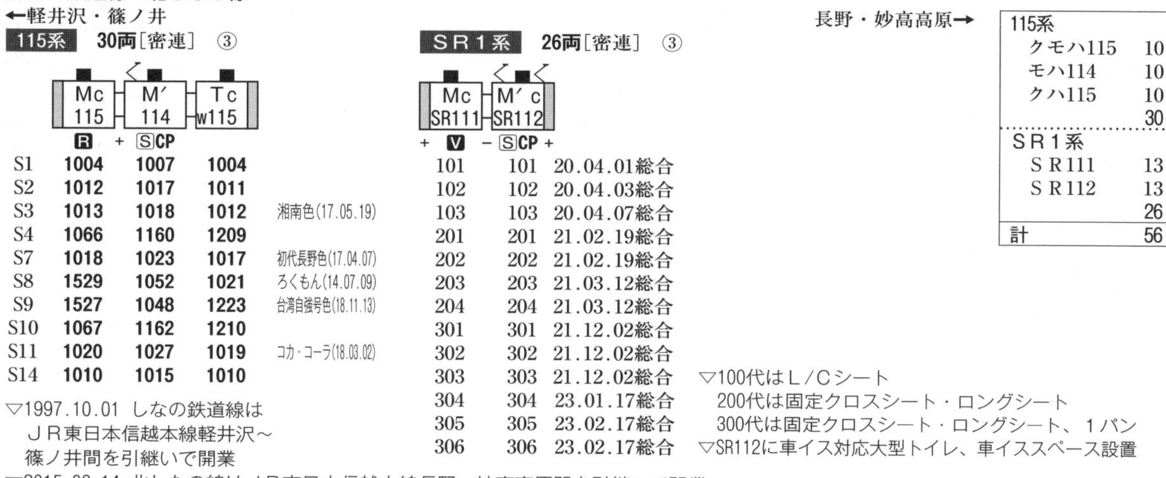

しなの鉄道線・北しなの線
←軽井沢・篠ノ井　長野・妙高高原→

115系　30両［密連］ ③

	Mc 115	M′ 114	Tc w115	
	R	+ SCP		
S1	**1004**	**1007**	**1004**	
S2	**1012**	**1017**	**1011**	
S3	**1013**	**1018**	**1012**	湘南色（17.05.19）
S4	**1066**	**1160**	**1209**	
S7	**1018**	**1023**	**1017**	初代長野色（17.04.07）
S8	**1529**	**1052**	**1021**	ろくもん（14.07.09）
S9	**1527**	**1048**	**1223**	台湾自強号色（18.11.13）
S10	**1067**	**1162**	**1210**	
S11	**1020**	**1027**	**1019**	コカ・コーラ（18.03.02）
S14	**1010**	**1015**	**1010**	

▽1997.10.01 しなの鉄道線は
ＪＲ東日本信越本線軽井沢～
篠ノ井間を引継いで開業

ＳＲ１系　26両［密連］ ③

Mc SR111	M′c SR112	
+ V	- SCP +	
101	101	20.04.01総合
102	102	20.04.03総合
103	103	20.04.07総合
201	201	21.02.19総合
202	202	21.02.19総合
203	203	21.03.12総合
204	204	21.03.12総合
301	301	21.12.02総合
302	302	21.12.02総合
303	303	21.12.02総合
304	304	23.01.17総合
305	305	23.02.17総合
306	306	23.02.17総合

▽100代はＬ/Ｃシート
200代は固定クロスシート・ロングシート
300代は固定クロスシート・ロングシート、１パン
▽SR112に車イス対応大型トイレ、車イススペース設置

115系	
クモハ115	10
モハ114	10
クハ115	10
	30
ＳＲ１系	
ＳＲ111	13
ＳＲ112	13
	26
計	56

▽2015.03.14 北しなの線はＪＲ東日本信越本線長野～妙高高原間を引継いで開業
▽車両の検査（定検・重検など）は長電テクニカルサービス（屋代駅構内）に委託
▽115系はワンマン車　▽太字はリニューアル車。wはトイレ
◇Ｓ８編成は「ろくもん」（2014.07.11から営業運転開始）
▽パンタグラフ　Ｓ８・11編成は〈〉

上田電鉄 下之郷電車区　10両

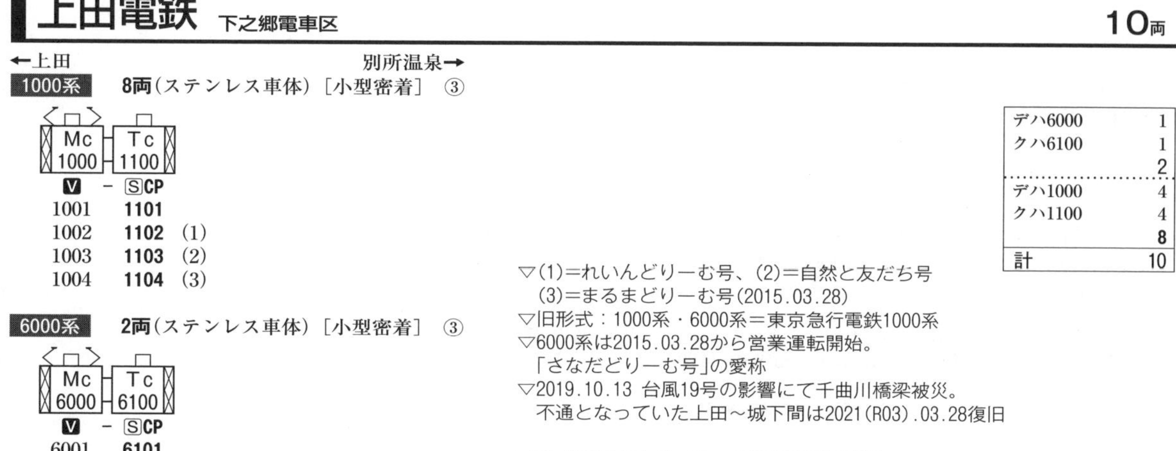

←上田　別所温泉→

1000系　8両（ステンレス車体）［小型密着］ ③

Mc 1000	Tc 1100	
V	- SCP	
1001	**1101**	
1002	**1102**	(1)
1003	**1103**	(2)
1004	**1104**	(3)

6000系　2両（ステンレス車体）［小型密着］ ③

Mc 6000	Tc 6100
V	- SCP
6001	**6101**

デハ6000	1
クハ6100	1
	2
デハ1000	4
クハ1100	4
	8
計	10

▽(1)＝れいんどりーむ号、(2)＝自然と友だち号
(3)＝まるまどりーむ号（2015.03.28）
▽旧形式：1000系・6000系＝東京急行電鉄1000系
▽6000系は2015.03.28から営業運転開始。
「さなだどりーむ号」の愛称
▽2019.10.13 台風19号の影響にて千曲川橋梁被災。
不通となっていた上田～城下間は2021(R03).03.28復旧

▼車イス対応スペース…太字の車両に設置

長野電鉄 須坂車庫 56両

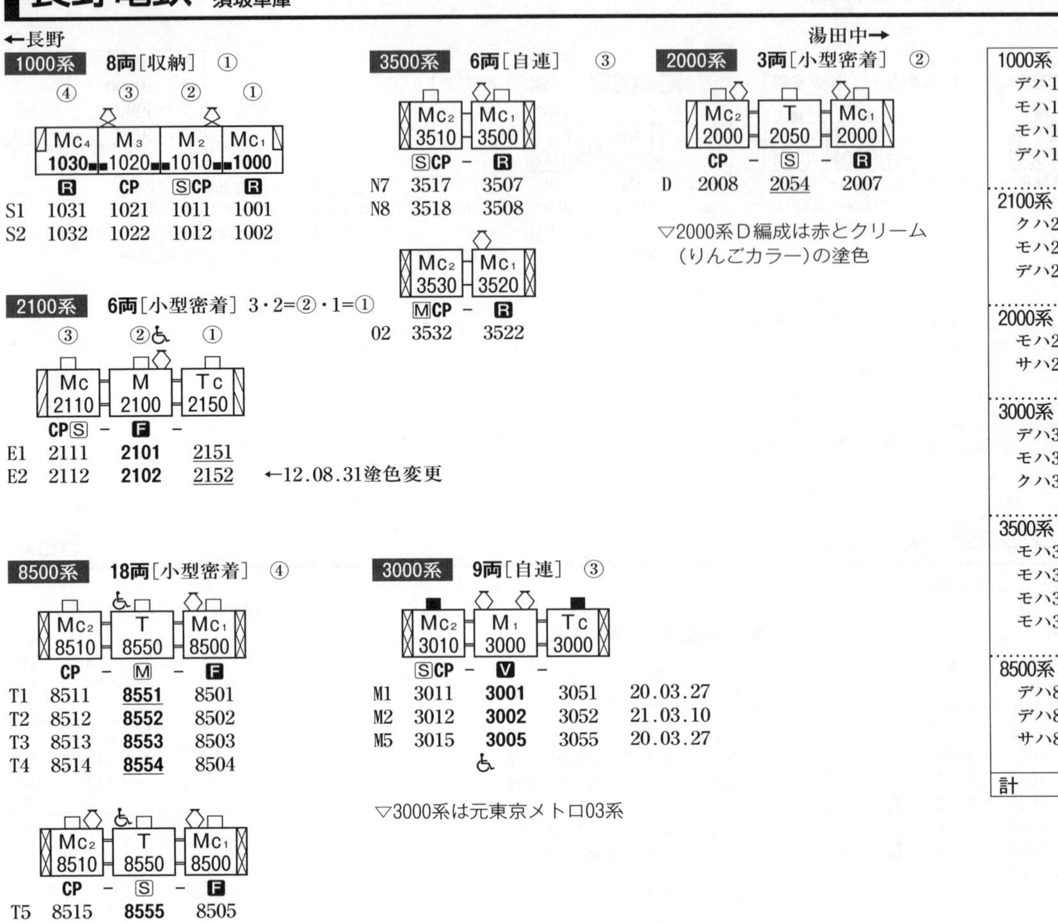

形式	両数
1000系	
デハ1000	2
モハ1010	2
モハ1020	2
デハ1030	2
	8
2100系	
クハ2150	2
モハ2100	2
デハ2110	2
	6
2000系	
モハ2000	2
サハ2050	1
	3
3000系	
デハ3010	5
モハ3000	5
クハ3050	5
	15
3500系	
モハ3500	2
モハ3510	2
モハ3520	1
モハ3530	1
	6
8500系	
デハ8500	6
デハ8510	6
サハ8550	6
	18
計	56

▽3500系・3600系（元東京地下鉄〈旧営団地下鉄〉3000系）はセミステンレス車体、
8500系（元東京急行電鉄8000系）はステンレス車体
3000系は（元東京メトロ03系）はアルミ車体
▽下線はレール塗油器取付
▽太字は車イス対応スペース付き

▽特急以外はワンマン運転
▽特急は1000系（ゆけむり）と2100系（スノーモンキー）を使用
▽1000系（元小田急電鉄10000形）の冷房装置は台枠と床の間に配置
21.03.12=S1編成のみ2人掛け座席1脚を撤去。荷物置場設置
▽2100系は元ＪＲ東日本「成田エクスプレス」用253系

▽3000系は抑速ブレーキ付き。長野～湯田中間にて運転
▽8500系は抑速ブレーキなし。長野～信州中野間にて運転
▽8500系T6編成の前面は非貫通（中間車改造のため）

▽2000系は運用なし。小布施駅構内「ながでん電車の広場」にて展示（2012.07.07から）
▽3500系は運用なし。須坂駅構内に留置中。3518編成は2023.03.19にラストラン

▽屋代線須坂～屋代間は、2012.03.31限りにて運転終了

静岡鉄道 運転運輸営業所(長沼)

26両

←新静岡　　新清水→

1000形 **4両**(ステンレス車体)［小型密着］ ③

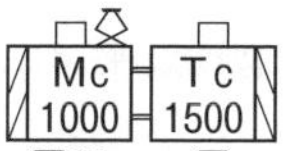

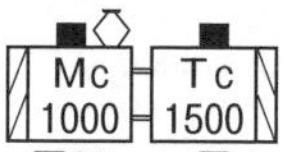 Mc 1000	Tc 1500
RCP	M
1008	1508
(8) 1011	1511

▽＿＿はフランジ塗油器取付車
▽全車にスカート取付

クモハ1000	2
ク　ハ1500	2
	4
Aクモハ3000	11
Aク　ハ3500	11
	22
計	26

A3000形 **22両**(ステンレス車体)［小型密着］ ③

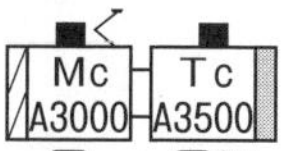 Mc A3000	Tc A3500	
V	SCP	
A3001	**A3501**	16.03.24総合(青色＝富士山)
A3002	**A3502**	17.03.24総合(赤色＝いちご)
A3003	**A3503**	18.03.20総合(緑色=お茶)
A3004	**A3504**	18.03.20総合(黄色=みかん)
A3005	**A3505**	19.03.10総合(濃い青色=駿河湾)
A3006	**A3506**	19.03.10総合
A3007	**A3507**	20.03.07総合(ピンク=桜エビ)
A3008	**A3508**	20.03.07総合(黄緑=山葵)
A3009	**A3509**	21.03.06総合
A3010	**A3510**	21.03.06総合
A3011	**A3511**	23.02.25総合

▽各車両に車イス対応スペース設置。座席はロングシート

▽ラッピング車
1008-1508=「家康公」(23.03.27 ～)
1011-1511=「ちびまる子ちゃん」(16.08.01 ～ 23.03.31)、
「青色ライン」(23.04.01 ～)
A3006-A3506=「東洋冷蔵」、
A3009-A3509=「まるちゃんの静岡音頭」
A3010-A3510=「ベルテック静岡」
「清水エスパルス」「トヨタユナイテッド静岡」

遠州鉄道 西鹿島検修場

32両

←西鹿島　　新浜松→

1000形 **12両**［小型密着］ ③

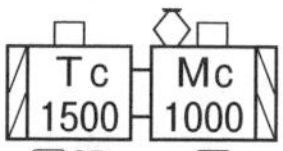

	Tc 1500	Mc 1000
	MCP	R
	1502	1002
	1503	1003
	ⓣ**1504**	1004
	1505	1005
(6)	**1506**	1006
	1507	1007

▽太字の車両は車イス対応スペース付き
▽ⓣはフランジ塗油器取付車
▽ラッピング車
(1)ＪＡとぴあ浜松
(2)浜松市：直虎ちゃん
(3)サーラ(18.10.01)
(4)遠鉄不動産＝19.06.24
(6)遠鉄e-Liner
(7)エヴァンゲリオン(21.11.17)
2001-2101=「浜松市：家康くん」(23.01.20)
▽2106-2006 ＬＣＤ表示器装備
▽2001=VVVF改良型に変更・
2101=SIV(2107と同形式)変更　19.03.16
2002=VVVF改良型に変更　22.03.07
2102=SIV(2107と同形式)変更　22.03.07
▽全車ＬＣＤ表示器装備

2000形 **16両**［小型密着］ ③

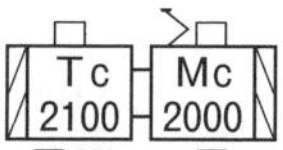

	Tc 2100	Mc 2000	
	SCP	V	
(2)	**2101**	2001	
(4)	ⓣ**2102**	2002	
(1)	**2103**	2003	
(7)	**2104**	2004	
(3)	**2105**	2005	←12.10.24日車
(4)	**2106**	2006	←15.03.04日車
	2107	2007	←18.02.16日車
	ⓣ**2108**	2008	←21.02.26日車

モハ2000	8
クハ2100	8
モハ1000	6
クハ1500	6
計	28

電気機関車 **1両**［自連］
ＥＤ28形 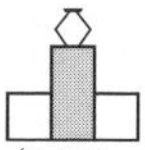
(74kW×4)
ＥＤ282

貨車 **3両**［自連］
ホキ800形　ホキ801 ～ 803

明知鉄道 明智運転区(明智駅構内)

6両

←恵那　　明智→

アケチ10形 **4両**［小型密着］ ②

ロングシート
10
11　17.05.26=ロングシート化
13
14

アケチ 100形 **2両**［小型密着］ ②

ロングシート
101　17.03.31新潟トランシス
102　18.03.26新潟トランシス

▽1985.11.16 国鉄明知線を引継ぎ開業

▽アケチ10形は第三セクター向け標準設計化車両。
エンジンの出力を従来の230psから295psにアップ、
車体は一般の鉄道車両と同じ構造とした
▽明智駅構内にて、2015.08.09にＣ12224構内運行
ＳＬ復活に向けた第１ステップ(圧縮空気利用)

大井川鐵道　新金谷車両区・両国車両区　97両

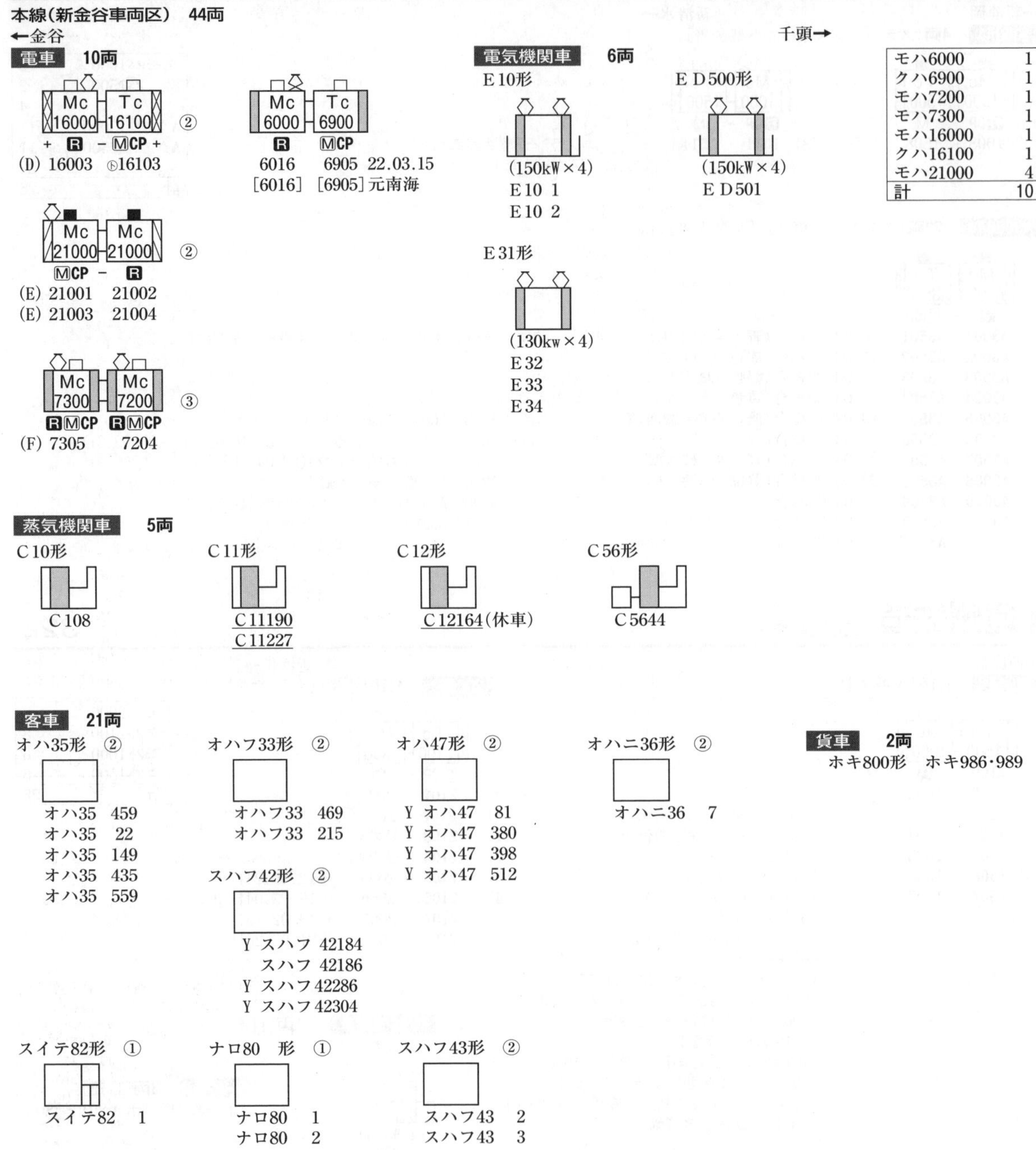

▽連結器　16000系は密連、7200･7300形は小型密着。それ以外の電車・機関車・客車・貨車は自連
▽Ⓡはレール塗油器取付け車。16103は2015年度施工
▽「かわね路」号はＳＬと客車3～7両で運転
▽客車の塗装は、Y＝黄色(トーマス用)、表示なしは茶色
▽Ｃ12164とスハフ43･オハニ36形は日本ナショナルトラスト所有
▽Ｃ5644は国鉄仕様に復元、2011.01.29から営業運転
▽電車の旧所有者と形式
　(D)＝近畿日本鉄道16000系
　(E)＝南海電気鉄道21000系(高野線用ズームカー)
　(F)＝旧十和田観光電鉄7200系(元東京急行電鉄7200系)。2015.02.23から営業運転開始
▽Ｅ31形は旧西武鉄道Ｅ31形

井川線(両国車両区)　53両［小型自連］

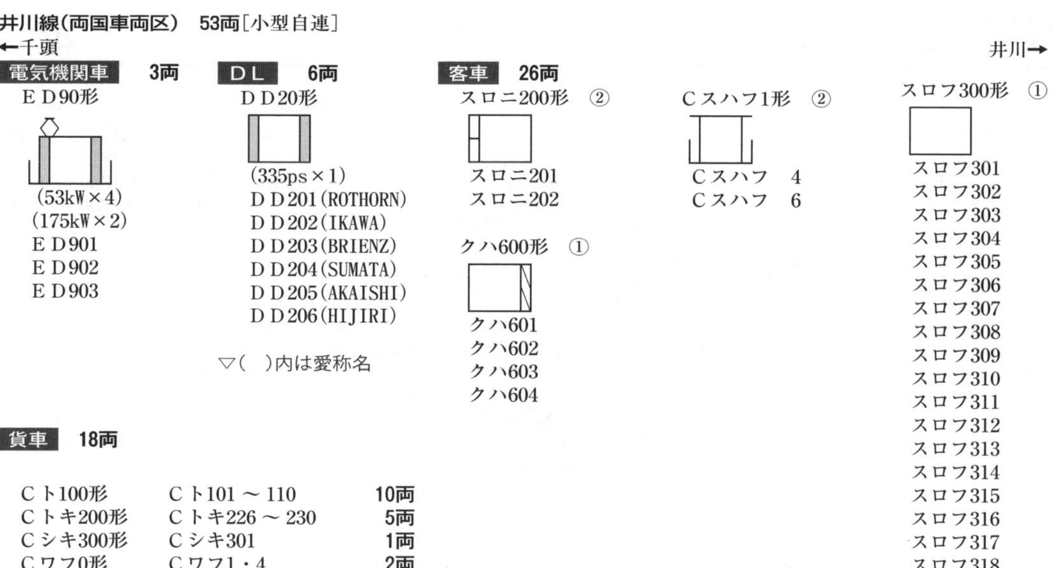

貨車　18両

Ｃト100形	Ｃト101～110	**10両**
Ｃトキ200形	Ｃトキ226～230	**5両**
Ｃシキ300形	Ｃシキ301	**1両**
Ｃワフ0形	Ｃワフ1・4	**2両**

▽ワフ1･4は本線車両とも連結可能なように連結器を上下に2基取付けている
▽井川線は上下列車ともＥＬ・ＤＬを千頭寄りに連結
▽クハ600形はＥＬ・ＤＬを総括制御できる
▽スロフ316は半室オープン構造。
スロフ317はスハフ502から改造(2011.08.12公開、2011.08.28運用開始)
スロフ318はスハフ501から改造(22.03.22:座席はクロスシート、側窓はバス窓を下降式窓に)
▽ＥＤ90形の175kW×2はラック用モーターの出力を示す

天竜浜名湖鉄道　天竜車両区(天竜二俣駅構内)　15両

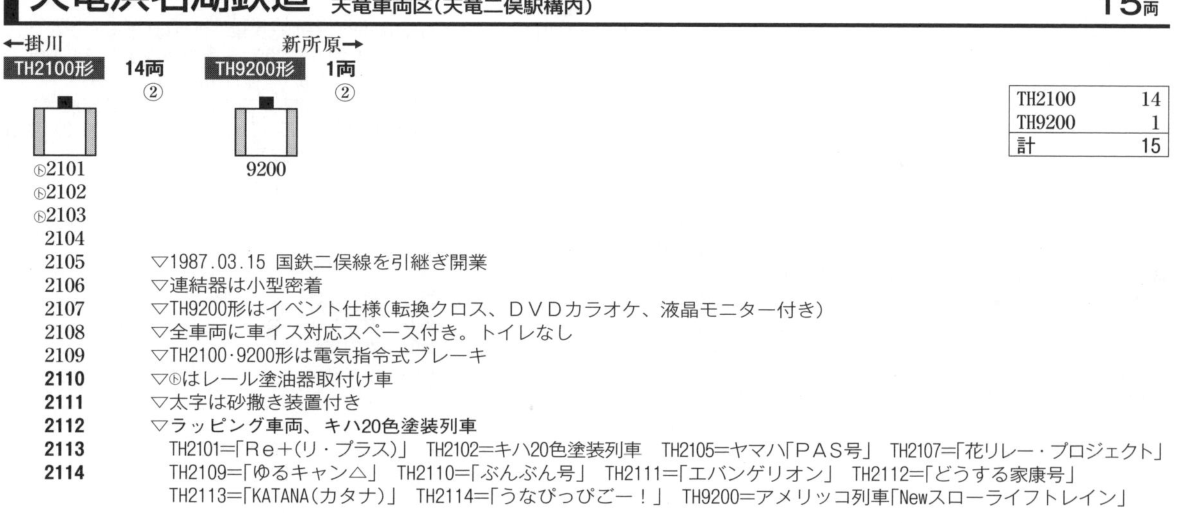

TH2100	14
TH9200	1
計	15

▽1987.03.15 国鉄二俣線を引継ぎ開業
▽連結器は小型密着
▽TH9200形はイベント仕様(転換クロス、ＤＶＤカラオケ、液晶モニター付き)
▽全車両に車イス対応スペース付き。トイレなし
▽TH2100･9200形は電気指令式ブレーキ
▽Ⓟはレール塗油器取付け車
▽**太字は砂撒き装置付き**
▽**ラッピング車両、キハ20色塗装列車**
TH2101=「Ｒｅ＋(リ・プラス)」 TH2102=キハ20色塗装列車 TH2105=ヤマハ「ＰＡＳ号」 TH2107=「花リレー・プロジェクト」
TH2109=「ゆるキャン△」 TH2110=「ぶんぶん号」 TH2111=「エバンゲリオン」 TH2112=「どうする家康号」
TH2113=「KATANA(カタナ)」 TH2114=「うなぴっぴごー！」 TH9200=アメリッコ列車「Newスローライフトレイン」

▽天竜二俣駅構内にて、Ｃ58389、キハ20443、ナハネ20347を保存、展示しているほか、
日時を決めて、転車台・鉄道歴史館見学ツアーを開催(詳細はホームページにて確認)

豊橋鉄道 高師車両区・赤岩口車両区　46両

渥美線(高師車両区)　30両

←三河田原　　　　新豊橋→

モ1800	10
モ1810	4
モ1850	6
ク2800	10
計	30

1800系　30両［小型密着］　③

H	1801	1811	2801	22.03.22＝LED化
H	1802	1812	2802	22.12.17＝LED化
H	1803	1813	2803	
T	1810	1860	2810	

Mc 1800　弱M 1850　Tc 2800
FMCP- FMCP- S

H	1804	1854	2804	
H	1805	1855	2805	22.02.28＝LED化
H	1806	1856	2806	21.11.26＝LED化
T	1807	1857	2807	
T	1809	1859	2809	22.08.08＝LED化

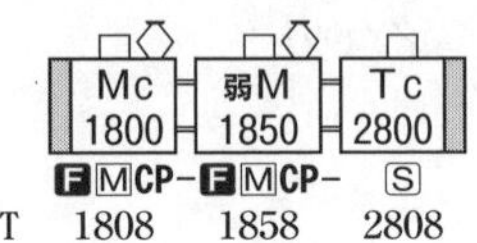

T	1808	1858	2808

▽中間車は全車、弱冷房車

▽1800系は元東京急行電鉄7200系、Hは日立製作所、Tは東洋電機製造の電機品
▽2013.01.12から、「渥美線カラフルトレイン」を順次運行開始。
1801編成＝ばら　1802編成＝はまぼう　1803編成＝つつじ　1804編成＝ひまわり　1805編成＝菖蒲
1806編成＝しでこぶし　1807編成＝菜の花　1808編成＝椿　1809編成＝桜　1810編成＝菊
▽1800系　全編成に車イススペースあり。LED化改造に合わせ床材更新

東田本線(赤岩口車両区)　16両

←赤岩口・運動公園前　　　　駅前→

モ780形　7両　②　　**モ800形**　3両　②

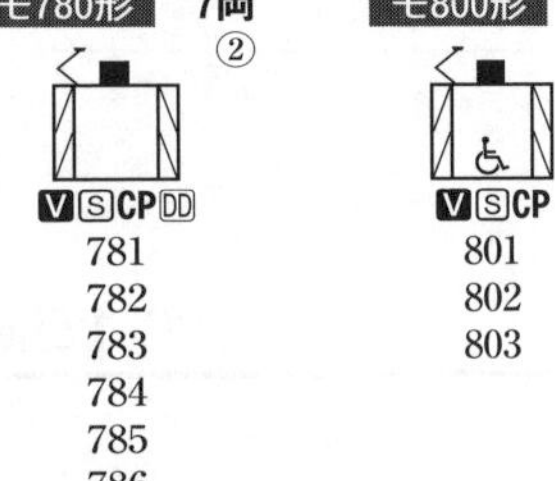

モ780形	モ800形
781	801
782	802
783	803
784	
785	
786	
787	

モ3500形　4両　②

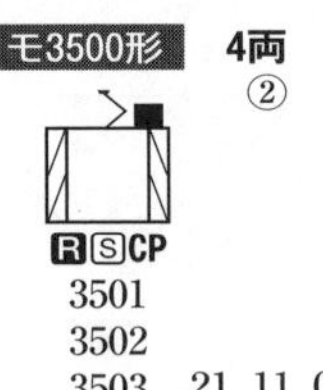

3501
3502
3503　21.11.04＝LED化
3504　21.12.14＝LED化

モ3200形　1両　②　　**T1000形**　1両　②

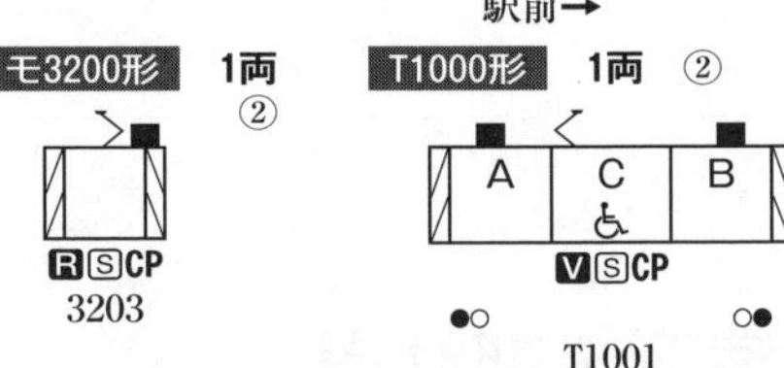

3203

●○　○●
T1001

▽モT1000形は全面低床車、愛称は「ほっトラム」
▽モ3203はクリーム色に赤帯の豊鉄オリジナル色
▽モ801＝18.04.02(半径11m曲線対応改造)
駅前～赤岩口間限定運用から、運動公園前への入線が可能に。802＝19.10.31、803＝20.03.24 増備
▽モ800形は部分低床車

▽旧形式対照
モ780形＝名古屋鉄道モ780形　　モ3200形＝名古屋鉄道モ580形
モ800形＝名古屋鉄道モ800形　　モ3500形＝東京都電7000形

●全面広告車スポンサー一覧(2023.04.01現在)

781	豊橋信用金庫	786	日の丸薬局	3501	サーラCo.
782	カスタムハウジングCo.	787	メガワールド	3502	ヤマサちくわ
783	クックマート	801	ブラックサンダー	3503	吉田商会
784	シンフォニアテクノロジー	802	有楽製菓	3504	県民共済
785	愛知ダイハツ	803	豊橋けいりん		

愛知環状鉄道 北野桝塚運転区

40両

←高蔵寺　　岡崎→

2000系 **40両**（ステンレス車体）［密連］ ③

	Tc 2200	Mc 2100
	CP	VS
G1	**2201**	2101
G2	**2202**	2102
G3	**2203**	2103
G4	**2204**	2104
G5	**2205**	2105
G6	**2206**	2106
G7	**2207**	2107
G12	**2212**	2112
G13	**2213**	2113
G14	p**2214**	2114p
G15	**2215**	2115
G31	**2231**	2131
G32	**2232**	2132
G33	**2233**	2133
G8	**2208**	2108
G9	**2209**	2109
G10	**2210**	2110
G11	**2211**	2111
G51	p**2251**	2151p
G52	p**2252**	2152p

2100	20
2200	20
計	40

▽1988.01.31　ＪＲ東海岡多線を引継ぎ開業
▽太字は車イス対応スペースと車イス対応トイレを設置
▽30番代車両のイベント仕様装備は撤去された
▽2個パン車の先頭寄りは冬期(12月1日～3月31日)のみ使用する
▽G12・32編成は2個パン準備工事車
▽G51・52編成はロングシート
▽下線を付けた車両は、帯色を緑から青に変更
▽　p　を付けた車両はATS-PT搭載車
▽ラッピングトレイン(フルラッピング)
　G6＝瀬戸信用金庫80周年
　G8＝大河ドラマ「どうする家康」
　G11＝ジブリパーク

愛知高速交通 車庫(陶磁資料館南付近)

27両

←藤が丘　　八草→

100形 **27両**（アルミ車体）［密連］ ②

	Mc_1 101	M 102	Mc_2 103
	VS	VCP	VS
01	**111**	112	**113**
02	**121**	122	**123**
03	**131**	132	**133**
04	**141**	142	**143**
05	**151**	152	**153**
06	**161**	162	**163**
07	**171**	172	**173**
08	**181**	182	**183**
09	**191**	192	**193**

100形	
101	9
102	9
103	9
計	27

▽2005.03.06開業
▽常電導吸引型磁気浮上・リニアインダクションモーター推進方式、
　ＡＴＯによる自動運転、愛称は「Ｌinimo(リニモ)」
▽太字の車両は車イス対応スペース付き
▽「愛・地球博記念公園(モリコロパーク)」内にジブリパーク、2022.11.01開園。
　開園を踏まえて、09編成が2022.10.13、運行復活。
　07編成は、2022.10.15、ジブリパーク ラッピング

名古屋臨海高速鉄道 潮凪車庫(野跡付近) 32両

←金城ふ頭　　　　　　　　名古屋→

1000形 **32両**(ステンレス車体)［自連］③

Tc1 1100	M1 1200	M2 1300	Tc2 1600
CP	VS	V	CP
1101	1201	1301	**1601**
1102	1202	1302	**1602**
1103	1203	1303	**1603**
1104	1204	1304	**1604**
1105	1205	1305	**1605**
1106	1206	1306	**1606**
1107	1207	1307	**1607**
1108	1208	1308	**1608**

1108F 17.03.26(ラッピング)

1000形	
1100	8
1200	8
1300	8
1600	8
計	32

▽2004.10.06開業
▽路線の名称は「あおなみ線」
▽車内自動放送多言語化(タブレット端末による)
1101F=21.03.12　1102F=21.03.05　1103F=21.03.08　1104F=21.03.06
1105F=21.03.12　1106F=21.02.19　1107F=21.03.07　1108F=21.03.05
▽ＴＡＳＣ装置更新
1101F=21.02.25　1102F=20.12.10　1103F=20.02.25　1104F=21.11.05
1105F=22.02.28　1106F=19.03.19　1107F=22.10.12　1108F=23.02.22
▽車内案内表示器更新(ＬＣＤ化)、優先座席吊皮変更
1101F=23.03.31　1102F=23.03.28　1103F=23.03.10　1104F=23.03.20
1105F=23.03.07　1106F=23.03.24　1107F=23.03.02　1108F=23.03.15

東海交通事業 勝川検修庫 2両

←勝川　　　　　　　枇杷島→

キハ11形 **2両**［小型密着］②

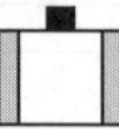

11-301 ←15.09.11(元ＪＲ東海)
11-302 ←16.03.11(元ＪＲ東海)　16.06.15車体色を変更運行開始(窓回り朱色)

▽車イス対応スペース……太字の車両に設置

名古屋市交通局 藤が丘工場・名港工場・大幸車庫・日進工場・徳重車庫 782両

東山線［1号線］（藤が丘工場） 288両

←藤が丘　　高畑→

5050形 162両（ステンレス車体）［小型密着］ ③

	Tc1 5150	M2 5250	M1 5350	M1′ 5450	M2′ 5550	Tc2 5650
	S	CP	V	V	CP	S
更新	**5151**	5251	5351	5451	5551	**5651**
更新	**5152**	5252	5352	5452	5552	**5652**
更新	**5153**	5253	5353	5453	5553	**5653**
更新	**5154**	5254	5354	5454	5554	**5654**
更新	**5155**	5255	5355	5455	5555	**5655**
更新	**5156**	5256	5356	5456	5556	**5656**
更新	**5157**	5257	5357	5457	5557	**5657**
更新	**5158**	5258	5358	5458	5558	**5658**
	5159	5259	5359	5459	5559	**5659**
	5160	5260	5360	5460	5560	**5660**
	5161	5261	5361	5461	5561	**5661**
	5162	5262	5362	5462	5562	**5662**
	5163	5263	5363	5463	5563	**5663**
	5164	5264	5364	5464	5564	**5664**
	5165	5265	5365	5465	5565	**5665**
	5166	5266	5366	5466	5566	**5666**
	5167	5267	5367	5467	5567	**5667**
	5168	5268	5368	5468	5568	**5668**
	5169	5269	5369	5469	5569	**5669**
	5170	5270	5370	5470	5570	**5670**
	5171	5271	5371	5471	5571	**5671**
	5172	5272	5372	5472	5572	**5672**
	5173	5273	5373	5473	5573	**5673**
	5174	5274	5374	5474	5574	**5674**
	5175	5275	5375	5475	5575	**5675**
	5176	5276	5376	5476	5576	**5676**
	5177	5277	5377	5477	5577	**5677**

▽5151編成 17.03.06更新修繕
5152編成 19.02.27更新修繕
5153編成 18.02.27更新修繕
5154編成 20.02.03更新修繕
5155編成 22.01.28更新修繕
5156編成 21.02.03更新修繕
5157編成 21.09.29更新修繕
5158編成 21.11.25更新修繕

N1000形 126両（ステンレス車体）［小型密着］ ③

Tc1 N1100	M1 N1200	M2 N1300	M2′ N1400	M1′ N1500	Tc2 N1600	
S	V	CP	CP	V	S	
N1101	**N1201**	**N1301**	**N1401**	**N1501**	**N1601**	
N1102	**N1202**	**N1302**	**N1402**	**N1502**	**N1602**	
N1103	**N1203**	**N1303**	**N1403**	**N1503**	**N1603**	
N1104	**N1204**	**N1304**	**N1404**	**N1504**	**N1604**	
N1105	**N1205**	**N1305**	**N1405**	**N1505**	**N1605**	12.07.23日車
N1106	**N1206**	**N1306**	**N1406**	**N1506**	**N1606**	12.08.03日車
N1107	**N1207**	**N1307**	**N1407**	**N1507**	**N1607**	12.08.21日車
N1108	**N1208**	**N1308**	**N1408**	**N1508**	**N1608**	12.09.07日車
N1109	**N1209**	**N1309**	**N1409**	**N1509**	**N1609**	12.11.26日車
N1110	**N1210**	**N1310**	**N1410**	**N1510**	**N1610**	12.12.12日車
N1111	**N1211**	**N1311**	**N1411**	**N1511**	**N1611**	13.05.22日車
N1112	**N1212**	**N1312**	**N1412**	**N1512**	**N1612**	13.06.18日車
N1113	**N1213**	**N1313**	**N1413**	**N1513**	**N1613**	13.07.04日車
N1114	**N1214**	**N1314**	**N1414**	**N1514**	**N1614**	13.10.07日車
N1115	**N1215**	**N1315**	**N1415**	**N1515**	**N1615**	13.10.29日車
N1116	**N1216**	**N1316**	**N1416**	**N1516**	**N1616**	14.06.26日車
N1117	**N1217**	**N1317**	**N1417**	**N1517**	**N1617**	14.07.17日車
N1118	**N1218**	**N1318**	**N1418**	**N1518**	**N1618**	14.07.29日車
N1119	**N1219**	**N1319**	**N1419**	**N1519**	**N1619**	15.02.17日車
N1120	**N1220**	**N1320**	**N1420**	**N1520**	**N1620**	15.03.04日車
N1121	**N1221**	**N1321**	**N1421**	**N1521**	**N1621**	15.04.23日車

▼優先席……全車両に設置
▼車イス対応スペース……太字の車両に設置

▽全般検査および重要部検査は各工場で実施

名城線［2・4号線］（名港工場・大幸車庫） 216両

←名古屋港　　　　　　　　　　　　大曽根→

2000形 **216両**（ステンレス車体）［小型密着］ ③

	Tc1	M1	M2	M2′	M1′	Tc2
	2100	2200	2300	2400	2500	2600
	S	V	CP	CP	V	S
更新	2101	2201	2301	2401	2501	2601
更新	2102	2202	2302	2402	2502	2602
更新	2103	2203	2303	2403	2503	2603
更新	2104	2204	2304	2404	2504	2604
更新	2105	2205	2305	2405	2505	2605
更新	2106	2206	2306	2406	2506	2606
更新	2107	2207	2307	2407	2507	2607
更新	2108	2208	2308	2408	2508	2608
更新	2109	2209	2309	2409	2509	2609
更新	**2110**	2210	2310	2410	2510	**2610**
更新	**2111**	2211	2311	2411	2511	**2611**
更新	**2112**	2212	2312	2412	2512	**2612**
更新	**2113**	2213	2313	2413	2513	**2613**
更新	**2114**	2214	2314	2414	2514	**2614**
更新	**2115**	2215	2315	2415	2515	**2615**
更新	**2116**	2216	2316	2416	2516	**2616**
更新	**2117**	2217	2317	2417	2517	**2617**
更新	**2118**	2218	2318	2418	2518	**2618**
更新	**2119**	2219	2319	2419	2519	**2619**
更新	**2120**	2220	2320	2420	2520	**2620**
更新	**2121**	2221	2321	2421	2521	**2621**
更新	**2122**	2222	2322	2422	2522	**2622**
	2123	2223	2323	2423	2523	**2623**
更新	**2124**	2224	2324	2424	2524	**2624**
更新	**2125**	2225	2325	2425	2525	**2625**
更新	**2126**	2226	2326	2426	2526	**2626**
更新	**2127**	2227	2327	2427	2527	**2627**
	2128	2228	2328	2428	2528	**2628**
	2129	2229	2329	2429	2529	**2629**
	2130	2230	2330	2430	2530	**2630**
	2131	2231	2331	2431	2531	**2631**
	2132	2232	2332	2432	2532	**2632**
	2133	2233	2333	2433	2533	**2633**
	2134	2234	2334	2434	2534	**2634**
	2135	2235	2335	2435	2535	**2635**
	2136	2236	2336	2436	2536	**2636**

▽名城線は環状運転、金山～名古屋港間は名港線
▽2016.07.04から女性専用車(平日始発から9:30)
▽車両の向きは栄での状態を示す
▽更新修繕

2101F=15.11.13、2102F=14.03.12、2103F=13.02.26、2104F=16.06.10、2105F=14.11.10、2106F=17.04.06、2107F=17.06.26、2108F=18.10.22、2109F=18.11.29、2110F=20.06.25、2111F=17.05.18、2112F=19.12.02、2113F=18.06.22、2114F=18.08.02、2115F=18.09.10、2116F=20.04:06、2117F=17.01.19、2118F=17.08.03、2119F=20.02.26、2120F=16.12.05、2121F=20.05.19、2122F=19.08.01、2124F=16.08.18、2125F=16.10.24、2126F=19.04.04、2127F=19.06.25

▽ホーム柵改造

2101F=17.10.23、2102F=17.12.01、2103F=19.10.23、2104F=18.05.16、2105F=17.02.27、2106F=17.04.06、2107F=17.06.26、2108F=18.10.22、2109F=18.11.29、2110F=20.06.25、2111F=17.05.18、2112F=19.12.02 2113F=18.06.22、2114F=18.08.02、2115F=18.09.10、2116F=20.04.06、2117F=17.01.19、2118F=17.08.03、2119F=20.02.26、2120F=16.12.05、2121F=20.05.19、2122F=19.08.01、2123F=18.02.23、2124F=16.08.18、2125F=16.10.24、2126F=19.04.04、2127F=19.06.25 2128F=18.01.16、2129F=20.01.26、2130F=18.04.04、2131F=19.01.16、2132F=20.08.06、2133F=19.05.20、2134F=19.09.10、2135F=17.09.12、2136F=19.02.25

鶴舞線［3号線］（日進工場） 150両

←赤池(名鉄豊田線)　　　　　　上小田井(名鉄犬山線)→

3050形 **54両**（ステンレス車体）［小型密着］ ④

Mc1	T1	M′	T2	M	Tc	
3150	3250	3350	3450	3750	3850	
VCP	S	V		VCP	S	
3151	3251	3351	3451	3751	**3851**	
3152	3252	3352	3452	3752	**3852**	20.07.27更新修繕
3153	3253	3353	3453	3753	**3853**	20.02.10更新修繕
3154	3254	3354	3454	3754	**3854**	
3155	3255	3355	3455	3755	**3855**	21.01.06更新修繕
3156	3256	3356	3456	3756	**3856**	20.10.02更新修繕
3157	3257	3357	3457	3757	**3857**	
3158	3258	3358	3458	3758	**3858**	
3160	3260	3360	3460	3760	**3860**	

N3000形 **96両**（アルミ車体［Aℓ］・ステンレス車体［SUS］）［小型密着］ ④

	Tc1	M1	M2	T1	M3	Tc2	
	N3100	N3200	N3300	N3400	N3700	N3800	
	S	VCP	V		VCP	S	
Aℓ	**N3101**	**N3201**	**N3301**	**N3401**	**N3701**	**N3801**	11.10.27日立
SUS	**N3102**	**N3202**	**N3302**	**N3402**	**N3702**	**N3802**	12.05.31日車
SUS	**N3103**	**N3203**	**N3303**	**N3403**	**N3703**	**N3803**	12.07.31日車
SUS	**N3104**	**N3204**	**N3304**	**N3404**	**N3704**	**N3804**	14.05.30日車
SUS	**N3105**	**N3205**	**N3305**	**N3405**	**N3705**	**N3805**	15.05.29日車
SUS	**N3106**	**N3206**	**N3306**	**N3406**	**N3706**	**N3806**	16.06.10日車
SUS	**N3107**	**N3207**	**N3307**	**N3407**	**N3707**	**N3807**	16.06.24日車
SUS	**N3108**	**N3208**	**N3308**	**N3408**	**N3708**	**N3808**	17.07.31日車
SUS	**N3109**	**N3209**	**N3309**	**N3409**	**N3709**	**N3809**	17.09.07日車
SUS	**N3110**	**N3210**	**N3310**	**N3410**	**N3710**	**N3810**	19.08.02日車
SUS	**N3111**	**N3211**	**N3311**	**N3411**	**N3711**	**N3811**	19.09.26日車
SUS	**N3112**	**N3212**	**N3312**	**N3412**	**N3712**	**N3812**	20.12.11日車
SUS	**N3113**	**N3213**	**N3313**	**N3413**	**N3713**	**N3813**	21.04.16日車
SUS	**N3114**	**N3214**	**N3314**	**N3414**	**N3714**	**N3814**	22.02.14日車
SUS	**N3115**	**N3215**	**N3315**	**N3415**	**N3715**	**N3815**	22.03.17日車
SUS	**N3116**	**N3216**	**N3316**	**N3416**	**N3716**	**N3816**	23.02.13日車

▽鶴舞線は名鉄豊田線・犬山線と乗入れ

▼優先席……全車両に設置
▼車イス対応スペース……太字の車両に設置

桜通線[6号線]（徳重車庫・日進工場） 120両

←徳重　　　　　　　　　　　　中村区役所→

6000形　**100両**（ステンレス車体）［小型密着］ ④

Mc 6100	T1 6200	M′ 6300	M 6700	Tc 6800	更新修繕
VCP	S	V	VCP	S	
6101	6201	6301	6701	6801	15.12.28
6102	6202	6302	6702	6802	18.03.15
6103	6203	6303	6703	6803	20.03.03
6104	6204	6304	6704	6804	12.03.30
6105	6205	6305	6705	6805	17.05.09
6106	6206	6306	6706	6806	18.07.20
6107	6207	6307	6707	6807	18.11.16
6108	6208	6308	6708	6808	16.12.21
6109	6209	6309	6709	6809	18.10.15
6110	6210	6310	6710	6810	17.03.06
6111	6211	6311	6711	6811	13.11.06
6112	6212	6312	6712	6812	14.12.17
6113	6213	6313	6713	6813	13.03.04
6114	6214	6314	6714	**6814**	19.11.11
6115	6215	6315	6715	**6815**	20.06.04
6116	6216	6316	6716	**6816**	22.03.03
6117	6217	6317	6717	**6817**	21.03.05
6118	6218	6318	6718	**6818**	21.06.04
6119	6219	6319	6719	**6819**	21.08.03
6120	6220	6320	6720	**6820**	21.12.24

東山線		名城線		鶴舞線		桜通線	
5050形		2000形		3050形		6000形	
5150	27	2100	36	3150	9	6100	20
5250	27	2200	36	3250	9	6200	20
5350	27	2300	36	3350	9	6300	20
5450	27	2400	36	3450	9	6700	20
5550	27	2500	36	3750	9	6800	20
5650	27	2600	36	3850	9		100
	162		216		54	6050形	
N1000形		計	216	N3000形		6050	4
N1100	21			N3100	16	6250	4
N1210	21			N3200	16	6350	4
N1300	21			N3300	16	6750	4
N1400	21			N3400	16	6850	4
N1500	21			N3700	16		20
N1600	21			N3800	16	計	120
	126				96	上飯田線	
計	288			計	150	7100	2
						7200	2
						7300	2
						7600	2
							8
						計	8
						合計	782

6050形　**20両**（ステンレス車体）［小型密着］ ④

Tc1 6150	M1 6250	M2 6350	M3 6750	Tc2 6850
S	VCP	V	VCP	S
6151	**6251**	**6351**	**6751**	**6851**
6152	**6252**	**6352**	**6752**	**6852**
6153	**6253**	**6353**	**6753**	**6853**
6154	**6254**	**6354**	**6754**	**6854**

▽桜通線はＡＴＯを併用したワンマン運転

▼優先席……全車両に設置

▼車イス対応スペース……太字の車両に設置

▽更新修繕の施工月日は2011年度以降に実施の車両を表記

上飯田線（日進工場） 8両

←平安通　　上飯田（名鉄小牧線）→

7000形　**8両**（ステンレス車体）［小型密着］ ④

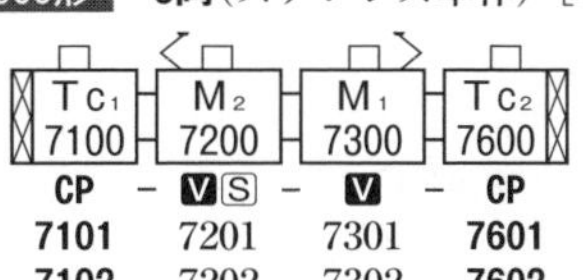

7100	7200	7300	7600
7101	7201	7301	**7601**
7102	7202	7302	**7602**

▽上飯田線は2003.03.27開業。名鉄小牧線と相互乗入れ、ワンマン運転実施

▽レトロでんしゃ館（日進工場北側）に、地下鉄東山線100形107・108、市電1400形1421、2000形2017、3000形3003を保存、展示
公開日など詳細は、名古屋市交通局ホームページなどを参照

名古屋鉄道　茶所・新川・犬山・豊明・猿投・尾張旭検車支区　1088両

名古屋本線系統(茶所・新川・犬山・豊明・猿投検車支区)　994両(瀬戸線はのぞく)

←豊橋・豊川稲荷・河和・内海・中部国際空港・蒲郡・新羽島　　津島・名鉄岐阜→

1000・1200系　**72両**(パノラマスーパー)［小型密着］②・③(3～6号車)

	①	②	wc③	④	⑤	⑥
	Tc_1 1000	M_2 1050	M_1' 1250	弱T 1200	M_2' 1450	Mc_1 1400
	DD	F		DD CP	F	DD CP
㋷	1011	1061	*1261*	1211	1461	*1411*
㋷	1012	1062	*1262*	1212	1462	*1412*
㋷	1013	1063	*1263*	1213	1463	*1413*
㋷	1014	1064	*1264*	1214	1464	*1414*
㋷	1015	1065	*1265*	1215	1465	*1415*
㋷	1016	1066	*1266*	1216	1466	*1416*

	①	②wc	③	④	⑤	⑥
	Tc_2 1100	M_1 1150	M_2'' 1350	弱T 1200	M_2' 1450	Mc_1 1400
	DD		F	DD CP	F	DD CP
㋷	1111	1161	*1361*	1311	1561	*1511*
㋷	1112	1162	*1362*	1312	1562	*1512*
㋷	1113	1163	*1363*	1313	1563	*1513*
㋷	1114	1164	*1364*	1314	1564	*1514*
㋷	1115	1165	*1365*	1315	1565	*1515*
㋷	1116	1166	*1366*	1316	1566	*1516*

▽Wi-Fi設置　1263-1213-1463-1413=19.10.29
1363-1313-1563-1513=20.02.26
1365-1315-1565-1515=20.10.05

1800系　**18両**［小型密着］③

Tc 1800	Mc 1900	内装更新
S CP	F	
1801	*1901*	18.01.10
1802	*1902*	17.09.29
1803	*1903*	18.11.02
1804	*1904*	19.02.20
1805	*1905*	18.08.03
1806	*1906*	18.03.06
1807	*1907*	18.05.28
1808	*1908*	17.05.26
1809	*1909*	18.12.19

▽内装更新時に車体デザイン変更

2000系　**48両**(ミュースカイ)［小型密着］②

①	②wc	③	④
Tc 2000	M 2050	M_1 2150	Mc 2100
CP	CP	V S CP	V S
2001	*2051*	2151	2101
2002	*2052*	2152	2102
2003	*2053*	2153	2103
2004	*2054*	2154	2104
2005	*2055*	2155	2105
2006	*2056*	2156	2106
2007	*2057*	2157	2107
2008	*2058*	2158	2108
2009	*2059*	2159	2109
2010	*2060*	2160	2110
2011	*2061*	2161	2111
2012	*2062*	2162	2112

▽モ1900のFは界磁添加励磁方式

2200系　**102両**［小型密着］②・③(3～6号車)

①	wc②	③	④	⑤	⑥	
Mc_1 2200	T_1 2250	T_2 2400	弱M 2450	T_2' 2350	Mc_2 2300	
V S		CP	V S	CP	V S	
2201	*2251*	2401	2451	2351	*2301*	15.09.14外観デザイン変更
2202	*2252*	2402	2452	2352	*2302*	16.07.01外観デザイン変更
2203	*2253*	2403	2453	2353	*2303*	16.09.20外観デザイン変更
2204	*2254*	2404	2454	2354	*2304*	16.10.27外観デザイン変更
2205	*2255*	2405	2455	2355	*2305*	16.12.14外観デザイン変更
2206	*2256*	2406	2456	2356	*2306*	17.03.08外観デザイン変更
2207	*2257*	2407	2457	2357	*2307*	16.01.30外観デザイン変更
2208	*2258*	2408	2458	2358	*2308*	16.04.25外観デザイン変更
2209	*2259*	2409	2459	2359	*2309*	16.08.09外観デザイン変更
2210	*2260*	2410	2460	2360	*2310*	15.04.13日車=外観デザイン変更車
2211	*2261*	2411	2461	2361	*2311*	15.05.11日車=外観デザイン変更車
2212	*2262*	2412	2462	2362	*2312*	16.04.13日車=外観デザイン変更車
2213	*2263*	2413	2463	2363	*2313*	19.02.13日車
2231	*2281*	2431	2481	2381	*2331*	①②=20.11.12日車 15.08.06外観デザイン変更③～⑥
2232	*2282*	2432	2482	2382	*2332*	①②=20.11.12日車 15.10.16外観デザイン変更③～⑥
2233	*2283*	2433	2483	2383	*2333*	①②=19.12.10日車
2234	*2284*	2434	2484	2384	*2334*	①②=19.12.10日車

▼弱冷房車…編成図に弱を付した車両
▼車イス対応スペース……斜字の車両に設置(108頁のみ)
▼優先席……点線囲み以外車両に設置

▽2000系は車体傾斜装置付き
Mc・Mは3個モーター、M_1は2個モーター
▽点線囲みは特別車「ミュー」(座席指定車)
▽1000・1200系は名古屋本線特急に使用する
▽2000系は中部国際空港系統の快速特急、2200系はおもに犬山～空港系統の特急に使用する
▽トイレ・化粧室は「wc」表示の号車に装備、2000系・2200系のトイレは車椅子対応でベビーベッド付き
▽1800系は名古屋本線特急の増結用、データイムには2両編成または4両編成で普通列車にも使用する
▽1000・1200系 リニューアル工事＋外観デザイン変更(㋷)
1011F=19.02.27　1012F=17.08.18　1013F=17.12.22　1014F=17.05.02　1015F=16.08.30　1016F=18.04.13
1111F=15.12.24　1112F=15.08.21　1113F=16.03.31　1114F=16.12.28　1115F=18.11.16　1116F=18.08.14
▽2200系。車体デザイン変更に合わせて、2203F，2204F，2206F は荷物置場の改修も実施
▽2200系荷物置場座席化
2202・2252=18.05.14　2205・2255=18.10.31　2207・2257=17.07.20　2208・2258=18.03.27　2209・2259=18.06.22
▽室内灯ＬＥＤ化＋Wi-Fi設置　2433-2483-2383-2333=20.03.31　2434-2484-2384-2334=20.01.31
2412-2462-2362-2312=19.11.15　2308F=20.02.14[Wi-Fi設置のみ]　2231F=21.02.16　2232F=21.03.31
▽室内灯ＬＥＤ化　2301F=17.10.20　2302F=18.05.14　2303=18.07.27　2305=19.12.20　2306F=20.11.06　2307F=19.09.19
2308F=18.03.27　2310F=20.11.06　2311F=19.03.14　2211F=19.02.13新製　2304F=23.02.03　2309F=22.09.28
▽Wi-Fi設置(一般車)　2304F=20.07.27　2305F=20.09.09　2310F=20.10.27　2311F=20.12.10　2313F=21.02.09

5000系　56両（ステンレス車体）［小型密着］　③

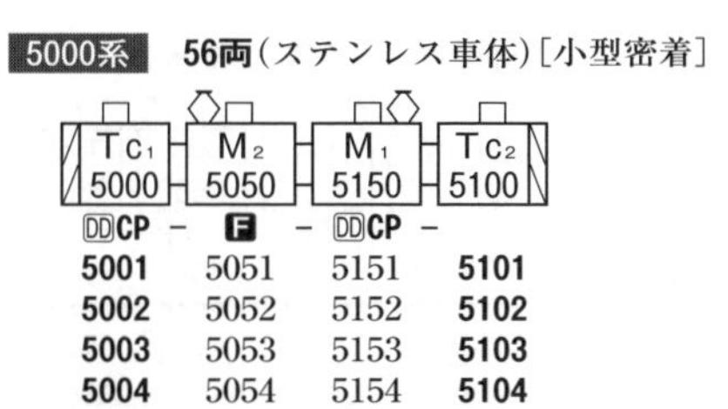

Tc1 5000	M2 5050	M1 5150	Tc2 5100
DDCP	F	DDCP	
5001	5051	5151	**5101**
5002	5052	5152	**5102**
5003	5053	5153	**5103**
5004	5054	5154	**5104**
5005	5055	5155	**5105**
5006	5056	5156	**5106**
5007	5057	5157	**5107**
5008	5058	5158	**5108**
5009	5059	5159	**5109**
5010	5060	5160	**5110**
5011	5061	5161	**5111**
5012	5062	5162	**5112**
5013	5063	5163	**5113**
5014	5064	5164	**5114**

9500系　48両（ステンレス車体）［小型密着］　③

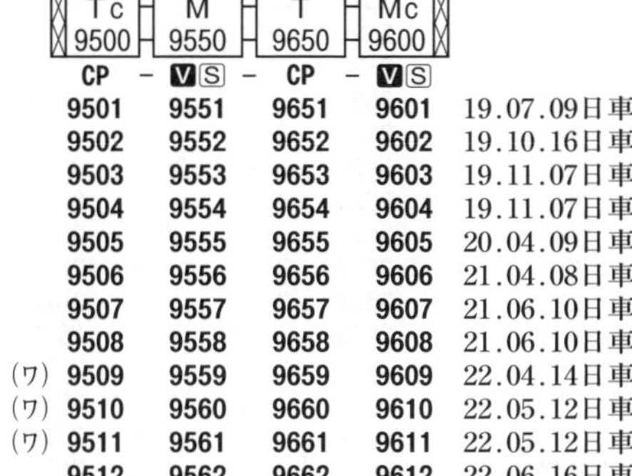

	Tc 9500	M 9550	T 9650	Mc 9600		
	CP	VS	CP	VS		
	9501	**9551**	**9651**	**9601**	19.07.09日車	
	9502	**9552**	**9652**	**9602**	19.10.16日車	
	9503	**9553**	**9653**	**9603**	19.11.07日車	
	9504	**9554**	**9654**	**9604**	19.11.07日車	
	9505	**9555**	**9655**	**9605**	20.04.09日車	
	9506	**9556**	**9656**	**9606**	21.04.08日車	
	9507	**9557**	**9657**	**9607**	21.06.10日車	
	9508	**9558**	**9658**	**9608**	21.06.10日車	
(ワ)	**9509**	**9559**	**9659**	**9609**	22.04.14日車	22.11.18=ワンマン化
(ワ)	**9510**	**9560**	**9660**	**9610**	22.05.12日車	22.12.23=ワンマン化
(ワ)	**9511**	**9561**	**9661**	**9611**	22.05.12日車	23.02.17=ワンマン化
	9512	**9562**	**9662**	**9612**	22.06.16日車	

9100系　14両（ステンレス車体）［小型密着］　③

Tc 9500	Mc 9600	
CP	SV	
9101	**9201**	20.05.19日車
9102	**9202**	20.09.24日車
9103	**9203**	20.09.24日車
9104	**9204**	20.09.24日車
9105	**9205**	21.04.08日車
9106	**9206**	21.04.08日車
9107	**9207**	22.06.16日車

▼優先席……全車両に設置
▼車イス対応スペース……太字の車両に設置

◎ワンマン運転線区一覧表

線　名	区　間	時間帯	使用形式
尾西線	名鉄一宮～玉ノ井 名鉄一宮～津島	終日・全列車	6800系
豊川線	国府～豊川稲荷	終日・一部列車	6800系
三河線	猿投～知立～碧南	終日・全列車	6000系
西尾線	西尾～吉良吉田	終日・一部列車	6000系
蒲郡線	吉良吉田～蒲郡	終日・一部列車	6000系
小牧線	平安通～犬山	終日・全列車	300系
築港線	大江～東名古屋	終日・全列車	

▽西尾線・蒲郡線は車内で運賃収受を行なう

豊田線　66両

100系　60両［小型密着］　④

←豊田市　　赤池・（名古屋市地下鉄舞鶴線）上小田井→

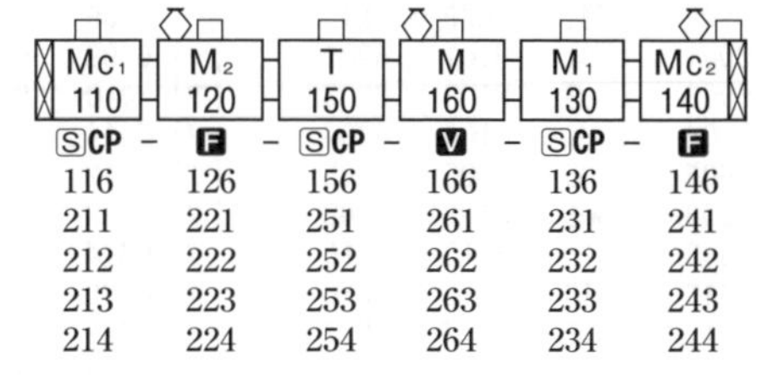

Mc1 110	M2 120	T 150	M 160	M1 130	Mc2 140
SCP	F	SCP	V	SCP	F
116	126	156	166	136	146
211	221	251	261	231	241
212	222	252	262	232	242
213	223	253	263	233	243
214	224	254	264	234	244

Tc1 110♿	M2 120	T 150	M 160	T 130	Mc2 ♿140
MCP	V	SCP	V	MCP	V
111	121	151	161	131	**141**
112	122	152	162	132	**142**
113	123	153	163	133	**143**
114	124	154	164	134	**144**
115	125	155	165	135	**145**

200系　6両［小型密着］　④

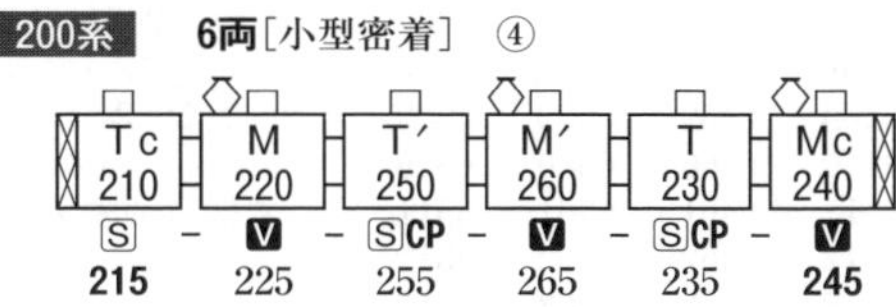

Tc 210	M 220	T′ 250	M′ 260	T 230	Mc 240
S	V	SCP	V	SCP	V
215	225	255	265	235	**245**

▽100系の116編成と200番代はアコモデーションが変更されている
▽ＶＶＶＦ化改造車　111F=12.03.30、112F=12.09.25、113F=13.03.12
114F=13.09.24、115F=14.03.20

小牧線・上飯田線

←平安通（名古屋市地下鉄上飯田線）・上飯田　　犬山→

300系　32両（ステンレス車体）［小型密着］　④

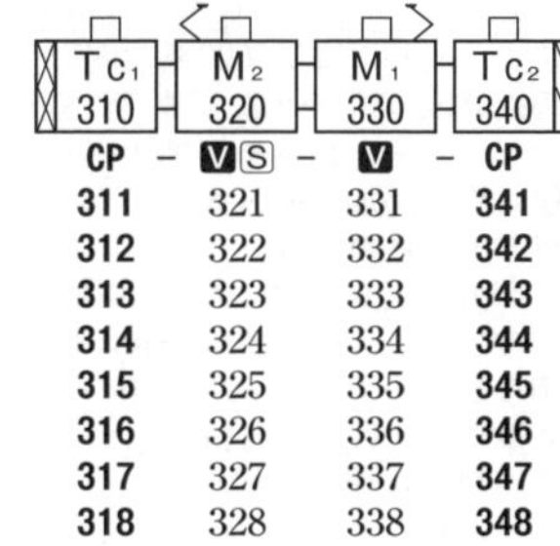

Tc1 310	M2 320	M1 330	Tc2 340
CP	VS	V	CP
311	321	331	**341**
312	322	332	**342**
313	323	333	**343**
314	324	334	**344**
315	325	335	**345**
316	326	336	**346**
317	327	337	**347**
318	328	338	**348**

▽小牧線·上飯田線はワンマン運転

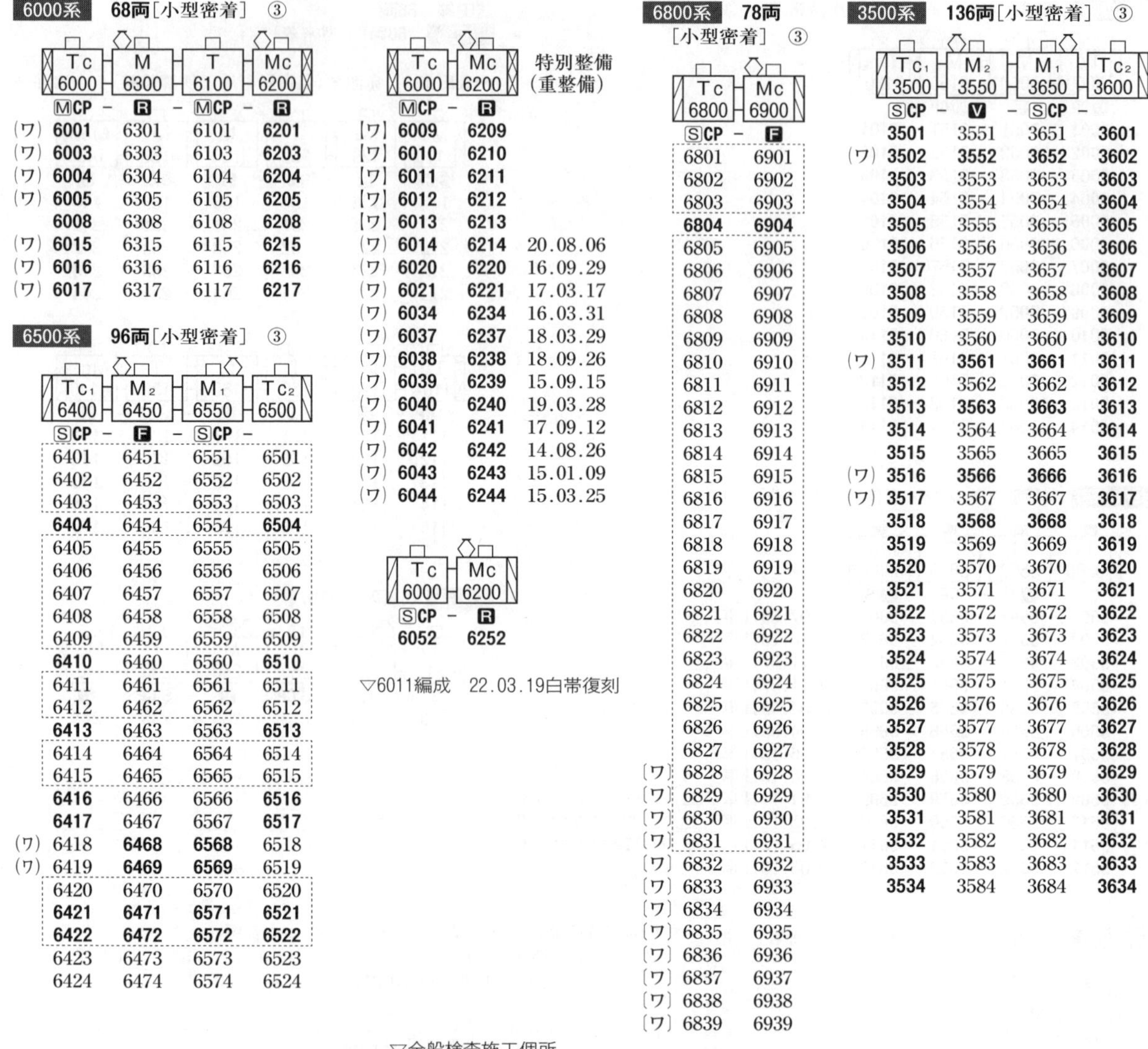

6000系 **68両**［小型密着］ ③

Tc 6000	M 6300	T 6100	Mc 6200
ⓂCP	R	ⓂCP	R
(ワ) **6001**	6301	6101	**6201**
(ワ) **6003**	6303	6103	**6203**
(ワ) **6004**	6304	6104	**6204**
(ワ) **6005**	6305	6105	**6205**
6008	6308	6108	**6208**
(ワ) **6015**	6315	6115	**6215**
(ワ) **6016**	6316	6116	**6216**
(ワ) **6017**	6317	6117	**6217**

特別整備（重整備）

Tc 6000	Mc 6200	
ⓂCP	R	
【ワ】 **6009**	**6209**	
【ワ】 **6010**	**6210**	
【ワ】 **6011**	**6211**	
【ワ】 **6012**	**6212**	
【ワ】 **6013**	**6213**	
(ワ) **6014**	**6214**	20.08.06
(ワ) **6020**	**6220**	16.09.29
(ワ) **6021**	**6221**	17.03.17
(ワ) **6034**	**6234**	16.03.31
(ワ) **6037**	**6237**	18.03.29
(ワ) **6038**	**6238**	18.09.26
(ワ) **6039**	**6239**	15.09.15
(ワ) **6040**	**6240**	19.03.28
(ワ) **6041**	**6241**	17.09.12
(ワ) **6042**	**6242**	14.08.26
(ワ) **6043**	**6243**	15.01.09
(ワ) **6044**	**6244**	15.03.25

Tc 6000	Mc 6200
ⓈCP	R
6052	**6252**

▽6011編成　22.03.19白帯復刻

6500系 **96両**［小型密着］ ③

Tc1 6400	M2 6450	M1 6550	Tc2 6500
ⓈCP	F	ⓈCP	
6401	6451	6551	6501
6402	6452	6552	6502
6403	6453	6553	6503
6404	6454	6554	**6504**
6405	6455	6555	6505
6406	6456	6556	6506
6407	6457	6557	6507
6408	6458	6558	6508
6409	6459	6559	6509
6410	6460	6560	**6510**
6411	6461	6561	6511
6412	6462	6562	6512
6413	6463	6563	**6513**
6414	6464	6564	6514
6415	6465	6565	6515
6416	6466	6566	**6516**
6417	6467	6567	**6517**
(ワ) 6418	**6468**	**6568**	6518
(ワ) 6419	**6469**	**6569**	6519
6420	6470	6570	6520
6421	**6471**	**6571**	**6521**
6422	**6472**	**6572**	**6522**
6423	6473	6573	6523
6424	6474	6574	6524

6800系 **78両**［小型密着］ ③

Tc 6800	Mc 6900
ⓈCP	F
6801	6901
6802	6902
6803	6903
6804	**6904**
6805	6905
6806	6906
6807	6907
6808	6908
6809	6909
6810	6910
6811	6911
6812	6912
6813	6913
6814	6914
6815	6915
6816	6916
6817	6917
6818	6918
6819	6919
6820	6920
6821	6921
6822	6922
6823	6923
6824	6924
6825	6925
6826	6926
6827	6927
〔ワ〕 6828	6928
〔ワ〕 6829	6929
〔ワ〕 6830	6930
〔ワ〕 6831	6931
〔ワ〕 6832	6932
〔ワ〕 6833	6933
〔ワ〕 6834	6934
〔ワ〕 6835	6935
〔ワ〕 6836	6936
〔ワ〕 6837	6937
〔ワ〕 6838	6938
〔ワ〕 6839	6939

3500系 **136両**［小型密着］ ③

Tc1 3500	M2 3550	M1 3650	Tc2 3600
ⓈCP	V	ⓈCP	
3501	3551	3651	**3601**
(ワ) **3502**	**3552**	**3652**	**3602**
3503	3553	3653	**3603**
3504	3554	3654	**3604**
3505	3555	3655	**3605**
3506	3556	3656	**3606**
3507	3557	3657	**3607**
3508	3558	3658	**3608**
3509	3559	3659	**3609**
3510	3560	3660	**3610**
(ワ) **3511**	**3561**	**3661**	**3611**
3512	3562	3662	**3612**
3513	**3563**	**3663**	**3613**
3514	3564	3664	**3614**
3515	3565	3665	**3615**
(ワ) **3516**	**3566**	**3666**	**3616**
(ワ) **3517**	3567	3667	**3617**
3518	**3568**	**3668**	**3618**
3519	3569	3669	**3619**
3520	3570	3670	**3620**
3521	3571	3671	**3621**
3522	3572	3672	**3622**
3523	3573	3673	**3623**
3524	3574	3674	**3624**
3525	3575	3675	**3625**
3526	3576	3676	**3626**
3527	3577	3677	**3627**
3528	3578	3678	**3628**
3529	3579	3679	**3629**
3530	3580	3680	**3630**
3531	3581	3681	**3631**
3532	3582	3682	**3632**
3533	3583	3683	**3633**
3534	3584	3684	**3634**

▽全般検査施工個所
本線系…舞木検査場（名電山中～藤川間）
瀬戸線…尾張旭検車支区（尾張旭駅隣接）

▽┆┆内はセミクロスシート
▽6017までは側窓が固定式、6045以降は6500系と同形
▽6418以降は6809～と同形のモデルチェンジ車で、前面に大型曲面ガラス採用
側窓が連続タイプとなり、シートピッチが拡大されている
▽モ6200形（6900代）のFは界磁添加励磁方式
▽6000系特別整備は2017年度から重整備
▽（ワ）は三河線用ワンマンカー（ドア開閉のみ＝駅収受方式）
【ワ】は西尾・蒲郡線用ワンマンカー（運賃箱付＝車内収受方式）
〔ワ〕は尾西・豊川線用ワンマンカー（ドア開閉のみ＝駅収受方式）
▽3500系の外観は6500系第18編成以降とほぼ同じで、前頭部にスカート付き
3100系・3150系・3300系・3700系と併結できる。
▽3500系　制御装置更新に合わせてＳＩＶ更新・行先表示器更新・車内案内表示器更新・室内灯ＬＥＤ化・ドアチャイム新設を実施
3501F＝17.08.07　3502F＝20.02.06　3503F＝17.10.16　3504F＝18.03.02　3505F＝18.03.02　3506F＝18.07.02　3507F＝17.12.20
3508F＝18.11.30　3509F＝18.08.28　3511F＝20.10.30　3512F＝22.04.11　3513F＝19.03.10　3514F＝19.10.09　3516F＝21.03.01
3517F＝22.07.15　3518F＝22.02.24　3519F＝22.03.16　3521F＝22.12.02　3522F＝22.09.06　3525F＝20.08.10　3526F＝23.03.16
▽ワンマン対応工事
3502F＝22.09.30　3511F＝20.10.30　3516F＝21.03.01　3517F＝22.07.15
▽車イススペース設置
3512F＝22.04.11　3513F＝21.12.04　3518F＝22.02.24　3519F＝22.03.16
▽6500系　ロングシート化、ワンマン化、室内灯ＬＥＤ化、行先表示器ＬＥＤ化、ドアチャイム新設等
6418F＝23.02.07　6419F＝22.10.14

▼優先席……全車両に設置
▼車イス対応スペース……太字の車両に設置

3100系 46両[小型密着] ③

Tc 3100	Mc 3200	塗色変更
CP	– Ⓥ Ⓢ	
3101	3201	
3102	3202	
3103	3203	19.12.04
3104	3204	19.07.05
3105	3205	
3106	3206	19.11.06
3107	3207	19.06.05
3108	3208	20.01.17
3109	3209	20.03.20
3110	3210	19.09.30
3111	3211	
3112	3212	20.01.28
3113	3213	
3114	3214	
3115	3215	
3116	3216	
3117	3217	
3118	3218	
3119	3219	
3120	3220	
3121	3221	
3122	3222	
3123	3223	

3700系 20両[小型密着] ③

Tc_1 3700	M_2 3750	M_1 3850	Tc_2 3800
Ⓢ CP –	Ⓥ –	Ⓢ –	CP
3701	3751	3851	3801
3702	3752	3852	3802
3703	3753	3853	3803
3704	3754	3854	3804
3705	3755	3855	3805

3300系 60両(ステンレス車体)[小型密着] ③

Tc 3300	M 3350	T 3450	Mc 3400	外観デザイン変更
Ⓢ CP –	Ⓥ –	Ⓢ CP –	Ⓥ	
3301	3351	3451	3401	18.04.19
3302	3352	3452	3402	16.04.13
3303	3353	3453	3403	16.03.02
3304	3354	3454	3404	16.05.19
3305	3355	3455	3405	15.12.25
3307	3357	3457	3407	15.08.19日車
3308	3358	3458	3408	16.06.21日車
3309	3359	3459	3409	16.06.21日車
3310	3360	3460	3410	17.05.19日車
3311	3361	3461	3411	17.05.19日車
3312	3362	3462	3412	18.11.20日車
3313	3363	3463	3413	18.11.20日車
3314	3364	3464	3414	19.01.09日車
3315	3365	3465	3415	19.01.09日車

3150系 44両(ステンレス車体)[小型密着] ③

Tc 3150	Mc 3250	外観デザイン変更	
CP	– Ⓥ Ⓢ		
3151	3251	17.11.24	
3152	3252	15.12.01	
3153	3253	16.04.01	
3154	3254	15.12.07	22.08.12=室内灯LED化
3155	3255	18.01.11	
3156	3256	18.03.01	
3157	3257	15.08.21	
3158	3258	15.07.17	
3159	3259	15.10.01	
3160	3260	16.07.18	
3161	3261	16.07.08	
3162	3262	16.08.26	
3163	3263	16.10.17	
3164	3264	17.02.06	22.08.29=室内灯LED化
3165	3265	16.12.02	
3166	3266	17.04.11	
3167	3267	15.04.13日車=外観デザイン変更車	
3168	3268	15.05.11日車=外観デザイン変更車	
3169	3269	16.04.13日車＝外観デザイン変更車	
3170	3270	17.04.07日車＝外観デザイン変更車	
3171	3271	17.04.07日車＝外観デザイン変更車	
3172	3272	17.04.07日車＝外観デザイン変更車	

▽3150系·3300系は転換クロスとロングシートを併用
ただし、3155·3306以降はオールロングシート
▽3100系·3150系は2200系の増結用にも使用
▽3300系3307F以降は外観デザイン変更車
▽3100系　塗色変更は、スカーレット1色から2200系に準拠した塗装に

ＳＲ車

形式	両数
2000系	
モ2100	12
モ2150	12
モ2050	12
ク2000	12
	48
2200系	
モ2200	17
サ2250	17
サ2400	17
モ2450	17
サ2350	17
モ2300	17
	102
1000系	
モ1050	6
モ1150	6
ク1000	6
ク1100	6
	24
1200系	
モ1250	6
モ1350	6
モ1400	12
モ1450	12
サ1200	12
	48
1800系	
モ1900	9
ク1800	9
	18
300系	
ク310	8
モ320	8
モ330	8
ク340	8
	32
200系	
ク210	1
モ220	1
サ230	1
モ240	1
サ250	1
ク260	1
	6
100系	
モ110	5
ク110	5
モ120	10
モ130	5
サ130	5
モ140	10
サ150	10
ク160	10
	60
9100系	
モ9600	7
ク9500	7
	14
6500系	
モ6550	24
モ6450	24
ク6500	24
ク6400	24
	96
6000系	
モ6200	26
モ6300	8
ク6000	26
サ6100	8
	68
6800系	
モ6900	39
ク6800	39
	78
3700系	
モ3750	5
モ3850	5
ク3700	5
ク3800	5
	20
3500系	
モ3550	34
モ3650	34
ク3500	34
ク3600	34
	136
3100系	
モ3200	23
ク3100	23
	46
3300系	
モ3400	15
サ3450	15
モ3350	15
ク3300	15
	60
3150系	
モ3250	22
ク3150	22
	44
4000系	
ク4000	18
モ4050	18
モ4150	18
ク4100	18
	72
5000系	
ク5000	14
モ5050	14
モ5150	14
ク5100	14
	56
9500系	
ク9500	12
モ9500	12
サ9650	12
モ9600	12
	48
合　計	1,076

瀬戸線(尾張旭検車区) 76両

←尾張瀬戸　　　　　　　　　　　　　　　　　　　　　　　　　　　　栄町→

4000系 72両(ステンレス車体)［小型密着］ ③

Tc1 4000	M2 4050	M1 4150	Tc2 4100	
CP	V	S	CP	
4001	4051	4151	**4101**	
4002	4052	4152	**4102**	
4003	4053	4153	**4103**	
4004	4054	4154	**4104**	
4005	4055	4155	**4105**	
4006	4056	4156	**4106**	
4007	4057	4157	**4107**	
4008	4058	4158	**4108**	
4009	4059	4159	**4109**	12.04.11日車
4010	4060	4160	**4110**	12.05.16日車
4011	4061	4161	**4111**	12.06.15日車
4012	4062	4162	**4112**	12.07.18日車
4013	4063	4163	**4113**	13.02.21日車
4014	4064	4164	**4114**	13.03.19日車
4015	4065	4165	**4115**	13.05.13日車
4016	4066	4166	**4116**	14.01.17日車
4017	4067	4167	**4117**	14.02.18日車
4018	4068	4168	**4118**	14.03.18日車

▼優先席……全車両に設置
▼車イス対応スペース……太字の車両に設置

3300系 4両(ステンレス車体)［小型密着］ ③

Tc 3300	M 3350	T 3450	Mc 3400	
S CP	V	S CP	V	
3306	3356	3456	**3406**	16.09.17日車

電気機関車 2両［自連］

ＥＬ120形

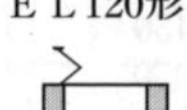

(190kW×4)

ＥＬ121　15.01.30東芝
ＥＬ122　15.01.30東芝

▽303は舞木検査場入換用(工場設備。両数には含めず)

貨車 10両［自連］

チキ10形
11・12・13・14(14.12.26)

ホキ80形
81・82・83(15.02.20)
84・85・86(15.03.13)

▽( )内の年月日は、ＥＬ120形連結時の総括制御のための電気連結栓、引通し栓の追加工事施工月日

▽舞木検車場に、パノラマカー（モ7001＋モ7002)、モ3401とモ5517、モ8803カットボディを保存

名古屋ガイドウェイバス

28両

ガイドウェイバス

GB-2110形 **28両** ②

G-01	13.04.10日野自動車
G-02	13.04.10日野自動車
G-03	13.04.24日野自動車
G-04	13.04.30日野自動車
G-05	13.05.07日野自動車
G-06	13.05.15日野自動車
G-07	13.05.22日野自動車
G-21	13.09.17日野自動車
G-22	13.09.20日野自動車
G-23	13.10.04日野自動車
G-24	13.10.10日野自動車
G-25	13.11.01日野自動車
G-26	13.11.08日野自動車
G-27	13.11.15日野自動車
G-28	13.11.21日野自動車
G-29	13.12.11日野自動車
G-31	13.12.18日野自動車
G-32	13.12.26日野自動車
G-33	14.01.10日野自動車
G-34	14.02.20日野自動車
G-35	14.01.17日野自動車
G-36	14.01.24日野自動車
G-37	14.01.31日野自動車
G-38	14.02.07日野自動車
G-39	14.02.14日野自動車

G-51	15.02.26日野自動車
G-52	15.03.04日野自動車
G-53	15.03.10日野自動車

▽2001.03.23開業、愛称は「ゆとりーとライン」
▽ガイドウェイ区間は大曽根～小幡緑地、
鉄道事業法では案内軌条式軌道に分類
▽運行区間は、大曽根～小幡緑地間のほか、
小幡緑地から一般道を中志段味・高蔵寺など
▽ハイブリッド車(型式=ＨＵ８Ｊ)。全車リフト付き
車イス対応スペース設置

衣浦臨海鉄道 半田埠頭機関区

4両

ＤＬ **4両**［自連］

ＫＥ65形

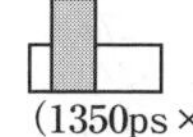

(1350ps×1)
ＫＥ65 1
ＫＥ65 2 (11.09.15から休車)
ＫＥ65 3
ＫＥ65 5

▽路線は、半田線半田埠頭～東成岩〔武豊線〕間 3.4km、
碧南線東浦〔武豊線〕～碧南市間8.2km

▽2014.04.01 半田埠頭技術区から改称

名古屋臨海鉄道 東港車両区

7両

ＤＬ **5両**(東港車両区)

ＮＤ552形［自連］

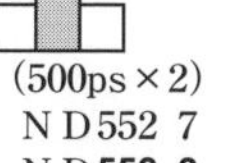

(500ps×2)
ＮＤ552 7
ＮＤ552 8
ＮＤ552 10

ＮＤ60形［自連］

(560ps×2)
ＮＤ60 1
ＮＤ60 2

ＤＬ **1両**(名古屋貨物ターミナル駅入換事業所)

ＮＤ552形［自連］

(500ps×2)
ＮＤ552 15

貨車 **1両**［自連］

ワ 1形 ワ 1 (救援車)

▽路線は、東港線笠寺〔東海道本線〕～東港間 3.08km、昭和町線東港～昭和町間 1.01km、
汐見町線東港～汐見町間 3.00km、
南港線東港～名古屋南貨物間 6.09km、名古屋南貨物～知多間 4.04km
築港線東港～名電築港間 1.03km 以上 20.05km

▽太字は塗色変更車(ブルーに白帯)。ＮＤ552 7は開業時のカラー(赤2号)に変更(2015.09.01)

三岐鉄道 保々車両区・北大社車両区 57両

三岐線(保々車両区) 33両

←富田　　西藤原→

751系 3両[密連] ③

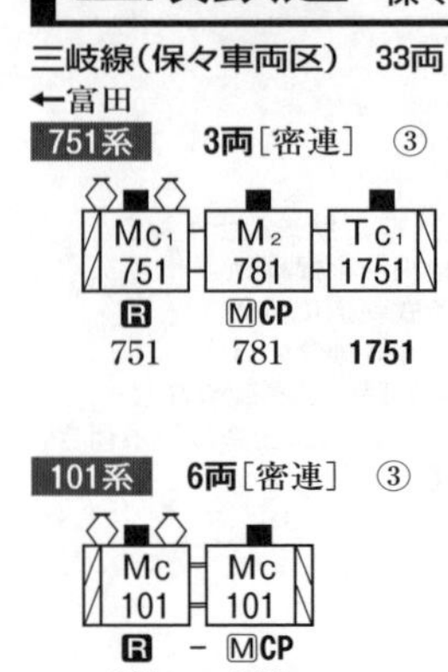

Mc1 751 / M2 781 / Tc1 1751
R / MCP /
751　781　**1751**

101系 6両[密連] ③

Mc 101 / Mc 101
R - MCP
101　102
103　104
105　106

801・851系 12両[密連] ③

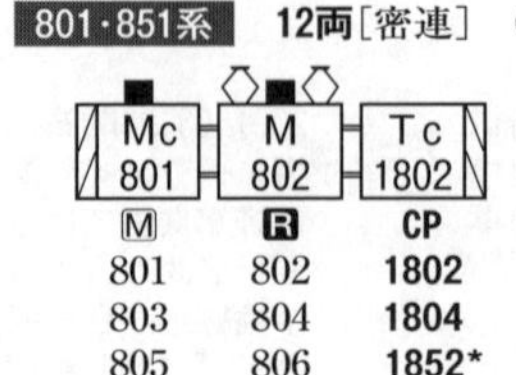

Mc 801 / M 802 / Tc 1802
M / R / CP
801　802　**1802**
803　804　**1804**
805　806　**1852***

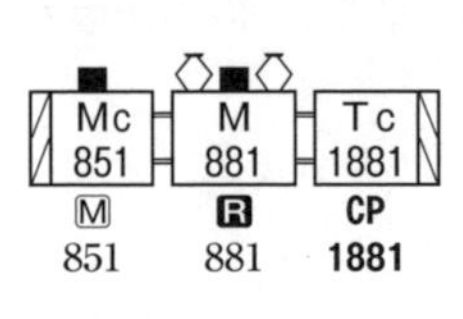

Mc 851 / M 881 / Tc 1881
M / R / CP
851　881　**1881**

電気機関車 12両[自連]

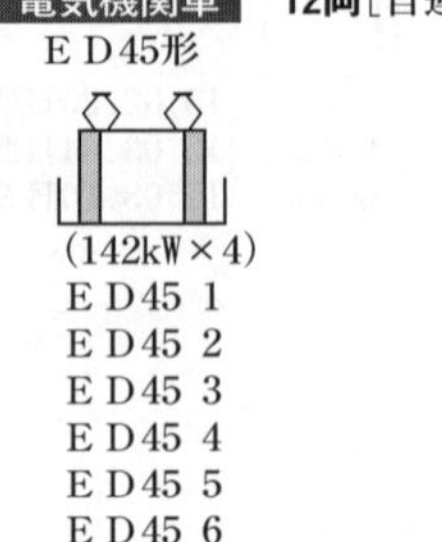

ＥＤ45形
(142kW×4)
ＥＤ45 1
ＥＤ45 2
ＥＤ45 3
ＥＤ45 4
ＥＤ45 5
ＥＤ45 6
ＥＤ45 7
ＥＤ45 8
ＥＤ45 9

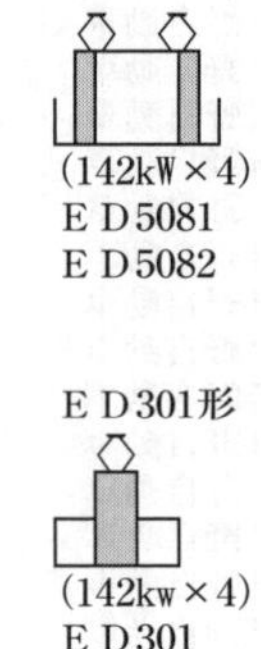

ＥＤ5081形
(142kW×4)
ＥＤ5081
ＥＤ5082

ＥＤ301形
(142kw×4)
ＥＤ301

801系	
クモハ801	3
モ　ハ802	3
ク　ハ1802	2
	8
851系	
クモハ851	1
モ　ハ881	1
ク　ハ1851	1
ク　ハ1881	1
	4
101系	
クモハ101	6
	6
751系	
クモハ751	1
モ　ハ781	1
ク　ハ1751	1
	3
計	21

▽旧形式：751系＝101系、101系＝401系、
　801・851系＝701系(いずれも西武鉄道)
▽____はフランジ塗油器取付け車
▽751系・851系は空気バネ台車(ＦＳ-372・072)
▽803編成は 19.04.21 赤電色(旧西武)に変更
▽*印の1852はクハ1851形。同編成は18.04.26 西武カラー(黄色)へ変更
▽101編成は20.05.01 旧三岐塗装へ
▽太字は車イス対応スペース付き
▽早朝・深夜を除きワンマン運転(ドア扱いのみ)
▽会社創立70周年(2001年)を記念して西藤原駅前に公園を整備し、
　開業当時のＳＬ102号機を静態保存している

▽ＥＤ45形は重連総括制御付き
▽ＥＤ301形は
　セメント工場内(東藤原)の入換え用
▽ＥＤ5081形は元東武鉄道ＥＤ5080形

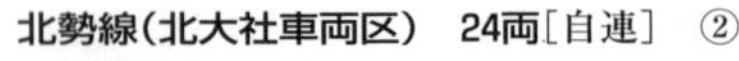

北勢線(北大社車両区) 24両[自連] ②

←西桑名　　阿下喜→

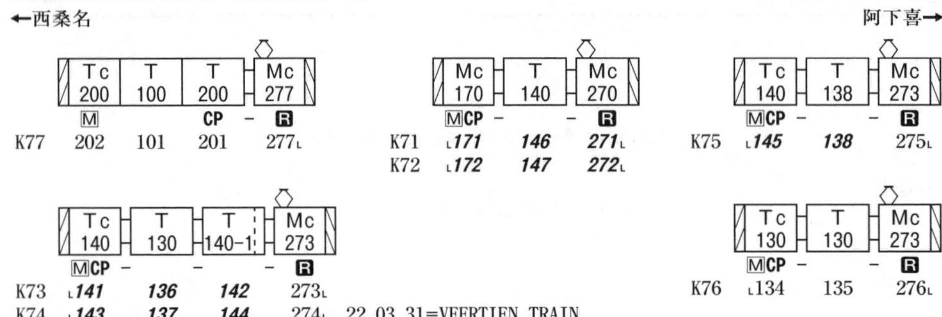

Tc 200 / T 100 / T 200 / Mc 277
M / / CP - R
K77　202　101　201　277L

Mc 170 / T 140 / Mc 270
MCP - - R
K71　L*171*　*146*　*271*L
K72　L*172*　*147*　*272*L

Tc 140 / T 138 / Mc 273
MCP - - R
K75　L*145*　*138*　275L

Tc 140 / T 130 / T 140-1 / Mc 273
MCP - - - R
K73　L*141*　*136*　*142*　273L
K74　L*143*　*137*　*144*　274L　22.03.31=VEERTIEN TRAIN

Tc 130 / T 130 / Mc 273
MCP - - R
K76　L134　135　276L

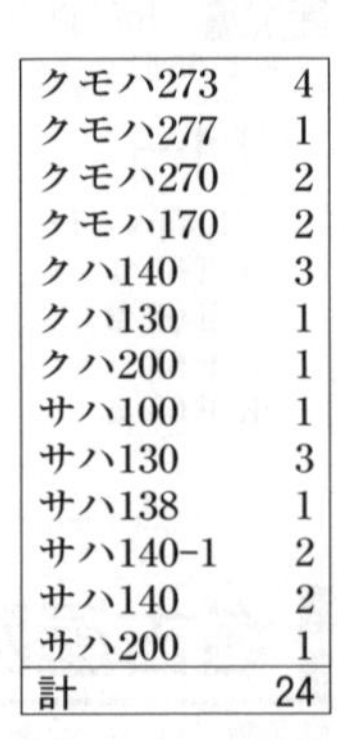

クモハ273	4
クモハ277	1
クモハ270	2
クモハ170	2
クハ140	3
クハ130	1
クハ200	1
サハ100	1
サハ130	3
サハ138	1
サハ140-1	2
サハ140	2
サハ200	1
計	24

▽太斜字は冷房車(クーラーは車内に設置)
▽高速化は全編成完了
▽全列車ワンマン運転　K77(202+101+201=2013.10.29、連接車)(277＝2014.10.10＝三重交通カラー)
▽L 行先字幕ＬＥＤ化車。201年度施工は273・141(17.09.22)、275・145(18.03.28)　以上にて対象車両完了
▽軽便鉄道博物館(阿下喜構内)に、モニ226を保存

伊勢鉄道 玉垣機関区 4両

←四日市(ＪＲ関西本線)・河原田　　津→

イセⅢ型 4両[小型密着] ②

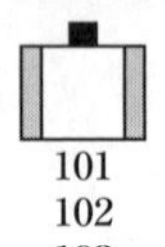

101
102
103
104

▽1987.03.27 国鉄伊勢線を引継ぎ開業
▽運転本数…四日市～津間 19往復
▽全車両、車イス対応スペース付き

西濃鉄道 3両

DL 3両［自連］

DD40形
DD403（520ps×1）

DD45形
DD451（520ps×1）

DE10形
（1350ps×1）
DE10 1251（旧所有者：秋田臨海鉄道）

▽路線は、美濃赤坂～乙女坂間 1.3km（猿岩駅構内は2022.09乙女坂駅に併合。総延長キロ数は 2.0km）
▽DE10形の塗色はJRのDE10形と同じ

樽見鉄道 検修区（本巣駅構内） 6両

←大垣　樽見→

ハイモ295-310形 1両
295-315

ハイモ295-510形 1両
295-516

ハイモ295-610形 1両
295-617

ハイモ330-700形 3両
330-701
330-702 15.12.22
330-703 18.12.03

形式	両数
ハイモ295-310	1
ハイモ295-510	1
ハイモ295-610	1
ハイモ330-700	3
計	6

▽1984.10.06 国鉄樽見線を引継ぎ開業
▽連結器は小型密着。客用扉数②
▽太字は車イス対応スペース設置車
▽ハイモ295-315は20.03.27　プラレールラッピングに変更、運転開始
▽ハイモ295-610形は元三木鉄道ミキ300形。2022.03.26、中部ケーブルネットワーク（ラッピング＝広告）
▽ハイモ330-700形は、電気指令式のブレーキ方式を採用
▽ハイモ330-701は、2017.11.03から観光列車「ねおがわ」として運行開始。
　車体塗色変更、吊手を鮎型に変更、車内モニターを設置、本巣市のPR動画を放映

長良川鉄道 検修区（関駅構内） 12両

←美濃太田　北濃→

ナガラ3形 7両
301
302
303
304
305
306
307

ナガラ5形 3両
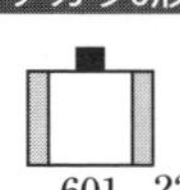
501
502
503

ナガラ6形 1両
601 22.03.08新潟トランシス「おくみの号」

DL 1両
NTB209形［自連］
13

▽1986.12.11 国鉄越美南線を引継ぎ開業

▽連結器は小型密着。客用扉数②
▽301は「ながら☆もり」、302は「ながら☆あゆ」に改造（2016.04.27）
▽502は、18.04.18　観光列車「ながら・かわかぜ」に改造
▽601は、22.04.03、営業運転開始
▽ラッピング
　501＝「チャギントン」　503＝「GJ8マン」　305＝「クロネコヤマト」
▽NTB209形は工事用
▽郡上八幡駅構内に1993.12.11から「ふるさとの鉄道館」がオープン

北越急行 六日町運輸指令区 12両

←直江津（ＪＲ東日本）・犀潟　　六日町・越後湯沢（ＪＲ東日本）→

ＨＫ100形　12両［密連］　②

cMc 100
+VSCP+

100-1　10.10.15=車体色変更
100-2　12.12.14=車体色変更
100-3　15.02.27=車体色変更
100-4　10.12.10=車体色変更
100-5　12.03.30=車体色変更
100-6　13.06.08=車体色変更
100-7　11.12.09=車体色変更
100-8
100-9
100-10　13.12.13=車体色変更

Mc2 100 ― Mc1 100
+VSCP－VSCP+
100-102　100-101

▽1997.03.22開業（六日町～犀潟間）
▽ＨＫ100形は直江津～六日町・越後湯沢間にて運転
2015.03.14改正からえちごトキめき鉄道新井まで乗入れ開始
2023.03.18改正にて えちごトキめき鉄道への乗入れ消滅
▽各車両に車イス対応スペースを設置
▽太字はイベント対応の多目的車
▽100-8·100-9は「ゆめぞらⅡ」
トンネル内で天井に星座などの映像を投影する。おもに日曜日に運転

えちごトキめき鉄道 運輸区（直江津駅構内） 33両

←長岡（ＪＲ東日本）・直江津　**妙高はねうまライン**　妙高高原→

ＥＴ127系　20両［密連］　③

	Mc ET127	T′c ET126	機器変更
	+V	SCP+	
V 1	1	**1**	19.10.17
V 2	2	**2**	19.08.20
V 3	3	**3**	19.12.11
V 4	4	**4**	20.07.13
V 5	5	**5**	18.11.21
V 6	6	**6**	21.06.03
V 7	7	**7**	21.02.08
V 8	8	**8**	20.12.04
V 9	9	**9**	18.07.18
V10	10	**10**	18.10.02

413・455系　3両［密連］　観光用

Mc 413	M′ 412	Tc 455	
RCP －	－	M	
6	6	701	21.07.04 運行開始

←直江津　**日本海ひすいライン**　市振・泊→

ＥＴ122形　10両［小型密着］　②

K 1	**1**	14.10.20新潟トランシス
K 2	**2**	14.10.20新潟トランシス
K 3	**3**	15.03.03新潟トランシス
K 4	**4**	15.01.19新潟トランシス
K 5	**5**	15.01.19新潟トランシス
K 6	**6**	15.01.19新潟トランシス
K 7	**7**	15.01.19新潟トランシス
K 8	**8**	15.01.19新潟トランシス

1002　**1001**　雪月花
←16.03.31新潟トランシス

ＥＴ127系	
ＥＴ127	10
ＥＴ126	10
	20
413系等	
クモハ413	1
モ　ハ412	1
ク　ハ455	1
	3
ＥＴ122形	
ＥＴ122	8
（雪月花）	2
	10
計	33

▽2015.03.14 ＪＲ東日本信越本線妙高高原～直江津間、ＪＲ西日本北陸本線市振～直江津間を引継いで開業
妙高高原～直江津間は妙高はねうまライン、市振～直江津間は日本海ひすいラインの路線名
ＥＴ127系はＪＲ信越本線長岡、ＥＴ122形はあいの風とやま鉄道泊まで乗入れ
▽全車ワンマン車
▽２パン車は、V8(15.09.28)、V9(15.11.27)
▽広告ラッピング　V1=田島ルーフィング（国鉄初代新潟色）、V3=田辺工業、V4=ミタカ、V5=日本曹達
▽ET122形「雪月花」は、2016.04.23から上越妙高～直江津～糸魚川間にて営業運転を開始
▽ET122形（一般車）は、2018.03.17改正から妙高はねうまライン新井まで乗入れ開始

▼車イス対応スペース…車号太字

黒部峡谷鉄道 宇奈月車庫 302両

電気機関車 **24両**［ピンリンク式連結器］

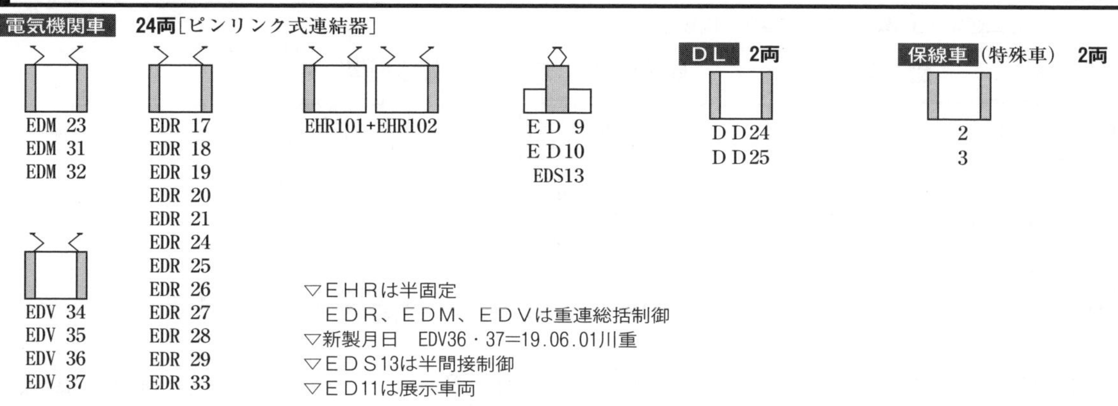

EDM 23	EDR 17	EHR101+EHR102	ＥＤ 9		
EDM 31	EDR 18		ＥＤ10		
EDM 32	EDR 19		EDS13		
	EDR 20				
	EDR 21				
	EDR 24				
	EDR 25				
	EDR 26				
EDV 34	EDR 27				
EDV 35	EDR 28				
EDV 36	EDR 29				
EDV 37	EDR 33				

ＤＬ **2両**

ＤＤ24
ＤＤ25

保線車（特殊車） **2両**

2
3

▽ＥＨＲは半固定
ＥＤＲ、ＥＤＭ、ＥＤＶは重連総括制御
▽新製月日　EDV36・37＝19.06.01川重
▽ＥＤＳ13は半間接制御
▽ＥＤ11は展示車両

客車 **129両**［ピンリンク式連結器］

←欅平 宇奈月**→**

1000形（開放客車） **56両**

	1号車	2号車	3号車	4号車	5号車	6号車	7号車
	ボハフ1000	＋ボハ1000	＋ボハ1000	＋ボハ1000	＋ボハ1000	＋ボハ1000	＋ボハフ1000
B1	**1111**	**1112**	**1113**	**1114**	**1115**	**1116**	**1117**
B2	**1121**	**1122**	**1123**	**1124**	**1125**	**1126**	**1127**
B3	**1131**	**1132**	**1133**	**1134**	**1135**	**1136**	**1137**
B4	**1141**	**1142**	**1143**	**1144**	**1145**	**1146**	**1147**
B5	**1151**	**1152**	**1153**	**1154**	**1155**	**1156**	**1157**
B6	**1161**	**1162**	**1163**	**1164**	**1165**	**1166**	**1167**
B7	**1171**	**1172**	**1173**	**1174**	**1175**	**1176**	**1177**
B8	1081	1082	1083	1084	1085	1086	1087

2000形・**3100形**（密閉客車） **29両** ①

	8号車
	ボハ2100
S1	2100

	ボハフ3100	＋ボハ3100	＋ボハ3100	＋ボハ3100	＋ボハ3100	＋ボハフ3100
NR1	3111	3112	3113	3114	3115	3116
NR2	3121	3122	3123	3124	3125	3126
NR3	3131	3132	3133	3134	3135	3136
NR4	3141	3142	3143			3146
NR5	3151	3152	3153	3154	3155	3156

2500形（リラックスカー）・**2550形**（密閉客車） **17両** ①

	8号車	9号車	10号車	11号車	12号車	13号車
	ボハフ2500	＋ボハ2500	＋ボハ2500	＋ボハ2500	＋ボハ2500	＋ボハフ2500
R1	2501	2502	2503	2504	2505	2506
R4	2511	2512	2513	2514	2515	2516
R5	2571	2572				2576

	ボハ2550
S2	2552
S3	2553

ハ形客車 **17両**
ハフ3～8・11・13・15～21・31・32
ハ形密閉客車 **4両**
ハ51～54

2800形（リラックスカー）（密閉客車） **6両** ①

	ボハフ2800	＋ボハ2800	＋ボハ2800	＋ボハ2800	＋ボハ2800	＋ボハフ2800
R2	2801	2802	2803	2804	2805	2806

▽R5編成は号車番号なし

▽ハ形は2軸車（トロッコ車）
▽＿＿は関電関係の専用車として使用する

▽ボハ2100形と2500形・2550形・2800形・3100形は転換クロスシート
▽太字の車体はステンレス製（塗装している）
▽開放客車以外の車種に乗車する場合は、
運賃のほかに特別料金が必要
▽NR3編成は2014.06.30 アルナ車両にて新製
NR4編成は2016.09.27 アルナ車両にて新製
NR5編成は2019.06.01 アルナ車両にて新製

貨車 **145両**［ピンリンク式連結器］

形式	車号	両数
ワ形	ワ8～10	**3両**
オシ形	オシ2・3	**2両**
ムチ形	ムチ2	**1両**
ナチ形	ナチ1～4	**4両**
オチ形	オチ2～16	**15両**
オト形	オト601～610・653～657・660・661・665～676・678～681	**33両**
ト形	ト202～208・211・214・218・219・222・224～230・236～245・248・250・281・282・284～297・299～304・307・308・310・311・314・315・317・320・322・327	**63両**
チ形	チ111～130・134・135	**22両**
シ形	シ106	**1両**
ハト形	9（16.05.01＝ハフ9から改造）	**1両**

▽客車の7両編成までは単機（凸、□形どちらでも可）、それ以上の長編成（1000形が欅平寄り）は□形2両で牽引する
▽混合列車はハ形密閉客車・密閉客車・開放客車・小型貨車を合わせて14両編成までで組成
▽貨車形式　ワ形＝有蓋貨車　シ形＝重量物運搬用　オシ形＝大型重量物運搬用　ムチ形＝長物用運搬車
チ形＝長尺物運搬車　ナチ形＝長大長尺物運搬車　オチ形＝長大長尺物運搬車（本線限定）
ト形＝無蓋車　オト形＝大型無蓋車　ハト形＝主に作業員の手荷物運搬車

富山地方鉄道 稲荷町工場・南富山車庫　83両

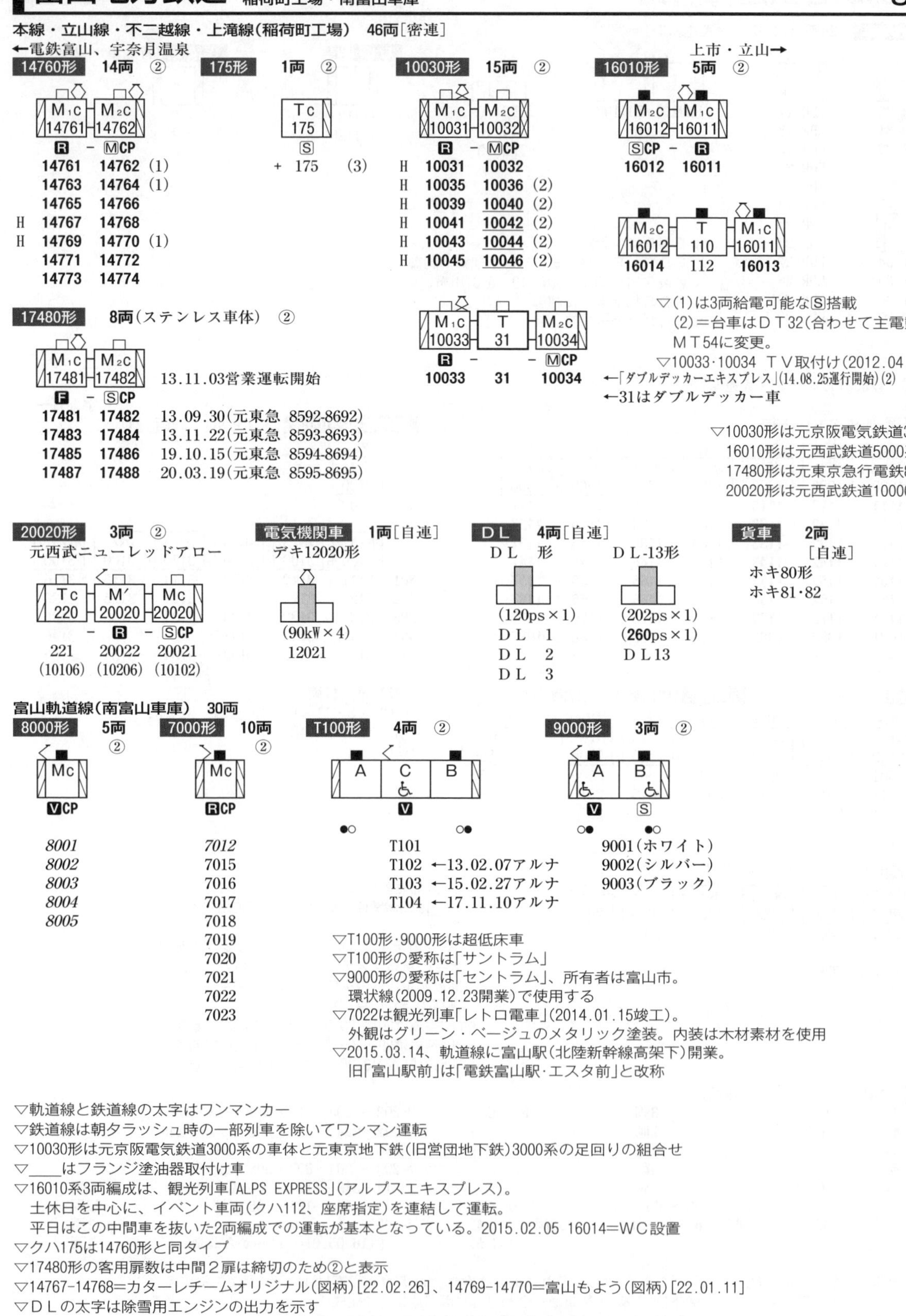

本線・立山線・不二越線・上滝線(稲荷町工場)　46両[密連]

←電鉄富山、宇奈月温泉　　上市・立山→

14760形　14両　②

M1c 14761 ─ M2c 14762

R － MCP

	14761	14762	(1)
	14763	14764	(1)
	14765	14766	
H	14767	14768	
H	14769	14770	(1)
	14771	14772	
	14773	14774	

175形　1両　②

Tc 175

S

+ 175　(3)

10030形　15両　②

M1c 10031 ─ M2c 10032

R － MCP

H	10031	10032	
H	10035	10036	(2)
H	10039	10040	(2)
H	10041	10042	(2)
H	10043	10044	(2)
H	10045	10046	(2)

M1c 10033 ─ T 31 ─ M2c 10034

R － － MCP

10033　31　10034　←「ダブルデッカーエキスプレス」(14.08.25運行開始)(2)

←31はダブルデッカー車

16010形　5両　②

M2c 16012 ─ M1c 16011

SCP － R

16012　16011

M2c 16012 ─ T 110 ─ M1c 16011

16014　112　16013

▽(1)は3両給電可能なS搭載

(2)＝台車はＤＴ32(合わせて主電動機をＭＴ54に変更。

▽10033·10034　ＴＶ取付け(2012.04.26)

17480形　8両(ステンレス車体)　②

M1c 17481 ─ M2c 17482　13.11.03営業運転開始

F － SCP

17481	17482	13.09.30(元東急 8592-8692)
17483	17484	13.11.22(元東急 8593-8693)
17485	17486	19.10.15(元東急 8594-8694)
17487	17488	20.03.19(元東急 8595-8695)

▽10030形は元京阪電気鉄道3000系
16010形は元西武鉄道5000系
17480形は元東京急行電鉄8590系
20020形は元西武鉄道10000系

20020形　3両　②

元西武ニューレッドアロー

Tc 220 ─ M′ 20020 ─ Mc 20020

－ R － SCP

221	20022	20021
(10106)	(10206)	(10102)

電気機関車　1両[自連]

デキ12020形

(90kW×4)

12021

ＤＬ　4両[自連]

ＤＬ　形

(120ps×1)

ＤＬ　1

ＤＬ　2

ＤＬ　3

ＤＬ-13形

(202ps×1)

(**260**ps×1)

ＤＬ13

貨車　2両

[自連]

ホキ80形

ホキ81·82

富山軌道線(南富山車庫)　30両

8000形　5両　②

Mc

VCP

8001
8002
8003
8004
8005

7000形　10両　②

Mc

RCP

7012
7015
7016
7017
7018
7019
7020
7021
7022
7023

T100形　4両　②

A ─ C ─ B

V

T101
T102 ←13.02.07アルナ
T103 ←15.02.27アルナ
T104 ←17.11.10アルナ

9000形　3両　②

A ─ B

V　S

9001(ホワイト)
9002(シルバー)
9003(ブラック)

▽T100形·9000形は超低床車
▽T100形の愛称は「サントラム」
▽9000形の愛称は「セントラム」、所有者は富山市。
　環状線(2009.12.23開業)で使用する
▽7022は観光列車「レトロ電車」(2014.01.15竣工)。
　外観はグリーン・ベージュのメタリック塗装。内装は木材素材を使用
▽2015.03.14、軌道線に富山駅(北陸新幹線高架下)開業。
　旧「富山駅前」は「電鉄富山駅·エスタ前」と改称

▽軌道線と鉄道線の太字はワンマンカー
▽鉄道線は朝夕ラッシュ時の一部列車を除いてワンマン運転
▽10030形は元京阪電気鉄道3000系の車体と元東京地下鉄(旧営団地下鉄)3000系の足回りの組合せ
▽＿＿はフランジ塗油器取付け車
▽16010系3両編成は、観光列車「ALPS EXPRESS」(アルプスエキスプレス)。
　土休日を中心に、イベント車両(クハ112、座席指定)を連結して運転。
　平日はこの中間車を抜いた2両編成での運転が基本となっている。2015.02.05 16014＝ＷＣ設置
▽クハ175は14760形と同タイプ
▽17480形の客用扉数は中間２扉は締切のため②と表示
▽14767-14768＝カターレチームオリジナル(図柄)[22.02.26]、14769-14770＝富山もよう(図柄)[22.01.11]
▽ＤＬの太字は除雪用エンジンの出力を示す
▽8000形·9000形·T100形(軌道線)はＶＶＶＦ車。T100形の主制御器は補助電源装置と一体型
▽斜字は広告車(側面ラッピング)

←南富山・大学前　　岩瀬浜→

0600形　**8両**（超低床車）　②

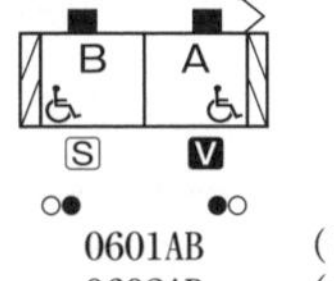

0601AB　（レッド）
0602AB　（オレンジ）
0603AB　（イエロー）
0604AB　（イエローグリーン）
0605AB　（グリーン）
0606AB　（ブルー）
0607AB　（パープル）
0608AB　（シルバーホワイト）　19.03.16新潟トランシス　0600E形［車椅子スペースはＡ車］

モハ20020	2
クハ220	1
モハ16011	2
モハ16012	2
クハ110	1
モハ10030	14
サハ30	1
モハ14760	14
クハ175	1
モハ17480	8
計	46

▽2006.04.29 富山ライトレール開業
▽2020.02.22 富山地方鉄道と合併
▽2020.03.21 富山駅高架下にて南北の路面電車がつながり、
岩瀬浜～環状線・南富山駅前・大学前の３方向と直通運転開始
▽（　）内は編成ごとのアクセントカラー
▽車両の愛称はPORTRAM（ポートラム）

立山黒部貫光　14両

鋼索線　4両

←立山　　鋼索　　美女平→

2003形

1
2

▽富山地方鉄道立山線立山下車
冬期（12月1日～ 4月上旬）は運休

←黒部湖　　鋼索　　黒部平→

コ21形

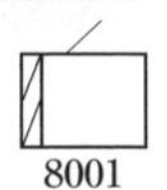

1
2

▽立山黒部アルペンルート内に位置し、
黒部湖から大観峰へのロープウェイが発着する黒部平まで運転。
冬期（12月1日～ 4月上旬）は運休

トロリーバス（室堂～大観峰）

8000形　**8両**　①

8001
8002
8003
8004
8005
8006
8007
8008

▽8000形はVVVFインバータ制御方式

▽室堂までのアクセスは、美女平から立山高原バス
大観峰までのアクセスは、黒部平から立山ロープウェイ

万葉線

12両

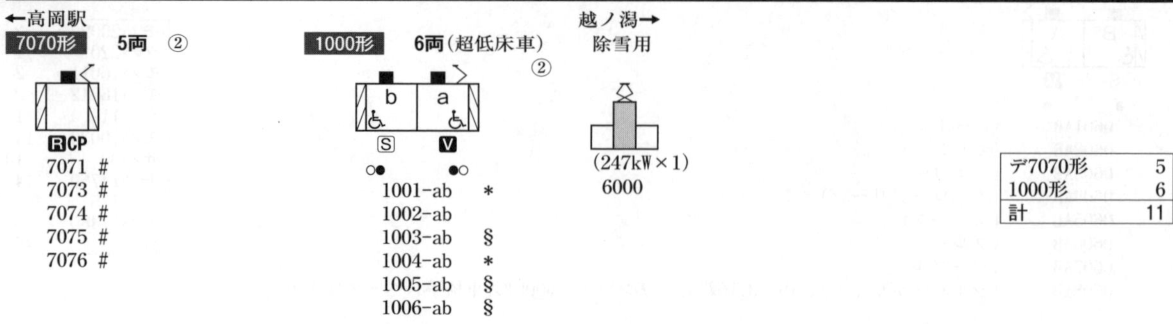

デ7070形	5
1000形	6
計	11

▽2002.04.01 加越能鉄道から事業を承継、運行開始
▽2014.03.29から高岡駅（高岡ステーションビル）乗入れ開始。電停名を高岡駅前から改称

▽1000形の愛称はアイトラム
▽特別塗色車＝7073（レトロ電車）は20.04.09全面広告車に
▽除雪用車のパンタグラフは信号操作用
▽2016.04.16から「ドラえもん電車」（1003-ab）運行開始
▽2020.08.09から「獅子舞トラム」（1005-ab）運行開始
▽2020.10.05から「LIBOOOTRAM/ライブゥートラム」（1006-ab）運行開始
▽# は全面広告車。＊ は部分ラッピング広告車。§は全面ラッピング広告車
▽7074 22.03.18＝電源装置、冷房装置改造
7076 23.03.24＝電源装置、冷房装置改造

のと鉄道 穴水運輸区

9両

←七尾・和倉温泉　　穴水→

NT200形 7両 ［小型密着］ ②

201
202
203
204
211
212
213

NT300形 2両［小型密着］ ②

301 ←15.03.19新潟トランシス
302 ←15.03.19新潟トランシス

▽1988.03.25 ＪＲ西日本能登線を引継ぎ開業
▽1991.09.01 ＪＲ西日本七尾線和倉温泉～輪島間の運行を、のと鉄道に移管
▽2001.03.31限りで穴水～輪島間廃止
▽2005.03.31限りで穴水～蛸島間廃止
▽NT200形は車イス対応トイレ、車イス対応スペース付き。太字はクロスシートが両側とも2人掛け
▽ラッピング車両 ＮＴ204＝花咲くいろは（P.A.WORKS、のと鉄道）
▽ＮＴ300形は観光用車両「のと里山里海号」。2015.04.29から営業運転開始。ＮＴ301はトイレなし、サービスカウンター付き。ＮＴ302はトイレ付き

あいの風とやま鉄道 運転管理センター(富山) 54両

←糸魚川(えちごトキめき鉄道)・市振　　富山・倶利伽羅・金沢(ＩＲいしかわ鉄道)→

クモハ521	22
クハ520	22
クモハ413	3
モハ412	3
クハ412	3
計	53

521系 **44両**(ステンレス車体)[密連] ③

	Mc 521	Tc w 520	
	+VSCP	+	
AK01	6	**6**	
AK02	7	**7**	
AK03	8	**8**	
AK04	9	**9**	
AK05	11	**11**	
AK06	12	**12**	
AK07	13	**13**	
AK08	15	**15**	
AK09	16	**16**	
AK10	17	**17**	
AK11	18	**18**	
AK12	21	**21**	
AK13	23	**23**	
AK14	24	**24**	
AK15	31	**31**	
AK16	32	**32**	
AK17	1001	**1001**	18.01.11川重
AK18	1002	**1002**	20.03.04川重
AK19	1003	**1003**	21.03.08川重
AK20	1004	**1004**	22.02.21川車
AK21	1005	**1005**	23.02.20川車
AK22	1006	**1006**	23.02.20川車

▽521系は、元ＪＲ西日本521系。形式変更等はなし
　譲受月日は2015.03.14。1000代は増備車
▽座席は、転換クロスシート、固定クロスシートとロングシート
▽扉半自動設備(押ボタン式)を装備
▽車間幌は先頭部を含めて設置済み
▽車体カラーは、富山湾方向を背景とする山側側面はブルー基調、
　反対に立山連峰を背景とする海側側面はグリーン基調のデザイン。
　2015.03 ～ 08に全編成を施工完了

413系 **9両**[密連] ②

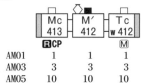

	Mc 413	M′ 412	Tc w 412	
	RCP		M	
AM01	1	1	1	←観光列車「一万三千尺物語」(18.12.20)
AM03	3	3	3	←16.08.28=「とやま絵巻」
AM05	10	10	10	

DL **1両**
ＤＥ15形
(1350ps×1)
ＤＥ151518

▽ＤＥ15形は除雪用。両頭に複線式除雪機器を装備。2015.03.14にＪＲ西日本から譲受、形式変更なし

▽2015.03.14 ＪＲ西日本北陸本線倶利伽羅～富山～市振間を引継いで開業。駅は石動～富山～越中宮崎間を管轄
▽ＩＲいしかわ鉄道金沢、えちごトキめき鉄道糸魚川まで乗入れ
▽**w** はトイレ設備。太字の車両に車イス対応スペース

ＩＲいしかわ鉄道 車両基地(金沢) 16両

←富山(あいの風とやま鉄道)・倶利伽羅　　金沢→

521系 **16両**(ステンレス車体)[密連] ③

クモハ521	8
クハ520	8
計	16

	Mc 521	Tc w 520	車両デザイン色
	+VSCP	+	
IR01	10	**10**	緑／草系
IR02	14	**14**	紫／古代紫系
IR03	30	**30**	群青／藍系
IR04	55	**55**	黄／黄土(金)系
IR05	56	**56**	赤／臙脂系
IR06	116	**116**	20.12.03近車
IR07	117	**117**	20.12.03近車
IR08	118	**118**	20.12.03近車

▽521系は、元ＪＲ西日本521系。形式変更等はなし
　譲受月日は2015.03.14
　IR06～08は2020年度増備車。ＪＲ七尾線に入線
▽座席は、転換クロスシート、固定クロスシートとロングシート
▽扉半自動設備(押ボタン式)を装備
▽車間幌は先頭部を含めて設置済み

▽2015.03.14 ＪＲ西日本北陸本線金沢～倶利伽羅間を引継いで開業
▽あいの風とやま鉄道富山まで乗入れ
▽**w** はトイレ設備。太字の車両に車イス対応スペース

北陸鉄道　鶴来検車区・内灘検車区　25両

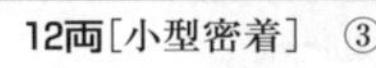

石川線(鶴来検車区)　12両[小型密着]　③

←野町　　　　鶴来→

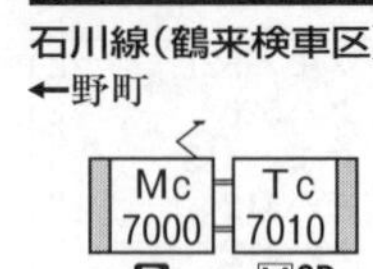

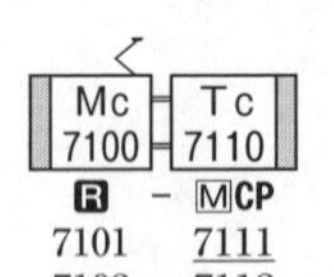

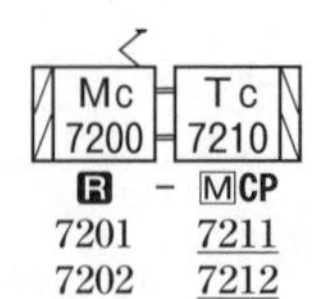

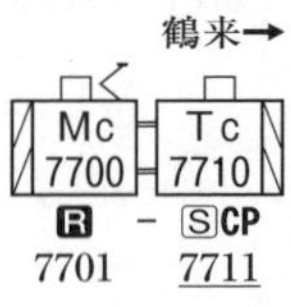

R - MCP		R - MCP		R - MCP		R - SCP	
7001	7011	7101	7111	7201	7211	7701	7711
		7102	7112	7202	7212		

形式	両数
モハ7000	1
クハ7010	1
モハ7100	2
クハ7110	2
モハ7200	2
クハ7210	2
モハ7700	1
クハ7710	1
計	12

電気機関車　1両

ＥＤ20形[自連]

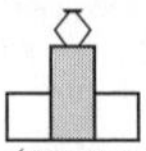

(75kW×4)

ＥＤ201

▽7000系は7001－7011を除き冷房車
　冷房装置は床下と天井のセパレートタイプ
▽＿＿はフランジ塗油器取付車
▽パンタグラフシングルアーム化
　7102・7201・7701=19.02、7001・7101=20.12、7202=22.02
▽鶴来～加賀一の宮間は2009.11.01付で廃止(営業運転は2009.10.31限り)

浅野川線(内灘検車区)　12両[小型密着]　③

←内灘　　　　北鉄金沢→

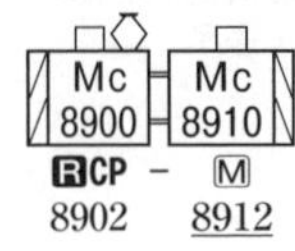

RCP - M		RCP - M	
8801	8811	8902	8912

03系　6両[小型密着]　③

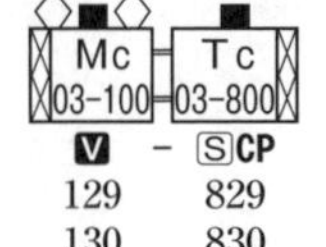

20.12.21営業運転開始

V - SCP		
129	829	21.04.13
130	830	22.03.14
134	834	23.03.06
139	839	20.12.21

形式	両数
モハ8800	1
モハ8810	1
モハ8900	1
モハ8910	1
モハ03-100	4
クハ03-800	4
計	12

▽7000系・7100系・7200系は元東京急行電鉄7000系。7200系は運転台新設車
▽8800系・8900系・7700系は元京王電鉄3000系。8800系は狭幅・片開き扉車。8900系と7700系は広幅・両開き扉車
▽03系は元東京地下鉄日比谷線03系。03-830・834にフランジ塗油器取付

えちぜん鉄道　福井口車庫　33両

←福井　　　　三国港・勝山→

7001形　12両[小型密着]　③

Mc 7001 - Tc 7001　譲受月日

VCP - S

7001	7002	13.02.04
7003	7004	13.02.27
7005	7006	13.03.15
7007	7008	13.12.27
7009	7010	14.02.07
7011	7012	14.11.25

8001形　2両[小型密着]　③

Mc 8001 - Tc 8001　譲受月日

RCP　M

8001　8002　23.03.20

[1010]　[1510]　[元：静岡鉄道1000形]

MC5001形　1両[小型密着]　③

モハ5001

RMCP

5001

形式	両数
ＭＣ5001	1
ＭＣ6001	2
ＭＣ6101	12
ＭＣ7001	6
ＴＣ7001	6
ＭＣ8001	1
ＴＣ8001	1
Ｌ-01	2
計	31

MC6001形　2両[小型密着]　③

モハ6001

RMCP

6001
6002

MC6101形　12両[小型密着]　③

モハ6101

RSCP

6101
6102
6103
6104
6105
6106
6107
6108
6109
6110
6111
6112

▽2003.02.01
　京福電気鉄道福井鉄道部から鉄道事業を引継ぐ

←鷲塚針原　　　　越前武生→

L-01形　2両　②

A　B

V　S

○●　●○

Ｌ-01　←16.03.16新潟トランシス
Ｌ-02　←16.03.16新潟トランシス

▽6001形・6101形は元愛知環状鉄道100形、300形
　7001形は元ＪＲ東海119系

▽2016.03.27から福井鉄道との相互乗入れを開始。
　福井鉄道への乗入は越前武生まで。
　えちぜん鉄道田原町～鷲塚針原間は低床ホームを使用。
　乗入れ用のＬ形の愛称は「ki-bo(キーボ)」

電気機関車　2両[自連]

ＭＬ521形

(60kW×4)

521
522

福井鉄道　北府車両工場　32両

福武線　35両

←越前武生・福井駅　　田原町→

880形　8両　②

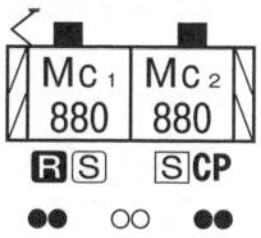

Mc1 880 / Mc2 880

Mc1	Mc2
883	882
885	884
887	886
889	888

770形　8両　②

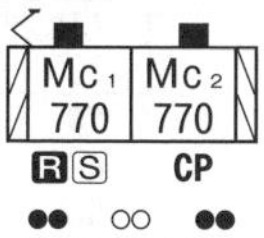

Mc1 770 / Mc2 770

Mc1	Mc2
771	770
773	772
775	774
777	776

F1000形　12両「フクラム」　②

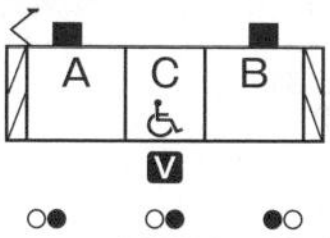

A　C　B

F1001　13.03.31新潟(赤)
F1002　15.02.18新潟(青)
F1003　16.03.20新潟(黄緑)
F1004　16.12.19新潟(桜)

F2000形　2両「フクラムライナー」

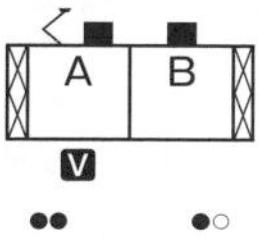

A　B

F2001　23.02.20アルナ

F10形　2両「レトラム」　②

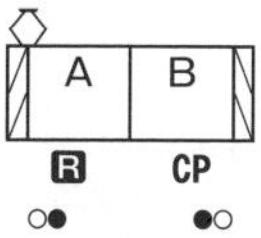

A　B

735　←14.04.12営業運転開始

F10形	2
770形	8
880形	8
F1000形4編成	12
F2000形1編成	2
計	32

▽2016.03.27からえちぜん鉄道との相互乗入れを開始。えちぜん鉄道への乗入れは鷲塚針原まで。
乗入れ用車両は、Ｆ1000形
また同日、福井駅前線を約140m延伸、福井駅前を福井駅と改称。
合わせて、木田四ツ辻停留場を商工会議所前停留場、公園口停留場を足羽山公園口停車場と変更
▽2018.03から市役所前停留場を福井城址大名町停留場に改称

▽Ｆ1001は2013.03.31から営業運転開始
▽F2000形は2023.03.27から営業運転開始。えちぜん鉄道乗入れは04.08から
▽200形は越前市に譲渡(2022.04.01)
▽770形·880形は名古屋鉄道からの譲受車
▽880形889F=21.03.22(制御装置ＶＶＶＦ化、主電動機更新、空気圧縮機更新、空調装置更新)
882F=22.01.31(制御装置ＶＶＶＦ化、主電動機更新、空気圧縮機更新、空調装置更新)
886F=21.11.08(制御装置ＶＶＶＦ化、主電動機更新、空気圧縮機更新、空調装置更新)
▽Ｆ10形はとさでん交通からの譲受け車。元シュツットガルト市(ドイツ)の車両

近江鉄道 電車区(彦根) 36両

←貴生川・近江八幡・多賀　　　　米原→

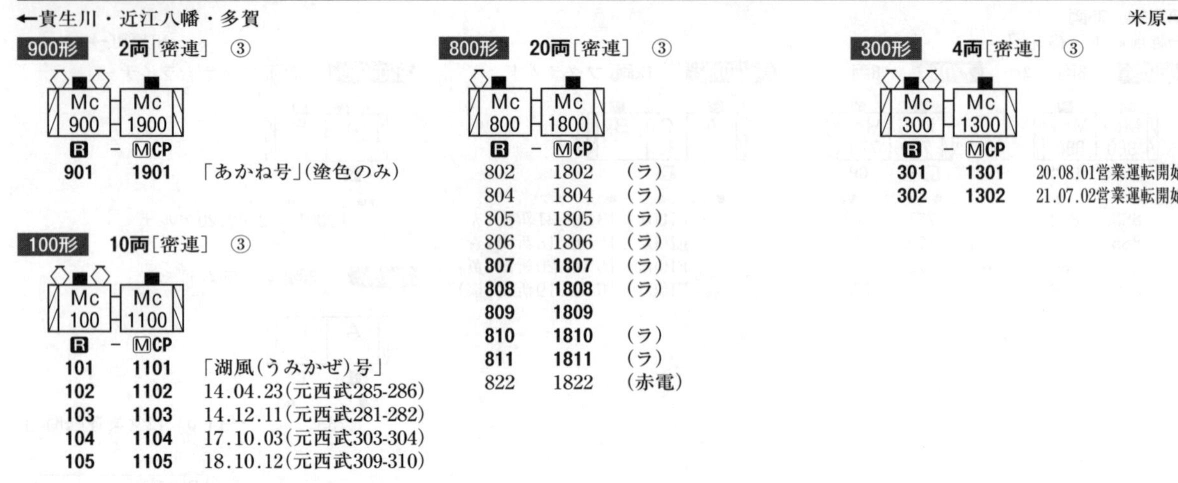

900形 2両[密連] ③

Mc 900 R － Mc 1900 MCP

901 **1901** 「あかね号」(塗色のみ)

100形 10両[密連] ③

Mc 100 R － Mc 1100 MCP

101 **1101** 「湖風(うみかぜ)号」
102 **1102** 14.04.23(元西武285-286)
103 **1103** 14.12.11(元西武281-282)
104 **1104** 17.10.03(元西武303-304)
105 **1105** 18.10.12(元西武309-310)

800形 20両[密連] ③

Mc 800 R － Mc 1800 MCP

802 1802 (ラ)
804 1804 (ラ)
805 1805 (ラ)
806 1806 (ラ)
807 **1807** (ラ)
808 **1808** (ラ)
809 **1809**
810 **1810** (ラ)
811 **1811** (ラ)
822 1822 (赤電)

300形 4両[密連] ③

Mc 300 R － Mc 1300 MCP

301 **1301** 20.08.01営業運転開始
302 **1302** 21.07.02営業運転開始

▽ワンマン運転実施
▽(ラ)はラッピング車
802＋1802＝ダイドー　フルラッピング電車
804＋1804＝土山たぬきサービスエリア　フルラッピング電車
805＋1805＝近江十景トレイン　フルラッピング電車
806＋1806＝2025滋賀国スポ・障スポ 全面ラッピング
807＋1807＝豊郷あかね　部分ラッピング電車
808＋1808＝豊郷あかね　フルラッピング電車
810＋1810＝健康診断　フルラッピング電車
811＋1811＝伊藤園「お～いお茶」　フルラッピング電車
822＋1822＝120周年イベント「赤電復刻」(16.06.16)
▽太字は車イス対応スペース設置
▽800形の旧形式は西武鉄道401系
▽900形・100形の旧形式は西武鉄道101系。バリアフリーを強化
900形は700形「初代あかね」を引継いだ「あかね号」塗装、2013.06.14営業開始
100形はライトブルーを基調に白帯、2013.12.27営業開始
▽300形、旧型式は西武3000系。ライトブルー一色に塗装
バリアフリーを強化。ドア鴨居に案内表示器初搭載

モハ220	1
モハ300	2
モハ1300	2
モハ800	10
モハ1800	10
モハ900	1
モハ1900	1
モハ100	5
モハ1100	5
計	36

信楽高原鐵道 信楽検修庫 4両

←貴生川　　　　信楽→

SKR310形 2両　SKR400形 1両　SKR500形 1両

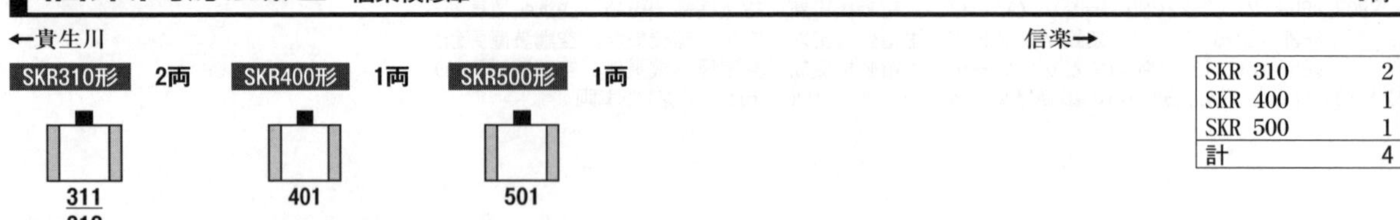

311
312　　401　　501

SKR 310	2
SKR 400	1
SKR 500	1
計	4

▽1987.07.13 ＪＲ西日本信楽線を引継ぎ開業
▽2013.04.01「上下分離」方式経営に移行。信楽高原鐵道は第２種鉄道事業者、第３種鉄道事業者は甲賀市
▽＿＿はフランジ塗油器取付け車。連結器は小型密着。客用扉数②

▽甲賀市を「忍者のまち」としてＰＲするためラッピング施工
「SHINOBI-TRAIN」ラッピング
ＳＫＲ311＝緑色(17.02.22)、ＳＫＲ312＝紫色(17.02.23)

▼車イス対応スペース…太字の車両に設置

叡山電鉄 修学院車庫

23両

23両(22+1)[営業用車　連結器は小型密着]

←出町柳　　　　　　　　　　　　　　　　　　　　八瀬比叡山口・鞍馬→

デオ710形　2両②

Mc 710

RSCP

711（◇）
712

デオ720形　4両②

Mc 720

RSCP

721
724

Mc 720

RSCP

722
723

デオ730形　2両②

Mc 730

RSCP

731

Mc 730

RSCP

732　18.02.26=「ひえい」

デオ800形　4両③

Mc 800 − Mc 800

R − MCP

(1) 801　851
(2) 802　852

デオ810形　6両③

Mc 810 − Mc 810

RSCP−RSCP

(3) **811**　812
(4) **813**　814
815　816

デオ900形　4両②

Mc 900 − Mc 900

R − SCP

901　902
903　904

デオ900	4
デオ800	4
デオ810	6
デオ710	2
デオ720	4
デオ730	2
計	22

電動貨車　1両

デト1001形

1001

▽全車ワンマンカー
▽____はレール塗油器取付け
▽デオ800形の帯の色は、(1)＝緑、(2)＝ピンク、
デオ810形の帯の色は、(3)＝黄緑、(4)＝紫
815·816は「こもれび号」
▽デオ900形の愛称は「きらら」。「青もみじきらら」メープルグリーン色塗装(期間限定)
▽732の愛称は「ひえい」。車体改修工事に合わせて車椅子スペース新設・室内灯ＬＥＤ化なども実施
▽712 22.11.25改修工事実施(車体修繕、車イススペース新設、車内灯ＬＥＤ化等、車体色変更)
▽722 19.02.28改修工事実施(車体修繕、車イススペース新設、車内灯ＬＥＤ化等、車体色変更)
▽723 20.10.09改修工事実施(車体修繕、車イススペース新設、室内灯ＬＥＤ化等、車体色変更)
▽太字は車椅子スペース設置
▽車体カラー
711·721 ＝「やま」(クリーム色にグリーン帯、戸袋部分に山のシンボルマーク)
724 ＝「かわ」(クリーム色に青帯、戸袋部分にかわのシンボルマーク)
731 ＝「ノスタルジック731」
▽台枠下部覆い取付は、デオ800形・デオ810形・デオ900形と712・722・723・732

鞍馬寺

1両

←山門　　鋼索　　多宝塔→

No. 1形

1　牛若号Ⅳ

▽叡山電鉄鞍馬駅下車。乗車料金は冥加料
▽車両と施設更新工事が完了、2016.05.20から運転再開

嵯峨野観光鉄道

6両

←トロッコ嵯峨　　　　　　　　　トロッコ亀岡→

ＤＬ　1両[自連]

ＤＥ10形

(1350ps×1)
DE101104

客車　5両[自連]　①

ＳＫ100·200·300形

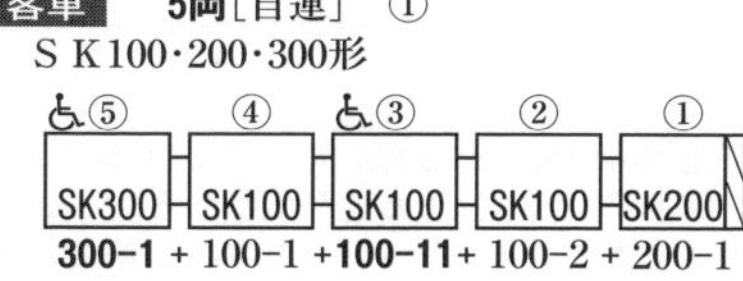

300-1 + 100-1 +**100-11**+ 100-2 + 200-1

▽1991.04.27 旧山陰本線の路線を引続き開業
▽ＤＬは常にトロッコ嵯峨寄りに連結
▽客車のうち、太字はオープンタイプ
▽ＳＫ300形の愛称は「ザ·リッチ」

▽19世紀ホール(トロッコ嵯峨駅)に、Ｃ5848、Ｃ57148、実習用蒸気機関車「若鷹号」、Ｄ51603(頭部)、
ジオラマ京都ＪＡＰＡＮ(トロッコ嵯峨駅)にＥＦ6645・ＥＦ6641(前頭部)などを保存、展示

京福電気鉄道 西院車庫 30両

嵐山本線・北野線 28両(27＋1)［営業用車　連結器はトムリンソン式］　②

←嵐山　　　　北野白梅町・四条大宮→

モボ101形 6両　Mc　RSCP
101
102
103
104
105
106

モボ301形 1両　Mc　RSCP
301

モボ501形 2両　Mc　RSCP
501
502

モボ611形 6両　Mc　RSCP
611
612
613
614
615
616

モボ621形 5両　Mc　RSCP
621
622
623
624
625

モボ631形 3両　Mc　RSCP
631
632　(*1)
633

モボ21形 2両　Mc　RSCP
26
27

モボ2001形 2両　Mc　VSCP
2001
2002　(*2)

電動貨車 1両
モト1000形
1001

モボ101	6
モボ301	1
モボ501	2
モボ611	6
モボ621	5
モボ631	3
モボ21	2
モボ2001	2
計	27

▽モボ21形はレトロ調車体、車体の縁取りは26＝金・27＝銀
▽2009.10.14に江ノ島電鉄と姉妹提携したのを記念し、631は江ノ電色
▽太字は新塗色(京紫色)
▽ラッピング車の図柄(スポンサー)は以下のとおり
　*1＝夕子号(井筒八ツ橋)、*2＝もり号(もりの漬物)、
　ほかにパートラッピングは、611＝エルハウジング、613＝京都七味唐辛子、621＝グッドタイムリビング
　612・615＝京都銀行、502＝京都先端科学大学、623＝京都シネマレトロ
▽2両編成はモボ2001形を除き異形式の組合せも可能
▽モボ501形　2016年度にリニューアル。京紫色に変更するとともに、乗降用扉を前・中扉から前・後扉に変更
▽車椅子スペースは、モボ101形・モボ301形をのぞく車両に設置

鋼索線 2両
←ケーブル八瀬　　鋼索　　ケーブル比叡→

ケ形

1　▽叡山電鉄八瀬比叡山口下車
2　▽車体リニューアル、2021(R03).03.20～運行開始

比叡山鉄道 2両

←ケーブル坂本　　鋼索　　ケーブル延暦寺→

1　縁(YEN)　▽全長2,025m(日本最長)、高低差484m、最急勾配333.3‰。トンネル2箇所
2　福(FUKU)　▽JR湖西線比叡山坂本駅、京阪石山坂本線坂本比叡山駅からケーブル坂本行連絡バス(江若交通)
▽2007年、駅停車時に蓄電池に充電する架線レス方式を導入、駅間の架線を撤去

京都市交通局 竹田車両基地・醍醐車庫 222両

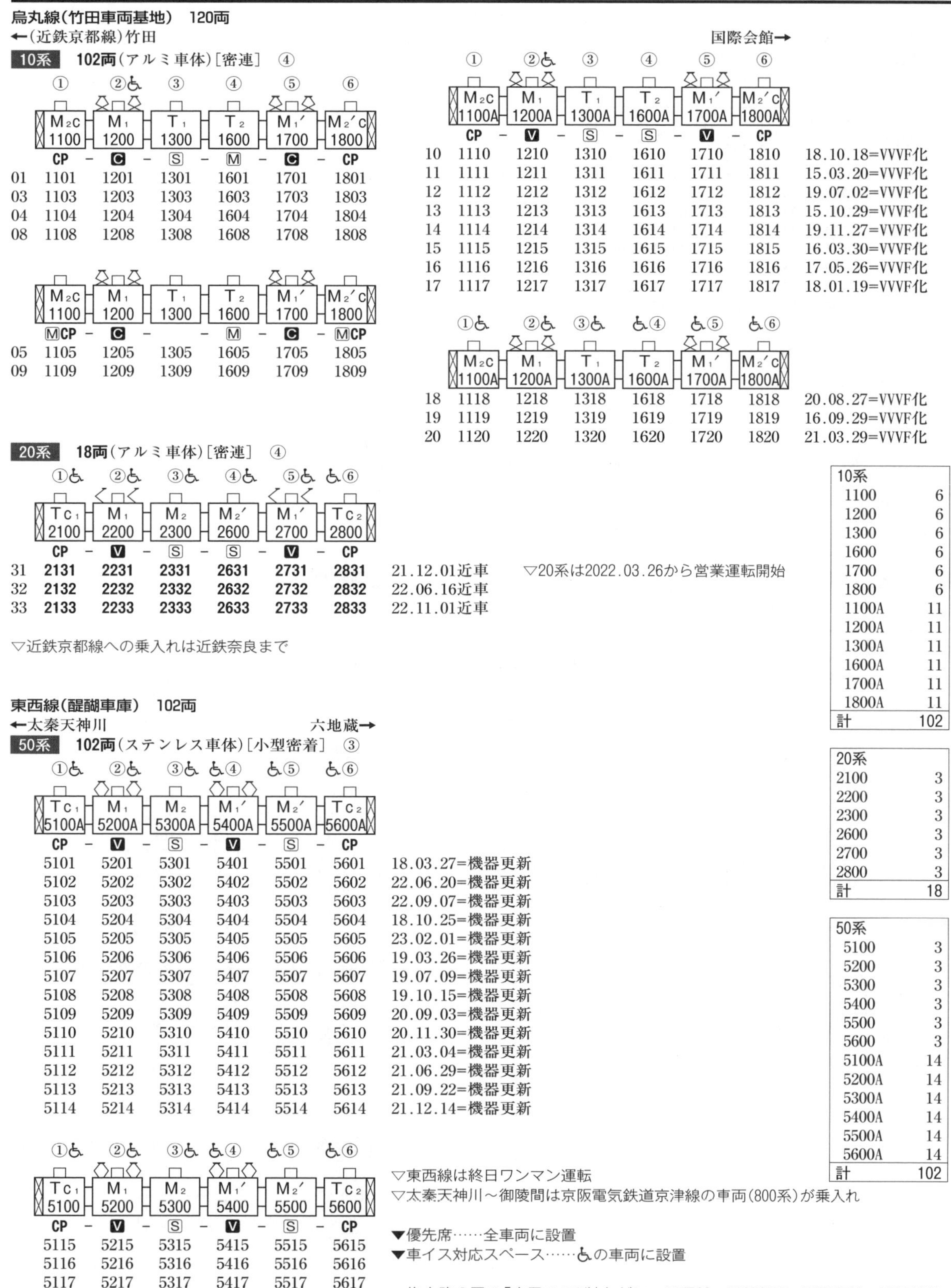

烏丸線(竹田車両基地) 120両

←(近鉄京都線)竹田　　　　国際会館→

10系 102両(アルミ車体)[密連] ④

	①	②♿	③	④	⑤	⑥	
	M2c 1100	M1 1200	T1 1300	T2 1600	M1′ 1700	M2′c 1800	
	CP	C	S	M	C	CP	
01	1101	1201	1301	1601	1701	1801	
03	1103	1203	1303	1603	1703	1803	
04	1104	1204	1304	1604	1704	1804	
08	1108	1208	1308	1608	1708	1808	

	M2c 1100	M1 1200	T1 1300	T2 1600	M1′ 1700	M2′c 1800
	M CP	C		M	C	M CP
05	1105	1205	1305	1605	1705	1805
09	1109	1209	1309	1609	1709	1809

	①	②♿	③	④	⑤	⑥	
	M2c 1100A	M1 1200A	T1 1300A	T2 1600A	M1′ 1700A	M2′c 1800A	
	CP	V	S	S	V	CP	
10	1110	1210	1310	1610	1710	1810	18.10.18=VVVF化
11	1111	1211	1311	1611	1711	1811	15.03.20=VVVF化
12	1112	1212	1312	1612	1712	1812	19.07.02=VVVF化
13	1113	1213	1313	1613	1713	1813	15.10.29=VVVF化
14	1114	1214	1314	1614	1714	1814	19.11.27=VVVF化
15	1115	1215	1315	1615	1715	1815	16.03.30=VVVF化
16	1116	1216	1316	1616	1716	1816	17.05.26=VVVF化
17	1117	1217	1317	1617	1717	1817	18.01.19=VVVF化

	①♿	②♿	③♿	♿④	♿⑤	♿⑥	
	M2c 1100A	M1 1200A	T1 1300A	T2 1600A	M1′ 1700A	M2′c 1800A	
18	1118	1218	1318	1618	1718	1818	20.08.27=VVVF化
19	1119	1219	1319	1619	1719	1819	16.09.29=VVVF化
20	1120	1220	1320	1620	1720	1820	21.03.29=VVVF化

20系 18両(アルミ車体)[密連] ④

	①♿	②♿	③♿	④♿	⑤♿	♿⑥	
	Tc1 2100	M1 2200	M2 2300	M2′ 2600	M1′ 2700	Tc2 2800	
	CP	V	S	S	V	CP	
31	**2131**	**2231**	**2331**	**2631**	**2731**	**2831**	21.12.01近車
32	**2132**	**2232**	**2332**	**2632**	**2732**	**2832**	22.06.16近車
33	**2133**	**2233**	**2333**	**2633**	**2733**	**2833**	22.11.01近車

▽20系は2022.03.26から営業運転開始

▽近鉄京都線への乗入れは近鉄奈良まで

10系	
1100	6
1200	6
1300	6
1600	6
1700	6
1800	6
1100A	11
1200A	11
1300A	11
1600A	11
1700A	11
1800A	11
計	102

20系	
2100	3
2200	3
2300	3
2600	3
2700	3
2800	3
計	18

東西線(醍醐車庫) 102両

←太秦天神川　　　　六地蔵→

50系 102両(ステンレス車体)[小型密着] ③

①♿	②♿	③♿	♿④	♿⑤	♿⑥	
Tc1 5100A	M1 5200A	M2 5300A	M1′ 5400A	M2′ 5500A	Tc2 5600A	
CP	V	S	V	S	CP	
5101	5201	5301	5401	5501	5601	18.03.27=機器更新
5102	5202	5302	5402	5502	5602	22.06.20=機器更新
5103	5203	5303	5403	5503	5603	22.09.07=機器更新
5104	5204	5304	5404	5504	5604	18.10.25=機器更新
5105	5205	5305	5405	5505	5605	23.02.01=機器更新
5106	5206	5306	5406	5506	5606	19.03.26=機器更新
5107	5207	5307	5407	5507	5607	19.07.09=機器更新
5108	5208	5308	5408	5508	5608	19.10.15=機器更新
5109	5209	5309	5409	5509	5609	20.09.03=機器更新
5110	5210	5310	5410	5510	5610	20.11.30=機器更新
5111	5211	5311	5411	5511	5611	21.03.04=機器更新
5112	5212	5312	5412	5512	5612	21.06.29=機器更新
5113	5213	5313	5413	5513	5613	21.09.22=機器更新
5114	5214	5314	5414	5514	5614	21.12.14=機器更新

①♿	②♿	③♿	♿④	♿⑤	♿⑥
Tc1 5100	M1 5200	M2 5300	M1′ 5400	M2′ 5500	Tc2 5600
CP	V	S	V	S	CP
5115	5215	5315	5415	5515	5615
5116	5216	5316	5416	5516	5616
5117	5217	5317	5417	5517	5617

50系	
5100	3
5200	3
5300	3
5400	3
5500	3
5600	3
5100A	14
5200A	14
5300A	14
5400A	14
5500A	14
5600A	14
計	102

▽東西線は終日ワンマン運転

▽太秦天神川～御陵間は京阪電気鉄道京津線の車両(800系)が乗入れ

▼優先席……全車両に設置

▼車イス対応スペース……♿の車両に設置

▽梅小路公園の「市電ひろば」などに、N電29、500形505、700形703、800形890、900形935、1600形1605、2000形2001を保存、展示。また運転日を決めて、N電27が公園内の市電広場～すざくゆめ広場間運転

近畿日本鉄道　西大寺・東花園・高安・明星・富吉・古市・東生駒車庫　1895両

特急用車〔含む団体専用車〕（西大寺〔西〕・東花園〔花〕・高安〔安〕・明星〔明〕・富吉〔富〕）　448両（428＋20）

←大阪難波・大阪上本町・京都

80000系　**72両**（ひのとり）［密連］　①

	⑥	⑤	④	③	②	①	
	Tc	M	T	M	M	Tc	
	80100	80200	80300	80400	80500	80600	
	ⓈCP	Ⓥ	−	Ⓥ	Ⓥ	ⓈCP	
安	**80101**	**80201**	**80301**	**80401**	**80501**	**80601**	19.12.04近車
安	**80102**	**80202**	**80302**	**80402**	**80502**	**80602**	19.12.20近車
安	**80103**	**80203**	**80303**	**80403**	**80503**	**80603**	20.01.06近車
安	**80104**	**80204**	**80304**	**80404**	**80504**	**80604**	20.04.01近車
安	**80111**	**80211**	**80311**	**80411**	**80511**	**80611**	20.04.07近車
富	**80112**	**80212**	**80312**	**80412**	**80512**	**80612**	20.04.30近車
富	**80113**	**80213**	**80313**	**80413**	**80513**	**80613**	20.05.13近車
安	**80114**	**80214**	**80314**	**80414**	**80514**	**80614**	21.04.26近車

	Tc	M	T	M	T	M	M	Tc	
	80100	80200	80300	80700	80800	80400	80500	80600	
	ⓈCP	Ⓥ	−	Ⓥ	ⓈCP	Ⓥ	Ⓥ	ⓈCP	
富	**80151**	**80251**	**80351**	**80751**	**80851**	**80451**	**50551**	**80651**	20.09.11近車
富	**80152**	**80252**	**80352**	**80752**	**80852**	**80452**	**50552**	**80652**	20.10.21近車
富	**80153**	**80253**	**80353**	**80753**	**80853**	**80453**	**50553**	**80653**	20.12.29近車

▽80000系は2020.03.14から営業運転開始
▽６両編成　①⑥号車はプレミアム車両、②～⑤号車はレギュラー車両
▽８両編成　①⑧号車はプレミアム車両、②～⑦号車はレギュラー車両

21000系　**72両**（アーバンライナー plus）［密連］　①（モ21500は②）

	⑧	wc⑦	⑥wc	⑤	④wc	③	②wc	①
	Mc●	M	M	●M	Mc	●Mc	M	Mc
	21100	21200	21304	21404	21700	21800	21500	21600
	Ⓡ	DDCP	Ⓡ	DDCP	Ⓡ	DDCP	Ⓡ	DDCP
富	21101	21201	21301	21401	21701	21801	21501	**21601**
富	21102	21202	21302	21402	21702	21802	21502	**21602**
富	21103	21203	21303	21403	21703	21803	21503	**21603**
富	21104	21204	21304	21404			21504	**21604**
富	21105	21205	21305	21405			21505	**21605**
富	21106	21206	21306	21406			21506	**21606**
富	21107	21207	21307	21407			21507	**21607**
富	21108	21208	21308	21408			21508	**21608**
富	21109	21209	21309	21409			21509	**21609**
富	21110	21210	21310	21410			21510	**21610**
富	21111	21211	21311	21411			21511	**21611**

21020系　**12両**（アーバンライナー next）［密連］　①（モ21520は②）

	⑥	wc⑤	④wc	③	②wc	①
	Tc●	M	M	●T	M	Tc
	21120	21220	21320	21420	21520	21620
	ⓈCP	Ⓥ	Ⓥ	−	Ⓥ	ⓈCP
富	21121	21221	21321	21421	21521	**21621**
富	21122	21222	21322	21422	21522	**21622**

12600系　**8両**［密連］　①（ク12700は②）

	④	wc③	②wc	①
	Mc	T	M	Tc
	12600	12750	12650	12700
	＋ Ⓡ	CP	Ⓡ	Ⓜ ＋
明	12601	12751	12651	12701 ●N
明	12602	12752	12652	12702 ●N

12410系　**20両**［密連］　①（ク12510は②）

		wc		wc
	Mc	T	M	Tc
	12410	12560	12460	12510
	＋ Ⓡ	−	Ⓡ	ⓂCP ＋
明	12411	12561	12461	12511 ●N
明	12412	12562	12462	12512 ●N
明	12413	12563	12463	*12513* ●N
明	12414	12564	12464	12514 ●N
明	12415	12565	12465	12515 ●N

12400系　**12両**［密連］　①（ク12500は②）

		wc		wc
	Mc	T	M	Tc
	12400	12550	12450	12500
	＋ Ⓡ	ⓂCP	Ⓡ	ⓂCP ＋
明	*12401*	*12551*	*12451*	*12501* ●N
明	12402	12552	12452	12502 ●N
明	*12403*	*12553*	*12453*	*12503* ●N

19200系　**4両**（あをによし）［密連］　①（ク19300は②）

	④	wc③	②	wc①	
	Mc	T	M	Tc	
	19200	19350	19250	19300	
	＋ Ⓡ	ⓂCP	Ⓡ	ⓂCP ＋	
花	19201	19351	19251	19301	22.03.01車号変更
	［12256］	［12156］	［12056］	［12356］	完工は22.04.09

←大阪難波・大阪上本町・京都

50000系　**18両**(しまかぜ)[密連]　①(4号車は客用扉なし)

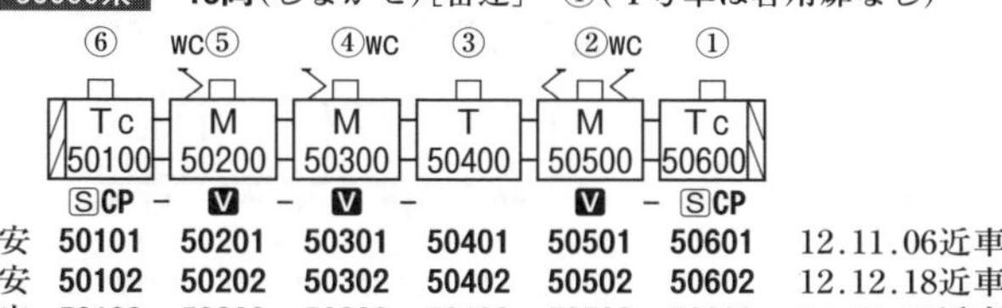

	⑥	⑤	④	③	②	①	
安	**50101**	**50201**	**50301**	**50401**	**50501**	**50601**	12.11.06近車
安	**50102**	**50202**	**50302**	**50402**	**50502**	**50602**	12.12.18近車
安	**50103**	**50203**	**50303**	**50403**	**50503**	**50603**	14.09.01近車

▽1・6号車は展望車両
　3号車は2階建てカフェ車両
　4号車はグループ車両
▽特急券のほかに「しまかぜ特別料金」が必要

22000系　**86両**(ACE)[密連]　②(モ22200は①)

④ Mc 22100 ＋[V] － ③WC M 22200 [DD]CP － ② M 22300 [V] － WC① Mc 22400 [DD]CP＋

	④	③	②	①	
花	22101	22201	22301	22401	●N
花	22102	22202	22302	22402	●N
明	22105	22205	22305	22405	●N
花	22106	22206	22306	22406	●N
明	22107	22207	22307	22407	●N
花	22110	22210	22310	22410	●N
明	22111	22211	22311	22411	●N
花	22112	22212	22312	22412	●N
花	22114	22214	22314	22414	●N
明	22115	22215	22315	22415	●N
明	22116	22216	22316	22416	●N
明	22117	22217	22317	22417	●N
明	22118	22218	22318	22418	●N
明	22119	22219	22319	22419	●N
明	22120	22220	22320	22420	●N

② Mc 22100 ＋[V] － WC① Mc 22400 [DD]CP＋

	②	①	
明	22103	22403	●N
明	22104	22404	●N
明	22108	22408	●N
明	22109	22409	●N
明	22113	22413	●N
明	22121	22421	●N
花	22122	22422	●N
明	22123	22423	●N
花	22124	22424	●N
明	22125	22425	●N
明	22126	22426	●N
富	22127	22427	●N
西	22128	22428	●N

30000系　**60両**(ビスタEX)[密連]　①

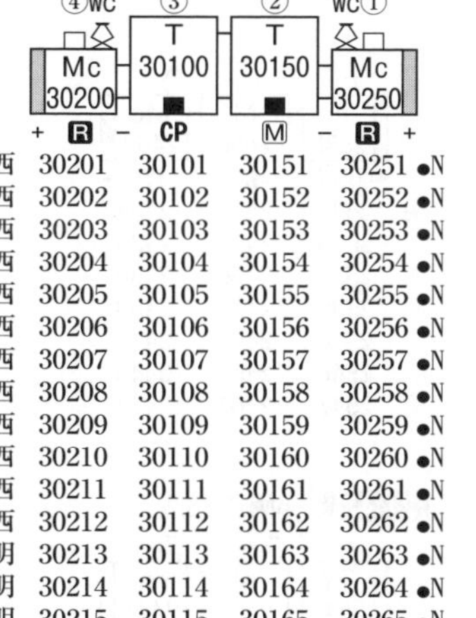

	④	③	②	①
西	30201	30101	30151	30251 ●N
西	30202	30102	30152	30252 ●N
西	30203	30103	30153	30253 ●N
西	30204	30104	30154	30254 ●N
西	30205	30105	30155	30255 ●N
西	30206	30106	30156	30256 ●N
西	30207	30107	30157	30257 ●N
西	30208	30108	30158	30258 ●N
西	30209	30109	30159	30259 ●N
西	30210	30110	30160	30260 ●N
西	30211	30111	30161	30261 ●N
西	30212	30112	30162	30262 ●N
明	30213	30113	30163	30263 ●N
明	30214	30114	30164	30264 ●N
明	30215	30115	30165	30265 ●N

23000系　**36両**(伊勢志摩ライナー)[密連]　①

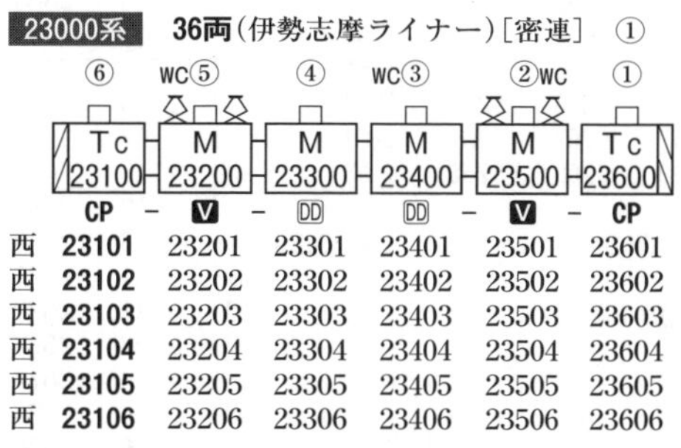

	⑥	⑤	④	③	②	①
西	**23101**	23201	23301	23401	23501	23601
西	**23102**	23202	23302	23402	23502	23602
西	**23103**	23203	23303	23403	23503	23603
西	**23104**	23204	23304	23404	23504	23604
西	**23105**	23205	23305	23405	23505	23605
西	**23106**	23206	23306	23406	23506	23606

22600系　**32両**(Ace)[密連][車体塗色は新デザイン車]
②(サ22700は①)

④ Mc 22600 ＋[V] － WC③ T 22700 CP － ② M 22800 [V] － WC① ●Tc 22900 [S]CP＋

	④	③	②	①	
安	22601	22701	22801	22901	14.01.23阪神乗入れ対応
安	22602	22702	22802	22902	14.01.10阪神乗入れ対応

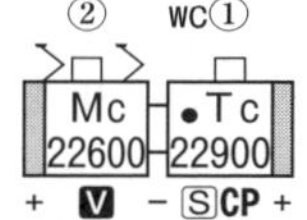

	②	①	
安	22651	22951	14.01.17阪神乗入れ対応
安	22652	22952	14.01.17阪神乗入れ対応
西	22653	22953	
西	22654	22954	
西	22655	22955	
明	22656	22956	
明	22657	22957	
富	22658	22958	
富	22659	22959	
富	22660	22960	
富	22661	22961	
明	22662	22962	

▽21000系・21020系・22600系は全席禁煙
▽デラックスカー(太字の号車)乗車には特急券のほかに特別車両料金が必要
▽モ21700形－モ21800形を組み込む編成は、検査などの関係で一定していない
▽12200系・12400系のパンタグラフは◇に換えられた車両も在籍
▽30000系の階下席は3～5人のグループ専用席。2010年度完了。車体更新工事は2011年度にて全編成が完了
▽12400系・12410系・12600系・30000系に喫煙室設置(●)
　2018年度施工　12601F=18.05.18、30201F=19.03.28、30211F=18.06.11、30212F=18.07.19、30213F=18.11.06、
　30214F=18.10.05、30215F=19.01.25
▽12600系　Nは車体塗色新デザイン車。合わせて車両リニューアル
　12601F=18.05.18

▽23000系　リニューアル工事施工。車体色をサンシャインレッド色(=奇数編成)、サンシャインイエロー色(=偶数編成)に変更
　23101F=2013.06.04、23102F=2012.12.26、23103F=2012.07.31、23104F=2012.09.06、23105F=2013.07.10、23106F=2013.02.08
▽22000系　Nは車体塗色新デザイン車。合わせて車両リニューアル。モ22410形に喫煙室設置(●)
　2019年度施工　22103F=20.03.03、22104F=20.03.05、22107F=19.07.11、22108F=19.12.20、22109F=19.12.24
▽団体専用車は、136頁下段を参照

大阪線・名古屋線(高安車庫・明星車庫〔明〕・富吉車庫〔富〕) 563両

←大阪上本町・近鉄名古屋

5200系 32両[密連] ③

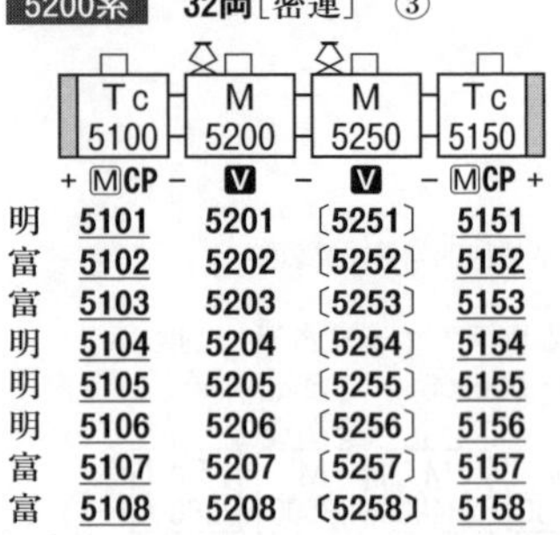

	Tc 5100	M 5200	M 5250	Tc 5150
	+ ⓂCP −	Ⓥ	− Ⓥ	− ⓂCP +
明	**5101**	**5201**	**〔5251〕**	**5151**
富	**5102**	**5202**	**〔5252〕**	**5152**
富	**5103**	**5203**	**〔5253〕**	**5153**
明	**5104**	**5204**	**〔5254〕**	**5154**
明	**5105**	**5205**	**〔5255〕**	**5155**
明	**5106**	**5206**	**〔5256〕**	**5156**
富	**5107**	**5207**	**〔5257〕**	**5157**
富	**5108**	**5208**	**〔5258〕**	**5158**

▽補助電源ＳＩＶ化　5101＝23.03.25

5209系 8両[密連] ③

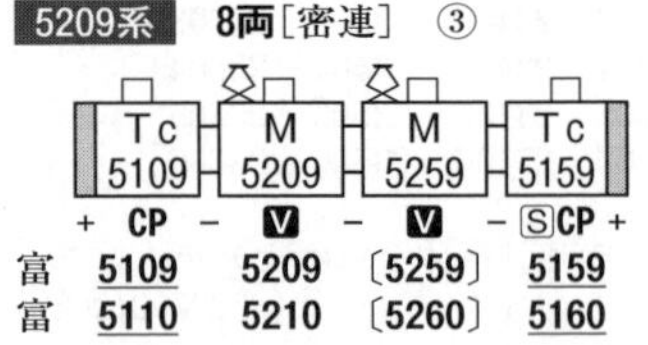

	Tc 5109	M 5209	M 5259	Tc 5159
	+ CP −	Ⓥ	− Ⓥ	− ⓈCP +
富	**5109**	**5209**	**〔5259〕**	**5159**
富	**5110**	**5210**	**〔5260〕**	**5160**

5211系 12両[密連] ③

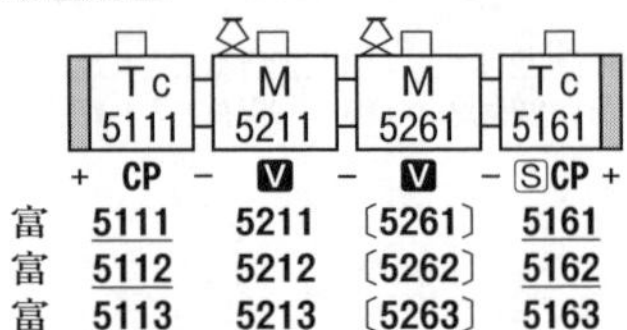

	Tc 5111	M 5211	M 5261	Tc 5161
	+ CP −	Ⓥ	− Ⓥ	− ⓈCP +
富	**5111**	**5211**	**〔5261〕**	**5161**
富	**5112**	**5212**	**〔5262〕**	**5162**
富	**5113**	**5213**	**〔5263〕**	**5163**

2610系 68両[密連] ④

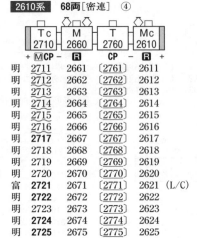

	Tc 2710	M 2660	T 2760	Mc 2610	
	+ ⓂCP −	Ⓡ	CP	− Ⓡ +	
明	2711	2661	〔2761〕	2611	
明	2712	2662	〔2762〕	2612	
明	2713	2663	〔2763〕	2613	
明	2714	2664	〔2764〕	2614	
明	2715	2665	〔2765〕	2615	
明	2716	2666	〔2766〕	2616	
明	**2717**	2667	〔2767〕	2617	
明	2718	2668	〔2768〕	2618	
明	2719	2669	〔2769〕	2619	
明	2720	2670	〔2770〕	2620	
富	**2721**	2671	〔2771〕	2621	(L/C)
明	**2722**	2672	〔2772〕	2622	
明	2723	2673	〔2773〕	2623	
明	**2724**	2674	〔2774〕	2624	
明	**2725**	2675	〔2775〕	2625	
富	**2726**	2676	〔2776〕	2626	(L/C)
富	**2727**	2677	〔2777〕	2627	(L/C)

▽5200系・2600系はクロスシート、
▽(L/C)はクロス～ロング両用の
　デュアルシート
▽＿＿の車両はトイレ付き
▽2711～2716はⓅなし
▽5105×４編成は、
　旧2250系特急色に変更(2014.09)
▽2015年度　2610系の車両リニューアル
　(ク2710形に車イス対応スペース設置)
　2726F＝15.05.28、2727F＝15.12.21

1200・2430系 8両[密連] ④

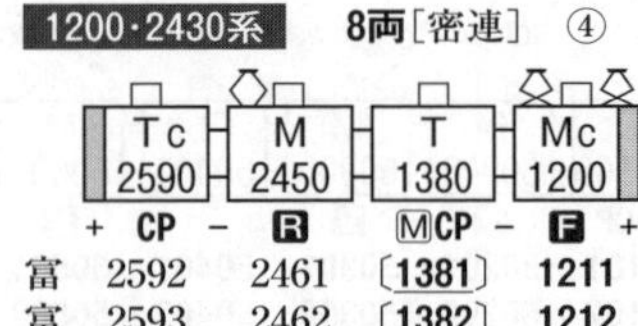

	Tc 2590	M 2450	T 1380	Mc 1200
	+ CP −	Ⓡ	ⓂCP	− Ⓕ +
富	**2592**	**2461**	**〔1381〕**	**1211**
富	**2593**	**2462**	**〔1382〕**	**1212**

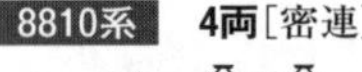

8810系 4両[密連]

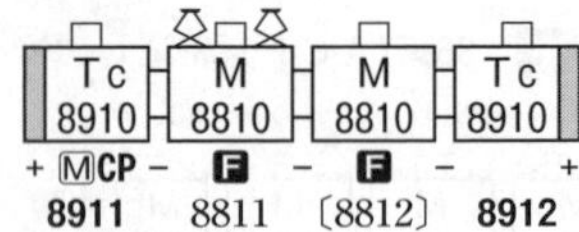

Tc 8910	M 8810	M 8810	Tc 8910
+ ⓂCP −	Ⓕ	− Ⓕ	− +
8911	8811	〔8812〕	**8912**

9200系 12両[密連]

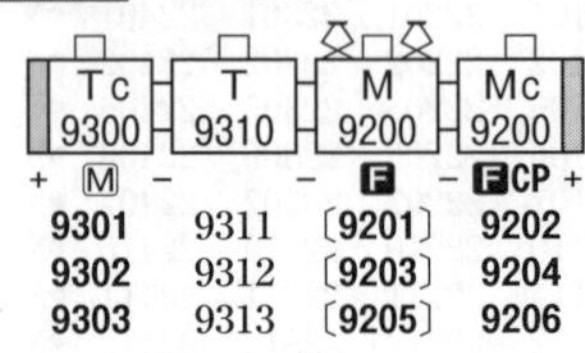

Tc 9300	T 9310	M 9200	Mc 9200
+ Ⓜ −		− Ⓕ	− ⒻCP +
9301	9311	**〔9201〕**	**9202**
9302	9312	**〔9203〕**	**9204**
9303	9313	**〔9205〕**	**9206**

▽サ9310形はアルミ車体
▽内装新デザイン
　9204F＝22.06.24

2410・2430系 89両[密連] ④

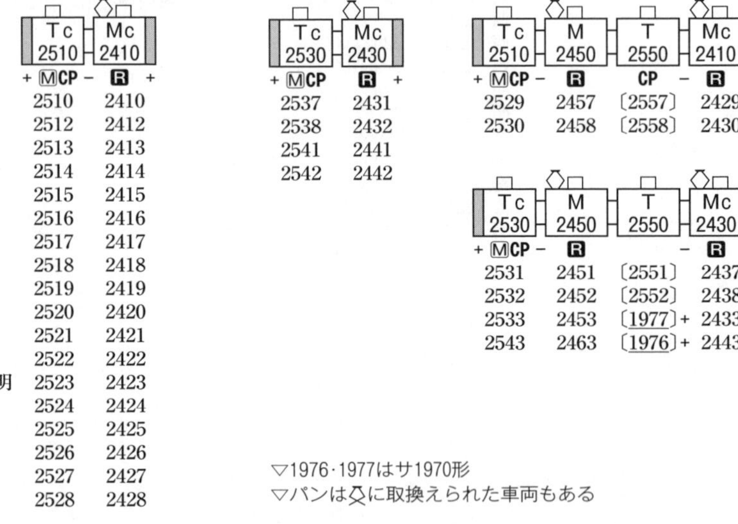

	Tc 2510	Mc 2410
	+ ⓂCP −	Ⓡ +
	2510	2410
	2512	2412
	2513	2413
	2514	2414
	2515	2415
	2516	2416
	2517	2417
	2518	2418
	2519	2419
	2520	2420
	2521	2421
	2522	2422
明	2523	2423
	2524	2424
	2525	2425
	2526	2426
	2527	2427
	2528	2428

Tc 2530	Mc 2430
+ ⓂCP	Ⓡ +
2537	2431
2538	2432
2541	2441
2542	2442

Tc 2510	M 2450	T 2550	Mc 2410
+ ⓂCP −	Ⓡ	CP	− Ⓡ +
2529	2457	〔2557〕	2429
2530	2458	〔2558〕	2430

Tc 2530	M 2450	T 2550	Mc 2430
+ ⓂCP −	Ⓡ		− Ⓡ +
2531	2451	〔2551〕	2437
2532	2452	〔2552〕	2438
2533	2453	〔1977〕+	2433
2543	2463	〔1976〕+	2443

	Tc 2530	M 2450	Mc 2430
	+ ⓂCP −	Ⓡ	Ⓡ +
明	2534	2454	2434
	2535	2455	2435
明	2536	2456	2436
明	2539	2459	2439
	2540	2460	2440
明	**2546**	2466	2446
明	**2547**	2467	2447

▽1976・1977はサ1970形
▽パンは◇に取換えられた車両もある

2444系 6両[密連] ④

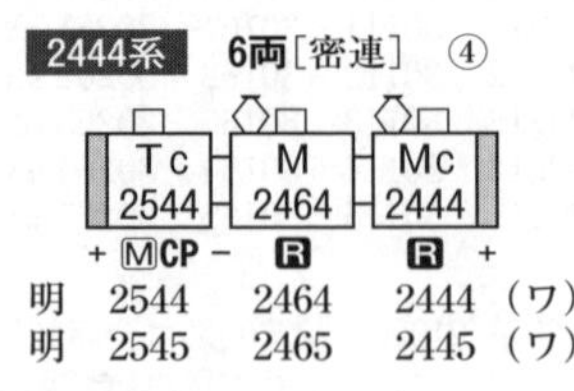

	Tc 2544	M 2464	Mc 2444	
	+ ⓂCP −	Ⓡ	Ⓡ +	
明	2544	2464	2444	(ワ)
明	2545	2465	2445	(ワ)

▽無印(高安車庫所属)は大阪線系統、富・明は名古屋線系統で使用
　明星車庫所属車の一部は大阪線でも使用
▽(ワ)はワンマン運転対応車

▽全般検査施工個所
　標準軌線、南大阪線系統…五位堂検修車庫

▼優先座席……一般車の全車両に設置
▼車イス対応スペース……太字の車両に設置
▼弱冷房車……〔　〕の車両

←大阪上本町・近鉄名古屋

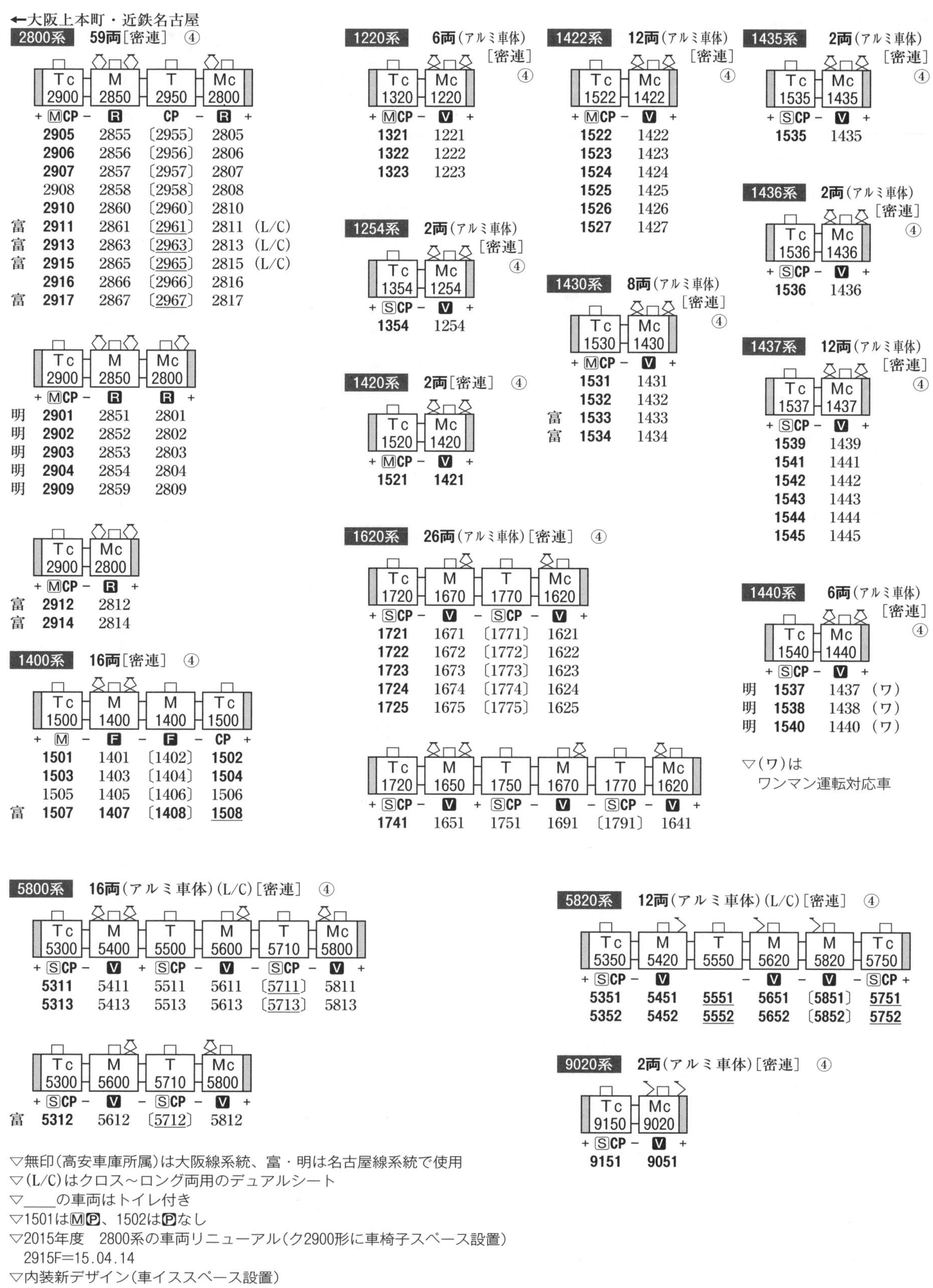

2800系 59両[密連] ④

	Tc 2900	M 2850	T 2950	Mc 2800	
	+ ⓂCP −	Ⓡ	CP	− Ⓡ +	
	2905	2855	〔2955〕	2805	
	2906	2856	〔2956〕	2806	
	2907	2857	〔2957〕	2807	
	2908	2858	〔2958〕	2808	
	2910	2860	〔2960〕	2810	
富	**2911**	2861	〔2961〕	2811	(L/C)
富	**2913**	2863	〔2963〕	2813	(L/C)
富	**2915**	2865	〔2965〕	2815	(L/C)
	2916	2866	〔2966〕	2816	
富	**2917**	2867	〔2967〕	2817	

	Tc 2900	M 2850	Mc 2800
	+ ⓂCP −	Ⓡ	Ⓡ +
明	**2901**	2851	2801
明	**2902**	2852	2802
明	**2903**	2853	2803
明	**2904**	2854	2804
明	**2909**	2859	2809

	Tc 2900	Mc 2800
	+ ⓂCP −	Ⓡ +
富	**2912**	2812
富	**2914**	2814

1400系 16両[密連] ④

	Tc 1500	M 1400	M 1400	Tc 1500
	+ Ⓜ −	Ⓕ −	Ⓕ −	CP +
	1501	1401	〔1402〕	**1502**
	1503	1403	〔1404〕	**1504**
	1505	1405	〔1406〕	1506
富	**1507**	**1407**	**〔1408〕**	**1508**

1220系 6両(アルミ車体)[密連] ④

Tc 1320	Mc 1220
+ ⓂCP −	Ⓥ +
1321	1221
1322	1222
1323	1223

1254系 2両(アルミ車体)[密連] ④

Tc 1354	Mc 1254
+ ⓈCP −	Ⓥ +
1354	1254

1420系 2両[密連] ④

Tc 1520	Mc 1420
+ ⓂCP −	Ⓥ +
1521	**1421**

1620系 26両(アルミ車体)[密連] ④

Tc 1720	M 1670	T 1770	Mc 1620
+ ⓈCP −	Ⓥ −	ⓈCP −	Ⓥ +
1721	1671	〔1771〕	1621
1722	1672	〔1772〕	1622
1723	1673	〔1773〕	1623
1724	1674	〔1774〕	1624
1725	1675	〔1775〕	1625

Tc 1720	M 1650	T 1750	M 1670	T 1770	Mc 1620
+ ⓈCP −	Ⓥ +	ⓈCP −	Ⓥ −	ⓈCP −	Ⓥ +
1741	1651	1751	1691	〔1791〕	1641

1422系 12両(アルミ車体)[密連] ④

Tc 1522	Mc 1422
+ ⓂCP −	Ⓥ +
1522	1422
1523	1423
1524	1424
1525	1425
1526	1426
1527	1427

1430系 8両(アルミ車体)[密連] ④

	Tc 1530	Mc 1430
	+ ⓂCP −	Ⓥ +
	1531	1431
	1532	1432
富	**1533**	1433
富	**1534**	1434

1435系 2両(アルミ車体)[密連] ④

Tc 1535	Mc 1435
+ ⓈCP −	Ⓥ +
1535	1435

1436系 2両(アルミ車体)[密連] ④

Tc 1536	Mc 1436
+ ⓈCP −	Ⓥ +
1536	1436

1437系 12両(アルミ車体)[密連] ④

Tc 1537	Mc 1437
+ ⓈCP −	Ⓥ +
1539	1439
1541	1441
1542	1442
1543	1443
1544	1444
1545	1445

1440系 6両(アルミ車体)[密連] ④

	Tc 1540	Mc 1440	
	+ ⓈCP −	Ⓥ +	
明	**1537**	1437	(ワ)
明	**1538**	1438	(ワ)
明	**1540**	1440	(ワ)

▽(ワ)は
ワンマン運転対応車

5800系 16両(アルミ車体)(L/C)[密連] ④

	Tc 5300	M 5400	T 5500	M 5600	T 5710	Mc 5800
	+ ⓈCP −	Ⓥ +	ⓈCP −	Ⓥ −	ⓈCP −	Ⓥ +
	5311	5411	5511	5611	〔5711〕	5811
	5313	5413	5513	5613	〔5713〕	5813

	Tc 5300	M 5600	T 5710	Mc 5800
	+ ⓈCP −	Ⓥ −	ⓈCP −	Ⓥ +
富	**5312**	5612	〔5712〕	5812

5820系 12両(アルミ車体)(L/C)[密連] ④

Tc 5350	M 5420	T 5550	M 5620	M 5820	Tc 5750
+ ⓈCP −	Ⓥ	−	Ⓥ −	Ⓥ −	ⓈCP +
5351	**5451**	**5551**	**5651**	〔5851〕	**5751**
5352	**5452**	**5552**	**5652**	〔5852〕	**5752**

9020系 2両(アルミ車体)[密連] ④

Tc 9150	Mc 9020
+ ⓈCP −	Ⓥ +
9151	**9051**

▽無印(高安車庫所属)は大阪線系統、富・明は名古屋線系統で使用
▽(L/C)はクロス～ロング両用のデュアルシート
▽____の車両はトイレ付き
▽1501はⓂⓅ、1502はⓅなし
▽2015年度　2800系の車両リニューアル(ク2900形に車椅子スペース設置)
2915F=15.04.14
▽内装新デザイン(車イススペース設置)
1501F=20.08.25、1503F=20.11.16

▼優先座席……一般車の全車両に設置
▼車イス対応スペース……太字の車両に設置
▼弱冷房車……〔　〕の車両

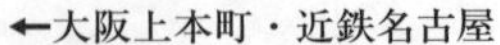

2000系 **33両**［密連］ ④

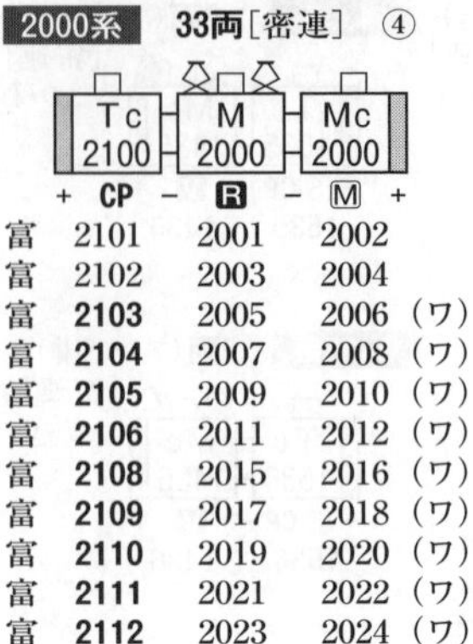

	Tc 2100	M 2000	Mc 2000	
富	2101	2001	2002	
富	2102	2003	2004	
富	**2103**	2005	2006	（ワ）
富	**2104**	2007	2008	（ワ）
富	**2105**	2009	2010	（ワ）
富	**2106**	2011	2012	（ワ）
富	**2108**	2015	2016	（ワ）
富	**2109**	2017	2018	（ワ）
富	**2110**	2019	2020	（ワ）
富	**2111**	2021	2022	（ワ）
富	**2112**	2023	2024	（ワ）

1000系 **9両**［密連］ ④

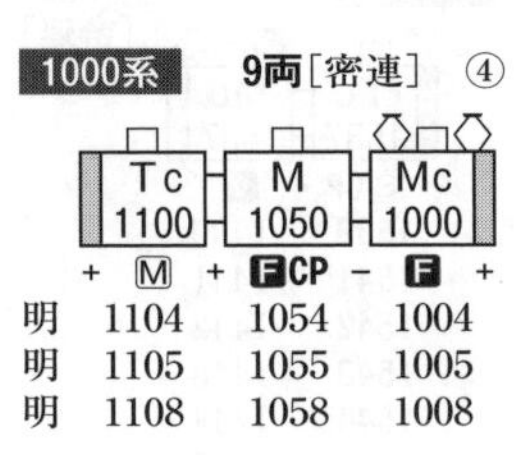

	Tc 1100	M 1050	Mc 1000
明	1104	1054	1004
明	1105	1055	1005
明	1108	1058	1008

2050系 **6両**［密連］ ④

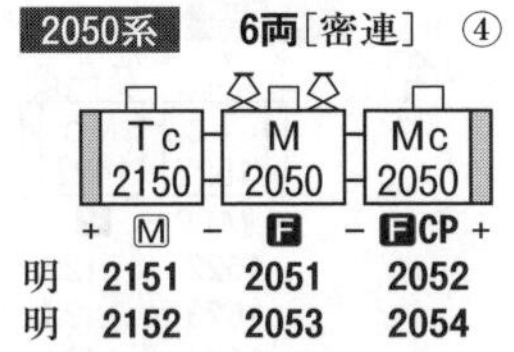

	Tc 2150	M 2050	Mc 2050
明	**2151**	**2051**	**2052**
明	**2152**	**2053**	**2054**

1010系 **12両**［密連］ ④

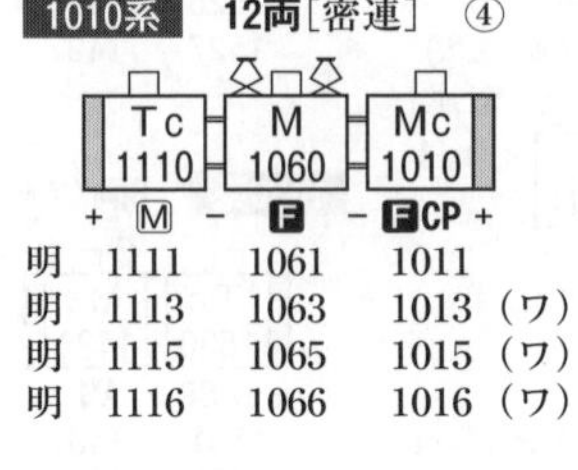

	Tc 1110	M 1060	Mc 1010	
明	1111	1061	1011	
明	1113	1063	1013	（ワ）
明	1115	1065	1015	（ワ）
明	1116	1066	1016	（ワ）

1810系 **4両**［密連］ ④

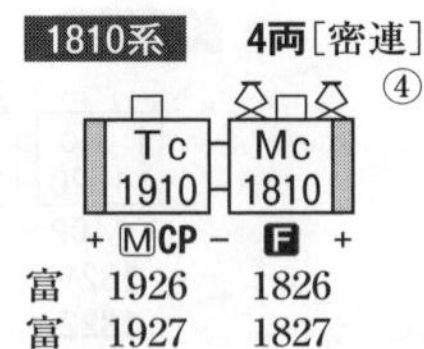

	Tc 1910	Mc 1810
富	1926	1826
富	1927	1827

1230系 **4両**（アルミ車体）［密連］ ④

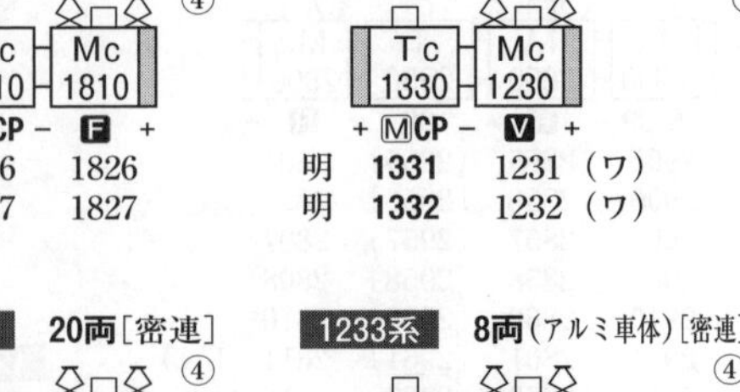

	Tc 1330	Mc 1230	
明	**1331**	1231	（ワ）
明	**1332**	1232	（ワ）

1201系 **20両**［密連］ ④

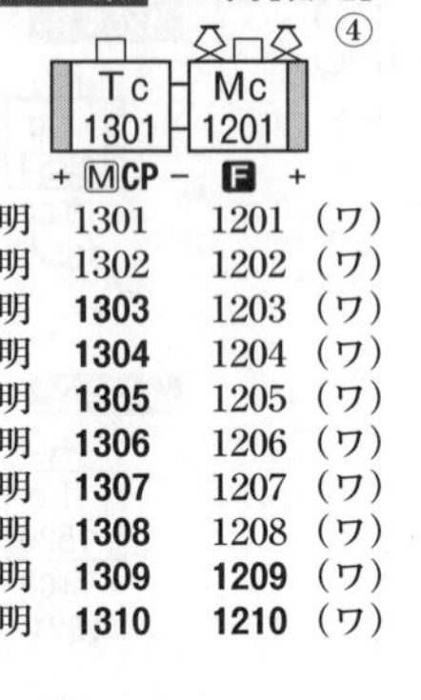

	Tc 1301	Mc 1201	
明	1301	1201	（ワ）
明	1302	1202	（ワ）
明	**1303**	1203	（ワ）
明	**1304**	1204	（ワ）
明	**1305**	1205	（ワ）
明	**1306**	1206	（ワ）
明	**1307**	1207	（ワ）
明	**1308**	1208	（ワ）
明	**1309**	**1209**	（ワ）
明	**1310**	**1210**	（ワ）

1233系 **8両**（アルミ車体）［密連］ ④

Tc 1333 ― Mc 1233

+ M CP − V +

	Tc 1333	Mc 1233
富	**1342**	1242
富	**1343**	1243
富	**1347**	1247
富	**1348**	1248

1240系 **2両**（アルミ車体）［密連］ ④

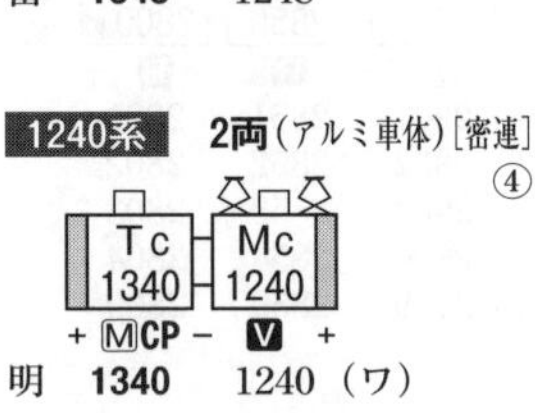

	Tc 1340	Mc 1240	
明	**1340**	1240	（ワ）

9000系 **16両**［密連］ ④

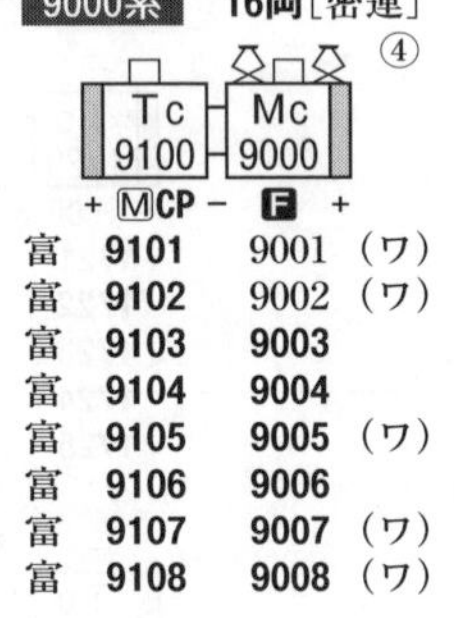

	Tc 9100	Mc 9000	
富	**9101**	9001	（ワ）
富	**9102**	9002	（ワ）
富	**9103**	**9003**	
富	**9104**	**9004**	
富	**9105**	**9005**	（ワ）
富	**9106**	**9006**	
富	**9107**	**9007**	（ワ）
富	**9108**	**9008**	（ワ）

1253系 **12両**（アルミ車体）［密連］ ④

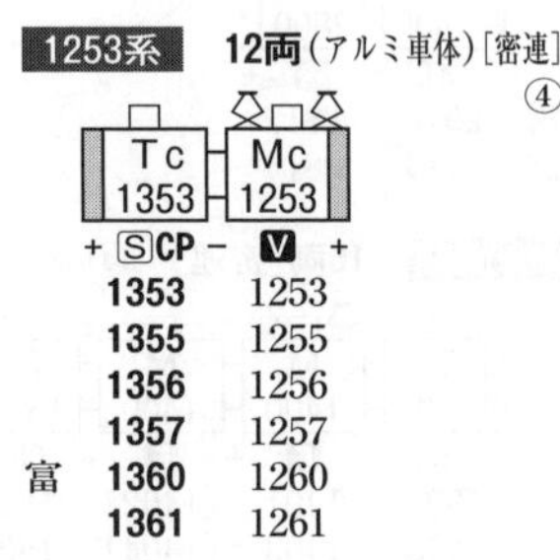

	Tc 1353	Mc 1253
	1353	1253
	1355	1255
	1356	1256
	1357	1257
富	**1360**	1260
	1361	1261

1259系 **12両**（アルミ車体）［密連］ ④

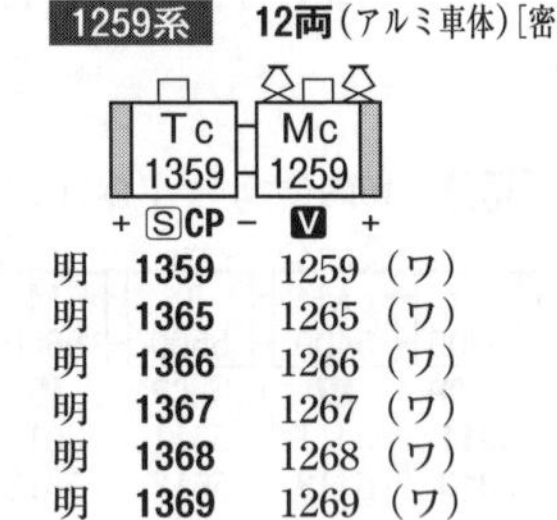

	Tc 1359	Mc 1259	
明	**1359**	1259	（ワ）
明	**1365**	1265	（ワ）
明	**1366**	1266	（ワ）
明	**1367**	1267	（ワ）
明	**1368**	1268	（ワ）
明	**1369**	1269	（ワ）

2013系 **3両**［密連］ ①（２号車は客用扉なし）

明 2107 2013 2014 観光列車「つどい」

▽無印（高安車庫所属）は大阪線系統、富・明は名古屋線系統で
使用する。抑速ブレーキを装備していない1000系・1010系・1810系は名古屋線系統専用

▽（ワ）はワンマン運転対応車、2000系は鈴鹿線・湯の山線、
それ以外の形式は山田線・鳥羽線・志摩線で使用

▽パンタグラフは〇に取り替えられた車両も在籍

▽＿＿の車両はトイレ付き

▽2107Fは観光列車「つどい」（2013系）に改造（2013.09.24）

▽2018年度　車両リニューアル＋車イス対応スペース設置した編成は、
2105F＝18.06.07　2106F＝18.12.26　2108F＝19.03.29

▽内装新デザイン（車イススペース設置）
1303F＝20.12.18　1304F＝20.10.22　1305F＝20.07.29　1307F＝22.07.25　1308F＝22.10.07　9001F＝22.07.09

▽内装新デザイン（車イススペース既設）
1310F＝22.12.28　9004F＝23.03.08　9005F＝23.01.31　9006F＝22.11.02　9007F＝23.03.28

▼優先座席……一般車の全車両（鮮魚専用車を除く）に設置

▼車イス対応スペース……太字の車両に設置

▼弱冷房車……〔　〕の車両

けいはんな線(東生駒車庫)　78両

←コスモスクエア(大阪メトロ中央線)・長田　　　　学研奈良登美ヶ丘→

7000系　54両[市交密連]　④

⑥	⑤	④	③	②	①
Tc1	M1	T1	M2	M3	Tc2
7100	7200	7300	7400	7500	7600
ⓂCP	Ⓥ		Ⓥ	Ⓥ	ⓂCP
7101	7201	7301	7401	〔7501〕	7601
7102	7202	7302	7402	〔7502〕	7602
7103	7203	7303	7403	〔7503〕	7603
7104	7204	7304	7404	〔7504〕	7604
7105	7205	7305	7405	〔7505〕	7605
7106	7206	7306	7406	〔7506〕	7606
7107	7207	7307	7407	〔7507〕	7607
7108	7208	7308	7408	〔7508〕	7608
7110	7210	7310	7410	〔7510〕	7610

▽第三軌条集電
▽大阪メトロ中央線に乗入れ

▼優先座席……全車両に設置
▼車イス対応スペース……全車両に設置
▼弱冷房車……〔　〕の車両

▽7000系は全車リニューアルが完了
▽長田～学研奈良登美ヶ丘間は
　全列車ワンマン運転

7000系	
モ7200	9
モ7400	9
モ7500	9
ク7100	9
ク7600	9
サ7300	9
	54
7020系	
モ7220	4
モ7420	4
モ7520	4
ク7120	4
ク7620	4
サ7320	4
	24
合　計	78

7020系　24両[市交密連]　④

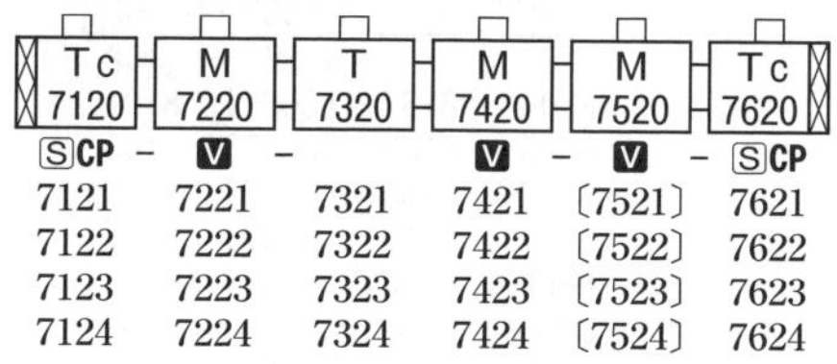

Tc	M	T	M	M	Tc
7120	7220	7320	7420	7520	7620
ⓈCP	Ⓥ		Ⓥ	Ⓥ	ⓈCP
7121	7221	7321	7421	〔7521〕	7621
7122	7222	7322	7422	〔7522〕	7622
7123	7223	7323	7423	〔7523〕	7623
7124	7224	7324	7424	〔7524〕	7624

電動貨車　8両[密連]

大阪線・名古屋線・奈良線(高安検車区〔安〕・富吉検車区〔富〕・西大寺検車区〔西〕)　8両

モト90形

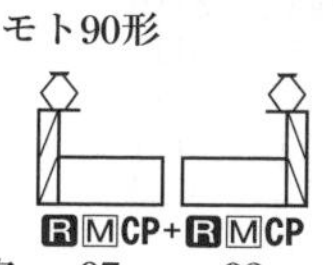

ⓇⓂCP＋ⓇⓂCP
安　97　98

ⓇⓂCP
富　94
富　96

モト75形

ⓇⓂCP
西　77
西　78

モワ24形・クワ25形

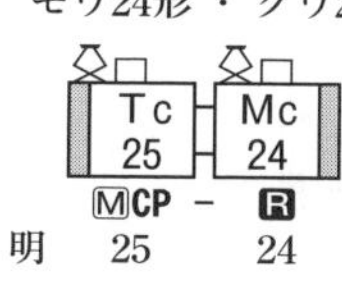

ⓂCP － Ⓡ
明　25　24

▽モワ24・クワ25は電気検測車。
　クワ25に架線、ATS、
　無線等の検測機器を搭載。
　クワ25は台車を交換して
　狭軌線区にも入線できる。
　愛称は「はかるくん」

鋼索線　10両

生駒鋼索線

←鳥居前　　鋼索　　宝山寺→

宝山寺1号線

コ11形　11(ブル)
　　　　12(ミケ)

宝山寺2号線

コ 3形　3(すずらん)
　　　　4(白樺)

山上線

←宝山寺　　鋼索　　生駒山上→

コ15形　15(ドレミ)
　　　　16(スイート)

西信貴鋼索線

←信貴山口　　鋼索　　高安山→

コ 7形　7(ずいうん)
　　　　8(しょううん)
コニ 7形　7
(貨車)　8

▽生駒鋼索線は奈良線生駒駅下車
　西信貴鋼索線は信貴線信貴山口駅下車

ワンマン運転線区一覧表

線　名	区　間	時間帯	使用形式
田原本線	西田原本～新王寺(全)	終日・全列車	8400系
生駒線	生駒～王寺(全)	終日・全列車	1021系・1026系
南大阪線	古市～橿原神宮前	普通列車の約半数	6432系
道明寺線	道明寺～柏原(全)	普通列車*2	6432系
御所線	尺土～近鉄御所(全)	普通列車*3	6432系
名古屋線	白塚～伊勢中川	普通列車の大部分	1201系・1230系 1240系・1259系 1440系・9000系
山田線	伊勢中川～宇治山田	普通列車の大部分	
鳥羽線	宇治山田～鳥羽(全)	普通列車の大部分	
志摩線	鳥羽～賢島(全)	普通列車の全列車	
湯の山線	近鉄四日市～湯の山温泉(全)	終日・全列車	2000系・2444系・1010系
鈴鹿線	伊勢若松～平田町(全)	普通の全列車	
けいはんな線	長田～学研奈良登美ヶ丘(全)	終日・全列車	7000系・7020系

*1＝12 ～ 18時　*2＝7 ～ 24時　*3＝9時～ 23時30分　ただし、例外あり
(全)＝全区間を示す

奈良線・難波線・京都線・橿原線・天理線(西大寺車庫〔西〕・東花園車庫) 532両

←(阪神線)大阪難波・京都　　　　　　　　　　　　　　　　橿原神宮前・天理・近鉄奈良→

8000系 28両［密連］ ④

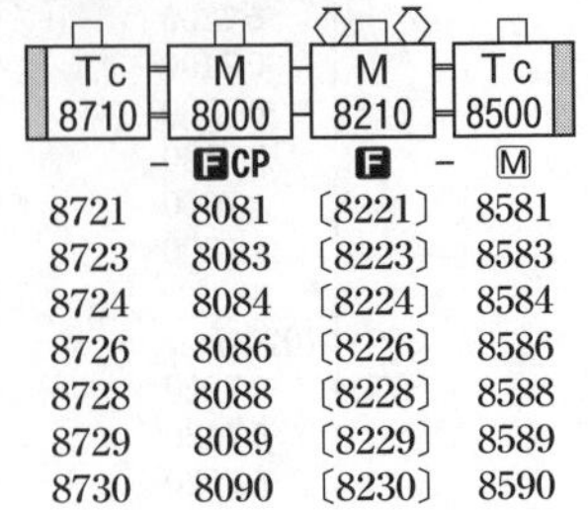

Tc 8710	M 8000	M 8210	Tc 8500
–	FCP	F –	M
8721	8081	〔8221〕	8581
8723	8083	〔8223〕	8583
8724	8084	〔8224〕	8584
8726	8086	〔8226〕	8586
8728	8088	〔8228〕	8588
8729	8089	〔8229〕	8589
8730	8090	〔8230〕	8590

▼優先座席……全車両に設置
▼車イス対応スペース……太字の車両に設置
▼弱冷房車……〔　〕の車両

5820系 30両(アルミ車体)(L/C)［密連］ ④

	Tc 5720	M 5820	M 5620	T 5520	M 5420	Tc 5320
	SCP –	V –	V –		V –	SCP
H西	**5721**	**5821**	**5621**	**5521**	**〔5421〕**	**5321**
H西	**5722**	**5822**	**5622**	**5522**	**〔5422〕**	**5322**
H西	**5723**	**5823**	**5623**	**5523**	**〔5423〕**	**5323**
H西	**5724**	**5824**	**5624**	**5524**	**〔5424〕**	**5324**
H西	**5725**	**5825**	**5625**	**5525**	**〔5425〕**	**5325**

5800系 30両(アルミ車体)(L/C)［密連］ ④

	Mc 5800	T 5700	M 5600	T 5500	M 5400	Tc 5300
	V –	SCP –	V –	SCP	V –	SCP
H西	**5801**	5701	5601	5501	〔5401〕	5301
H西	**5802**	5702	5602	5502	〔5402〕	5302
H西	**5803**	5703	5603	5503	〔5403〕	5303
H西	**5804**	5704	5604	5504	〔5404〕	5304
H西	**5805**	5705	5605	5505	〔5405〕	5305

9820系 60両(アルミ車体)［密連］ ④

	Tc 9720	M 9820	M 9620	T 9520	M 9420	Tc 9320
	SCP –	V –	V –		V –	SCP
H西	**9721**	**9821**	**9621**	**9521**	**〔9421〕**	**9321**
H西	**9722**	**9822**	**9622**	**9522**	**〔9422〕**	**9322**
H西	**9723**	**9823**	**9623**	**9523**	**〔9423〕**	**9323**
H西	**9724**	**9824**	**9624**	**9524**	**〔9424〕**	**9324**
H西	**9725**	**9825**	**9625**	**9525**	**〔9425〕**	**9325**
H西	**9726**	**9826**	**9626**	**9526**	**〔9426〕**	**9326**
H西	**9727**	**9827**	**9627**	**9527**	**〔9427〕**	**9327**
H西	**9728**	**9828**	**9628**	**9528**	**〔9428〕**	**9328**
H西	**9729**	**9829**	**9629**	**9529**	**〔9429〕**	**9329**
H西	**9730**	**9830**	**9630**	**9530**	**〔9430〕**	**9330**

▽Hは阪神電気鉄道乗入れ対応車。三宮まで乗入れ
▽(L/C)はクロス～ロング両用のデュアルシート
▽パンタグラフは⌂に取り替えられた車両も在籍
▽(ワ)は田原本線、生駒線用のワンマン運転対応車

8600系 86両［密連］ ④

	Mc 8600	T 8150	M 8650	T 8150	M 8650	Tc 8100
	R –		R –	MCP	R –	MCP
西	**8619**	8169	8670	8170	〔8669〕	8119

Tc 8150	M 8600	M 8650	Tc 8100
–	FCP	F –	M
8151	8601	〔8651〕	8101
8152	8602	〔8652〕	8102
8153	8603	〔8653〕	8103
8162	8612	〔8662〕	8112

Mc 8600	T 8150	M 8650	Tc 8100
R –		R –	MCP
8604	8154	〔8654〕	8104
8605	8155	〔8655〕	8105
8606	8156	〔8656〕	8106
8607	8157	〔8657〕	8107
8608	8158	〔8658〕	8108
8609	8159	〔8659〕	8109
8610	8160	〔8660〕	8110
8611	8161	〔8661〕	8111
8613	8163	〔8663〕	**8113**
8614	8164	〔8664〕	**8114**
8615	8165	〔8665〕	8115
8616	8166	〔8666〕	8116
8617	8177	〔8667〕	8117
8618	8168	〔8668〕	8118
8621	8171	〔8671〕	8121
8622	8172	〔8672〕	8122

8400系 42両［密連］ ④

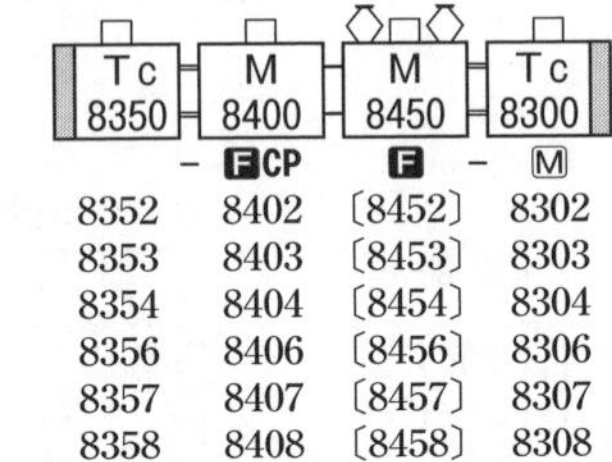

Tc 8350	M 8400	M 8450	Tc 8300
–	FCP	F –	M
8352	8402	〔8452〕	8302
8353	8403	〔8453〕	8303
8354	8404	〔8454〕	8304
8356	8406	〔8456〕	8306
8357	8407	〔8457〕	8307
8358	8408	〔8458〕	8308

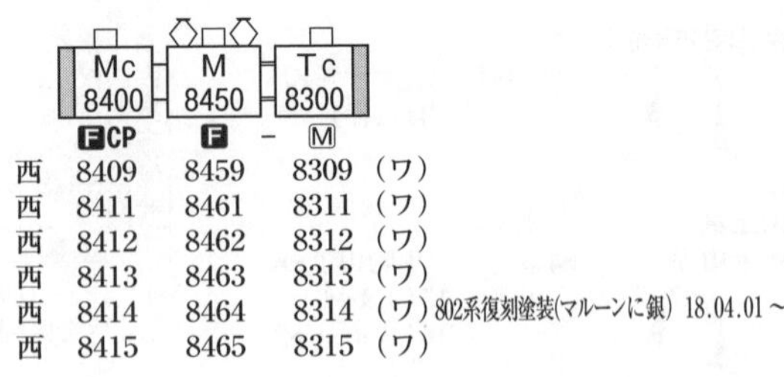

	Mc 8400	M 8450	Tc 8300	
	FCP	F –	M	
西	8409	8459	8309	(ワ)
西	8411	8461	8311	(ワ)
西	8412	8462	8312	(ワ)
西	8413	8463	8313	(ワ)
西	8414	8464	8314	(ワ) 802系復刻塗装(マルーンに銀) 18.04.01～
西	8415	8465	8315	(ワ)

▽奈良・京都線系統　2018年度　車両リニューアル+車椅子スペース設置した編成は、8902F=18.11.27
液晶ディスプレイ設置車は、1237F=18.10.19　1238F=18.10.09　1239F=19.03.14　1241F=18.12.18　1244F=18.12.18
1245F=19.01.25　1246F=19.01.25　1249F=19.02.20　1250F=19.03.14　1251F=19.02.20

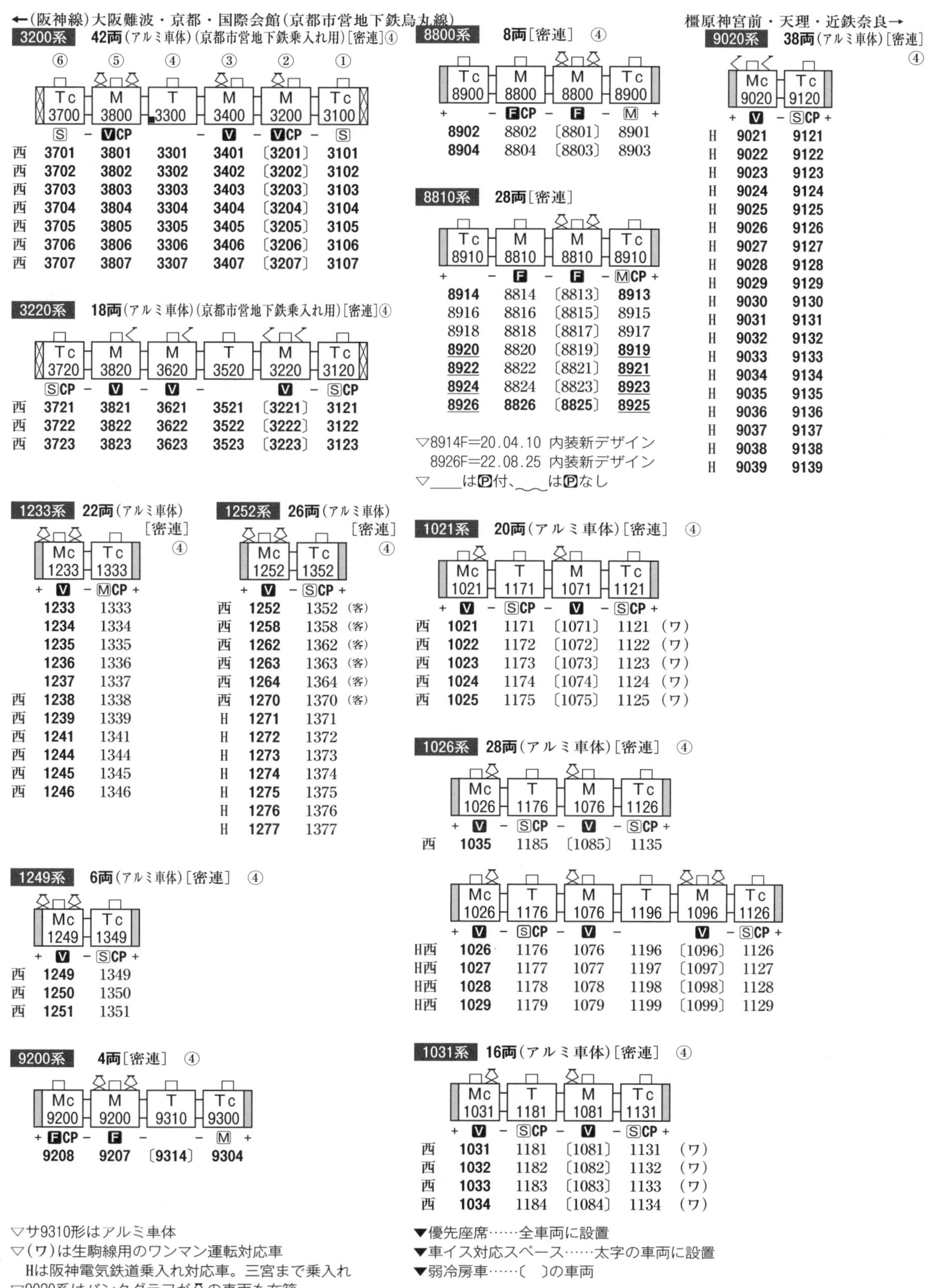

←(阪神線)大阪難波・京都・国際会館(京都市営地下鉄烏丸線)　　　　橿原神宮前・天理・近鉄奈良→

3200系 42両(アルミ車体)(京都市営地下鉄乗入れ用)[密連]④

	⑥ Tc 3700	⑤ M 3800	④ T 3300	③ M 3400	② M 3200	① Tc 3100
	[S]	[V]CP		[V]	[V]CP	[S]
西	**3701**	**3801**	**3301**	**3401**	**〔3201〕**	**3101**
西	**3702**	**3802**	**3302**	**3402**	**〔3202〕**	**3102**
西	**3703**	**3803**	**3303**	**3403**	**〔3203〕**	**3103**
西	**3704**	**3804**	**3304**	**3404**	**〔3204〕**	**3104**
西	**3705**	**3805**	**3305**	**3405**	**〔3205〕**	**3105**
西	**3706**	**3806**	**3306**	**3406**	**〔3206〕**	**3106**
西	**3707**	**3807**	**3307**	**3407**	**〔3207〕**	**3107**

3220系 18両(アルミ車体)(京都市営地下鉄乗入れ用)[密連]④

	Tc 3720	M 3820	M 3620	T 3520	M 3220	Tc 3120
	[S]CP	[V]	[V]		[V]	[S]CP
西	**3721**	**3821**	**3621**	**3521**	**〔3221〕**	**3121**
西	**3722**	**3822**	**3622**	**3522**	**〔3222〕**	**3122**
西	**3723**	**3823**	**3623**	**3523**	**〔3223〕**	**3123**

8800系 8両[密連]④

Tc 8900	M 8800	M 8800	Tc 8900
	[F]CP	[F]	[M]
8902	8802	〔8801〕	8901
8904	8804	〔8803〕	8903

8810系 28両[密連]

Tc 8910	M 8810	M 8810	Tc 8910
	[F]	[F]	[M]CP
8914	8814	〔8813〕	**8913**
8916	8816	〔8815〕	8915
8918	8818	〔8817〕	8917
8920	8820	〔8819〕	**8919**
8922	8822	〔8821〕	**8921**
8924	8824	〔8823〕	**8923**
8926	**8826**	**〔8825〕**	**8925**

▽8914F=20.04.10 内装新デザイン
8926F=22.08.25 内装新デザイン
▽＿＿はⓅ付、～～はⓅなし

9020系 38両(アルミ車体)[密連]④

	Mc 9020	Tc 9120
	[V]	[S]CP
H	**9021**	**9121**
H	**9022**	**9122**
H	**9023**	**9123**
H	**9024**	**9124**
H	**9025**	**9125**
H	**9026**	**9126**
H	**9027**	**9127**
H	**9028**	**9128**
H	**9029**	**9129**
H	**9030**	**9130**
H	**9031**	**9131**
H	**9032**	**9132**
H	**9033**	**9133**
H	**9034**	**9134**
H	**9035**	**9135**
H	**9036**	**9136**
H	**9037**	**9137**
H	**9038**	**9138**
H	**9039**	**9139**

1233系 22両(アルミ車体)[密連]④

	Mc 1233	Tc 1333
	[V]	[M]CP
	1233	1333
	1234	1334
	1235	1335
	1236	1336
	1237	1337
西	**1238**	1338
西	**1239**	1339
西	**1241**	1341
西	**1244**	1344
西	**1245**	1345
西	**1246**	1346

1252系 26両(アルミ車体)[密連]④

	Mc 1252	Tc 1352	
	[V]	[S]CP	
西	**1252**	1352	(客)
西	**1258**	1358	(客)
西	**1262**	1362	(客)
西	**1263**	1363	(客)
西	**1264**	1364	(客)
西	**1270**	1370	(客)
H	**1271**	1371	
H	**1272**	1372	
H	**1273**	1373	
H	**1274**	1374	
H	**1275**	1375	
H	**1276**	1376	
H	**1277**	1377	

1249系 6両(アルミ車体)[密連]④

	Mc 1249	Tc 1349
	[V]	[S]CP
西	**1249**	1349
西	**1250**	1350
西	**1251**	1351

9200系 4両[密連]④

Mc 9200	M 9200	T 9310	Tc 9300
[F]CP	[F]		[M]
9208	**9207**	**〔9314〕**	**9304**

1021系 20両(アルミ車体)[密連]④

	Mc 1021	T 1171	M 1071	Tc 1121	
	[V]	[S]CP	[V]	[S]CP	
西	**1021**	1171	〔1071〕	1121	(ワ)
西	**1022**	1172	〔1072〕	1122	(ワ)
西	**1023**	1173	〔1073〕	1123	(ワ)
西	**1024**	1174	〔1074〕	1124	(ワ)
西	**1025**	1175	〔1075〕	1125	(ワ)

1026系 28両(アルミ車体)[密連]④

	Mc 1026	T 1176	M 1076	Tc 1126
	[V]	[S]CP	[V]	[S]CP
西	**1035**	1185	〔1085〕	1135

	Mc 1026	T 1176	M 1076	T 1196	M 1096	Tc 1126
	[V]	[S]CP	[V]		[V]	[S]CP
H西	**1026**	1176	1076	1196	〔1096〕	1126
H西	**1027**	1177	1077	1197	〔1097〕	1127
H西	**1028**	1178	1078	1198	〔1098〕	1128
H西	**1029**	1179	1079	1199	〔1099〕	1129

1031系 16両(アルミ車体)[密連]④

	Mc 1031	T 1181	M 1081	Tc 1131	
	[V]	[S]CP	[V]	[S]CP	
西	**1031**	1181	〔1081〕	1131	(ワ)
西	**1032**	1182	〔1082〕	1132	(ワ)
西	**1033**	1183	〔1083〕	1133	(ワ)
西	**1034**	1184	〔1084〕	1134	(ワ)

▽サ9310形はアルミ車体
▽(ワ)は生駒線用のワンマン運転対応車
Hは阪神電気鉄道乗入れ対応車。三宮まで乗入れ
▽9020系はパンタグラフが⌂の車両も在籍
▽3220系3721・3722編成のパンタグラフは⌂
▽界磁チョッパ車([F])のうち、1000系・1010系・1400系・2050系・8000系・8400系・8600系・8800系・8810系・9200系は8M1C方式。
原則としてパン付き車に主制御器、パンなし車に界磁チョッパ制御装置と抵抗器の一部を搭載
▽京都市交通局地下鉄烏丸線乗入れ車は、地下鉄の号車表示に準拠して掲載(単独編成で乗入れ)
▽(客)は、客室案内表示装置設置車

▼優先座席……全車両に設置
▼車イス対応スペース……太字の車両に設置
▼弱冷房車……〔　〕の車両

南大阪・吉野線特急用車・観光用車（古市車庫）　29両（26＋3）

←大阪阿部野橋　　　　　　　　　　　　吉野→

26000系　**8両**（さくらライナー）［密連］　②（４号車は①）

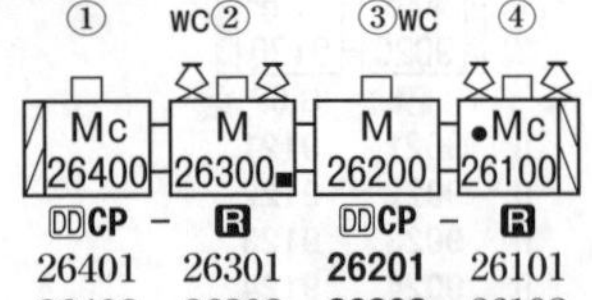

26401　26301　**26201**　26101
26402　26302　**26202**　26102

▽26000系のサービス施設

設　備	形　式
車イス対応座席	26300
多目的トイレ	26300
喫煙室（●）	26100
自販機	26200
デラックスカー（太字の車号）	26200

16000系　**8両**［密連］　②（サ16150・ク16100は①）

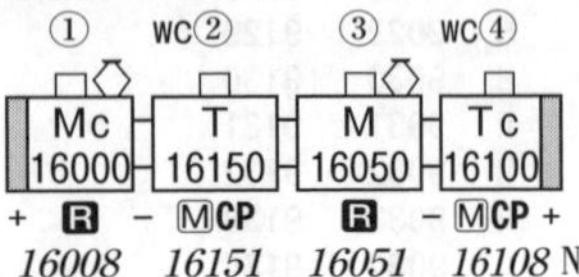

16008　*16151*　*16051*　*16108* N

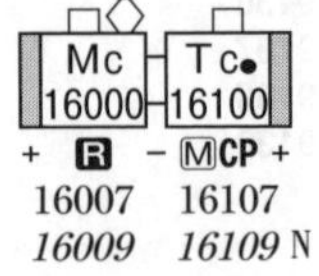

16007　16107
16009　*16109* N

16010系　**2両**［密連］　②（ク16110は①）

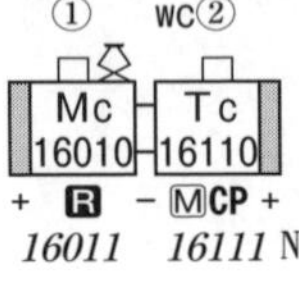

16011　*16111* N

16200系　**3両**（青の交響曲［シンフォニー］）［密連］

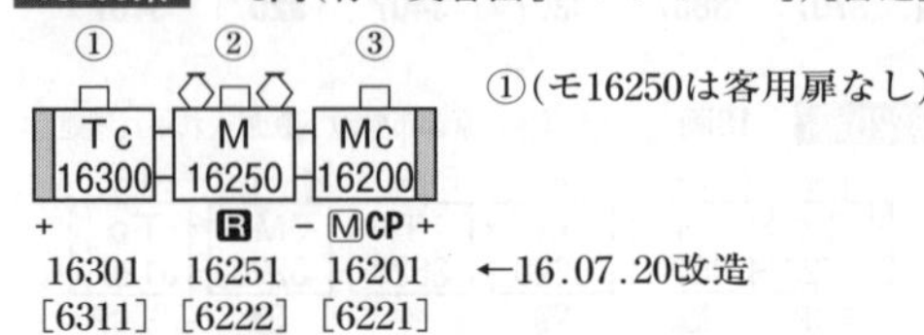

①（モ16250は客用扉なし）

16301　16251　16201　←16.07.20改造
［6311］［6222］［6221］

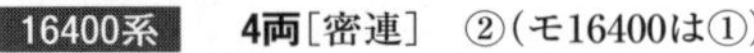

▽2016.09.10から営業運転開始
▽［ ］内は旧車号

16400系　**4両**［密連］　②（モ16400は①）

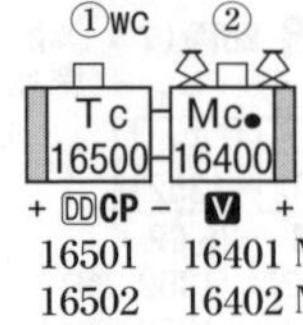

16501　16401 N
16502　16402 N

16600系　**4両**（Ace）［密連］　②（モ16600は①）

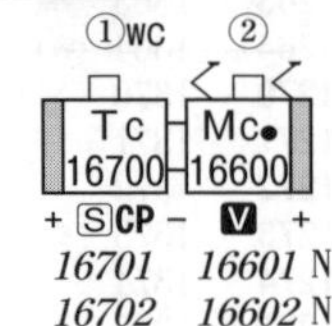

16701　*16601* N
16702　*16602* N

▽16400系はク16500に車椅子対応座席を設置
▽16600系はク16700に車椅子対応座席を設置
▽特急列車の喫煙車は2･4両編成に1両、6両以上の編成は2両が原則
　ただし、16600系および26000系は全席禁煙（喫煙室［●］完備）
▽16000系・16400系に喫煙室設置
　16107＝16.03.10、16109＝15.12.11、16401＝15.03.23、16402＝15.09.09
▽車号斜字の車両は新塗色

大阪・名古屋・奈良・京都線

←大阪難波・大阪上本町・京都

団体専用車　16両

20000系　**4両**（「楽」団体専用車）［密連］　①

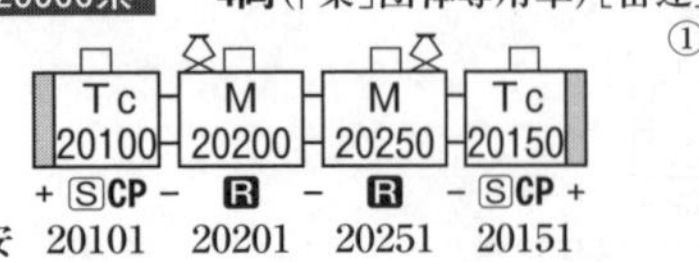

安　20101　20201　20251　20151

▽20000系は、20.08.17 内装新デザインに（定員変更）

15200系　**8両**（団体専用車）［密連］　①（ク15100は②）

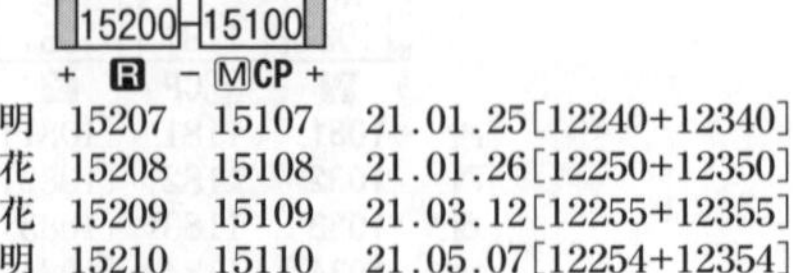

明　15207　15107　21.01.25［12240+12340］
花　15208　15108　21.01.26［12250+12350］
花　15209　15109　21.03.12［12255+12355］
明　15210　15110　21.05.07［12254+12354］

15400系　**4両**（「かぎろひ」）［密連］　①（ク15300は②）

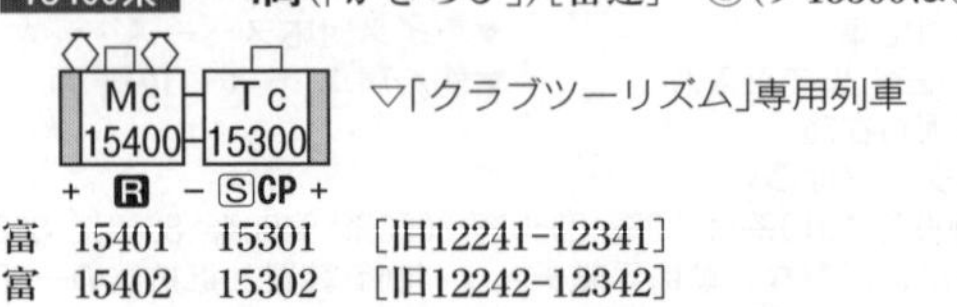

▽「クラブツーリズム」専用列車

富　15401　15301　［旧12241-12341］
富　15402　15302　［旧12242-12342］

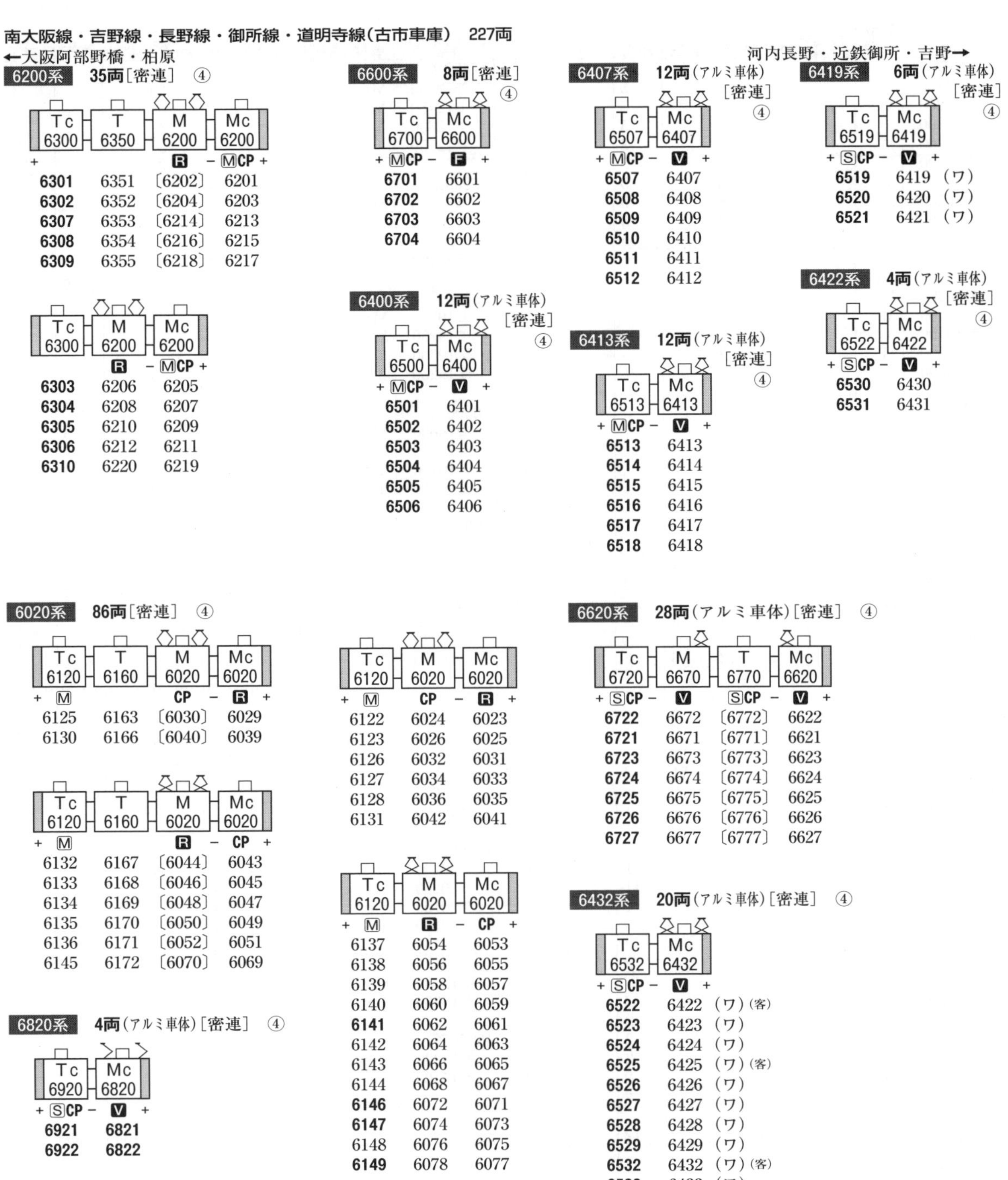

南大阪線・吉野線・長野線・御所線・道明寺線（古市車庫）　227両

←大阪阿部野橋・柏原　　　　河内長野・近鉄御所・吉野→

6200系　35両［密連］　④

Tc 6300	T 6350	M 6200	Mc 6200
+		Ⓡ	−ⓂCP +
6301	6351	〔6202〕	6201
6302	6352	〔6204〕	6203
6307	6353	〔6214〕	6213
6308	6354	〔6216〕	6215
6309	6355	〔6218〕	6217

Tc 6300	M 6200	Mc 6200
	Ⓡ	−ⓂCP +
6303	6206	6205
6304	6208	6207
6305	6210	6209
6306	6212	6211
6310	6220	6219

6600系　8両［密連］　④

Tc 6700	Mc 6600
+ ⓂCP −	Ⓕ +
6701	6601
6702	6602
6703	6603
6704	6604

6400系　12両（アルミ車体）［密連］　④

Tc 6500	Mc 6400
+ ⓂCP −	Ⓥ +
6501	6401
6502	6402
6503	6403
6504	6404
6505	6405
6506	6406

6407系　12両（アルミ車体）［密連］　④

Tc 6507	Mc 6407
+ ⓂCP −	Ⓥ +
6507	6407
6508	6408
6509	6409
6510	6410
6511	6411
6512	6412

6413系　12両（アルミ車体）［密連］　④

Tc 6513	Mc 6413
+ ⓂCP −	Ⓥ +
6513	6413
6514	6414
6515	6415
6516	6416
6517	6417
6518	6418

6419系　6両（アルミ車体）［密連］　④

Tc 6519	Mc 6419	
+ ⓈCP −	Ⓥ +	
6519	6419	（ワ）
6520	6420	（ワ）
6521	6421	（ワ）

6422系　4両（アルミ車体）［密連］　④

Tc 6522	Mc 6422
+ ⓈCP −	Ⓥ +
6530	6430
6531	6431

6020系　86両［密連］　④

Tc 6120	T 6160	M 6020	Mc 6020
+ Ⓜ		CP	− Ⓡ +
6125	6163	〔6030〕	6029
6130	6166	〔6040〕	6039

Tc 6120	T 6160	M 6020	Mc 6020
+ Ⓜ		Ⓡ	− CP +
6132	6167	〔6044〕	6043
6133	6168	〔6046〕	6045
6134	6169	〔6048〕	6047
6135	6170	〔6050〕	6049
6136	6171	〔6052〕	6051
6145	6172	〔6070〕	6069

Tc 6120	M 6020	Mc 6020
+ Ⓜ	CP	− Ⓡ +
6122	6024	6023
6123	6026	6025
6126	6032	6031
6127	6034	6033
6128	6036	6035
6131	6042	6041

Tc 6120	M 6020	Mc 6020
+ Ⓜ	Ⓡ	− CP +
6137	6054	6053
6138	6056	6055
6139	6058	6057
6140	6060	6059
6141	6062	6061
6142	6064	6063
6143	6066	6065
6144	6068	6067
6146	6072	6071
6147	6074	6073
6148	6076	6075
6149	6078	6077

6820系　4両（アルミ車体）［密連］　④

Tc 6920	Mc 6820
+ ⓈCP −	Ⓥ +
6921	**6821**
6922	**6822**

6620系　28両（アルミ車体）［密連］　④

Tc 6720	M 6670	T 6770	Mc 6620
+ ⓈCP −	Ⓥ	ⓈCP −	Ⓥ +
6722	6672	〔6772〕	6622
6721	6671	〔6771〕	6621
6723	6673	〔6773〕	6623
6724	6674	〔6774〕	6624
6725	6675	〔6775〕	6625
6726	6676	〔6776〕	6626
6727	6677	〔6777〕	6627

6432系　20両（アルミ車体）［密連］　④

Tc 6532	Mc 6432	
+ ⓈCP −	Ⓥ +	
6522	6422	（ワ）(客)
6523	6423	（ワ）
6524	6424	（ワ）
6525	6425	（ワ）(客)
6526	6426	（ワ）
6527	6427	（ワ）
6528	6428	（ワ）
6529	6429	（ワ）
6532	6432	（ワ）(客)
6533	6433	（ワ）

▼優先座席……一般車の全車両に設置
▼車イス対応スペース……太字の車両に設置
▼弱冷房車……〔　〕の車両

▽（ワ）は吉野線・道明寺線・御所線用の
ワンマン運転対応車

▽6136Fは「ラビットカー」塗装（2012.09.08～）
▽2018年度　6200系の車両リニューアル（内装新デザイン化、ク6300形に車椅子スペース設置）
6310F＝18.06.18
▽内装新デザイン（車イススペース設置）
6601F＝20.07.29　6604F＝22.11.04
▽(客)は、客室案内表示装置設置車

特急用車(団体専用車含む)

形式	車種	東花園	西大寺	高安	明星	富吉	古市	計
80000系								
ク80100	Tc			6		5		11
モ80200	M			6		5		11
サ80300	T			6		5		11
モ80700	M					3		3
サ80800	T					3		3
モ80400	M			6		5		11
モ80500	M			6		5		11
ク80600	Tc			6		5		11
				36		36		72
50000系								
ク50100	Tc			3				3
モ50200	M			3				3
モ50300	M			3				3
サ50400	T			3				3
モ50500	M			3				3
ク50600	Tc			3				3
				18				18
23000系								
ク23100	Tc		6					6
モ23200	M		6					6
モ23300	M		6					6
モ23400	M		6					6
モ23500	M		6					6
ク23600	Tc		6					6
			36					36
22600系								
モ22600	Mc		3	4	3	4		14
モ22800	M			2				2
ク22900	Tc		3	4	3	4		14
サ22700	T			2				2
			6	12	6	8		32
22000系								
モ22100	Mc	8	1		18	1		28
モ22200	M	6			9			15
モ22300	M	6			9			15
モ22400	Mc	8	1		18	1		28
		28	2		54	2		86
21000系								
モ21100	Mc					11		11
モ21200	M					11		11
モ21304	M					11		11
モ21404	M					11		11
モ21500	M					11		11
モ21600	Mc					11		11
モ21700	Mc					3		3
モ21800	Mc					3		3
						72		72
21020系								
ク21120	Tc					2		2
モ21220	M					2		2
モ21320	M					2		2
サ21420	T					2		2
モ21520	M					2		2
ク21620	Tc					2		2
						12		12
30000系								
モ30200	Mc		12		3			15
モ30250	Mc		12		3			15
サ30100	T		12		3			15
サ30150	T		12		3			15
			48		12			60
12600系								
モ12600	Mc				2			2
モ12650	M				2			2
ク12700	Tc				2			2
サ12750	T				2			2
					8			8
12410系								
モ12410	Mc				5			5
モ12460	M				5			5
ク12510	Tc				5			5
サ12560	T				5			5
					20			20
12400系								
モ12400	Mc				3			3
モ12450	M				3			3
ク12500	Tc				3			3
サ12550	T				3			3
					12			12
26000系								
モ26100	Mc						2	2
モ26200	M						2	2
モ26300	M						2	2
モ26400	Mc						2	2
							8	8
19000系								
モ19200	Mc	1						1
モ19250	M	1						1
ク19300	Tc	1						1
サ19250	T	1						1
		4						4
16000系								
モ16000	Mc						3	3
モ16050	M						1	1
ク16100	Tc						3	3
サ16150	T						1	1
							8	8
16010系								
モ16010	Mc						1	1
ク16110	Tc						1	1
							2	2
16200系								
モ16200	Mc						1	1
モ16250	M						1	1
ク16300	Tc						1	1
							3	3
16400系								
モ16400	Mc						2	2
ク16500	Tc						2	2
							4	4
16600系								
モ16600	Mc						2	2
ク16700	Tc						2	2
							4	4
20000系								
モ20200	M			1				1
モ20250	M			1				1
ク20100	Tc			1				1
ク20150	Tc			1				1
				4				4
15400系								
モ15400	Mc					2		2
ク15300	Tc					2		2
						4		4
15200系								
モ15200	Mc	2			2			4
ク15100	Tc	2			2			4
		4			4			8
合　計		36	92	70	116	134	29	477

大阪線・名古屋線

形式	車種	高安	明星	富吉	計
9020系					
モ9020	Mc	1			1
ク9150	Tc	1			1
		2			2
9000系					
モ9000	Mc			8	8
ク9100	Tc			8	8
				16	16
9200系					
モ9200	Mc	3			3
モ9200	M	3			3
ク9300	Tc	3			3
サ9310	T	3			3
		12			12
5820系					
モ5420	M	2			2
モ5620	M	2			2
モ5820	M	2			2
ク5350	Tc	2			2
ク5750	Tc	2			2
サ5550	T	2			2
		12			12
5800系					
モ5800	Mc	2		1	3
モ5600	M	2		1	3
モ5400	M	2			2
ク5300	Tc	2		1	3
サ5500	T	2			2
サ5710	T	2		1	3
		12		4	16
5211系					
モ5211	M			3	3
モ5261	M			3	3
ク5111	Tc			3	3
ク5161	Tc			3	3
				12	12
5209系					
モ5209	M			2	2
モ5259	M			2	2
ク5109	Tc			2	2
ク5159	Tc			2	2
				8	8
5200系					
モ5200	M		4	4	8
モ5250	M		4	4	8
ク5100	Tc		4	4	8
ク5150	Tc		4	4	8
			16	16	32

形式	車種	高安	明星	富吉	計
2800系					
モ2800	Mc	6	5	6	17
モ2850	M	6	5	4	15
ク2900	Tc	6	5	6	17
サ2950	T	6		4	10
		24	15	20	59
2610系					
モ2610	Mc		14	3	17
モ2660	M		14	3	17
ク2710	Tc		14	3	17
サ2760	T		14	3	17
			56	12	68
2410·2430系					
モ2410	Mc	19	1		20
モ2430	Mc	10	5		15
モ2450	M	8	5	2	15
ク2510	Tc	19	1		20
ク2530	Tc	10	5		15
ク2590	Tc			2	2
サ2550	T	4			4
モ2444	Mc		2		2
モ2464	M		2		2
ク2544	Tc		2		2
サ1970	T	2			2
		72	23	4	99
2050系					
モ2050	Mc		2		2
モ2050	M		2		2
ク2150	Tc		2		2
			6		6
8810系					
モ8810	M	2			2
ク8910	Tc	2			2
		4			4
1400系					
モ1400	M	6		2	8
ク1500	Tc	6		2	8
		12		4	16
1440系					
モ1440	M		3		3
ク1540	Tc		3		3
			6		6
1437系					
モ1437	Mc	6			6
ク1537	Tc	6			6
		12			12
1436系					
モ1436	Mc	1			1
ク1536	Tc	1			1
		2			2
1435系					
モ1435	Mc	1			1
ク1535	Tc	1			1
		2			2
1430系					
モ1430	Mc	2		2	4
ク1530	Tc	2		2	4
		4		4	8
1422系					
モ1422	Mc	6			6
ク1522	Tc	6			6
		12			12
1420系					
モ1420	Mc	1			1
ク1520	Tc	1			1
		2			2

形式	車種	高安	明星	富吉	計
1259系					
モ1259	Mc		6		6
ク1359	Tc		6		6
			12		12
1254系					
モ1254	Mc	1			1
ク1354	Tc	1			1
		2			2
1253系					
モ1253	Mc	5		1	6
ク1353	Tc	5		1	6
		10		2	12
1240系					
モ1240	Mc		1		1
ク1340	Tc		1		1
			2		2
1233系					
モ1233	Mc			4	4
ク1333	Tc			4	4
				8	8
1230系					
モ1230	Mc		2		2
ク1330	Tc		2		2
			4		4
1220系					
モ1220	Mc	3			3
ク1320	Tc	3			3
		6			6
1200系					
モ1200	Mc			2	2
サ1380	T			2	2
				4	4
1201系					
モ1201	Mc		10		10
ク1301	Tc		10		10
			20		20
2000系					
モ2000	Mc			11	11
モ2000	M			11	11
ク2100	Tc			11	11
				33	33
2013系					
モ2013	Mc		1		1
モ2013	M		1		1
ク2113	Tc		1		1
			3		3
1810系					
モ1810	Mc			2	2
ク1910	Tc			2	2
				4	4
1620系					
モ1620	Mc	6			6
モ1650	M	1			1
モ1670	M	6			6
ク1720	Tc	6			6
サ1750	T	1			1
サ1770	T	6			6
		26			26
1010系					
モ1010	Mc		4		4
モ1060	M		4		4
ク1110	Tc		4		4
			12		12
1000系					
モ1000	Mc		3		3
モ1050	M		3		3
ク1100	Tc		3		3
			9		9
合　計		228	184	151	563

奈良線・京都線

形式	車種	西大寺	東花園	計
5820系				
モ5420	M	5		5
モ5620	M	5		5
モ5820	M	5		5
ク5320	Tc	5		5
ク5720	Tc	5		5
サ5520	T	5		5
		30		30
5800系				
モ5800	Mc	5		5
モ5600	M	5		5
モ5400	M	5		5
ク5300	Tc	5		5
サ5500	T	5		5
サ5700	T	5		5
		30		30
1031系				
モ1031	Mc	4		4
モ1081	M	4		4
ク1131	Tc	4		4
サ1181	T	4		4
		16		16
1026系				
モ1026	Mc	5		5
モ1076	M	5		5
モ1096	M	4		4
ク1126	Tc	5		5
サ1176	T	5		5
サ1196	T	4		4
		28		28
1021系				
モ1021	Mc	5		5
モ1071	M	5		5
ク1121	Tc	5		5
サ1171	T	5		5
		20		20
1252系				
モ1252	Mc	6	7	13
ク1352	Tc	6	7	13
		12	14	26
1249系				
モ1249	Mc	3		3
ク1349	Tc	3		3
		6		6
1233系				
モ1233	Mc	6	5	11
ク1333	Tc	6	5	11
		12	10	22
9820系				
モ9420	M	10		10
モ9620	M	10		10
モ9820	M	10		10
ク9320	Tc	10		10
ク9720	Tc	10		10
サ9520	T	10		10
		60		60
9200系				
モ9200	Mc		1	1
モ9200	M		1	1
ク9300	Tc		1	1
サ9310	T		1	1
			4	4
9020系				
モ9020	Mc		19	19
ク9120	Tc		19	19
			38	38
8810系				
モ8810	M		14	14
ク8910	Tc		14	14
			28	28
8800系				
モ8800	M		4	4
ク8900	Tc		4	4
			8	8
8600系				
モ8600	Mc	1	16	17
モ8600	M		4	4
モ8650	M	2	20	22
ク8100	Tc	1	20	21
ク8150	Tc		4	4
サ8150	T	2	15	17
サ8177	T		1	1
		6	80	86
8400系				
モ8400	Mc	6		6
モ8400	M		6	6
モ8450	M	6	6	12
ク8300	Tc	6	6	12
ク8350	Tc		6	6
		18	24	42
8000系				
モ8000	Mc		0	0
モ8000	M		7	7
モ8210	M		7	7
モ8250	M		0	0
ク8500	Tc		7	7
ク8710	Tc		7	7
			28	28
3220系				
モ3220	M	3		3
モ3620	M	3		3
モ3820	M	3		3
ク3120	Tc	3		3
ク3720	Tc	3		3
サ3520	T	3		3
		18		18
3200系				
モ3200	M	7		7
モ3400	M	7		7
モ3800	M	7		7
ク3100	Tc	7		7
ク3700	Tc	7		7
サ3300	T	7		7
		42		42
合　計		298	236	532

南大阪線〔古市〕

形式	車種	計
6620系		
モ6620	Mc	7
モ6670	M	7
ク6720	Tc	7
サ6770	T	7
		28
6432系		
モ6432	Mc	10
ク6532	Tc	10
		20
6422系		
モ6422	Mc	2
ク6522	Tc	2
		4
6419系		
モ6419	Mc	3
ク6519	Tc	3
		6
6413系		
モ6413	Mc	6
ク6513	Tc	6
		12
6407系		
モ6407	Mc	6
ク6507	Tc	6
		12
6400系		
モ6400	Mc	6
ク6500	Tc	6
		12
6600系		
モ6600	Mc	4
ク6700	Tc	4
		8
6200系		
モ6200	Mc	10
モ6200	M	10
ク6300	Tc	10
サ6350	T	5
		35
6020系		
モ6020	Mc	26
モ6020	M	26
ク6120	Tc	26
サ6160	T	8
		86
6820系		
モ6820	Mc	2
ク6920	Tc	2
		4
合　計		227

▽五位堂検修車庫に、旧大阪電気軌道デボ１形14を保存

四日市あすなろう鉄道 内部車庫　14両

内部・八王子線(内部車庫)　14両［自連］　②

←あすなろう四日市　　西日野・内部→

モ260	5
ク160	3
ク164	2
サ180	4
計	14

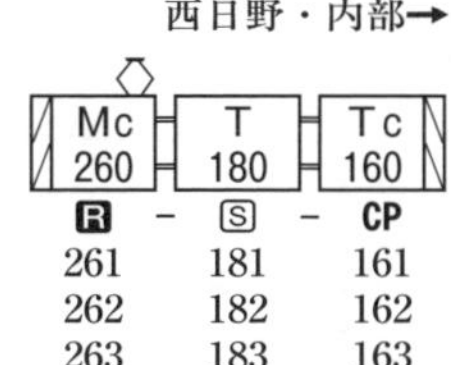

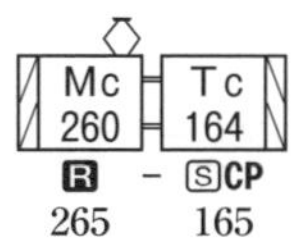

▽2015.04.01 近鉄内部・八王子線を引継いで営業運転開始
▽四日市あすなろう鉄道は第２種鉄道事業者、施設・車両は四日市市(第３種鉄道事業者)が保有
▽全般検査は、近畿日本鉄道塩浜検修車庫(委託)にて施工
▽ワンマン運転　▽冷房装置は床置式
▼優先座席……全車両に設置

養老鉄道 大垣車庫　31両

←大垣　　揖斐、桑名→

モ600	3
モ606	1
モ620	2
ク500	2
ク503	1
ク506	1
ク520	2
サ550	2
サ560	2
モ7700	6
モ7800	3
ク7900	6
計	31

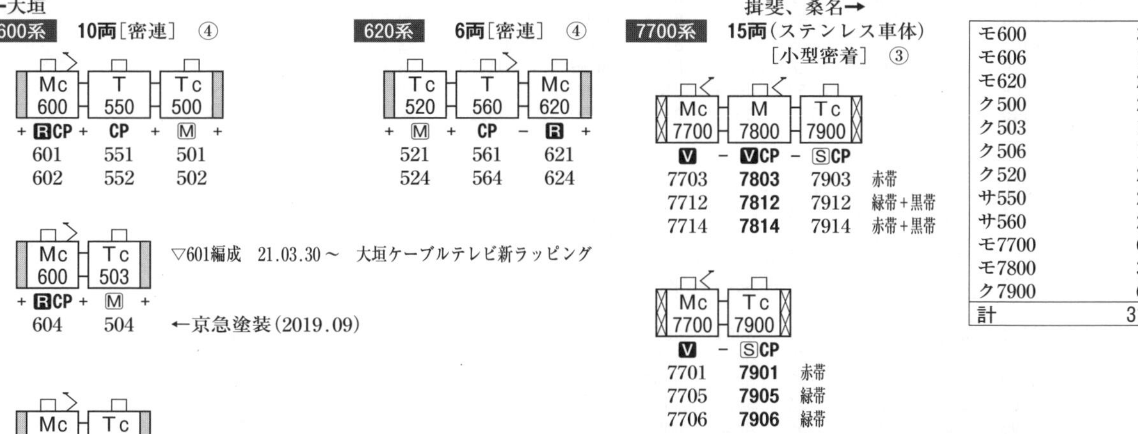

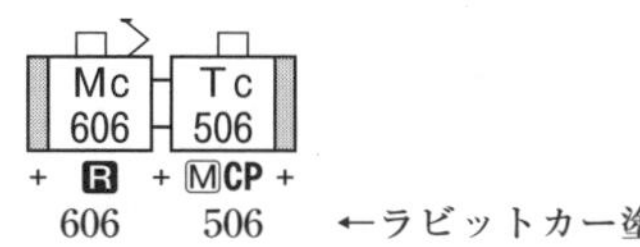

▽2014.04.01より、近鉄からの借入れ車両から保有車両に変更
▽2018.01.01　第３種鉄道事業者は 一般社団法人 養老線管理機構と変更、養老鉄道は第２種鉄道事業者に

▽7700系は元東京急行電鉄7700系
▽モ7800は転換式シートを８席設置。ほかはロングシート
▽7700系　２両編成はク7900 大垣側に車イス対応スペースを設置

▽ワンマン運転
▽途中、大垣にて進行方向が変わる
▼優先座席……全車両に設置
▼車イス対応スペース……太字の車両に設置

伊賀鉄道 上野市車庫　10両

←伊賀上野　　伊賀神戸→

200系　**10両**［小型密着］　③

モ200	5
ク100	5
計	10

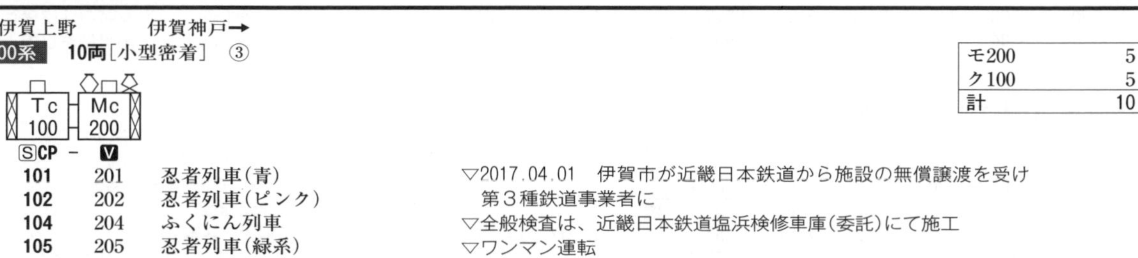

▽2017.04.01　伊賀市が近畿日本鉄道から施設の無償譲渡を受け第３種鉄道事業者に
▽全般検査は、近畿日本鉄道塩浜検修車庫(委託)にて施工
▽ワンマン運転

▽200系の旧形式は東京急行電鉄1000系
▽205のパンはともに◇
▽前面非貫通型の車両は、203・204・205・105
▼車イス対応スペース……太字の車両に設置

京阪電気鉄道 寝屋川車庫・淀車庫・錦織車庫・四宮車庫 696両

京阪本線・宇治線・交野線(寝屋川車庫・淀車庫) 632両

←出町柳・私市・京阪宇治　淀屋橋・中之島→

8000系 80両[小型密着] ②(6号車は①)

①	②	③	④	⑤	⑥	⑦	⑧		
Mc1 8000	弱M2 8100	T2 8500	TD 8800	T3 8700	T 8500	M1 8100	Mc2 8000	プレミアム車両竣工	
F	MCP					F	MCP		
8003	8103	8503	8803	8753	8553	8153	8053	17.08.19	
8007	8107	8507	8807	8757	8557	8157	8057	17.08.18	
8009	8109	8509	8809	8759	8559	8159	8059	17.08.19	

▽全車両リニューアル完了
▽8800形はダブルデッカー車
▽6号車は**プレミアムカー**。
座席は回転式クロスシート。
ほかの車両は転換式クロスシートが基本、車端部ロングシート

Mc1 8000	弱M2 8100	T2 8500	TD 8800	T3 8700	T 8500	M1 8100	Mc2 8000	プレミアム車両竣工	
F	SCP	CP				F	SCP		
8001	8101	8501	8801	8751	8551	8151	8051	17.06.28	19.12.12 床下改修工事
8002	8102	8502	8802	8752	8552	8152	8052	17.08.18	23.03.27 改修工事
8004	8104	8504	8804	8754	8554	8154	8054	17.08.18	20.11.13 床下改修工事
8005	8105	8505	8805	8755	8555	8155	8055	17.08.18	22.04.01 床下改修工事
8006	8106	8506	8806	8756	8556	8156	8056	17.08.19	18.03.19 床下改修工事
8008	8108	8508	8808	8758	8558	8158	8058	17.08.19	18.11.30 床下改修工事
8010	8110	8510	8810	8760	8560	8160	8060	17.08.19	19.12.12 床下改修工事

3000系 54両(アルミ車体)[小型密着] ③(6号車は①)

①	②	③	④	⑤	⑥	⑦	⑧		
Mc1 3000	弱T0 3500	T1 3600	T2 3700	M1 3100	T 3800	T3 3500	Mc2 3000	6号車(プレミアムカー)新製月日	T4 3700
VCP	S			VCP		S	VCP		
3001	3501	3601	3701	3151	3851	3551	3051	20.12.11川重	3751
3002	3502	3602	3702	3152	3852	3552	3052	20.12.05川重	3752
3003	3503	3603	3703	3153	3853	3553	3053	20.12.19川重	3753
3004	3504	3604	3704	3154	3854	3554	3054	20.12.26川重	3754
3005	3505	3605	3705	3155	3855	3555	3055	21.01.09川重	3755
3006	3506	3606	3706	3156	3856	3556	3056	21.01.16川重	3756

9000系 36両(アルミ車体)[小型密着] ③

Mc1 9000	弱T1 9500	T2 9600	M2 9100	M1 9100	T3 9500	T4 9600	Mc2 9000
V	S	CP	VCP	V	S	CP	VCP
9005	9505	9605	9105	9155	9555	9655	9055

▽9000系は全車ロングシート化完了

Mc1 9000	弱T1 9500	T6 9700	M3 9100	T3 9500	T4 9600	Mc2 9000	
V	S	CP	V	S	CP	V	
9001	9501	9701	9151	9551	9651	9051	15.03.13=7両化
9002	9502	9702	9152	9552	9652	9052	15.04.16=7両化
9003	9503	9703	9153	9553	9653	9053	17.01.20=7両化
9004	9504	9704	9154	9554	9654	9054	16.12.12=7両化

▼優先席……全車両に設置
▼車イス対応スペース……太字の車両に設置
▼弱冷房車……編成図に **弱** を付した車両
▼女性専用車…平日朝ラッシュ時の淀屋橋行き特急に設定。出町柳寄りの1両

7200系 21両(アルミ車体)[小型密着] ③

Mc1 7200	弱T1 7700	T6 7900	M3 7300	T3 7700	T2 7800	Mc2 7200	
V	S	CP	V	S	CP	V	
7201	7701	7901	7351	7751	7851	7251	15.02.10=7両化
7202	7702	7902	7352	7752	7852	7252	16.12.02=7両化
7203	7703	7903	7353	7753	7853	7253	

▽車種別使用区分(例外的なものを除く)
特急…8000系・9000系・6000系・3000系
快速急行・急行・準急…7・8両編成の各形式
区間急行…6・7・8両編成
普通…4・6・7・8両編成の各形式
▽全般検査は寝屋川車両工場(寝屋川車庫併設)

▽7200系はパワーウィンドウ装備

←出町柳・私市・京阪宇治　　淀屋橋・中之島→

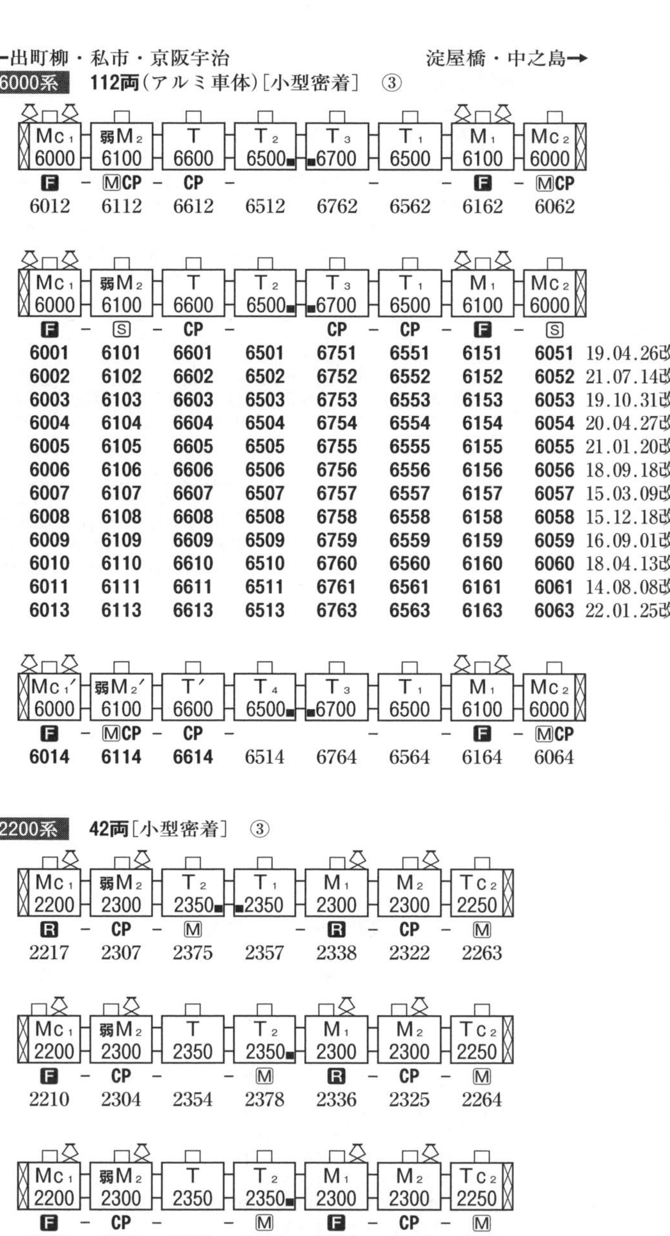

6000系 **112両**(アルミ車体)[小型密着] ③

Mc1 6000	弱M2 6100	T 6600	T2 6500	T3 6700	T1 6500	M1 6100	Mc2 6000
F	MCP	CP				F	MCP
6012	6112	6612	6512	6762	6562	6162	6062

Mc1 6000	弱M2 6100	T 6600	T2 6500	T3 6700	T1 6500	M1 6100	Mc2 6000	
F	S	CP		CP	CP	F	S	
6001	**6101**	**6601**	**6501**	**6751**	**6551**	**6151**	**6051**	19.04.26改修工事
6002	**6102**	**6602**	**6502**	**6752**	**6552**	**6152**	**6052**	21.07.14改修工事
6003	**6103**	**6603**	**6503**	**6753**	**6553**	**6153**	**6053**	19.10.31改修工事
6004	**6104**	**6604**	**6504**	**6754**	**6554**	**6154**	**6054**	20.04.27改修工事
6005	**6105**	**6605**	**6505**	**6755**	**6555**	**6155**	**6055**	21.01.20改修工事
6006	**6106**	**6606**	**6506**	**6756**	**6556**	**6156**	**6056**	18.09.18改修工事
6007	**6107**	**6607**	**6507**	**6757**	**6557**	**6157**	**6057**	15.03.09改修工事
6008	**6108**	**6608**	**6508**	**6758**	**6558**	**6158**	**6058**	15.12.18改修工事
6009	**6109**	**6609**	**6509**	**6759**	**6559**	**6159**	**6059**	16.09.01改修工事
6010	**6110**	**6610**	**6510**	**6760**	**6560**	**6160**	**6060**	18.04.13改修工事
6011	**6111**	**6611**	**6511**	**6761**	**6561**	**6161**	**6061**	14.08.08改修工事
6013	**6113**	**6613**	**6513**	**6763**	**6563**	**6163**	**6063**	22.01.25改修工事

Mc1′ 6000	弱M2′ 6100	T′ 6600	T4 6500	T3 6700	T1 6500	M1 6100	Mc2 6000
F	MCP	CP				F	MCP
6014	**6114**	**6614**	6514	6764	6564	6164	6064

2200系 **42両**[小型密着] ③

Mc1 2200	弱M2 2300	T2 2350	T1 2350	M1 2300	M2 2300	Tc2 2250
R	CP	M		R	CP	M
2217	2307	2375	2357	2338	2322	2263

Mc1 2200	弱M2 2300	T 2350	T2 2350	M1 2300	M2 2300	Tc2 2250
F	CP		M	R	CP	M
2210	2304	2354	2378	2336	2325	2264

Mc1 2200	弱M2 2300	T 2350	T2 2350	M1 2300	M2 2300	Tc2 2250
F	CP		M	F	CP	M
2209	2306	2353	2371	2334	2316	2259
2211	2305	2355	2369	2331	2303	2261
2216	2310	2356	2377	2340	2314	2262
2226	2326	2368	2367	2327	2328	2276

形式別両数表

系列	形式	記号	両数
3000系	3000	Mc	12
	3100	M	6
	3500	T	12
	3600	T	6
	3700	T	12
	3800	T	6
			54
2600系	2600	Mc	6
	2700	M	16
	2800	Tc	7
	2900	T	10
			39
2400系	2500	M	20
	2450	Tc	10
	2550	T	5
			35
2200系	2200	Mc	6
	2300	M	18
	2250	Tc	6
	2350	T	12
			42
13000系	13000	Mc	40
	13100	M	13
	13500	T	33
	13600	T	7
	13700	T	20
			113
10000系	10000	Mc	12
	10100	M	2
	10500	T	6
	10550	T	2
	10600	T	4
	10700	T	2
	10750	T	2
			30
1000系	1100	M	12
	1200	M	12
	1500	Tc	12
	1600	T	6
			42
9000系	9000	Mc	10
	9100	M	6
	9500	T	10
	9600	T	6
	9700	T	4
			36
8000系	8000	Mc	20
	8100	M	20
	8500	T	20
	8700	T	10
	8800	T	10
			80
7200系	7200	Mc	6
	7300	M	3
	7700	T	6
	7800	T	3
	7900	T	3
			21
7000系	7000	Mc	8
	7100	M	4
	7500	T	8
	7600	T	8
			28
6000系	6000	Mc	28
	6100	M	28
	6500	T	28
	6600	T	14
	6700	T	14
			112
合　計			632

▽旧6014-6614-6114は7004-7504-7104に改番。
　1993年度に新造された6014-6114-6614は、7000系と同形態

▼弱冷房車…編成図に **弱** を付した車両
▼優先席……全車両に設置
▼車イス対応スペース……太字の車両に設置

▽寝屋川車庫に、60形63「びわこ号」を保存
▽くずはモール SANZEN-HIROBA
　旧3000系3505 デジタル動態保存
　5000系5551車両復刻展示(先頭部～第2ドア付近迄)
　2600系2601　先頭部カットモデル

7000系 **28両**(アルミ車体)[小型密着] ③

Mc₁ 7000	弱T₂ 7500	T₄ 7600	M₁ 7100	T₁ 7600	T 7500	Mc₂ 7000
[V]CP	Ⓢ	CP	[V]	Ⓢ		[V]CP
7001	**7501**	**7601**	**7151**	**7651**	**7551**	**7051**
7002	**7502**	**7602**	**7152**	**7652**	**7552**	**7052**
7003	**7503**	**7603**	**7153**	**7653**	**7553**	**7053**

Mc₃ 7000	弱T₅ 7500	M₄ 7100	T₄′ 7600	T₃′ 7500	T₁′ 7600	Mc₂′ 7000
[V]CP		[V]Ⓢ	CP		Ⓢ	[V]CP
7004	**7504**	**7104**	**7604**	**7554**	**7654**	**7054**

2600系 **39両**[小型密着] ③

Mc₁ 2600	弱T₂ 2900	M₁ 2700	T₂ 2900	M₁ 2700	M₂ 2700	Tc₂ 2800
[F]CP	Ⓜ	[F]CP	Ⓜ	[F]CP	[F]CP	Ⓜ
2631	2941	2741	2951	2751	2731	2831
2632	2942	2742	2952	2752	2732	2832
2633	2943	2743	2953	2753	2733	2833
2634	2944	2744	2954	2754	2734	2834

Mc₁ 2600	弱T₁ 2900	Mc₁ 2600	T₂ 2900	M₁ 2700	M₂ 2700	Tc₂ 2800
[F]CP	Ⓜ	[F]CP	Ⓜ	[F]CP	[F]CP	Ⓜ
2624	2924	2614	2914	2603	2703	2803

M₁ 2700	Tc₂ 2800	M 2700	Tc₂ 2800
[F]CP	Ⓜ	[F]CP	Ⓜ
2718	2818	2619	2819

2400系 **35両**[小型密着] ③

Tc₁ 2450	弱M₁ 2500	M₂ 2500	T₁ 2550	M₁ 2500	M₂ 2500	Tc₂ 2450
CP	[F]	ⓈCP	CP	[F]	ⓈCP	
2451	2511	2521	2551	2531	2541	2461
2453	2513	2523	2553	2533	2543	2463
2454	2514	2524	2554	2534	2544	2464
2455	2515	2525	2555	2535	2545	2465
2456	2516	2526	2556	2536	2546	2466

1000系 **42両**[小型密着] ③

Tc₁ 1500	弱M₁ 1100	M₂ 1200	T 1600	M₃ 1100	M₄ 1200	Tc₂ 1500
	[F]	ⓂCP	CP	[F]	ⓂCP	
1501	**1101**	**1201**	**1651**	**1151**	**1251**	**1551**
1502	**1102**	**1202**	**1652**	**1152**	**1252**	**1552**
1503	**1103**	**1203**	**1653**	**1153**	**1253**	**1553**
1504	1104	1204	1654	1154	1254	1554
1505	1105	1205	1655	1155	1255	1555
1506	1106	1206	1656	1156	1256	1556

▽2400系·2200系·1000系の[F]は界磁添加励磁方式

▽交野線、宇治線はワンマン仕様の10000系·13000系4両編成を使用

10000系 **30両**(アルミ車体)[小型密着] ③

Mc₁ 10000	T₀ 10500	T₁ 10600	Mc₂ 10000
[V]CP	Ⓢ		[V]CP
10003	**10503**	**10653**	**10053**
10004	**10504**	**10654**	**10054**
10005	**10505**	**10655**	**10055**
10006	**10506**	**10656**	**10056**

Mc₁ 10000	T₀ 10500	T₂ 10700	M₂ 10100	T₃ 10700	T₄ 10500	Mc₂ 10000	
[V]CP	Ⓢ		[V]CP		Ⓢ	[V]CP	
10001	**10501**	**10701**	**10101**	**10751**	**10551**	**10051**	16.02.17= 7両化
		[9601]	[7301]	[9602]	[10651]		[ ]=旧車号
10002	**10502**	**10702**	**10102**	**10752**	**10552**	**10052**	17.04.24= 7両化
		[9603]	[7302]	[9604]	[10652]		[ ]=旧車号

▼弱冷房車…編成図に **弱** を付した車両
▼優先席……全車両に設置
▼車イス対応スペース……太字の車両に設置

←出町柳・私市・京阪宇治　　　　　　　　淀屋橋・中之島→

13000系　**113両**(アルミ車体)[小型密着]　③

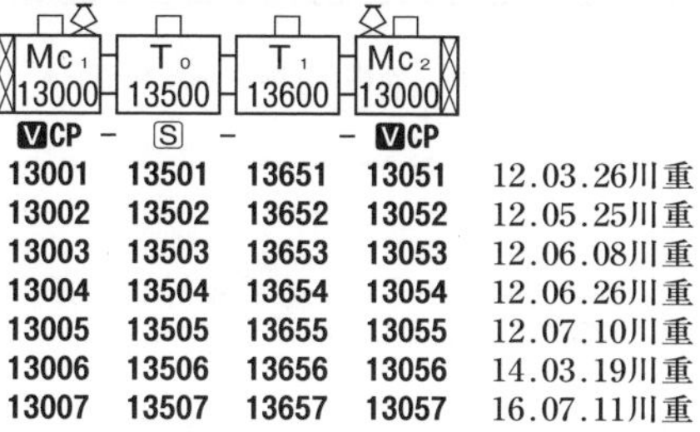

Mc1 13000	T0 13500	T1 13600	Mc2 13000	
VCP	S	–	VCP	
13001	13501	13651	13051	12.03.26川重
13002	13502	13652	13052	12.05.25川重
13003	13503	13653	13053	12.06.08川重
13004	13504	13654	13054	12.06.26川重
13005	13505	13655	13055	12.07.10川重
13006	13506	13656	13056	14.03.19川重
13007	13507	13657	13057	16.07.11川重

Mc1 13000	弱T0 13500	T2 13700	M1 13100	T3 13500	Mc2 13000	
VCP	S	–	VCP	S	VCP	
13031	13531	13731	13181	13581	13081	21.01.19川重
13032	13532	13732	13182	13582	13082	21.02.10川重
13033	13533	13733	13183	13583	13083	21.03.04川重
13034	13534	13734	13184	13584	13084	21.03.15川重
13035	13535	13735	13185	13585	13085	21.07.02川重
13036	13536	13736	13186	13586	13086	21.09.02川重

Mc1 13000	弱T0 13500	T2 13700	M1 13100	T3 13500	T4 13700	Mc2 13000	
VCP	S	–	VCP	S	–	VCP	
13021	13521	13721	13171	13571	13771	13071	14.04.23川重
13022	13522	13722	13172	13572	13772	13072	14.07.24川重
13023	13523	13723	13173	13573	13773	13073	16.07.11川重
13024	13524	13724	13174	13574	13774	13074	16.09.20川重
13025	13525	13725	13175	13575	13775	13075	17.03.28川重
13026	13526	13726	13176	13576	13776	13076	18.04.18川重
13027	13527	13727	13177	13577	13777	13077	18.05.22川重

▽13000系は2012.04.14から営業運転開始。
4両編成は宇治線、交野線にて運転
▽宇治線は、2013.06.01からワンマン運転開始
▽7両編成は本線用(2014.05.30から運行開始)
▽6両編成は本線用(2021.02.17から運行開始)
▼優先席………………全車両に設置
▼車イス対応スペース……太字の車両に設置
▼弱冷房車……………編成図に **弱** を付した車両

京津線・石山坂本線(四宮車庫・錦織車庫)　62両

←(京都市営地下鉄東西線)御陵・坂本比叡山口　　　　びわ湖浜大津・石山寺→

600形　**20両**[自連]　②

Mc1 600	Mc2 600	
FCP	SCP	
601	602	
603	604	「びわこ号」塗装
605	606	
607	608	
609	610	
611	612	
613	614	
615	616	
617	618	
619	620	

700形　**10両**[自連]　②

Mc1 700	Mc2 700
FCP	SCP
701	702
703	704
705	706
707	708
709	710

800系　**32両**[小型密着]　③

①♿ Mc1 800	②♿ M1 850	♿③ M2 850	♿④ Mc2 800
S	VCP	VCP	S
801	851	852	802
803	853	854	804
805	855	856	806
807	857	858	808
809	859	860	810
811	861	862	812
813	863	864	814
815	865	866	816

600	20
700	10
800	16
850	16
計	62

▽600形·700形は石山坂本線、800系は京津線(京都市交通局地下鉄東西線乗入れ)で使用
▽地下鉄東西線乗入れ列車の運転区間はびわ湖浜大津〜太秦天神川間(2008.01.16から)
▽全般検査は錦織車両工場(錦織車庫に併設)で実施
▽全列車ワンマン運転

▼優先席……全車両に設置
▼車イス対応スペース……全車両に設置

鋼索線(男山鋼索線)　2両

←ケーブル八幡宮口　　鋼索　　ケーブル八幡宮山上→

1　あかね
2　こがね

▽2019.10.01 通称を「男山ケーブル」から「石清水八幡宮参道ケーブル」に変更とするとともに、駅名を八幡市をケーブル八幡宮口、男山山上をケーブル八幡宮山上と変更。
▽2019.06.19 車両リニューアル、運転再開。車両に愛称名を命名

阪急電鉄 西宮車庫・平井車庫・正雀車庫 1295両

神戸線・今津線・伊丹線・甲陽線(西宮車庫) 440両(439両+1)

←大阪梅田・今津・甲陽園　　伊丹・宝塚・神戸三宮・新開地(神戸高速鉄道)→

1000系 88両(アルミ車体[アルミダブルスキン構体])[密連] ③

①	弱②	③	④	⑤	⑥	弱⑦	⑧	
Tc 1000	M 1500	M 1600	T 1050	T 1050	M 1500	M 1600	Tc 1000	
CP	V	S			V	S	CP	
1000	1500	1600	1050	1150	1550	1650	1100	13.11.19日立
1002	1502	1602	1052	1152	1552	1652	1102	14.07.14日立
1005	1505	1605	1055	1155	1555	1655	1105	15.06.12日立
1007	1507	1607	1057	1157	1557	1657	1107	15.10.22日立
1008	1508	1608	1058	1158	1558	1658	1108	16.01.29日立
1010	1510	1610	1060	1160	1560	1660	1110	17.03.23日立
1011	1511	1611	1061	1161	1561	1661	1111	17.07.31日立
1014	1514	1614	1064	1164	1564	1664	1114	18.03.22日立
1016	1516	1616	1066	1166	1566	1666	1116	19.02.14日立
1017	1517	1617	1067	1167	1567	1667	1117	19.03.26日立
1019	1519	1619	1069	1169	1569	1669	1119	21.06.16日立

▽1000系は2013.11.28から営業運転開始
▽室内灯はＬＥＤ照明

9000系 40両(アルミ車体[アルミダブルスキン構体])[密連] ③

Mc1 9000	T1 9550	T2 9570	T2 9570	T2 9570	T1 9550	M1 9500	Mc2 9100	
+ V	SCP				SCP	V	V +	
9000	9550	9570	9580	9590	9560	9500	9100	17.07.04=可とう歯車継手変更(+形式変更)
9002	9552	9572	9582	9592	9562	9502	9102	16.02.16=可とう歯車継手変更(+形式変更)
9004	9554	9574	9584	9594	9564	9504	9104	17.02.16=可とう歯車継手変更(+形式変更)
9006	9556	9576	9586	9596	9566	9506	9106	
9008	9558	9578	9588	9598	9568	9508	9108	18.05.10=可とう歯車継手変更(+形式変更)

▽9000系　貫通路ドアは自動ドアを採用

8000系 58両(アルミ車体)(うち6両は7000系に組込み)[密連] ③

Mc1 8000	M2 8600	T1 8550	T2 8750	T2 8750	T1 8550	M1 8500	Mc2 8100	
+ V	V	SCP			SCP	V	V +	
8000	8600	8550	8750	8780	8650	8500	8100	21.07.19=VVVF更新等
8003	8603	8553	8753	8783	8653	8503	8103	
8020	8620	8570	8770	8670	8790	8520	8120	

Mc1 8000	M2 8600	T1 8550	T2 8750	T2 8750	T1 8550	M1 8500	Mc2 8100	
+ V	V	SCP			SCP	V	V +	
8001	8601	8551	8751	8781	8651	8501	8101	16.07.14=VVVF更新等
8002	8602	8552	8752	8782	8652	8502	8102	18.09.12=VVVF更新等
8008	8608	8558	8758	8788	8658	8508	8108	20.06.19

Mc 8000	Tc 8150
+ V	SCP +
8031	8151
8033	8153

▽[　]内はセミクロスシート車、
8670は8750形、8790は8550形
▽8008·8508はシングルアームパンタグラフ

8200系 4両(アルミ車体)[密連] ③

Mc1 8200	Tc 8250
+ V	SCP +
8200	8250
8201	8251

▼車イス対応スペース……太字の車両に設置
▼弱冷房車……編成図に**弱**を付した車両

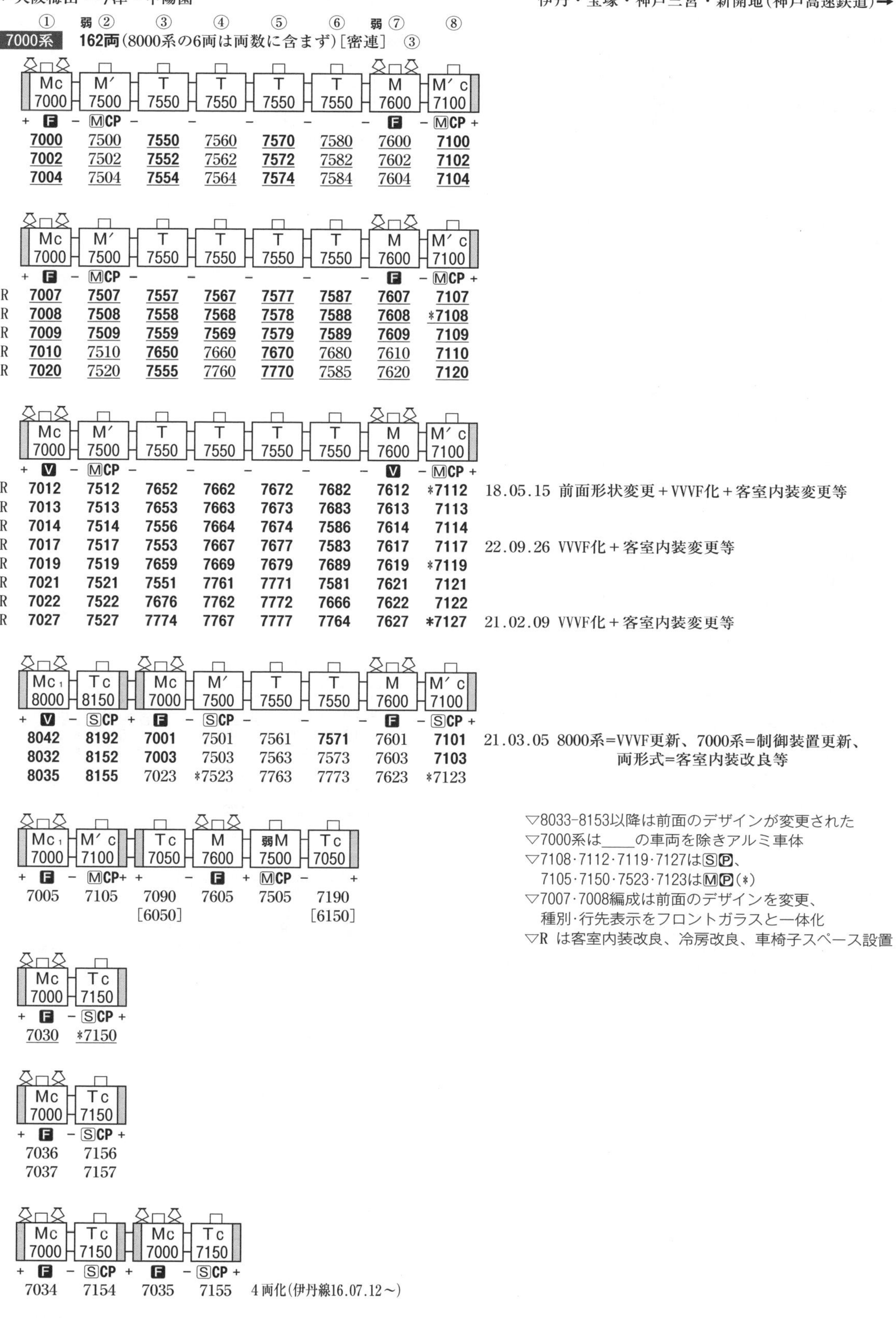

▽8033-8153以降は前面のデザインが変更された
▽7000系は____の車両を除きアルミ車体
▽7108·7112·7119·7127はSP、
7105·7150·7523·7123はMP(*)
▽7007·7008編成は前面のデザインを変更、
種別·行先表示をフロントガラスと一体化
▽R は客室内装改良、冷房改良、車椅子スペース設置

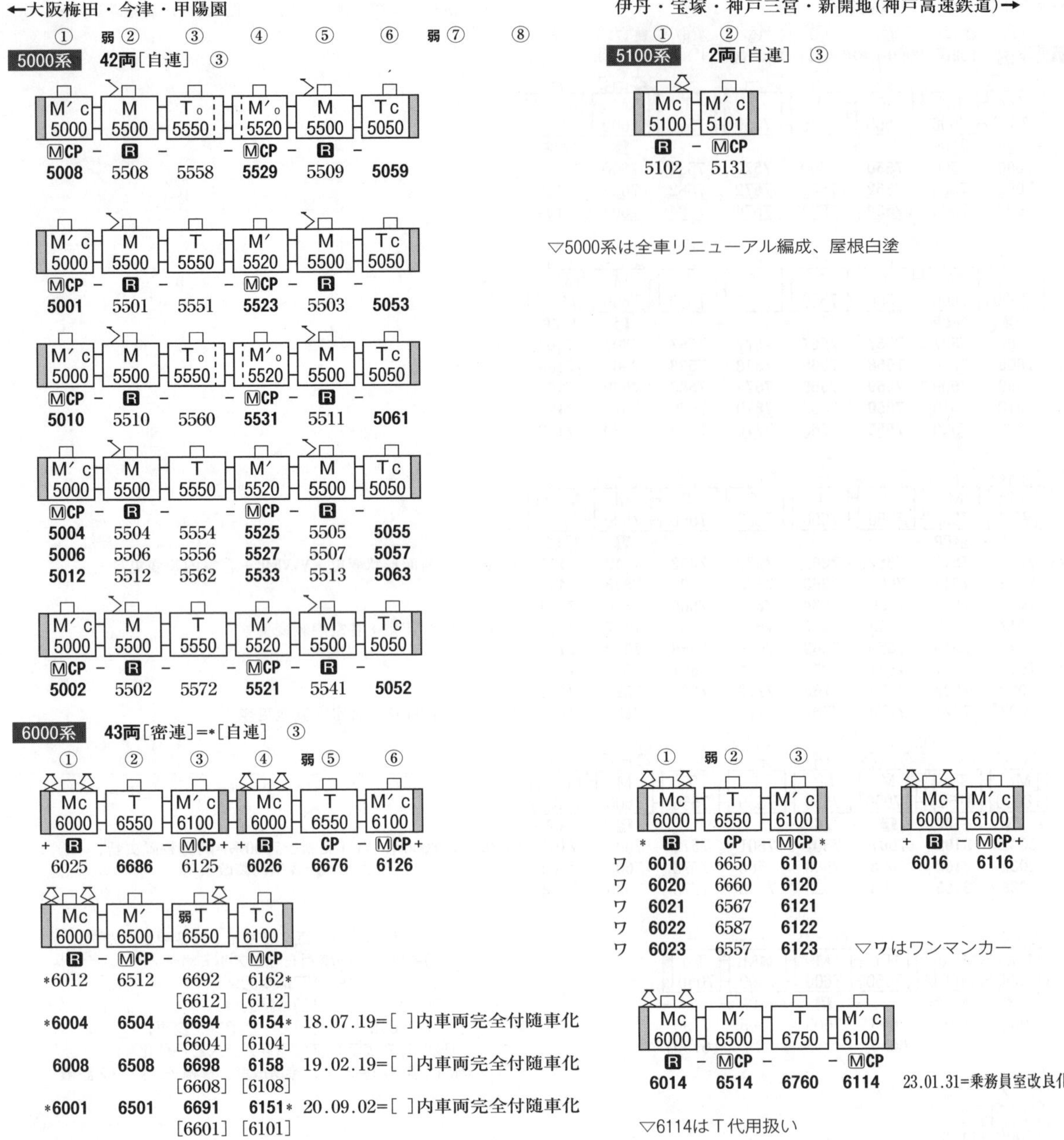

救援車 1両[自連]

4250形

4050

▽神戸線はラッシュ時の一部を除き8両編成
▽今津線(今津～西宮北口)と甲陽線は6000系3両編成にてワンマン運転、
6両編成は今津線(西宮北口～宝塚)、4両編成は伊丹線で使用。
なお、朝ラッシュ時、今津線から大阪梅田に直通準急は、
8両編成にて運転の列車もある
▽女性専用車　平日朝ラッシュ時の10両編成の通勤特急(大阪梅田～神戸三宮間)にて設定

▼車イス対応スペース……太字の車両に設置
▼弱冷房車……各号車等に弱で表示

形式別両数表　神戸・宝塚線

形式	神戸線	宝塚線	計
1000系			
1000 Tc	22	18	40
1500 M	22	18	40
1600 M	22	18	40
1050 T	22	18	40
	88	72	160
9000系			
9000 Mc_1	5	5	10
9100 Mc_2	5	5	10
9500 M_1	5	5	10
9550 T_1	5	6	11
9570 T_2	15	18	33
	40	48	88
8200系			
8200 Mc_1	2		2
8250 Tc	2		2
	4		4
8000系			
8000 Mc_1	11	8	19
8100 Mc_2	6	4	10
8500 M_1	6	4	10
8600 M_2	6	4	10
8150 Tc	5	4	9
8550 T	12	8	20
8750 T	12	8	20
	58	40	98
7000系			
7000 Mc	25	7	32
7100 M′c	20	4	24
7500 M′	20	3	23
7600 M	20	4	24
7150 Tc	5	3	8
7550 T	72	15	87
6000系			
6000 Mc	13	9	22
6100 M′c	9	8	17
6500 M′	5	8	13
6600 M		8	8
6550 T	7	25	32
6100 Tc	4		4
6550 T	4		4
6750 T	1	11	12
	43	70	113
5100系			
5100 Mc	1	13	14
5101 M′c	1	13	14
5650 T		14	14
	2	40	42
5000系			
5000 M′c	7		7
5500 M	14		14
5520 M'_o	7		7
5050 Tc	7		7
5550 T	7		7
	42		42
合　計	439	306	737

形式別両数表　京都線

形式	両 数
1300系	
1300 Tc	32
1800 M	32
1900 M	32
1350 T	32
	128
9300系	
9300 Mc_1	11
9400 Mc_2	11
9800 M_1	11
9850 T_1	22
9870 T_2	33
	88
8300系	
8300 Mc_1	15
8400 Mc_2	11
8800 M_1	11
8900 M_2	5
8450 Tc	4
8850 T	24
8950 T	14
	84
6300系	
6800 M	5
6900 M′	5
6350 Tc	4
6450 Tc	4
	18
7300系	
7300 Mc	16
7400 M′c	9
7800 M′	9
7900 M	9
7450 Tc	7
7850 T	33
	83
7000系	
7000 Mc	1
7100 M′c	1
7500 Mc	1
7600 M′	1
7550 T	2
	6
5300系	
5300 Mc	22
5400 M′c	22
5800 M′	8
5900 M	7
5850 T	36
	95
3300系	
3300 Mc	10
3300 M_o	8
3400 M′c	2
3400 M'_o	7
3430 M'_o	1
3800 M′	7
3820 M′	1
3350 Tc	6
3350 T_o	1
3950 T	1
	44
合　計	546

宝塚線・箕面線（平井車庫）　307両（306両＋1）

←大阪梅田　　　　箕面・宝塚→

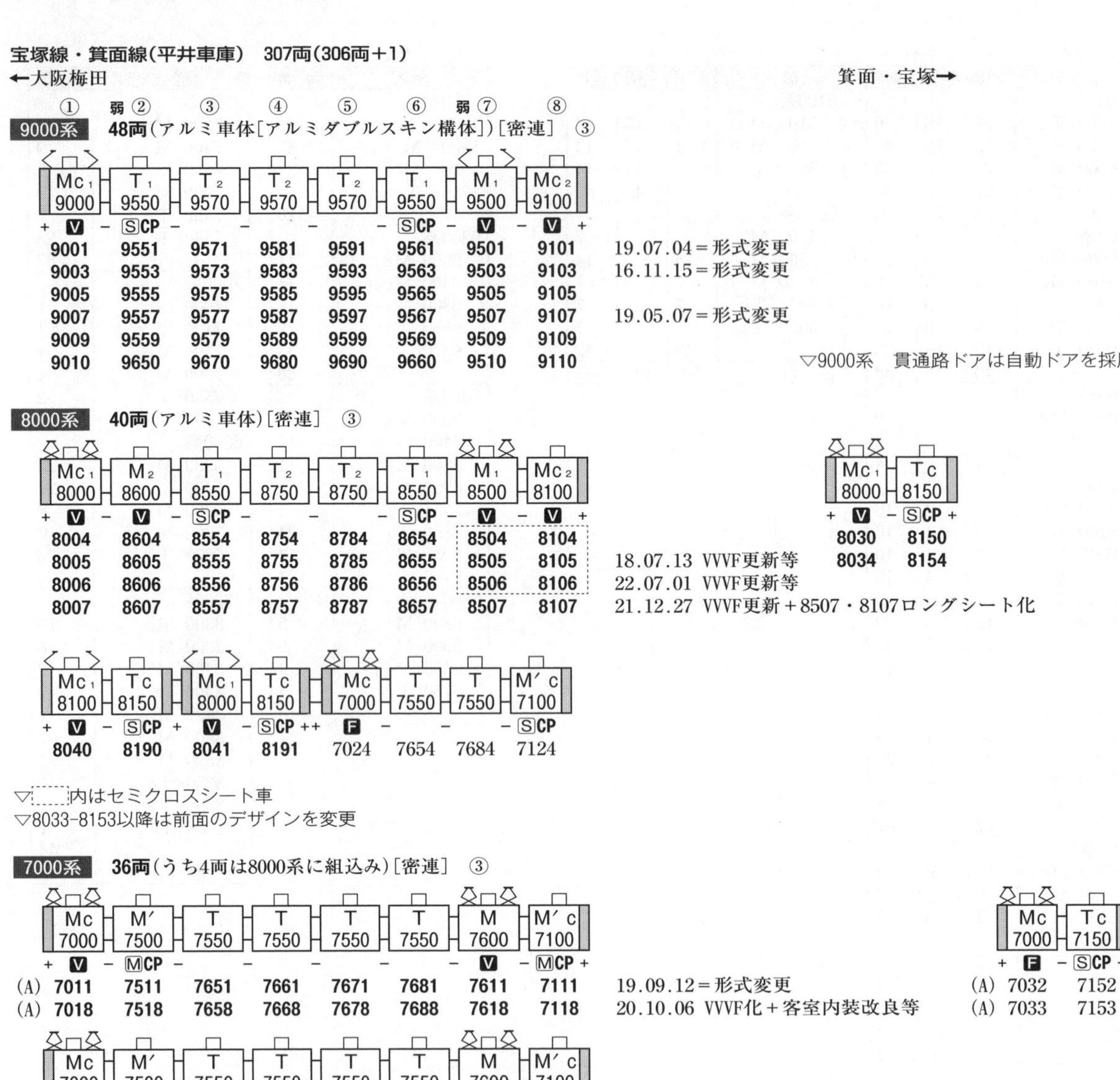

9000系　**48両**（アルミ車体［アルミダブルスキン構体］）［密連］　③

①	弱②	③	④	⑤	⑥	弱⑦	⑧	
Mc₁ 9000	T₁ 9550	T₂ 9570	T₂ 9570	T₂ 9570	T₁ 9550	M₁ 9500	Mc₂ 9100	
+ V −	SCP −	−	−	−	− SCP −	V −	V +	
9001	9551	9571	9581	9591	9561	9501	9101	19.07.04＝形式変更
9003	9553	9573	9583	9593	9563	9503	9103	16.11.15＝形式変更
9005	9555	9575	9585	9595	9565	9505	9105	
9007	9557	9577	9587	9597	9567	9507	9107	19.05.07＝形式変更
9009	9559	9579	9589	9599	9569	9509	9109	
9010	9650	9670	9680	9690	9660	9510	9110	

▽9000系　貫通路ドアは自動ドアを採用

8000系　**40両**（アルミ車体）［密連］　③

Mc₁ 8000	M₂ 8600	T₁ 8550	T₂ 8750	T₂ 8750	T₁ 8550	M₁ 8500	Mc₂ 8100	
+ V −	V −	SCP −	−	−	− SCP −	V −	V +	
8004	8604	8554	8754	8784	8654	8504	8104	
8005	8605	8555	8755	8785	8655	8505	8105	18.07.13 VVVF更新等
8006	8606	8556	8756	8786	8656	8506	8106	22.07.01 VVVF更新等
8007	8607	8557	8757	8787	8657	8507	8107	21.12.27 VVVF更新＋8507・8107ロングシート化

Mc₁ 8000	Tc 8150
+ V −	SCP +
8030	8150
8034	8154

Mc₁ 8100	Tc 8150	Mc₁ 8000	Tc 8150	Mc 7000	T 7550	T 7550	M′c 7100
+ V −	SCP +	V −	SCP +	+ F −	−	−	− SCP
8040	8190	8041	8191	7024	7654	7684	7124

▽[点線枠]内はセミクロスシート車

▽8033-8153以降は前面のデザインを変更

7000系　**36両**（うち4両は8000系に組込み）［密連］　③

	Mc 7000	M′ 7500	T 7550	T 7550	T 7550	T 7550	M 7600	M′c 7100	
	+ V −	MCP −	−	−	−	−	V −	MCP +	
(A)	7011	7511	7651	7661	7671	7681	7611	7111	19.09.12＝形式変更
(A)	7018	7518	7658	7668	7678	7688	7618	7118	20.10.06 VVVF化＋客室内装改良等

	Mc 7000	Tc 7150
	+ F −	SCP +
(A)	7032	7152
(A)	7033	7153

	Mc 7000	M′ 7500	T 7550	T 7550	T 7550	T 7550	M 7600	M′c 7100
	+ V −	MCP −	−	−			V −	MCP +
(A)	7015	7515	7655	7665	7675	7685	7615	7115

Mc 7000	T 7550	M 7600	Tc 7150
+ F −	MCP −	F −	+
7031	7596	7616	7151

▽４両編成は箕面線にて運用

▽7031・7151 はアルミ車

▽7118はSCP

▽(A)の編成はアルミ車体

▼車イス対応スペース……太字の車両に設置

▼弱冷房車……………各号車に弱で表示

▼女性専用車…平日朝ラッシュ時の川西能勢口発梅田行き10両編成の通勤特急に設定。
宝塚寄りの１両

▽特急「日生エクスプレス」（直通特急）にて、能勢電鉄日生中央まで朝・夕に乗入れ

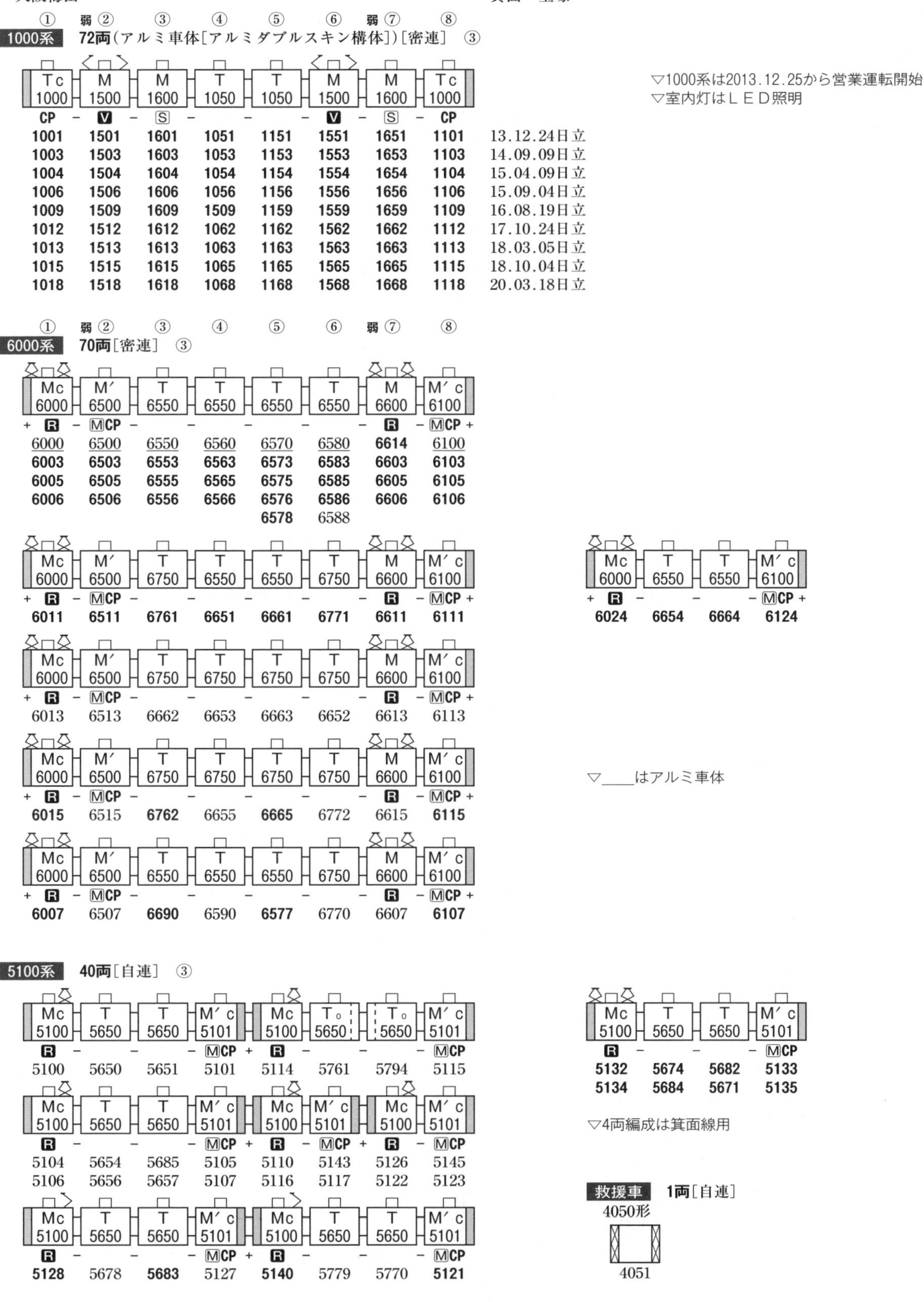

←大阪梅田　　箕面・宝塚→

1000系　72両（アルミ車体［アルミダブルスキン構体］）［密連］③

①	弱②	③	④	⑤	⑥	弱⑦	⑧	
Tc 1000	M 1500	M 1600	T 1050	T 1050	M 1500	M 1600	Tc 1000	
CP	V	S			V	S	CP	
1001	1501	1601	1051	1151	1551	1651	1101	13.12.24日立
1003	1503	1603	1053	1153	1553	1653	1103	14.09.09日立
1004	1504	1604	1054	1154	1554	1654	1104	15.04.09日立
1006	1506	1606	1056	1156	1556	1656	1106	15.09.04日立
1009	1509	1609	1509	1159	1559	1659	1109	16.08.19日立
1012	1512	1612	1062	1162	1562	1662	1112	17.10.24日立
1013	1513	1613	1063	1163	1563	1663	1113	18.03.05日立
1015	1515	1615	1065	1165	1565	1665	1115	18.10.04日立
1018	1518	1618	1068	1168	1568	1668	1118	20.03.18日立

▽1000系は2013.12.25から営業運転開始
▽室内灯はＬＥＤ照明

6000系　70両［密連］③

①	弱②	③	④	⑤	⑥	弱⑦	⑧
Mc 6000	M′ 6500	T 6550	T 6550	T 6550	T 6550	M 6600	M′c 6100
+ R	MCP					R	MCP +
6000	6500	6550	6560	6570	6580	6614	6100
6003	6503	6553	6563	6573	6583	6603	6103
6005	6505	6555	6565	6575	6585	6605	6105
6006	6506	6556	6566	6576	6586	6606	6106
				6578	6588		

Mc 6000	M′ 6500	T 6750	T 6550	T 6550	T 6750	M 6600	M′c 6100
+ R	MCP					R	MCP +
6011	6511	6761	6651	6661	6771	6611	6111

Mc 6000	T 6550	T 6550	M′c 6100
+ R			MCP +
6024	6654	6664	6124

Mc 6000	M′ 6500	T 6750	T 6750	T 6750	T 6750	M 6600	M′c 6100
+ R	MCP					R	MCP +
6013	6513	6662	6653	6663	6652	6613	6113

Mc 6000	M′ 6500	T 6750	T 6750	T 6750	T 6750	M 6600	M′c 6100
+ R	MCP					R	MCP +
6015	6515	6762	6655	6665	6772	6615	6115

▽____はアルミ車体

Mc 6000	M′ 6500	T 6550	T 6550	T 6550	T 6750	M 6600	M′c 6100
+ R	MCP					R	MCP +
6007	6507	6690	6590	6577	6770	6607	6107

5100系　40両［自連］③

Mc 5100	T 5650	T 5650	M′c 5101	Mc 5100	To 5650	To 5650	M′c 5101
R			MCP +	R			MCP
5100	5650	5651	5101	5114	5761	5794	5115

Mc 5100	T 5650	T 5650	M′c 5101
R			MCP
5132	5674	5682	5133
5134	5684	5671	5135

Mc 5100	T 5650	T 5650	M′c 5101	Mc 5100	M′c 5101	Mc 5100	M′c 5101
R			MCP +	R	MCP +	R	MCP
5104	5654	5685	5105	5110	5143	5126	5145
5106	5656	5657	5107	5116	5117	5122	5123

▽4両編成は箕面線用

Mc 5100	T 5650	T 5650	M′c 5101	Mc 5100	T 5650	T 5650	M′c 5101
R			MCP +	R			MCP
5128	5678	5683	5127	5140	5779	5770	5121

救援車　1両［自連］

4050形

4051

京都線・千里線・嵐山線(正雀車庫・桂車庫)　548両(546両＋2)

←大阪梅田・天神橋筋六丁目(大阪メトロ堺筋線)　　　　　嵐山・北千里・京都河原町→

1300系　128両(アルミ車体[アルミダブルスキン構体])[密連]　③

▽1300系は2014.03.30から営業運転開始
▽室内灯はＬＥＤ照明

①	弱②	③	④	⑤	⑥	弱⑦	⑧	
Tc 1300	M 1800	M 1900	T 1350	T 1350	M 1800	M 1900	Tc 1300	
CP	V	S			V	S	CP	
1300	**1800**	**1900**	**1350**	**1450**	**1850**	**1950**	**1400**	14.03.28日立
1301	**1801**	**1901**	**1351**	**1451**	**1851**	**1951**	**1401**	14.04.28日立
1302	**1802**	**1902**	**1352**	**1452**	**1852**	**1952**	**1402**	14.10.17日立
1303	**1803**	**1903**	**1353**	**1453**	**1853**	**1953**	**1403**	15.03.04日立
1304	**1804**	**1904**	**1354**	**1454**	**1854**	**1954**	**1404**	16.04.04日立
1305	**1805**	**1905**	**1355**	**1455**	**1855**	**1955**	**1405**	16.12.09日立
1306	**1806**	**1906**	**1356**	**1456**	**1856**	**1956**	**1406**	17.02.08日立
1307	**1807**	**1907**	**1357**	**1457**	**1857**	**1957**	**1407**	18.08.29日立
1308	**1808**	**1908**	**1358**	**1458**	**1858**	**1958**	**1408**	19.08.17日立
1309	**1809**	**1909**	**1359**	**1459**	**1859**	**1959**	**1409**	19.09.25日立
1310	**1810**	**1910**	**1360**	**1460**	**1860**	**1960**	**1410**	20.08.11日立
1311	**1811**	**1911**	**1361**	**1461**	**1861**	**1961**	**1411**	20.08.21日立
1312	**1812**	**1912**	**1362**	**1462**	**1862**	**1962**	**1412**	20.09.29日立
1313	**1813**	**1913**	**1363**	**1463**	**1863**	**1963**	**1413**	21.07.30日立
1314	**1814**	**1914**	**1364**	**1464**	**1864**	**1964**	**1414**	22.05.24日立
1315	**1815**	**1915**	**1365**	**1465**	**1865**	**1965**	**1415**	22.07.26日立

8300系　84両(アルミ車体)(7300系の4両は両数に含まず)[密連]　③

▽8300系は8303･8403と8304･8404形から前頭部のデザインを変更

	①	弱②	③	④	⑤	⑥	弱⑦	⑧	
	Mc1 8300	M2 8900	T1 8850	T2 8950	T2 8950	T1 8850	M1 8800	Mc2 8400	
	+ V	V	SCP			SCP	V	V +	
R	**8300**	**8900**	**8850**	**8950**	**8980**	**8870**	**8800**	**8400**	23.03.09=VVVF化＋客室内装改良
	8301	8901	8851	8951	8981	8871	8801	8401	
	8303	8903	8853	8953	8983	8873	8803	8403	

Mc1 8300	M2 8900	T1 8850	T2 8950	T2 8950	T1 8850	M1 8800	Mc2 8400
+ V	V	SCP			SCP	V	V +
8302	8902	8852	8952	8982	8872	8802	8402

Mc1 8300	M2 8900	T1 8850	T2 8950	T2 8950	T1 8850	M1 8800	Mc2 8400	
+ V	V	SCP			SCP	V	V +	
8315	8904	8865	8965	8984	8885	8815	8415	18.08.23=可とう歯車継手変更

Mc1 8300	Tc 8450	Mc1 8300	T1 8850	T2 8950	T1 8850	M1 8800	Mc2 8400	
+ V	SCP +	V	SCP		SCP	V	V +	
8330	8450	8310	8860	8960	8880	8810	8410	19.03.29=制御装置更新

Mc1 8300	Tc 8450	Mc1 8300	T1 8850	T2 8950	T1 8850	M1 8800	Mc2 8400
+ V	SCP +	V	SCP		SCP	V	V +
8331	8451	8312	8862	8962	8882	8812	8412

Mc1 8300	Tc 8450	Mc1 8300	T1 8850	T2 8950	T1 8850	M1 8800	Mc2 8400
+ V	SCP +	V	SCP		SCP	V	V +
8332	8452	8313	8863	8963	8883	8813	8413
8333	8453	8314	8864	8964	8884	8814	8414

Mc 7300	Tc 7450	Mc1 8300	T1 8850	T2 8950	T1 8850	M1 8800	Mc2 8400	
+ F	SCP +	V	SCP		SCP	V	V +	
7326	7456	8304	8854	8954	8874	8804	8404	19.01.22=可とう歯車継手変更(8300系)

Mc 7300	Tc 7450	Mc1 8300	T1 8850	T2 8950	T1 8850	M1 8800	Mc2 8400
+ F	SCP +	V	SCP		SCP	V	V +
7325	7455	8311	8861	8961	8881	8811	8411

▼車イス対応スペース……8300系の全車と太字の車両に設置
▼弱冷房車……8両編成は2・7号車、7両編成は2・6号車

←大阪梅田・天神橋筋六丁目(大阪メトロ堺筋線)　　　　嵐山・北千里・京都河原町→

9300系　**88両**(アルミ車体[アルミダブルスキン構体])[密連]　③

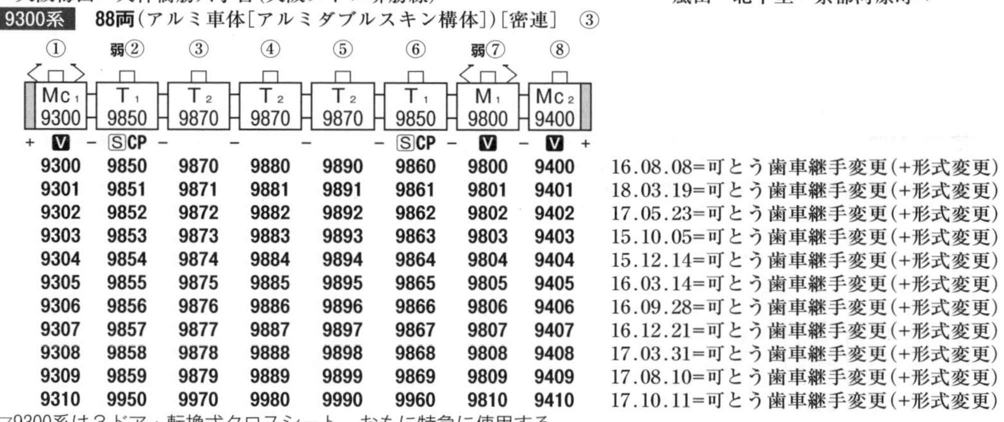

①	弱②	③	④	⑤	⑥	弱⑦	⑧	
Mc1	T1	T2	T2	T2	T1	M1	Mc2	
9300	9850	9870	9870	9870	9850	9800	9400	
+ V	− ⓈCP −		−	−	− ⓈCP −	V	− V +	
9300	**9850**	**9870**	**9880**	**9890**	**9860**	**9800**	**9400**	16.08.08=可とう歯車継手変更(+形式変更)
9301	**9851**	**9871**	**9881**	**9891**	**9861**	**9801**	**9401**	18.03.19=可とう歯車継手変更(+形式変更)
9302	**9852**	**9872**	**9882**	**9892**	**9862**	**9802**	**9402**	17.05.23=可とう歯車継手変更(+形式変更)
9303	**9853**	**9873**	**9883**	**9893**	**9863**	**9803**	**9403**	15.10.05=可とう歯車継手変更(+形式変更)
9304	**9854**	**9874**	**9884**	**9894**	**9864**	**9804**	**9404**	15.12.14=可とう歯車継手変更(+形式変更)
9305	**9855**	**9875**	**9885**	**9895**	**9865**	**9805**	**9405**	16.03.14=可とう歯車継手変更(+形式変更)
9306	**9856**	**9876**	**9886**	**9896**	**9866**	**9806**	**9406**	16.09.28=可とう歯車継手変更(+形式変更)
9307	**9857**	**9877**	**9887**	**9897**	**9867**	**9807**	**9407**	16.12.21=可とう歯車継手変更(+形式変更)
9308	**9858**	**9878**	**9888**	**9898**	**9868**	**9808**	**9408**	17.03.31=可とう歯車継手変更(+形式変更)
9309	**9859**	**9879**	**9889**	**9899**	**9869**	**9809**	**9409**	17.08.10=可とう歯車継手変更(+形式変更)
9310	**9950**	**9970**	**9980**	**9990**	**9960**	**9810**	**9410**	17.10.11=可とう歯車継手変更(+形式変更)

▽9300系は３ドア・転換式クロスシート。おもに特急に使用する
▽平日の特急・通勤特急は、５号車(梅田寄りから５両目)が女性専用車。
　ただし、２人掛けクロスシートのある車両のみの設定で、ロングシート車両では設定なし
▽貫通路ドアは自動ドアを採用

7300系　**83両**(うち4両は8300系に組込み)[密連]　③

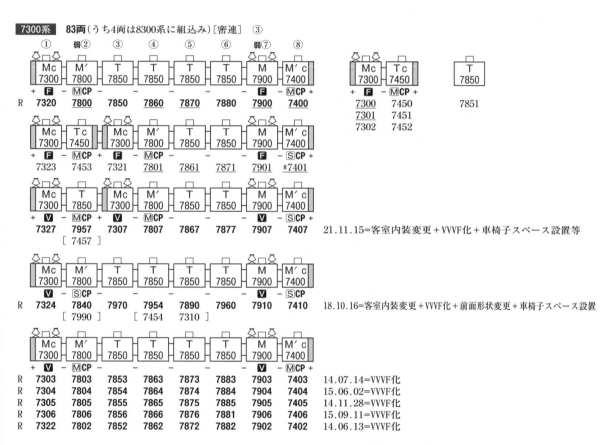

	①	弱②	③	④	⑤	⑥	弱⑦	⑧
	Mc	M′	T	T	T	T	M	M′c
	7300	7800	7850	7850	7850	7850	7900	7400
	+ F	− ⓂCP −		−	−	−	F	− ⓂCP +
R	**7320**	**7800**	**7850**	**7860**	**7870**	**7880**	**7900**	**7400**

Mc	Tc		T
7300	7450		7850
+ F	− ⓂCP +		
7300	7450		7851
7301	7451		
7302	7452		

Mc	Tc	Mc	M′	T	T	M	M′c
7300	7450	7300	7800	7850	7850	7900	7400
+ F	− ⓂCP +	F	− ⓂCP −	−	−	− F	− ⓈCP +
7323	7453	7321	7801	7861	7871	7901	*7401

Mc	T	Mc	M′	T	T	M	M′c	
7300	7850	7300	7800	7850	7850	7900	7400	
+ V	− ⓂCP +	V	− ⓂCP −	−	−	− V	− ⓈCP +	
7327	**7957**	**7307**	**7807**	**7867**	**7877**	**7907**	**7407**	21.11.15=客室内装変更＋VVVF化＋車椅子スペース設置等
	[7457]							

	Mc	M′	T	T	T	T	M	M′c	
	7300	7800	7850	7850	7850	7850	7900	7400	
	V	− ⓈCP −		−	−	−	− V	− ⓈCP	
R	**7324**	**7840**	**7970**	**7954**	**7890**	**7960**	**7910**	**7410**	18.10.16=客室内装変更＋VVVF化＋前面形状変更＋車椅子スペース設置
		[7990]		[7454	7310]				

	Mc	M′	T	T	T	T	M	M′c	
	7300	7800	7850	7850	7850	7850	7900	7400	
	+ V	− ⓂCP −		−	−	−	− V	− ⓂCP +	
R	**7303**	**7803**	**7853**	**7863**	**7873**	**7883**	**7903**	**7403**	14.07.14=VVVF化
R	**7304**	**7804**	**7854**	**7864**	**7874**	**7884**	**7904**	**7404**	15.06.02=VVVF化
R	**7305**	**7805**	**7855**	**7865**	**7875**	**7885**	**7905**	**7405**	14.11.28=VVVF化
R	**7306**	**7806**	**7856**	**7866**	**7876**	**7881**	**7906**	**7406**	15.09.11=VVVF化
R	**7322**	**7802**	**7852**	**7862**	**7872**	**7882**	**7902**	**7402**	14.06.13=VVVF化

▽7300系は____を除きアルミ車体
▽7406はⓈCP、7401はⓂCP
▽8300系・7300系は連解運用車
▽R 印の編成はリニューアル車。
　7320編成は前面のデザインを変更。
　他の編成も若干変化がある

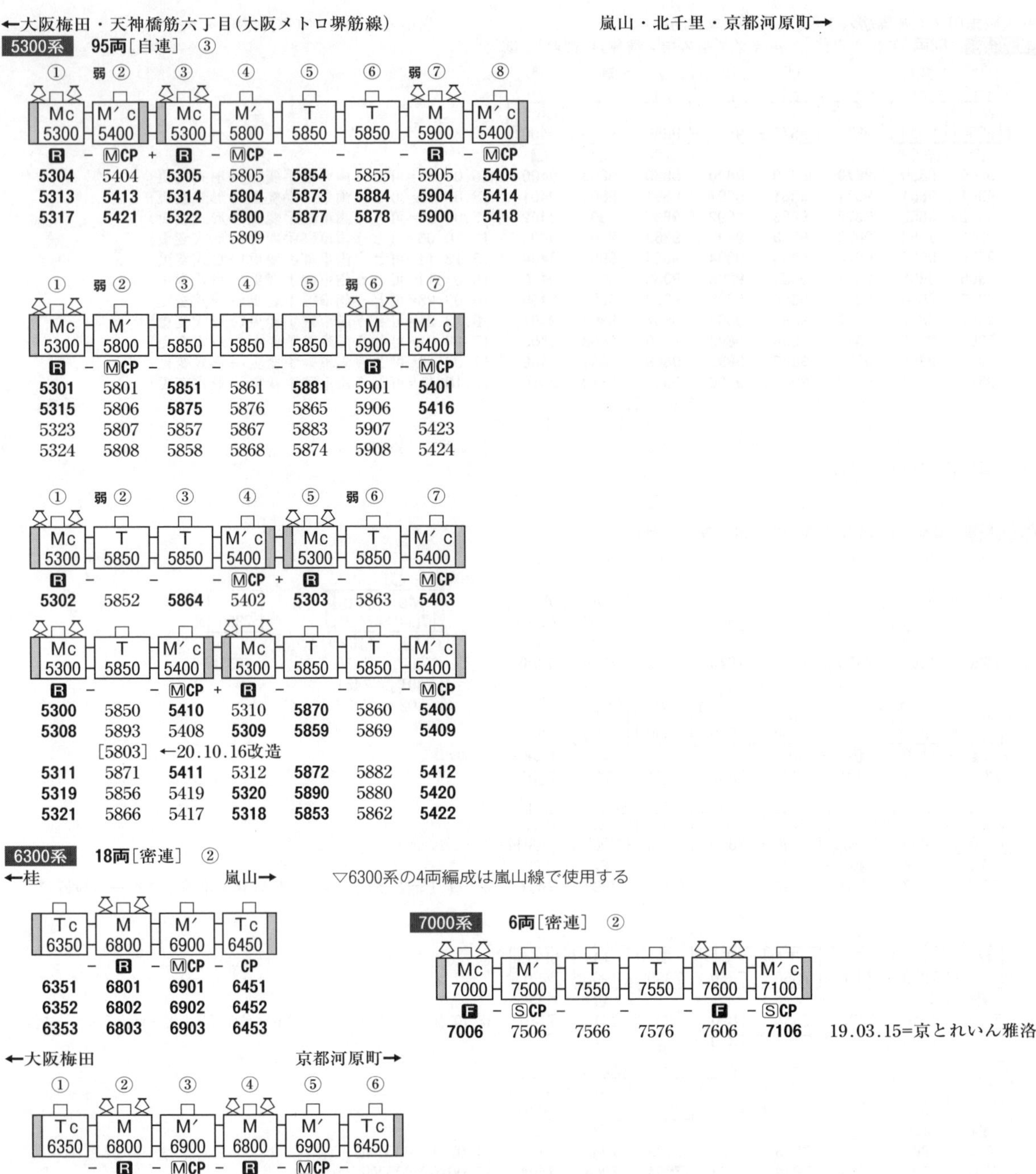

←大阪梅田・天神橋筋六丁目(大阪メトロ堺筋線)
嵐山・北千里・京都河原町→
5300系 95両[自連] ③
① 弱② ③ ④ ⑤ ⑥ 弱⑦ ⑧
Mc 5300 M′c 5400 Mc 5300 M′ 5800 T 5850 T 5850 M 5900 M′c 5400
R – MCP + R – MCP – – – R – MCP
5304 5404 5305 5805 5854 5855 5905 5405
5313 5413 5314 5804 5873 5884 5904 5414
5317 5421 5322 5800 5877 5878 5900 5418
5809
① 弱② ③ ④ ⑤ 弱⑥ ⑦
Mc 5300 M′ 5800 T 5850 T 5850 T 5850 M 5900 M′c 5400
R – MCP – – – – R – MCP
5301 5801 5851 5861 5881 5901 5401
5315 5806 5875 5876 5865 5906 5416
5323 5807 5857 5867 5883 5907 5423
5324 5808 5858 5868 5874 5908 5424
① 弱② ③ ④ ⑤ 弱⑥ ⑦
Mc 5300 T 5850 T 5850 M′c 5400 Mc 5300 T 5850 M′c 5400
R – – – MCP + R – – MCP
5302 5852 5864 5402 5303 5863 5403
Mc 5300 T 5850 M′c 5400 Mc 5300 T 5850 T 5850 M′c 5400
R – – MCP + R – – – MCP
5300 5850 5410 5310 5870 5860 5400
5308 5893 5408 5309 5859 5869 5409
[5803] ←20.10.16改造
5311 5871 5411 5312 5872 5882 5412
5319 5856 5419 5320 5890 5880 5420
5321 5866 5417 5318 5853 5862 5422
6300系 18両[密連] ②
←桂 嵐山→
▽6300系の4両編成は嵐山線で使用する
Tc 6350 M 6800 M′ 6900 Tc 6450
– R – MCP – CP
6351 6801 6901 6451
6352 6802 6902 6452
6353 6803 6903 6453
7000系 6両[密連] ②
Mc 7000 M′ 7500 T 7550 T 7550 M 7600 M′c 7100
F – SCP – – – F – SCP
7006 7506 7566 7576 7606 7106 19.03.15=京とれいん雅洛
←大阪梅田 京都河原町→
① ② ③ ④ ⑤ ⑥
Tc 6350 M 6800 M′ 6900 M 6800 M′ 6900 Tc 6450
– R – MCP – R – MCP –
6354 6804 6904 6814 6914 6454 ←「京とれいん」(2011.03.07)[自連]

▽「京とれいん」は2011.05.14から運転開始。現在は土休日に大阪梅田～京都河原町間の快速特急Aで運用

▼車イス対応スペース……太字の車両に設置
▼弱冷房車……号車に弱を表示

▽正雀車庫に、1、10、116、602、900、2301＋2352を保存

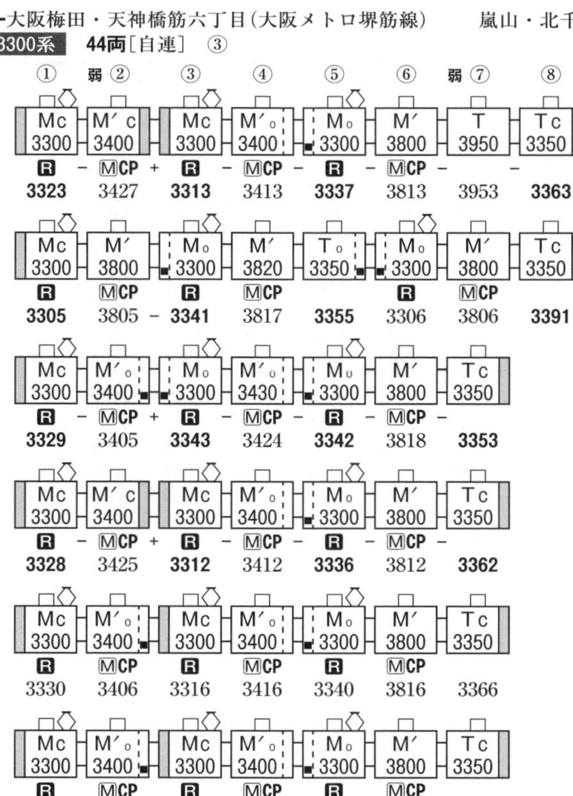

▼弱冷房車……号車に弱を表示
▼車イス対応スペース……太字の車両に設置

救援車　**2両**[自連]

4050形　　4250形

4052
(正雀車庫)

4053
(桂車庫)

▽4050形はＨＳＣブレーキ車と、
4250形はＨＲＤ(電気指令式)ブレーキ車と
併結できる

阪神電気鉄道 尼崎車庫〔全〕・石屋川車庫 360両

←大阪梅田・大阪難波(近鉄奈良線)　　元町(神戸高速鉄道・山陽電鉄)→

□系 258両[密連] ③

特急・急行系統

	①	②	③	④	弱⑤	⑥	
	Tc1 9501	M′ 9301	M 9401	M 9401	M′ 9301	Tc2 9501	
	-	S CP -	V	V	-	S CP -	
	9501	9301	9401	9402	9302	9502	
	9503	9303	9403	9404	9304	9504	
	9505	9305	9405	9406	9306	9506	

	①	②	③	④	弱⑤	⑥	
	Tc1 9201	M′ 9001	M 9101	M 9101	M′ 9001	Tc2 9201	
	-	S CP -	V	V	-	S CP -	
近	9201	9001	9101	9102	9002	9202	
近	9203	9003	9103	9104	9004	9204	
近	9205	9005	9105	9106	9006	9206	
近	9207	9007	9107	9108	9008	9208	
近	9209	9009	9109	9110	9010	9210	

	①	②	③	④	弱⑤	⑥	リニューアル
	Tc1 8201	M′ 8001	M 8101	M 8101	M′ 8001	Tc2 8201	
	CP -	S -	F	F	- S -	CP	
R	8211	8011	8111	8112	8012	8212	
R	8215	8015	8115	8116	8016	8216	
R	8213	8013	8117	8118	8018	8218	
R	8219	8019	8119	8120	8020	8220	
R	8221	8021	8121	8122	8022	8214	
R	8523	8023	8123	8102	8002	8502	
R	8225	8025	8125	8126	8026	8226	
R	8227	8027	8127	8128	8028	8228	
R	8229	8029	8129	8130	8030	8230	
R	8231	8031	8131	8132	8032	8232	11.09.26
R	8233	8033	8133	8134	8034	8234	12.03.23
R	8235	8035	8135	8136	8336	8536	12.09.28
R	8237	8037	8137	8138	8038	8238	13.03.12
R	8239	8039	8139	8140	8040	8240	15.09.28
R	8241	8041	8141	8142	8042	8242	16.07.10
R	8243	8043	8143	8144	8044	8244	13.09.24
R	8245	8045	8145	8146	8046	8246	14.03.31
R	8247	8047	8147	8148	8048	8248	14.09.02
R	8249	8049	8149	8150	8050	8250	15.04.28

	①	②	③	④	弱⑤	⑥
	Tc1 1201	M1 1001	M2 1101	T 1301	M3 1001	Tc2 1201
	CP -	V S -	V	-	V S -	CP
近	1201	1001	1101	1301	1051	1251
近	1202	1002	1102	1302	1052	1252
近	1203	1003	1103	1303	1053	1253
近	1204	1004	1104	1304	1054	1254
近	1205	1005	1105	1305	1055	1255
近	1206	1006	1106	1306	1056	1256
近	1207	1007	1107	1307	1057	1257
近	1208	1008	1108	1308	1058	1258
近	1209	1009	1109	1309	1059	1259
近	1210	1010	1110	1310	1060	1260
近	1211	1011	1111	1311	1061	1261
近	1212	1012	1112	1312	1062	1262
近	1213	1013	1113	1313	1063	1263

	Tc 1601	Mc 1501
	CP -	V S
近	1601	1501
近	1602	1502
近	1603	1503
近	1604	1504
近	1605	1505
近	1606	1506
近	1607	1507
近	1608	1508
近	1609	1509

▽9300系は中間車が転換クロスシート
▽Rはリニューアル編成、
　＿＿は転換クロスシート
　2011年度以降の施工車は施工月日を表示
▽8000系の8002·8102·8502は2000系に準じた車体
　8217以降の編成はクーラーが集約化され、
　8233以降の編成は側窓が3連ユニットになった
▽阪神梅田～山陽姫路間の直通列車は、
　阪神電気鉄道=1000系·8000系·9000系·9300系
　山陽電鉄=5000系·5030系·6000系
▽近=近鉄奈良線乗入れ対応車。
　おもに阪神～近鉄直通の快急、準急、普通に使用する。
　近鉄奈良線近鉄奈良まで乗入れ
▽1000系2両編成は、
　6両編成(1000系·9000系)の大阪難波寄りに連結

▽ラッピングトレイン
1207F=17.10.01 ～ 「灘の酒蔵」活性化プロジェクトとしてラッピングトレイン「Go! Go! 灘五郷」
1210F=19.01.16 ～ 阪神なんば線開業及び阪神・近鉄相互直通運転開始から10周年記念企画　ラッピング
1208F=19.03.09 ～ 阪神電車×桃園メトロ連携記念ラッピング列車
1204F=19.05.27 ～ 阪急阪神未来のゆめ・まちプロジェクトが10周年を迎えたとして「SDGs 未来のゆめ・まち号」
8219F=22.08.01 ～ 甲子園球場100周年記念ラッピングトレイン

▼優先席……全車両に設置
▼車イス対応スペース……太字の車両に設置
▼弱冷房車…編成図に弱を付した車両

←大阪梅田　　　　　　　　　　元町(神戸高速鉄道)→

①　②　弱③　④

J系　**100両**[密連]　③

本線普通運用

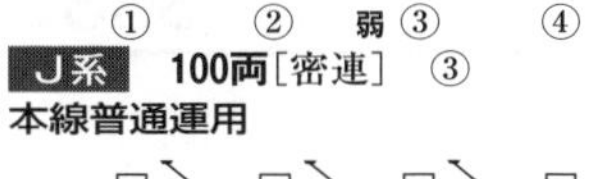

VCP　－　VS　VS　－　CP

5551	5651	5652	5562

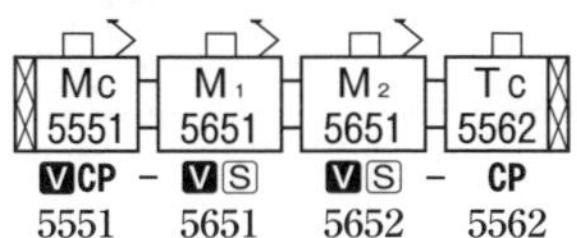

SCP　－　V　V　－　SCP

5501	**5601**	**5602**	5502	17.03.21=リニューアル
5503	**5603**	**5604**	5504	17.09.15=リニューアル
5505	**5605**	**5606**	5506	18.03.22=リニューアル
5507	**5607**	**5608**	5508	19.03.20=リニューアル
5509	**5609**	**5610**	5510	22.12.27=リニューアル
5515	**5615**	**5616**	5516	21.03.17=リニューアル
5517	**5617**	**5618**	5518	

Mc1 5001　M2 5001　M1 5001　Mc2 5001

MCP　－　R　MCP　－　R

5001	**5002**	**5003**	5004
5013	**5014**	**5015**	5016
5017	**5018**	**5019**	5020
5025	**5026**	**5027**	5028

Mc1 5701　M1 5801　M2 5801　Mc2 5701

SCP　－　V　V　－　SCP

				新製月日
5701	**5801**	**5802**	**5702**	15.06.25近車
5703	**5803**	**5804**	**5704**	17.03.21近車
5705	**5805**	**5806**	**5706**	17.06.15近車
5707	**5807**	**5808**	**5708**	17.07.11近車
5709	**5809**	**5810**	**5710**	19.03.22近車
5711	**5811**	**5812**	**5712**	19.12.19近車
5713	**5813**	**5814**	**5714**	20.02.03近車
5715	**5815**	**5816**	**5716**	21.04.15近車
5717	**5817**	**5818**	**5718**	21.06.07近車
5719	**5819**	**5820**	**5720**	22.04.18近車
5721	**5821**	**5821**	**5722**	22.05.24近車

形式	両数	車種
□系		
1000系		
1001形	26	M
1101形	13	M
1201形	26	Tc
1301形	13	T
1501形	9	Mc
1601形	9	Tc
	96	
9300系		
9401形	6	M
9301形	6	M′
9501形	6	Tc
	18	
9000系		
9101形	10	M
9001形	10	M′
9201形	10	Tc
	30	
8000系		
8101形	38	M
8001形	38	M′
8201形	38	Tc
	114	
□　計	258	

形式	両数	車種
J系		
5700系		
5701形	11	Mc1
5701形	11	Mc2
5801形	11	M1
5801形	11	M2
	44	
5550系		
5551形	1	Mc
5651形	2	M1
5562形	1	Tc
	4	
5500系		
5501形	9	Mc2
5501形	9	Mc1
5601形	7	M2
5601形	7	M1
5901形	2	Mc1
5901形	2	Mc2
	36	
5000系		
5001形	4	Mc2
5001形	4	Mc1
5001形	4	M2
5001形	4	M1
	16	
J　計	100	
合　計	358	

▽5700系は、2015.08.24から営業運転開始。
主電動機は自閉自冷式永久磁石同期電動機(PMSM)を装備。
5701形は2個モーター(先頭台車搭載なし)

工務用車　**2両**[密連]

201形(工事用車)　202形(工事用車)

RMCP
201

RMCP
202

▽202はホイスト2基装備

▼優先席……全車両に設置
▼車イス対応スペース……太字の車両に設置
▼弱冷房車…編成図に弱を付した車両

武庫川線運用　▽2001(H13).10.01から全列車ワンマン化

←武庫川　　　　　　　　　　武庫川団地前→

Mc1′ 5501　Mc1 5901

SCP　－　V

5511	**5911**	20.05.18	ワンマン化＋5601形を5901形に(先頭車化)TORACO号
5513	**5913**	20.02.10	ワンマン化＋5601形を5901形に(先頭車化)タイガース号

Mc2 5901　Mc2′ 5501

V　－　SCP

5912	**5512**	20.05.21	ワンマン化＋5601形を5901形に(先頭車化)トラッキー号
5914	**5514**	20.02.13	ワンマン化＋5601形を5901形に(先頭車化)甲子園号

南海電気鉄道

検車区　住ノ江検車、羽倉崎検車、和歌山検車
検車区　小原田検車、千代田検車、高野山鋼索区

696両

南海線（住ノ江検車）　384両

←難波　　和歌山市→

50000系　30両（ラピート）［収納］　①

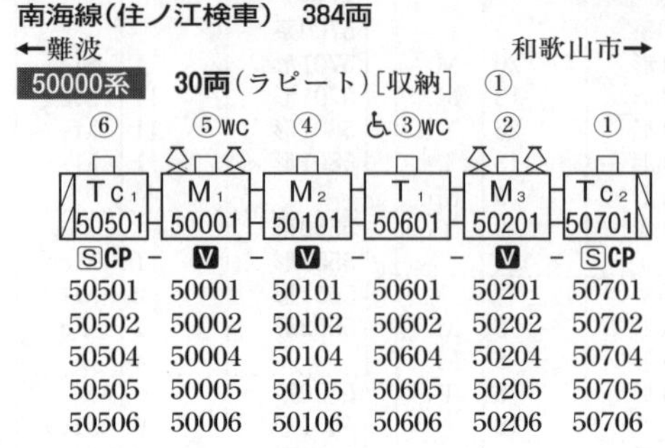

Tc1	M1	M2	T1	M3	Tc2
50501	50001	50101	50601	50201	50701
50502	50002	50102	50602	50202	50702
50504	50004	50104	50604	50204	50704
50505	50005	50105	50605	50205	50705
50506	50006	50106	50606	50206	50706

▽50000系は関西国際空港へのアクセス特急として使用
▽⑤⑥号車はスーパーシート、
③⑤号車にトイレ・洗面所（wc）
③号車に自動販売機
▽全車両禁煙（デッキ部分も含む）

▽50505F 「SEVENTEEN THE CITY Nanaki rapi:t」ラッピング
（2022.10.27 ～ 2022.04.17）

10000系　20両（特急サザン）［小型密着］

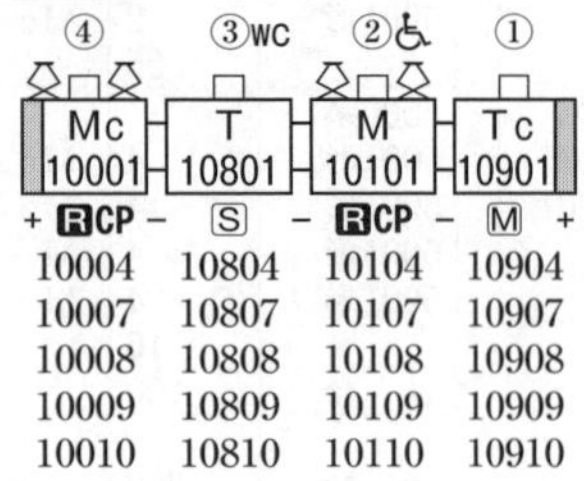

Mc	T	M	Tc
10001	10801	10101	10901
10004	10804	10104	10904
10007	10807	10107	10907
10008	10808	10108	10908
10009	10809	10109	10909
10010	10810	10110	10910

▽片側客用扉数は10001形が２、あとの３両は１
▽10000系は難波～和歌山市間の座席指定特急に使用
一般車（7100系）との併結運用もある
▽3号車にトイレ、洗面所（wc）
▽2011.09.01から全車禁煙
▽M・T車の末尾番号4 ～ 6は先頭車からの改造、補助電源はⓂ、
▽M・T車の末尾番号7 ～ 10は4両編成化用の新造車で、
窓高さ・シートピッチが異なる
▽10004編成は、「HYDEサザン」ラッピング編成（19.12.23 ～ 21.秋 予定）

12000系　8両（特急サザン）［密連］　①

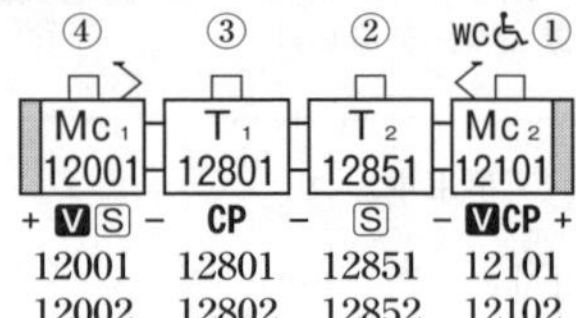

Mc1	T1	T2	Mc2
12001	12801	12851	12101
12002	12802	12852	12102

▽12000系は、2011.09.01から営業運転開始
愛称は「サザン·プレミアム」
▽1号車にトイレ、洗面所（wc）
▽一般車との併結運転時は8000系・9000系を連結

▼優先席……特急用とケーブルカーを除く全車両に設置
▼車イス対応スペース……太字の全車両に設置
▼弱冷房車……編成図に **弱** を付した車両

▽全般検査は千代田工場で行なう

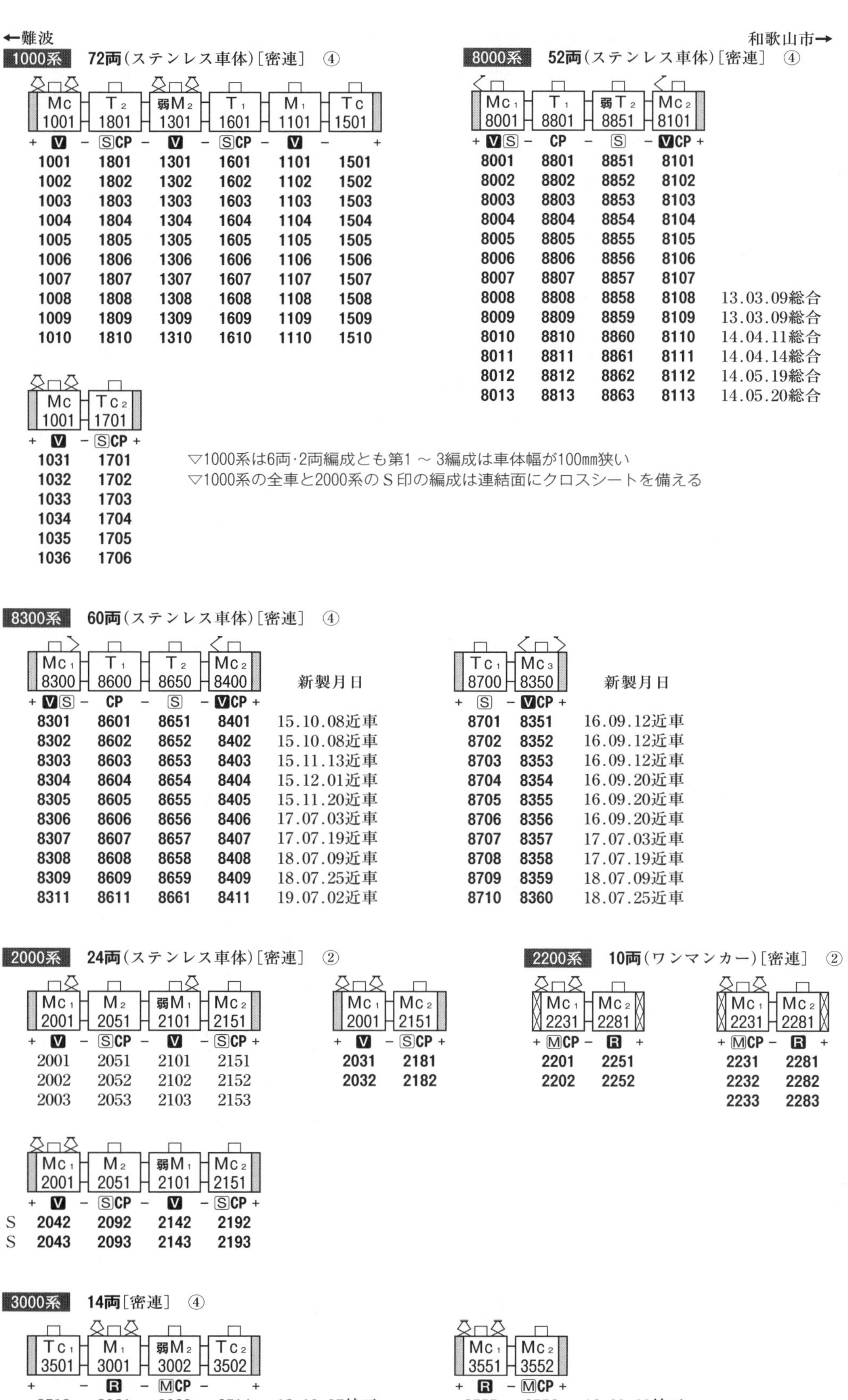

←難波　　　　　　　　　　　　　　　　　　　　　　　　　　　　和歌山市→

1000系　**72両**(ステンレス車体)[密連]　④

Mc 1001	T2 1801	弱M2 1301	T1 1601	M1 1101	Tc 1501
+ V −	SCP −	V −	SCP −	V −	+
1001	1801	1301	1601	1101	1501
1002	1802	1302	1602	1102	1502
1003	1803	1303	1603	1103	1503
1004	1804	1304	1604	1104	1504
1005	1805	1305	1605	1105	1505
1006	1806	1306	1606	1106	1506
1007	1807	1307	1607	1107	1507
1008	1808	1308	1608	1108	1508
1009	1809	1309	1609	1109	1509
1010	1810	1310	1610	1110	1510

Mc 1001	Tc2 1701
+ V −	SCP +
1031	1701
1032	1702
1033	1703
1034	1704
1035	1705
1036	1706

▽1000系は6両･2両編成とも第1 ～ 3編成は車体幅が100㎜狭い
▽1000系の全車と2000系のＳ印の編成は連結面にクロスシートを備える

8000系　**52両**(ステンレス車体)[密連]　④

Mc1 8001	T1 8801	弱T2 8851	Mc2 8101	
+ VS −	CP −	S −	VCP +	
8001	8801	8851	8101	
8002	8802	8852	8102	
8003	8803	8853	8103	
8004	8804	8854	8104	
8005	8805	8855	8105	
8006	8806	8856	8106	
8007	8807	8857	8107	
8008	8808	8858	8108	13.03.09総合
8009	8809	8859	8109	13.03.09総合
8010	8810	8860	8110	14.04.11総合
8011	8811	8861	8111	14.04.14総合
8012	8812	8862	8112	14.05.19総合
8013	8813	8863	8113	14.05.20総合

8300系　**60両**(ステンレス車体)[密連]　④

Mc1 8300	T1 8600	T2 8650	Mc2 8400	新製月日
+ VS −	CP −	S −	VCP +	
8301	8601	8651	8401	15.10.08近車
8302	8602	8652	8402	15.10.08近車
8303	8603	8653	8403	15.11.13近車
8304	8604	8654	8404	15.12.01近車
8305	8605	8655	8405	15.11.20近車
8306	8606	8656	8406	17.07.03近車
8307	8607	8657	8407	17.07.19近車
8308	8608	8658	8408	18.07.09近車
8309	8609	8659	8409	18.07.25近車
8311	8611	8661	8411	19.07.02近車

Tc1 8700	Mc3 8350	新製月日
+ S −	VCP +	
8701	8351	16.09.12近車
8702	8352	16.09.12近車
8703	8353	16.09.12近車
8704	8354	16.09.20近車
8705	8355	16.09.20近車
8706	8356	16.09.20近車
8707	8357	17.07.03近車
8708	8358	17.07.19近車
8709	8359	18.07.09近車
8710	8360	18.07.25近車

2000系　**24両**(ステンレス車体)[密連]　②

Mc1 2001	M2 2051	弱M1 2101	Mc2 2151
+ V −	SCP −	V −	SCP +
2001	2051	2101	2151
2002	2052	2102	2152
2003	2053	2103	2153

Mc1 2001	Mc2 2151
+ V −	SCP +
2031	2181
2032	2182

	Mc1 2001	M2 2051	弱M1 2101	Mc2 2151
	+ V −	SCP −	V −	SCP +
S	2042	2092	2142	2192
S	2043	2093	2143	2193

2200系　**10両**(ワンマンカー)[密連]　②

Mc1 2231	Mc2 2281
+ MCP −	R +
2201	2251
2202	2252

Mc1 2231	Mc2 2281
+ MCP −	R +
2231	2281
2232	2282
2233	2283

3000系　**14両**[密連]　④

Tc1 3501	M1 3001	弱M2 3002	Tc2 3502	
+ −	R −	MCP −	+	
3513	3021	3022	3514	13.10.07竣工
3515	3025	3026	3516	13.10.07竣工
3517	3027	3028	3518	13.09.28竣工

Mc1 3551	Mc2 3552	
+ R −	MCP +	
3555	3556	13.09.28竣工

▽3000系は元泉北高速鉄道の車両

←難波　　　　　　　　　　　　　　　　　和歌山市→

7100系　62両［小型密着］ ④

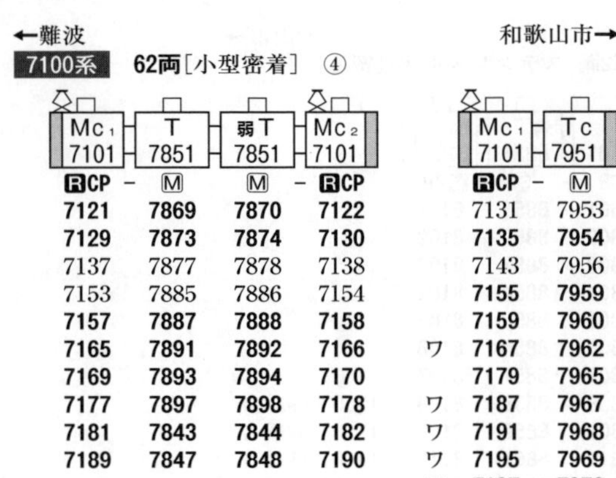

Mc_1 7101	T 7851	弱T 7851	Mc_2 7101
RCP	M	M	RCP
7121	**7869**	**7870**	**7122**
7129	**7873**	**7874**	**7130**
7137	7877	7878	7138
7153	7885	7886	7154
7157	**7887**	**7888**	**7158**
7165	**7891**	**7892**	**7166**
7169	**7893**	**7894**	**7170**
7177	**7897**	**7898**	**7178**
7181	**7843**	**7844**	**7182**
7189	**7847**	**7848**	**7190**

	Mc_1 7101	Tc 7951
	RCP	M
	7131	7953
	7135	**7954**
	7143	7956
	7155	**7959**
	7159	**7960**
ワ	**7167**	**7962**
	7179	**7965**
ワ	**7187**	**7967**
ワ	**7191**	**7968**
ワ	**7195**	**7969**
ワ	**7197**	**7970**

▽ワはワンマンカー
▽7187Fは「めでたいでんしゃ　さち」(16.04.29～運行)
▽7167Fは「めでたいでんしゃ　かい」(17.10.07～運行)
▽7197Fは「めでたいでんしゃ　なな」(19.03.31～運行)
▽7195Fは「めでたいでんしゃ　かしら」(21.09.18～運行)

9000系　32両(ステンレス車体)［密連］ ④

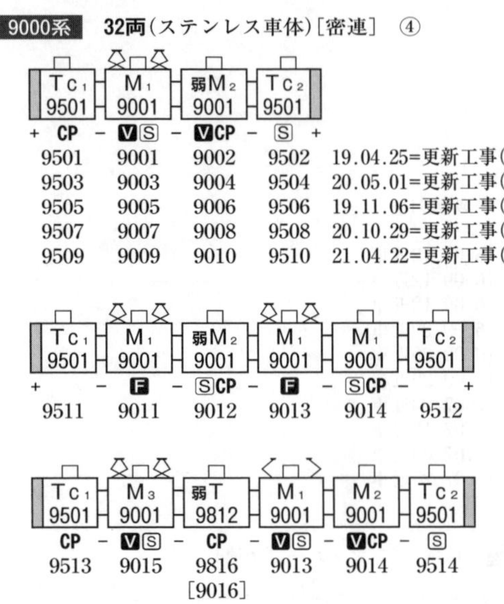

Tc_1 9501	M_1 9001	弱M_2 9001	Tc_2 9501	
+ CP	VS	VCP	S +	
9501	9001	9002	9502	19.04.25=更新工事(VVVF)
9503	9003	9004	9504	20.05.01=更新工事(VVVF)
9505	9005	9006	9506	19.11.06=更新工事(VVVF)
9507	9007	9008	9508	20.10.29=更新工事(VVVF)
9509	9009	9010	9510	21.04.22=更新工事(VVVF)

Tc_1 9501	M_1 9001	弱M_2 9001	M_1 9001	M_1 9001	Tc_2 9501
+	F	SCP	F	SCP	+
9511	9011	9012	9013	9014	9512

Tc_1 9501	M_3 9001	弱T 9812	M_1 9001	M_2 9001	Tc_2 9501
CP	VS	CP	VS	VCP	S
9513	9015	9816 [9016]	9013	9014	9514

▽更新工事(VVVF)
9513F=22.07.28

▽ワンマン運転と使用車種

汐見橋線	2200系
高師浜線	2200系
多奈川線	2200系・7100系
加太線	2200系・7100系
高野線　橋本～極楽橋	2300系

形式別両数表

南海線		
50000系	30	
モハ50001	5	M_1
モハ50101	5	M_2
モハ50201	5	M_3
クハ50501	5	Tc_1
クハ50701	5	Tc_2
サハ50601	5	T
10000系	20	
モハ10001	5	Mc
モハ10101	5	M
クハ10901	5	Tc
サハ10801	5	T
12000系	8	
モハ12001	2	Mc_1
モハ12101	2	Mc_2
サハ12801	2	T_1
サハ12851	2	T_2
1000系	72	
モハ1001	16	Mc
モハ1101	10	M_1
モハ1301	10	M_2
クハ1501	10	Tc
クハ1701	6	Tc_2
サハ1601	10	T_1
サハ1801	10	T_2
9000系	32	
モハ9001	9	M_1
モハ9001	8	M_2
クハ9501	14	Tc
サハ9812	1	T
8300系	60	
モハ8300	10	Mc_1
サハ8600	10	T_1
サハ8650	10	T_2
モハ8400	10	Mc_2
モハ8350	10	Mc_3
クハ8700	10	Tc_1
8000系	52	
モハ8001	13	Mc_1
サハ8801	13	T_1
サハ8851	13	T_2
モハ8101	13	Mc_2
7100系	62	
モハ7101	21	Mc_1
モハ7101	10	Mc_2
クハ7951	11	Tc
サハ7851	20	T
3000系	14	
モハ3001	3	M_1
モハ3002	3	M_2
モハ3551	1	Mc_1
モハ3552	1	Mc_2
クハ3501	3	Tc_1
クハ3502	3	Tc_2
2200系	10	
モハ2231	5	Mc_1
モハ2281	5	Mc_2
2000系	24	
モハ2001	7	Mc_1
モハ2051	5	M_2
モハ2101	5	M_1
モハ2151	7	Mc_2
南海線計	384	

鋼索線		
コ10	2	
コ20	2	
鋼索線計	4	

高野線		
31000系	4	
モハ31001	1	Mc_1
モハ31002	1	Mc_2
モハ31101	1	M_1
モハ31100	1	M_2
30000系	8	
モハ30001	2	Mc_1
モハ30001	2	Mc_2
モハ30100	2	M_1
モハ30100	2	M_2
11000系	4	
モハ11001	1	Mc_1
モハ11201	1	Mc_2
モハ11101	1	M_1
モハ11301	1	M_2
2000系	40	
モハ2001	16	Mc_1
モハ2051	4	M_2
モハ2101	4	M_1
モハ2151	16	Mc_2
2200系	2	
モハ2231	1	Mc_1
モハ2281	1	Mc_2
2300系	8	
モハ2301	4	Mc_1
モハ2351	4	Mc_2
6000系	30	
モハ6001	8	Mc_1
モハ6001	7	Mc_2
クハ6901	4	Tc_1
クハ6901	5	Tc_2
サハ6601	3	T_1
サハ6601	3	T_2
6200系	76	
モハ6201	14	M_1
モハ6215	4	M_1
モハ6201	14	M_2
モハ6216	4	M_2
クハ6501	14	Tc
クハ6511	4	Tc_1
クハ6512	4	Tc_2
モハ6250	3	M_1
モハ6260	3	M_2
モハ6270	3	M_3
クハ6550	3	Tc_1
クハ6560	3	Tc_2
サハ6850	3	T
6300系	76	
モハ6301	8	Mc_1
モハ6321	10	Mc_1
モハ6351	8	Mc_2
モハ6371	4	Mc_2
モハ6341	4	M_1
モハ6391	4	M_2
クハ6701	6	Tc
サハ6401	6	T_1
サハ6405	6	T_1
サハ6451	6	T_2
サハ6455	6	T_2
サハ6421	3	T_1
サハ6425	1	T_1
サハ6471	3	T_2
サハ6475	1	T_2
8300系	50	
モハ8300	9	Mc_1
サハ8600	9	T_1
サハ8650	9	T_2
モハ8400	9	Mc_2
モハ8350	7	Mc_3
クハ8700	7	Tc_1
1000系	4	
モハ1051	1	Mc
モハ1151	1	M
クハ1751	1	Tc
サハ1851	1	T
5000系	6	
モハ50001	1	M_1
モハ50101	1	M_2
モハ50201	1	M_3
クハ50501	1	Tc_1
クハ50701	1	Tc_2
サハ50601	1	T
高野線計	308	

高野線(小原田検車)　308両

←難波　　　　　　　　　　　　　　　　　　　　　　　　　極楽橋・和泉中央(泉北高速鉄道)→

30000系　**8両**(特急こうや)[密連]　①

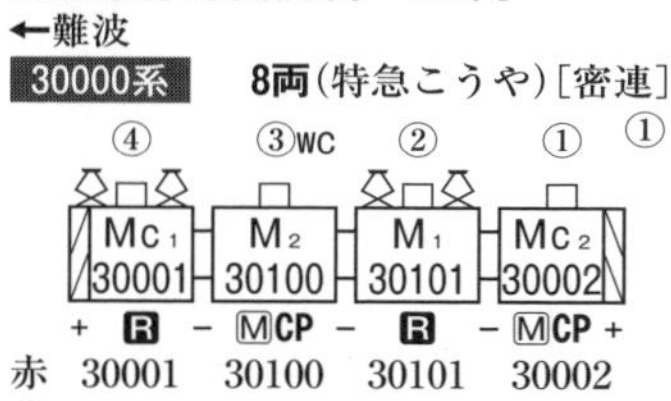

	Mc₁	M₂	M₁	Mc₂
赤	30001	30100	30101	30002
紫	30003	30102	30103	30004

31000系　**4両**(特急こうや)[密連]　①

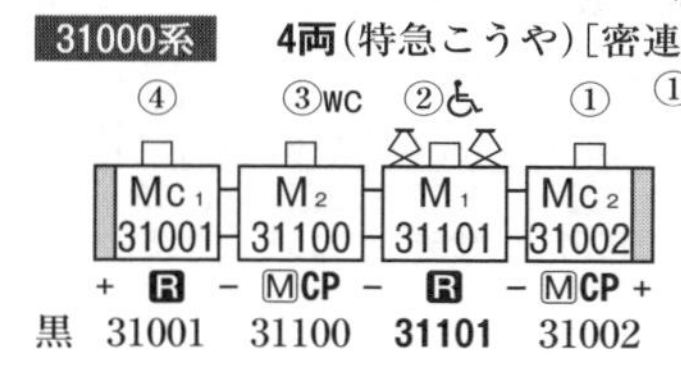

	Mc₁	M₂	M₁	Mc₂
黒	31001	31100	**31101**	31002

11000系　**4両**(特急りんかん)[密連]　①

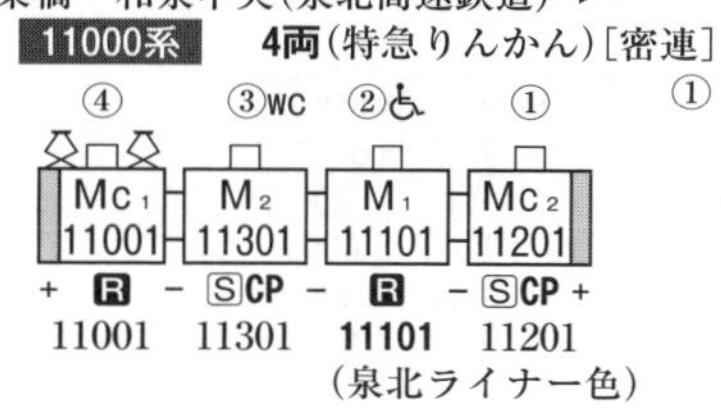

Mc₁	M₂	M₁	Mc₂
11001	11301	**11101**	11201

(泉北ライナー色)

▽車内設備(3系列共通):トイレ・洗面所＝３号車、飲料用自販機＝２号車
▽2011.09.01から全車禁煙
▽2015.12.05から「泉北ライナー」運転開始。11000系、50000系と泉北高速12000系を使用。車両検査時は12000系が入ることもある

50000系　**6両**(ラピート)[収納]　①

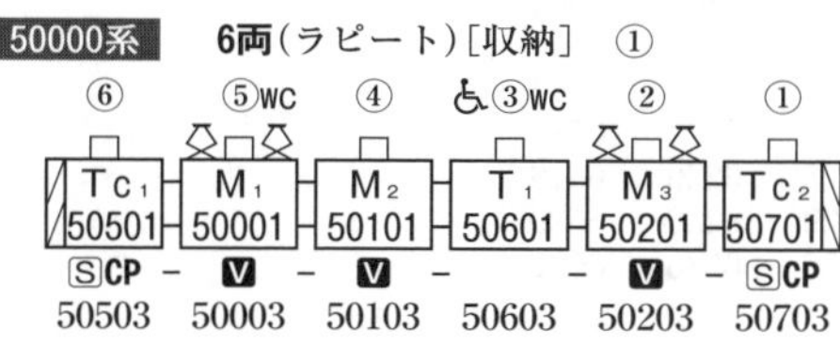

Tc₁	M₁	M₂	T₁	M₃	Tc₂
50503	50003	50103	50603	50203	50703

▽2022.11.01から当面、「泉北ライナー」に充当
▽⑤⑥号車はスーパーシート
　③⑤号車にトイレ、洗面所(wc)
　③号車に自動販売機
▽全車両禁煙(デッキ部分も含む)

6300系　**76両**(ステンレス車体)[密連]　④

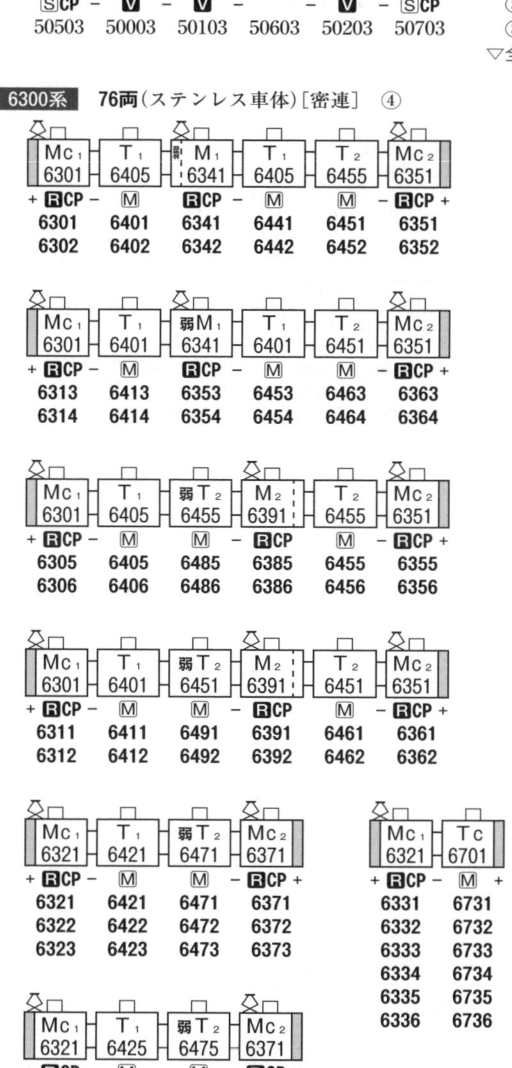

Mc₁	T₁	M₁	T₁	T₂	Mc₂
6301	6401	6341	6441	6451	6351
6302	6402	6342	6442	6452	6352

Mc₁	T₁	弱M₁	T₁	T₂	Mc₂
6313	6413	6353	6453	6463	6363
6314	6414	6354	6454	6464	6364

Mc₁	T₁	弱T₂	M₂	T₂	Mc₂
6305	6405	6485	6385	6455	6355
6306	6406	6486	6386	6456	6356

Mc₁	T₁	弱T₂	M₂	T₂	Mc₂
6311	6411	6491	6391	6461	6361
6312	6412	6492	6392	6462	6362

Mc₁	T₁	弱T₂	Mc₂
6321	6421	6471	6371
6322	6422	6472	6372
6323	6423	6473	6373

Mc₁	Tc
6331	6731
6332	6732
6333	6733
6334	6734
6335	6735
6336	6736

Mc₁	T₁	弱T₂	Mc₂
6325	6425	6475	6375

2000系　**40両**(ステンレス車体)[密連]　②

Mc₁ 2001 ― M₂ 2051 ― 弱M₁ 2101 ― Mc₂ 2151
+ V − SCP − V − SCP +

	Mc₁	M₂	弱M₁	Mc₂
S	2041	2091	2141	2191
S	2044	2094	2144	2194
S	2045	2095	2145	2195
S	2046	2096	2146	2196

Mc₁ 2001 ― Mc₂ 2151
+ V − SCP +

	Mc₁	Mc₂
S	2021	2171
S	2022	2172
S	2023	2173
S	2024	2174
	2033	2183
	2034	2184
S	2035	2185
S	2036	2186
S	2037	2187
S	2038	2188
S	2039	2189
S	2040	2190

2300系　**8両**(ステンレス車体)[密連]　②

2200系　**2両**[密連]　①

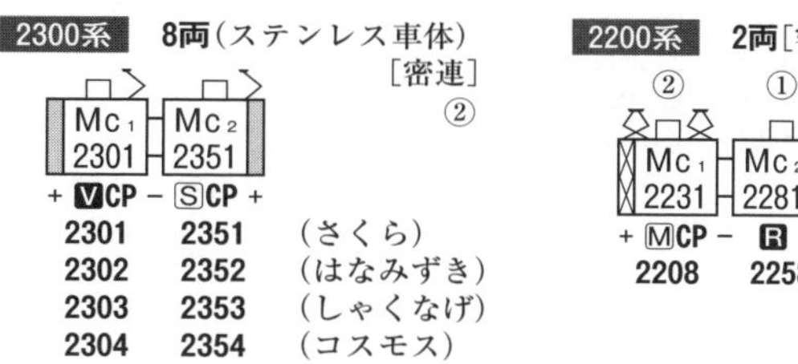

Mc₁	Mc₂	
2301	2351	(さくら)
2302	2352	(はなみずき)
2303	2353	(しゃくなげ)
2304	2354	(コスモス)

Mc₁	Mc₂	
2208	2258	(天空)

▽2300系はワンマンカー、
　扉付近を除いて転換式クロスシート(一部は1人掛け)
▽2000系のＳと1000系は連結面がクロスシート
▽2200系(天空)は橋本～極楽橋間で運転される観光列車、
　谷側(極楽橋に向かって右側)の窓がワイド化されている
▽2044Fは「真田赤備え列車」(2015.11.01から運行開始)

▽橋本～極楽橋間を運転できる車両は
　31000系･30000系･2000系･2200系･2300系に限られる

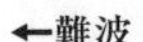
←難波

極楽橋・和泉中央(泉北高速鉄道)→

6000系 30両(ステンレス車体)[密連] ④

Mc1 6001	T1 6601	弱T2 6601	Mc2 6001
+ R −	CP	M	− R +
6001	6601	6602	6002
6005	6605	6606	6006
6023	6615	6616	6024

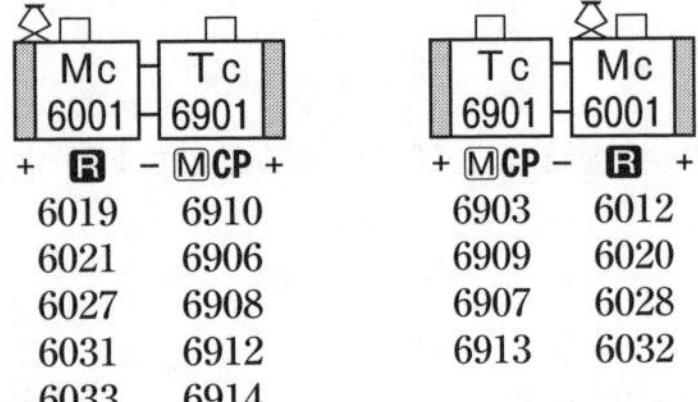

Mc 6001	Tc 6901
+ R −	MCP +
6019	6910
6021	6906
6027	6908
6031	6912
6033	6914

Tc 6901	Mc 6001
+ MCP −	R +
6903	6012
6909	6020
6907	6028
6913	6032

1000系 4両(ステンレス車体)[密連] ④

Mc 1051	T 1851	弱M 1151	Tc 1751
+ V −	SCP −	V −	SCP +
1051	**1851**	**1151**	**1751**

6200系 76両(ステンレス車体)[密連]

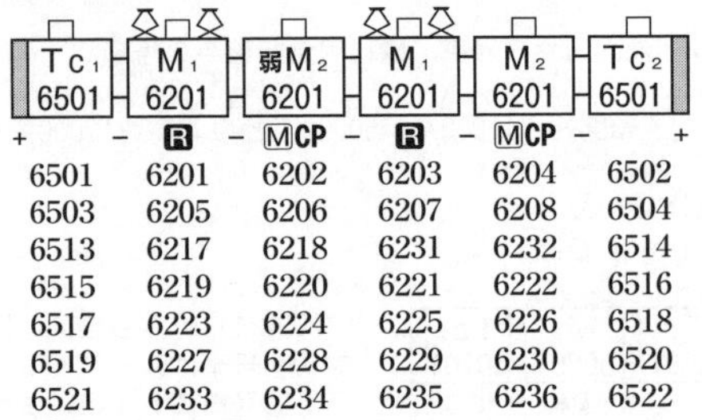

Tc1 6501	M1 6201	弱M2 6201	M1 6201	M2 6201	Tc2 6501
+ −	R −	MCP −	R −	MCP −	+
6501	6201	6202	6203	6204	6502
6503	6205	6206	6207	6208	6504
6513	6217	6218	6231	6232	6514
6515	6219	6220	6221	6222	6516
6517	6223	6224	6225	6226	6518
6519	6227	6228	6229	6230	6520
6521	6233	6234	6235	6236	6522

Tc1 6511	M1 6215	弱M2 6216	Tc2 6512	
+ CP −	VS −	VCP −	S +	
6505	**6209**	**6210**	**6506**	11.07.11=更新工事(VVVF化)
6507	**6211**	**6212**	**6508**	10.06.16=更新工事(VVVF化)
6509	**6213**	**6214**	**6510**	12.06.29=更新工事(VVVF化)
6511	**6215**	**6216**	**6512**	09.12.07=更新工事(VVVF化)

Tc1 6550	M3 6270	弱T 6850	M1 6250	M2 6260	Tc2 6560	
+ S −	VCP −		− VCP −	V −	S +	
6551	**6271**	**6851**	**6251**	**6261**	**6561**	13.11.29=更新工事(VVVF化)
6552	**6272**	**6852**	**6252**	**6262**	**6562**	14.10.06=更新工事(VVVF化)
6553	**6273**	**6853**	**6253**	**6263**	**6563**	15.10.09=更新工事(VVVF化)

8300系 50両(ステンレス車体)[密連] ④

Mc1 8300	T1 8600	弱T2 8650	Mc2 8400	
+ VS −	CP	S	− VCP +	
8310	**8610**	**8660**	**8410**	19.06.10近車
8312	**8612**	**8662**	**8412**	19.11.22近車
8313	**8613**	**8663**	**8413**	19.11.15近車
8314	**8614**	**8664**	**8414**	19.11.29近車
8315	**8615**	**8665**	**8415**	20.01.16近車
8316	**8616**	**8666**	**8416**	20.12.18近車
8317	**8617**	**8667**	**8417**	21.01.28近車
8318	**8618**	**8668**	**8418**	22.01.19近車
8319	**8619**	**8669**	**8419**	22.02.17近車

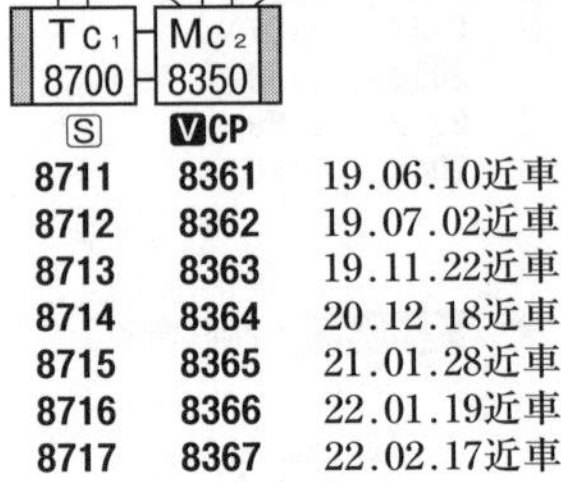

Tc1 8700	Mc2 8350	
S	VCP	
8711	**8361**	19.06.10近車
8712	**8362**	19.07.02近車
8713	**8363**	19.11.22近車
8714	**8364**	20.12.18近車
8715	**8365**	21.01.28近車
8716	**8366**	22.01.19近車
8717	**8367**	22.02.17近車

鋼索線(高野山鋼索区) **4両**

←極楽橋　　鋼索　　高野山→

N10・N20形

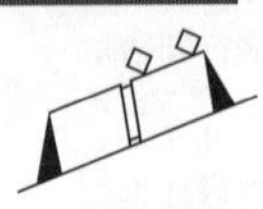

N21	**N11**
N22	**N12**

▼優先席……特急用を除く全車両に設置
▼車イス対応スペース……太字の車両に設置
▼弱冷房車……編成図に弱を付した車両

▽3代目ケーブルカー、18.11.25限りにて運行終了。
19.03.01から新型(4代目)車両、運行開始。車イススペース、優先席有

泉北高速鉄道 光明池車庫 112両

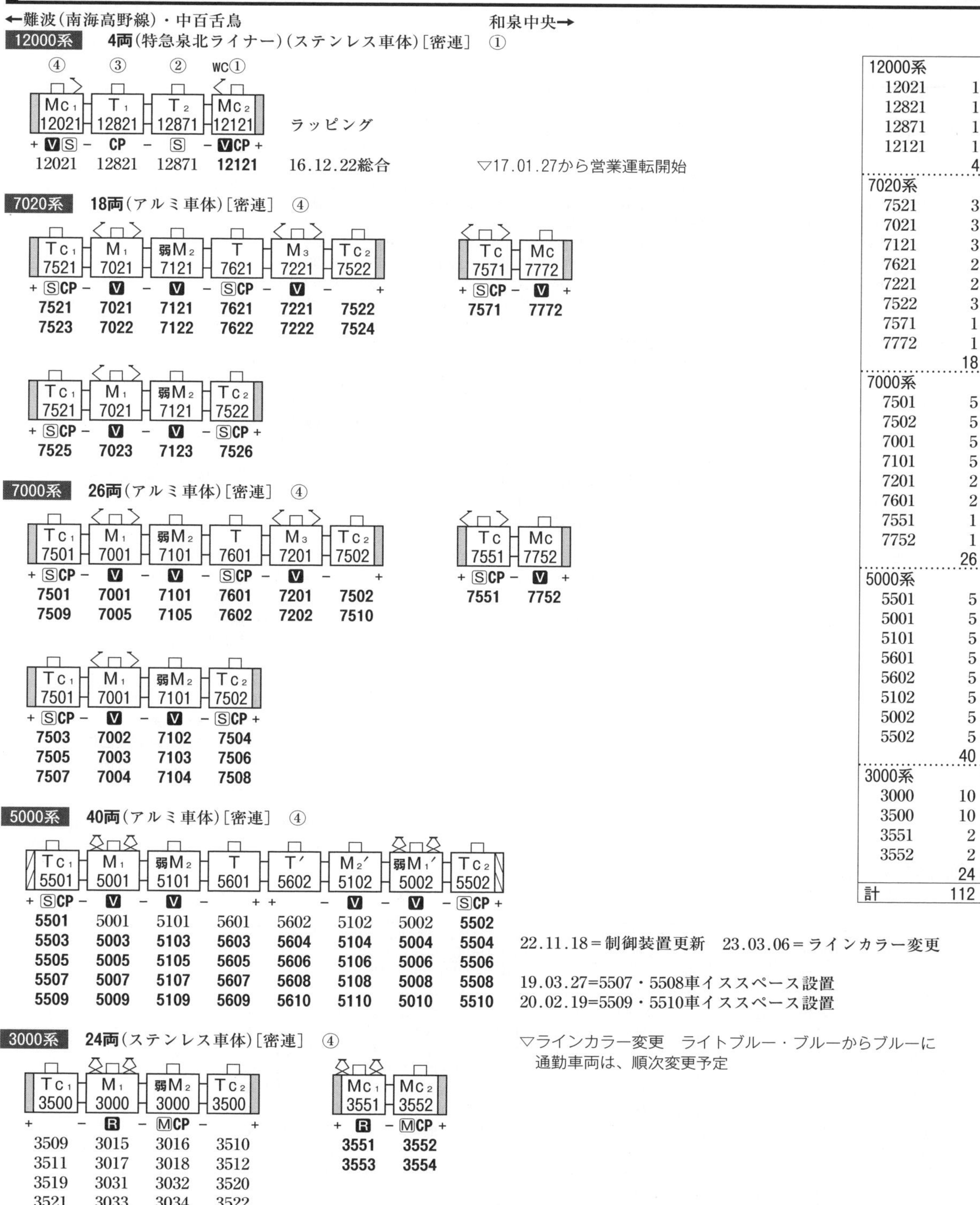

形式	両数
12000系	
12021	1
12821	1
12871	1
12121	1
	4
7020系	
7521	3
7021	3
7121	3
7621	2
7221	2
7522	3
7571	1
7772	1
	18
7000系	
7501	5
7502	5
7001	5
7101	5
7201	2
7601	2
7551	1
7752	1
	26
5000系	
5501	5
5001	5
5101	5
5601	5
5602	5
5102	5
5002	5
5502	5
	40
3000系	
3000	10
3500	10
3551	2
3552	2
	24
計	112

▼優先席……全車両に設置
▼車イス対応スペース……太字の車両に設置
▼弱冷房車……編成図に **弱** を付した車両

▽2014.07.01 大阪府都市開発から「泉北高速鉄道」と社名変更(南海グループに)

大阪市高速電気軌道　中百舌鳥・緑木・大日・森之宮・東吹田・南港・鶴見検車場・八尾・今里車庫 1374両

御堂筋線 [1号線] (中百舌鳥検車場) 400両[帯色はレッド]

←千里中央(北大阪急行電鉄)・江坂　　　　なかもず→

20系　180両(ステンレス車体)[市交密連]　④

⑩♿	♿⑨	♿⑧	♿⑦	♿⑥女	♿⑤	♿④弱	♿③	♿②	♿①		
Tec1 2600	Ma1 2000	Mb1 2100	Tbp 2700	Ma1′ 2400■	■T′ 2800	T 2500	Mb2 2300	Ma2 2200	Tec2 2900	車内リフレッシュ改造	信号設備の高度化改造
ⓂCP	V	V	CP	V			V	V	ⓂCP		
21601	21001	21101	21701	21401	21801	21501	21301	21201	21901	14.11.04	18.12.27
21602	21002	21102	21702	21402	21802	21502	21302	21202	21902	15.09.29	18.09.26
21603	21003	21103	21703	21403	21803	21503	21303	21203	21903	15.03.06	
21604	21004	21104	21704	21404	21804	21504	21304	21204	21904	16.03.16	
21605	21005	21105	21705	21405	21805	21505	21305	21205	21905	14.07.15	
21606	21006	21106	21706	21406	21806	21506	21306	21206	21906	16.09.15	
21607	21007	21107	21707	21407	21807	21507	21307	21207	21907	13.01.30	
21608	21008	21108	21708	21408	21808	21508	21308	21208	21908	15.06.25	
21609	21009	21109	21709	21409	21809	21509	21309	21209	21909	17.03.21	
21610	21010	21110	21710	21410	21810	21510	21310	21210	21910	17.04.05	
21611	21011	21111	21711	21411	21811	21511	21311	21211	21911	17.09.14	
21612	21012	21112	21712	21412	21812	21512	21312	21212	21912	18.10.03	18.10.03
21613	21013	21113	21713	21413	21813	21513	21313	21213	21913	19.04.08	
21614	21014	21114	21714	21414	21814	21514	21314	21214	21914	20.03.31	
21615	21015	21115	21715	21415	21815	21515	21315	21215	21915	19.09.18	
21616	21016	21116	21716	21416	21816	21516	21316	21216	21916	21.03.19	
21617	21017	21117	21717	21417	21817	21517	21317	21217	21917	20.09.24	
21618	21018	21118	21718	21418	21818	21518	21318	21218	21918	21.09.29	

▽車内リフレッシュ改造は、座席バケットシート化、路線案内表示器設置、縦手すり設置等を施工

▽キューピー ラッピング(2023.10頃まで)　21402・21404・21406・21407・21409・21410・21411・21414・21416・21417

▽車両記号の意味は次のとおり
e＝電動発電機・空気圧縮機
p＝空気圧縮機付き
a＝母線遮断器なし
b＝母線遮断器あり
′＝簡易運転台付き

▽女は、土休日を除いて女性専用車
車体はラッピングされている

▽Rはリニューアル編成。
内装の整備・改良、車体側面に行先表示器新設などを実施。外観は側面の赤帯に白線が加えられている

▼優先席……先頭車以外の車両に設置
▼車イス対応スペース……♿の車両に設置

30000系　220両(ステンレス車体)[市交密連]　④

⑩♿	♿⑨	♿⑧	♿⑦	♿⑥女	♿⑤	♿④弱	♿③	♿②	♿①	
Tec1 30600	Ma1 30000	Mb1 30100	Te 30700	Mb1′ 30400■	■T′ 30800	T 30500	Mb2 30300	Ma2 30200	Tec2 30900	
ⓈCP	V	V	Ⓢ	V			V	V	ⓈCP	
31601	31001	31101	31701	31401	31801	31501	31301	31201	31901	
31602	31002	31102	31702	31402	31802	31502	31302	31202	31902	13.12.16川重
31603	31003	31103	31703	31403	31803	31503	31303	31203	31903	14.04.10川重
31604	31004	31104	31704	31404	31804	31504	31304	31204	31904	16.06.29近車
31605	31005	31105	31705	31405	31805	31505	31305	31205	31905	17.04.14近車
31606	31006	31106	31706	31406	31806	31506	31306	31206	31906	17.05.31川重
31607	31007	31107	31707	31407	31807	31507	31307	31207	31907	17.10.06川重
31608	31008	31108	31708	31408	31808	31508	31308	31208	31908	17.12.01川重
31609	31009	31109	31709	31409	31809	31509	31309	31209	31909	18.02.21川重
31610	31010	31110	31710	31410	31810	31510	31310	31210	31910	18.07.28近車
31611	31011	31111	31711	31411	31811	31511	31311	31211	31911	19.02.15川重
31612	31012	31112	31712	31412	31812	31512	31312	31212	31912	19.06.29川重
31613	31013	31113	31713	31413	31813	31513	31313	31213	31913	19.11.08川重
31614	31014	31114	31714	31414	31814	31514	31314	31214	31914	20.02.13川重
31615	31015	31115	31715	31415	31815	31515	31315	31215	31915	20.06.30川重
31616	31016	31116	31716	31416	31816	31516	31316	31216	31916	20.08.26川重
31617	31017	31117	31717	31417	31817	31517	31317	31217	31917	20.10.23川重
31618	31018	31118	31718	31418	31818	31518	31318	31218	31918	21.05.27川重
31619	31019	31119	31719	31419	31819	31519	31319	31219	31919	21.08.27川重
31620	31020	31120	31720	31420	31820	31520	31320	31220	31920	21.11.03川車
31621	31021	31121	31721	31421	31821	31521	31321	31221	31921	22.05.12川車
31622	31022	31122	31722	31422	31822	31522	31322	31222	31922	22.06.10川車

▽30000系は
2011.12.10から営業運転開始

谷町線［2号線］（大日検車場・八尾車庫）　246両［帯色はパープル］

←八尾南　　　　　　　　　　　　　　　　　　大日→

①♿　♿②　♿③女　♿④　♿⑤弱　♿⑥

20系　168両（ステンレス車体）［市交密連］　④

Tec1 2600	Mb1′ 2100■	T′ ■2800	Mb2 2300	Ma2 2200	Tec2 2900	車内リフレッシュ改造
ⓂCP	V	–	V	V	ⓂCP	
22601	22101	22801	22301	22201	22901	15.07.02
22602	22102	22802	22302	22202	22902	16.03.22
22603	22103	22803	22303	22203	22903	
22604	22104	22804	22304	22204	22904	13.06.06
22605	22105	22805	22305	22205	22905	17.02.08
22607	22107	22807	22307	22207	22907	12.07.23
22608	22108	22808	22308	22208	22908	21.04.23
22609	22109	22809	22309	22209	22909	21.12.29
22610	22110	22810	22310	22210	22910	22.05.09
22611	22111	22811	22311	22211	22911	22.09.13
22612	22112	22812	22312	22212	22912	
22613	22113	22813	22313	22213	22913	
22614	22114	22814	22314	22214	22914	
22615	22115	22815	22315	22215	22915	
22616	22116	22816	22316	22216	22916	
22617	22117	22817	22317	22217	22917	
22618	22118	22818	22318	22218	22918	
22619	22119	22819	22319	22219	22919	
22651	22151	22851	22351	22251	22951	15.04.13
[24601	24101	24801	24301	24201	24901]	23.02.01改番
22655	22155	22855	22355	22255	22955	
22656	22156	22856	22356	22256	22956	
22657	22157	22857	22357	22257	22957	
22658	22158	22858	22358	22258	22958	
22659	22159	22859	22359	22259	22959	
22660	22160	22860	22360	22260	22960	
22661	22161	22861	22361	22261	22961	
22662	22162	22862	22362	22262	22962	
22663	22163	22863	22363	22263	22963	

30000系　78両（ステンレス車体）［市交密連］　④

Tec1 30600	Mb1′ 30100■	T′ ■30800	Mb2 30300	Ma2 30200	Tec2 30900	
ⓈCP	V	–	V	V	ⓈCP	
32601	32101	32801	32301	32201	32901	
32602	32102	32802	32302	32202	32902	
32603	32103	32803	32303	32203	32903	
32604	32104	32804	32304	32204	32904	
32605	32105	32805	32305	32205	32905	
32606	32106	32806	32306	32206	32906	
32607	32107	32807	32307	32207	32907	
32608	32108	32808	32308	32208	32908	12.10.02近車
32609	32109	32809	32309	32209	32909	12.12.14近車
32610	32110	32810	32310	32210	32910	13.02.12近車
32611	32111	32811	32311	32211	32911	13.06.04近車
32612	32112	32812	32312	32212	32912	13.08.12近車
32613	32113	32813	32313	32213	32913	13.09.17近車

中央線［4号線］（森之宮検車場）　138両［帯色は緑色］

←コスモスクエア

長田・学研奈良登美ヶ丘（近鉄けいはんな線）→

⑥♿　♿⑤　♿④　♿③　♿②弱　♿①

20系　166両（ステンレス車体）［市交密連］　④

	Tec1 2600	Mb1′ 2100■	T′ ■2800	Mb2 2300	Ma2 2200	Tec2 2900
	ⓂCP	V	–	V	V	ⓂCP
A	2604	2104	2804	2304	2204	2904
A	2605	2105	2805	2305	2205	2905
A	2606	2106	2806	2306	2206	2906
A	2632	2132	2832	2332	2232	2932
A	2633	2133	2833	2333	2233	2933
A	2637	2137	2837	2337	2237	2937
A	2638	2138	2838	2338	2238	2938
A	2639	2139	2839	2339	2239	2939
	24602	24102	24802	24302	24202	24902 *
	24603	24103	24803	24303	24203	24903 *
	24604	24104	24804	24304	24204	24904

▽近鉄線内はワンマン運転

▽Aはアルミ車体

▽* 印の編成は車内リフレッシュ化改造車

24602～＝2015.12.21

24604～＝2016.09.09

30000A系　60両（ステンレス車体）［市交密連］　④

Tec1 30600	Mb1′ 30100■	T′ ■30800	Mb2 30300	Ma2 30200	Tec2 30900	
ⓈCP	V	–	V	V	ⓈCP	
32651	32151	32851	32351	32251	32951	22.04.08近車
32652	32152	32852	32352	32252	32952	22.07.28近車
32653	32153	32853	32353	32253	32953	22.08.22近車
32654	32154	32854	32354	32254	32954	22.09.02近車
32655	32155	32855	32355	32255	32955	22.09.26近車
32656	32156	32856	32356	32256	32956	22.10.07近車
32657	32157	32857	32357	32257	32957	22.12.06近車
32658	32158	32858	32358	32258	32958	22.12.16近車
32659	32159	32859	32359	32259	32959	23.01.06近車
32660	32160	32860	32360	32260	32960	23.01.19近車

▽2022.07.22　営業運転開始

400系　12両（アルミ車体）［市交密連］　④

Tc1 406	Mb1 401	T2 408	Mb2 403	M3 402	Tc2 409	
ⓈCP	V	–	V	V	ⓈCP	
406-1	401-1	408-1	403-1	402-1	409-1	22.11.22日立
406-2	401-2	408-2	403-2	402-2	409-2	23.03.09日立

▽2023.06.25　営業運転開始予定

▽全般検査施工個所　（　）内は最寄り駅

緑木検車場（北加賀屋）…1·3号線

森之宮検車場（森之宮）…2·4·5号線

東吹田検車場（阪急京都線相川～正雀間）…6号線

鶴見検車場（鶴見緑地）…7·8号線

南港検車場（中ふ頭）…南港ポートタウン線

▼優先席……先頭車以外の車両に設置

▼車イス対応スペース……♿の車両に設置

▽女は、土休日を除いて女性専用車

▽大阪市高速電気軌道は、2018.04.01、市が株を100%保有する株式会社として、大阪市交通局地下鉄事業を承継。愛称は「Osaka Metro」

大阪市交通局バス事業は、大阪シティバスが事業を引き継いでいる

▽緑木検車場に、100形105、30系3062、ニュートラム101-06を保存

同構内には、大阪市電保存館（公開日限定）があり、3050、1644、528、30、２階建て５、散水車25なども保存

堺筋線 [6号線](東吹田検車場) 136両[帯色はマルーン]

←天下茶屋　　天神橋筋六丁目(阪急京都線・千里線)→

66系 **136両**(ステンレス車体)[市交密連] ③

①♿	♿②弱	③♿	④♿	♿⑤	♿⑥	♿⑦弱	♿⑧	
Tec1 66600	Ma1 66000	Mb1 66100	Tp′ 66700■	T′ ■66800	Mb2 66300	Ma2 66200	Tec2 66900	車内
ⓈCP	V	V	CP		V	V	ⓈCP	リフレッシュ改造
66601	66001	66101	66701	66801	66301	66201	66901	15.11.18
66602	66002	66102	66702	66802	66302	66202	66902	13.10.22
66603	66003	66103	66703	66803	66303	66203	66903	14.12.05
66604	66004	66104	66704	66804	66304	66204	66904	16.11.17
66605	66005	66105	66705	66805	66305	66205	66905	13.01.31
66606	66006	66106	66706	66806	66306	66206	66906	17.11.01
66607	66007	66107	66707	66807	66307	66207	66907	18.11.26
66608	66008	66108	66708	66808	66308	66208	66908	19.11.25
66609	66009	66109	66709	66809	66309	66209	66909	21.03.02
66610	66010	66110	66710	66810	66310	66210	66910	22.05.12
66611	66011	66111	66711	66811	66311	66211	66911	23.02.14
66612	66012	66112	66712	66812	66312	66212	66912	
66613	66013	66113	66713	66813	66313	66213	66913	
66614	66014	66114	66714	66814	66314	66214	66914	
66615	66015	66115	66715	66815	66315	66215	66915	
66616	66016	66116	66716	66816	66316	66216	66916	
66617	66017	66117	66717	66817	66317	66217	66917	

▽阪急電鉄への乗入れは、京都線高槻市・千里線北千里まで

四つ橋線 [3号線](緑木検車場) 138両[帯色はブルー]

←西梅田　　住之江公園→

20系 **138両**(ステンレス車体)[市交密連] ④

⑥♿	♿⑤弱	♿④	♿③	♿②	♿①		
Tec1 2600	Mb1′ 2100■	T′ ■2800	Mb2 2300	Ma2 2200	Tec2 2900	車内	
ⓂCP	V		V	V	ⓂCP	リフレッシュ改造	
23601	23101	23801	23301	23201	23901	12.05.11	
23602	23102	23802	23302	23202	23902	14.03.25	
23603	23103	23803	23303	23203	23903	17.07.14	
23604	23104	23804	23304	23204	23904	13.11.18	
23605	23105	23805	23305	23205	23905	21.06.24	
23606	23106	23806	23306	23206	23906	14.10.02	
[24656	24156	24856	24356	24256	24956]	22.12.24改番	
23607	23107	23807	23307	23207	23907	18.07.19	
23608	23108	23808	23308	23208	23908	18.11.14	
23609	23109	23809	23309	23209	23909		
23610	23110	23810	23310	23210	23910	22.03.02	
23611	23111	23811	23311	23211	23911	22.06.27	
23612	23112	23812	23312	23212	23912	22.10.25	
23613	23113	23813	23313	23213	23913		
23614	23114	23814	23314	23214	23914		
23615	23115	23815	23315	23215	23915		
23616	23116	23816	23316	23216	23916		
23617	23117	23817	23317	23217	23917		
23618	23118	23818	23318	23218	23918		
23619	23119	23819	23319	23219	23919		
23620	23120	23820	23320	23220	23920		
23621	23121	23821	23321	23221	23921		
23622	23122	23822	23322	23222	23922		
23656	23156	23856	23356	23256	23956	18.01.17	谷町線から転入
[22606	22106	22806	22306	22206	22906]	[ ]は旧車号	

▼優先席……先頭車以外の車両に設置

▼車イス対応スペース……♿の車両に設置

千日前線 [5号線][帯色は紅梅]

(森之宮検車場・今里車庫) 68両

←南巽　　野田阪神→

20系 **68両**(ステンレス車体)[市交密連] ④

①♿	♿②	♿③	♿④	
Tec1 2600	Mb1 2100	Mb2 2300	Tec2 2900	車内
ⓂCP	V	V	ⓂCP	リフレッシュ改造
25601	25101	25301	25901	14.03.27
25602	25102	25302	25902	14.05.01
25603	25103	25303	25903	
25604	25104	25304	25904	13.12.10
25605	25105	25305	25905	13.11.05
25606	25106	25306	25906	13.04.23
25607	25107	25307	25907	
25608	25108	25308	25908	14.09.08
25609	25109	25309	25909	
25610	25110	25310	25910	13.07.18
25611	25111	25311	25911	
25612	25112	25312	25912	12.05.02
25613	25113	25313	25913	12.08.03
25614	25114	25314	25914	12.11.26
25615	25115	25315	25915	12.09.26
25616	25116	25316	25916	13.03.15
25617	25117	25317	25917	13.08.14

長堀鶴見緑地線 [7号線](鶴見検車場) 104両

←大正　　門真南→[帯色は萌黄]

70系 **100両**(アルミ車体)[市交密連] ③

④♿	♿③	②♿	♿①	
M2c 7100	M1e 7200	M1e 7000	M2c 7100	
ⓈCP	V	V	ⓈCP	中間更新
7101	7251	7051	7151	17.01.12
7102	7252	7052	7152	14.06.06
7103	7253	7053	7153	15.02.04
7104	7254	7054	7154	14.01.10
7105	7255	7055	7155	15.07.21
7106	7256	7056	7156	16.08.10
7107	7257	7057	7157	12.11.09
7108	7258	7058	7158	16.01.15
7109	7259	7059	7159	13.03.01
7110	7260	7060	7160	13.06.18
7111	7261	7061	7161	
7112	7262	7062	7162	
7113	7263	7063	7163	
7114	7264	7064	7164	17.08.10
7115	7265	7065	7165	17.12.26
7116	7266	7066	7166	18.06.28
7117	7267	7067	7167	19.10.11
7118	7268	7068	7168	20.02.04
7119	7269	7069	7169	20.09.03
7120	7270	7070	7170	21.02.24
7121	7271	7071	7171	21.09.16
7122	7272	7072	7172	22.02.01
7123	7273	7073	7173	22.06.07
7124	7274	7074	7174	22.11.21
7125	7275	7075	7175	

80系 **4両**(アルミ車体)[市交密連] ③

④♿	③♿	②♿	♿①	
M2c 8100	M1e 8200	M1e 8400	M2c 8500	
ⓈCP	V	V	ⓈCP	
8131	8231	8431	8531	19.02.27=転用改造
[8117	8217	8417	8517]	今里筋線から[ ]旧車号

▽長堀鶴見緑地線は
全列車ワンマン運転

▽鉄輪式リニアモーター方式

今里筋線[8号線](鶴見緑地北車庫)　64両[帯色はオレンジ]

←井高野　今里→

80系　**64両**(アルミ車体)[市交密連]　③

④♿	③♿	②♿	♿①
$M_{2}c$ 8100	$M_{1}e$ 8200	$M_{1}e$ 8400	$M_{2}c$ 8500
ⓈCP	V	V	ⓈCP
8101	8201	8401	8501
8102	8202	8402	8502
8103	8203	8403	8503
8104	8204	8404	8504
8105	8205	8405	8505
8106	8206	8406	8506
8107	8207	8407	8507
8108	8208	8408	8508
8109	8209	8409	8509
8110	8210	8410	8510
8111	8211	8411	8511
8112	8212	8412	8512
8113	8213	8413	8513
8114	8214	8414	8514
8115	8215	8415	8515
8116	8216	8416	8516

▼優先席……先頭車以外の車両に設置
▼車イス対応スペース……♿の車両に設置

▽今里筋線は2006.12.24開業。
全列車ワンマン運転で、各駅にはホームドアを備える
▽鉄輪式リニアモーター方式

南港ポートタウン線[ニュートラム](南港検車場)　80両

←コスモスクエア　住之江公園→

200系　**80両**(ステンレス車体)[市交密連]　①

	④♿	③	②	♿①	
	M_{1} 201	M_{2} 200	M_{3} 202	M_{6} 205	新製月日
	ⓈCP	V	V	ⓈCP	
01	201-01	200-01	202-01	205-01	15.11.04新潟(ブルー)
02	201-02	200-02	202-02	205-02	16.09.28新潟(イエロー)
03	201-03	200-03	202-03	205-03	16.11.04新潟(ピンク)
04	201-04	200-04	202-04	205-04	16.12.06新潟(グリーン)
05	201-05	200-05	202-05	205-05	17.01.16新潟(オレンジ)
06	201-06	200-06	202-06	205-06	17.02.21新潟(パープル)
07	201-07	200-07	202-07	205-07	17.03.23新潟(レッド)
08	201-08	200-08	202-08	205-08	17.07.07新潟(ブルー)
09	201-09	200-09	202-09	205-09	17.08.10新潟(オレンジ)
10	201-10	200-10	202-10	205-10	17.09.14新潟(ピンク)
11	201-11	200-11	202-11	205-11	17.10.20新潟(グリーン)
12	201-12	200-12	202-12	205-12	17.11.24新潟(レッド)
14	201-14	200-14	202-14	205-14	18.03.23新潟(ゴールド)
15	201-15	200-15	202-15	205-15	18.04.12新潟(ピンク)
16	201-16	200-16	202-16	205-16	18.06.12新潟(イエロー)
17	201-17	200-17	202-17	205-17	18.07.13新潟(ブルー)
18	201-18	200-18	202-18	205-18	18.08.22新潟(ピンク)
19	201-19	200-19	202-19	205-19	18.09.19新潟(パンダ　デザイン)
20	201-20	200-20	202-20	205-20	19.02.15新潟(レッサーパンダ　デザイン)
21	201-21	200-21	202-21	205-21	19.03.15新潟(虎　デザイン)

▽200系は2016.06.29から営業運転開始

▽三相交流600V、側方案内方式
▽制御装置(位相制御)はM_{2}・M_{3}に、補助電源装置(トランス)はM_{1}・M_{6}に、冷房装置は各車の床下に装備

形式別両数表

30000系		20系	
30000	22	2000	18
30100	35	2100	97
30200	35	2200	80
30300	35	2300	97
30400	22	2400	18
30500	22	2500	18
30600	35	2600	97
30700	22	2700	18
30800	35	2800	80
30900	35	2900	97
	298		620
30000A系		66系	
30100	10	66600	17
30200	10	66000	17
30300	10	66100	17
30600	10	66700	17
30800	10	66800	17
30900	10	66300	17
	60	66200	17
400系		66900	17
401	2		136
402	2	70系	
403	2	7000	25
406	2	7100	50
408	2	7200	25
409	2		100
	12	80系	
		8100	17
		8200	17
		8400	17
		8500	17
			68
			1294
		200系	
		201	20
		200	20
		202	20
		205	20
			80
		新交通	80
		合　計	1374

▽2021.05提供の資料に基づき作成

北大阪急行電鉄 桃山台車庫　70両

南北線(桃山台車庫)

←千里中央　　江坂・なかもず(大阪メトロ御堂筋線)→

8000系 30両[市交密連]「ポールスター」 ④

⑩♿	♿⑨	♿⑧	♿⑦	♿⑥女	♿⑤	♿④	♿③	♿②	♿①	
Tc1	M0	Te	M1	M2′	Te′	T	M1	M2	Tc2	
8000	8100	8200	8300	8400	8500	8600	8700	8800	8900	
CP	V	S	V	V	S	CP	V	V	CP	
8003	8103	8203	8303	8403	8503	8603	8703	8803	8903	LED照明 VVVF更新=12.10.15
8006	8106	8206	8306	8406	8506	8606	8706	8806	8906	LED照明 VVVF更新=15.03.31
8007	8107	8207	8307	8407	8507	8607	8707	8807	8907	LED照明 VVVF更新=14.08.04

9000系 40両[市交密連]「ポールスターⅡ」 ④

Mc1	Tp1	Te1	T1	M2′	M1′	T2	Te2	Tp2	Mc2	
9000	9100	9200	9300	9400	9500	9600	9700	9800	9900	
V	CP	S		V	V		S	CP	V	
9001	9101	9201	9301	9401	9501	9601	9701	9801	9901	14.04.21近車
9002	9102	9202	9302	9402	9502	9602	9702	9802	9902	15.02.02近車
9003	9103	9203	9303	9403	9503	9603	9703	9803	9903	16.02.26近車
9004	9104	9204	9304	9404	9504	9604	9704	9804	9904	17.04.27近車

▽9003・9004編成は、竹林のラッピング車両
▽8000系のＶＶＶＦ更新はＧＴＯ→ＩＧＢＴ
▽リニューアル　8003編成=2021.07.09　8006編成=2019.12.03　8007編成=2018.09.07

▼優先席……先頭車以外の車両に設置
▼車イス対応スペース……♿に設置
▽女は、土休日を除いて女性専用車

8000系	
8000	3
8100	3
8200	3
8300	3
8400	3
8500	3
8600	3
8700	3
8800	3
8900	3
計	30
9000系	
9000	4
9100	4
9200	4
9300	4
9400	4
9500	4
9600	4
9700	4
9800	4
9900	4
計	40

大阪モノレール 万博車両基地　92両

←大阪空港　　門真市・彩都西→

1000形 36両(アルミ車体)[密連] ②

♿①	弱②	③	④♿	
Mc1	M2	M1	Mc2	
1600	1500	1200	1100	
F	S CP	F	S CP	
1601	1501	1201	**1101**	(1) 16.05.15更新
1603	1503	1203	**1103**	(2) 16.03.06更新
1604	1504	1204	**1104**	(3) 16.07.14更新
1605	1505	1205	**1105**	(4) 15.12.24更新
1621	1521	1221	**1121**	(5) 17.08.04更新
1622	1522	1222	**1122**	(2) 17.10.14更新
1623	1523	1223	**1123**	(8) 17.12.15更新
1624	1524	1224	**1124**	(7) 17.02.17更新
1625	1525	1225	**1125**	(7) 21.01.29更新

2000系 32両(アルミ車体)[密連] ②

♿①	弱②	③	④♿	
Mc1	M2	M1	Mc2	
2600	2500	2200	2100	
V S CP	V	V	V S CP	
2611	2511	2211	**2111**	(2) 17.07.12更新
2612	2512	2212	**2112**	(2) 18.03.02更新
2613	2513	2213	**2113**	(8) 18.08.10更新
2614	2514	2214	**2114**	(9) 18.10.19更新
2615	2515	2215	**2115**	(10) 18.12.21更新
2616	2516	2216	**2116**	(11) 19.03.01更新
2617	2517	2217	**2117**	19.05.11更新
2618	2518	2218	**2118**	18.05.05更新

3000系 24両(アルミ車体)[密連] ②

♿①	弱②	③	④♿	
Mc1	M2	M1	Tc2	
3600	3500	3200	3100	
V	V CP	V CP	S	
3650	3550	3250	**3150**	18.10.21日立
3651	3551	3251	**3151**	20.11.01日立
3652	3552	3252	**3152**	21.08.01日立
3653	3553	3253	**3153**	21.10.12日立
3654	3554	3254	**3154**	22.09.01日立
3655	3555	3255	**3155**	23.02.10日立

1000形	
1100	9
1200	9
1500	9
1600	9
	36
2000系	
2100	8
2200	8
2500	8
2600	8
	32
3000系	
3600	6
3500	6
3200	6
3100	6
	24
計	92

▽2100形・2600形の先頭台車はモーターなし
▽側面行先表示器は全車に装備

▼優先席…全車両に設置
▼車イス対応スペース…♿に設置
▼弱冷房車…編成図に弱を付した車両

▽蛍池で阪急宝塚線、千里中央で北大阪急行線、
山田で阪急千里線、南茨木で阪急京都線、
大日で大阪メトロ谷町線、門真市で京阪本線と接続

▽更新工事に合わせて座席配置変更、客室灯ＬＥＤ化実施
▽ラッピング車のスポンサー名
(1)＝大阪府交通対策協議会　(2)＝イオン　(3)＝自社(SDGs TRAIN&豊川まどか)　(5)＝京浜急行電鉄　(6)＝自社(ブルーエール)
(7)＝ヤクルト　(8)＝関西大倉中学校・高等学校　(9)＝自社(EXPO TRAIN 2025)　(10)＝自社(大阪万博50周年記念)　(11)＝ガンバ大阪
▽2020.06.01　社名を大阪モノレールと変更

能勢電鉄　平野車庫　54両

←妙見口・日生中央　　　川西能勢口・大阪梅田（阪急宝塚線）→

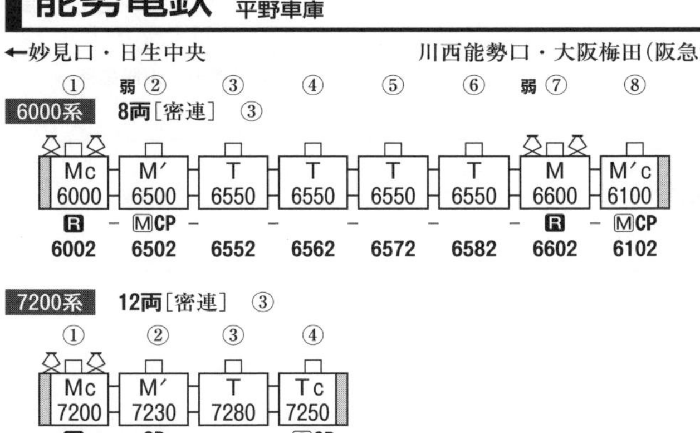

6000系　**8両**［密連］　③

①	弱②	③	④	⑤	⑥	弱⑦	⑧
Mc 6000	M′ 6500	T 6550	T 6550	T 6550	T 6550	M 6600	M′c 6100
R	ⓂCP	–	–	–	–	R	ⓂCP
6002	**6502**	**6552**	**6562**	**6572**	**6582**	**6602**	**6102**

7200系　**12両**［密連］　③

①	②	③	④	
Mc 7200	M′ 7230	T 7280	Tc 7250	
V	CP	–	ⓈCP	
7200	7230	7280	**7250**	
7201	7231	7281	**7251**	
7202	7232	7282	**7252**	21.04.10運用開始（VVVF化＋ワンマン化）［元阪急=20.04.25］

5100系　**24両**［小型密着。5141・5124連結器は電連付き密連］　③

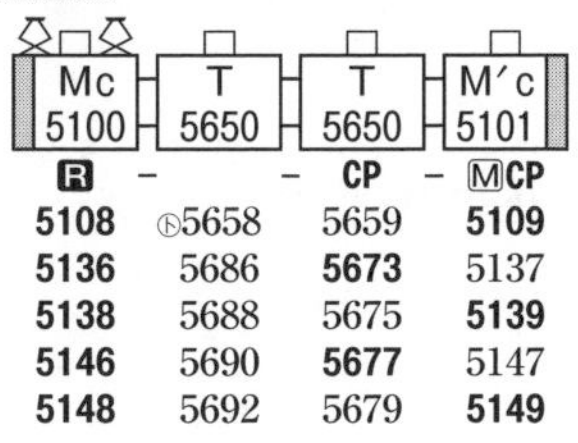

Mc 5100	T 5650	T 5650	M′c 5101
R	–	CP	ⓂCP
5108	Ⓣ5658	5659	**5109**
5136	5686	**5673**	5137
5138	5688	5675	**5139**
5146	5690	**5677**	5147
5148	5692	5679	**5149**

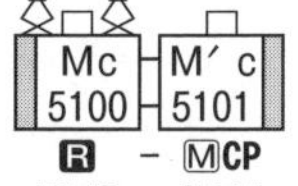

▽5100系 5108・5124は１パン

Mc 5100	M′c 5101	
R	ⓂCP	
5142	**5141**	（復刻塗装=マルーン＋クリーム）
5124	5125	（復刻塗装=青＋クリーム）

1700系　**8両**［自連］　③

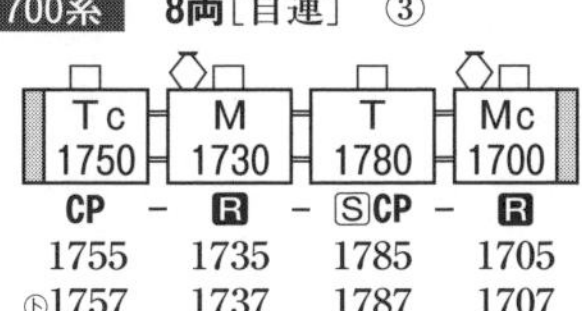

①	②	③	④
Tc 1750	M 1730	T 1780	Mc 1700
CP	R	ⓈCP	R
1755	1735	1785	1705
Ⓣ1757	1737	1787	1707

▼車イス対応スペース……車号太字の車両に配置
▽6000系は、阪急6000系と共通運用。
　特急「日生エクスプレス」（直通特急）にて阪急梅田まで直通運転
▽４両編成は全車ワンマンカー
　（全区間にてワンマン運転）
▽1753･1754･1755はⓂ付き
▽旧形式対照…7200系＝阪急電鉄7000系・6000系、
　1700系＝阪急電鉄2000系
　5100系＝阪急電鉄5100系、6000系＝阪急電鉄6000系
▽全車両に優先席設置
▽Ⓣはレール塗油器装置

系	形式	両数	車種
7200系	7200	3	Mc
	7230	3	M′
	7280	3	T
	7250	3	Tc
		12	
6000系	6000	1	Mc
	6100	1	M′c
	6500	1	M′
	6600	1	M
	6550	4	T
		8	
5100系	5100	7	Mc
	5101	7	M′c
	5650	10	T
		24	
1700系	1700	2	Mc
	1730	2	M
	1750	2	Tc
	1780	2	T
		8	
計		52	

鋼索線　2両

←黒川　　　ケーブル山上→

C形

1　ほほえみ
2　ときめき

▽妙見口下車

山陽電気鉄道 東二見・東須磨・飾磨車庫 207両

本線・網干線(東二見・東須磨・飾磨車庫) 207両

←(阪神線・神戸高速鉄道)西代　　　　山陽網干・山陽姫路→

3000系(3000·3050形) **72両**[小型密着] ③

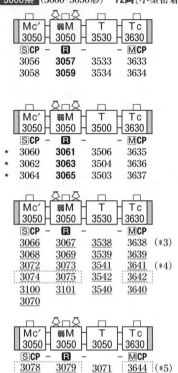

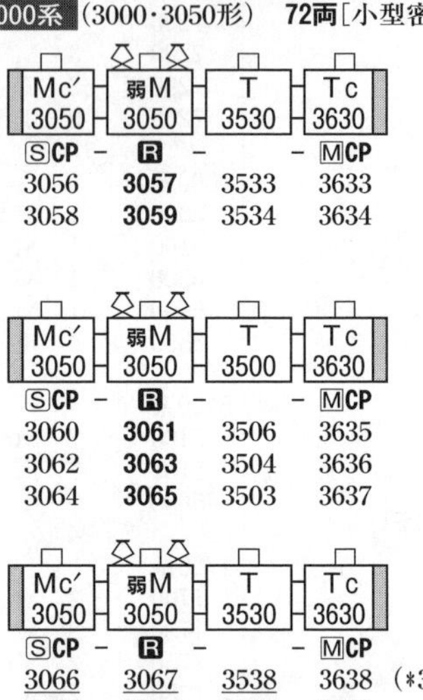

Mc′ 3050	弱M 3050	T 3530	Tc 3630	
ⓈCP	Ⓡ		ⓂCP	
3056	**3057**	3533	3633	
3058	**3059**	3534	3634	

	Mc′ 3050	弱M 3050	T 3500	Tc 3630
	ⓈCP	Ⓡ		ⓂCP
★	3060	**3061**	3506	3635
★	3062	**3063**	3504	3636
★	3064	**3065**	3503	3637

Mc′ 3050	弱M 3050	T 3530	Tc 3630	
ⓈCP	Ⓡ		ⓂCP	
3066	3067	3538	3638	(*3)
3068	3069	3539	3639	
3072	3073	3541	3641	(*4)
3074	3075	3542	3642	
3100	3101	3540	3640	
3070				

Mc′ 3050	弱M 3050	T 3050	Tc 3630	
ⓈCP	Ⓡ		ⓂCP	
3078	3079	3071	3644	(*5)

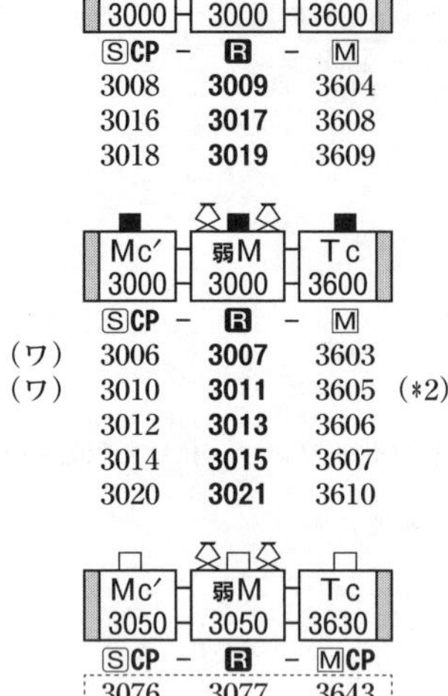

Mc′ 3000	弱M 3000	Tc 3600
ⓈCP	Ⓡ	Ⓜ
3008	**3009**	3604
3016	**3017**	3608
3018	**3019**	3609

	Mc′ 3000	弱M 3000	Tc 3600	
	ⓈCP	Ⓡ	Ⓜ	
(ワ)	3006	**3007**	3603	
(ワ)	3010	**3011**	3605	(*2)
	3012	**3013**	3606	
	3014	**3015**	3607	
	3020	**3021**	3610	

Mc′ 3050	弱M 3050	Tc 3630
ⓈCP	Ⓡ	ⓂCP
3076	3077	3643

▽3066の補助電源は18.04.20＝SIV化
3068の補助電源は
17.03.07 SIV化

▽＿＿はアルミ車体
▽5000系·5030系は転換クロスシート(自動転換式)
ただし、斜字の車両はロングシート
▽┊┊内は固定クロスシート
▽(ワ)は網干線用のワンマン運転対応車
網干線は終日ワンマン運転
▽阪神大阪梅田までの直通車両は
5000系·5030系·6000系の6両編成

▼優先席……全車両に設置
▼車イス対応スペース……太字の車両に設置
▼弱冷房車…編成図に **弱** を付した車両

▽全般検査は東二見車両工場(東二見車庫に併設)で実施

(*2)…主電動機を変更。3200形から形式変更(17.10.05)
(*3)…アルミ車は鋼製車に合わせて塗装
(*4)…リフレッシュ工事車　2023年度竣工予定
(*5)…3071は付随車化改造(22.07.13)
★…リフレッシュ工事車
3060F＝2013.02.08、3062F＝2016.03.08、3064F＝2014.02.05
以上は客室灯ＬＥＤ化も施工
以下の編成はリニューアル施工車
3006F＝2005.08.26、3008F＝2010.10.19、
3010F＝2005.03.25、3012F＝2008.10.21、
3014F＝2007.09.11、3016F＝2006.09.11、
3018F＝2006.12.19、3020F＝2005.12.05、
3056F＝2012.03.09(2019.11.26＝室内灯LED化)、
3058F＝2008.05.09

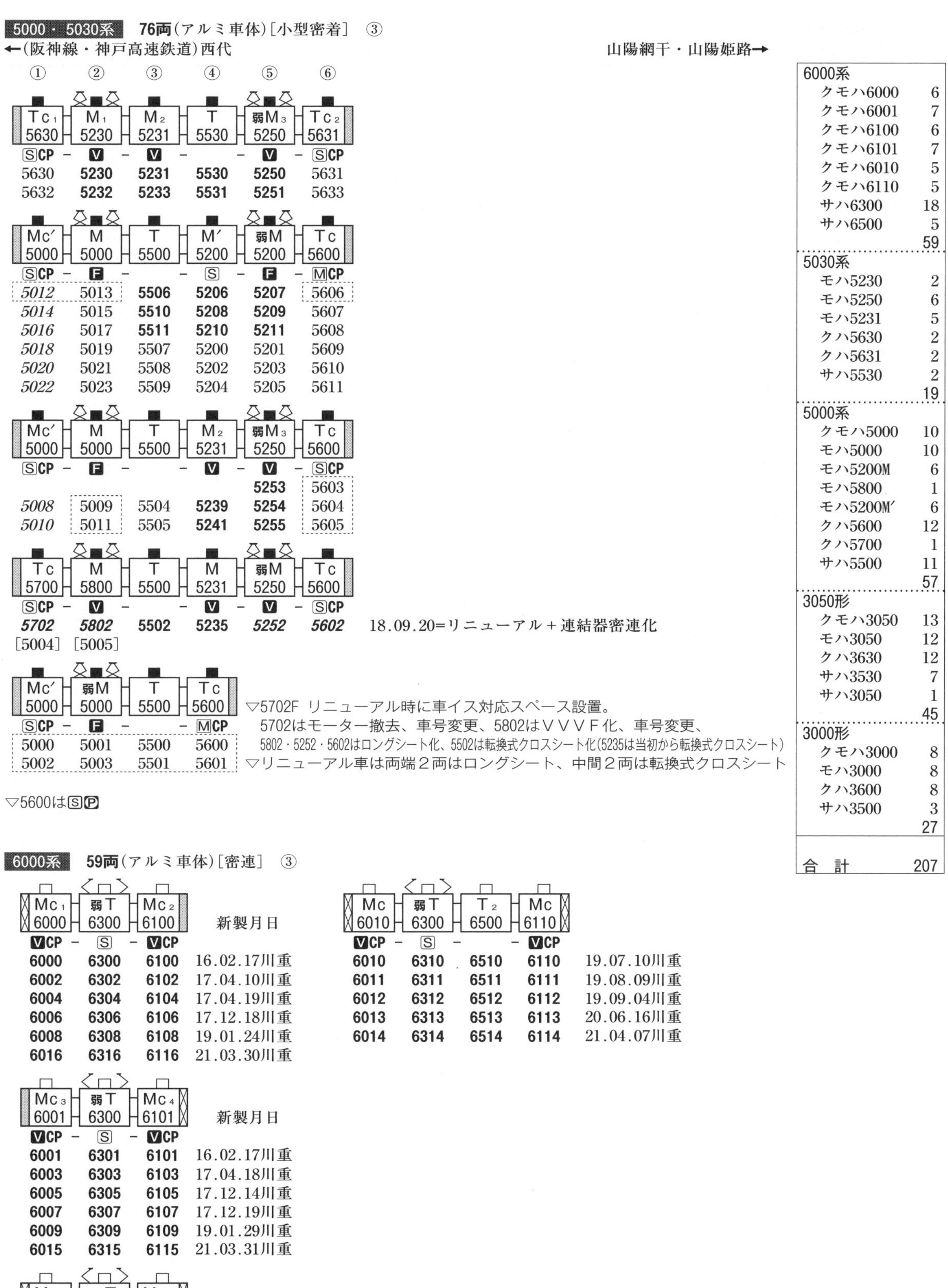

5000・5030系 **76両**(アルミ車体)[小型密着] ③

←(阪神線・神戸高速鉄道)西代　　山陽網干・山陽姫路→

①	②	③	④	⑤	⑥
Tc1 5630	M1 5230	M2 5231	T 5530	弱M3 5250	Tc2 5631
SCP	V	V		V	SCP
5630	**5230**	**5231**	**5530**	**5250**	5631
5632	**5232**	**5233**	**5531**	**5251**	5633

Mc′ 5000	M 5000	T 5500	M′ 5200	弱M 5200	Tc 5600
SCP	F		S	F	MCP
5012	5013	**5506**	**5206**	**5207**	5606
5014	5015	**5510**	**5208**	**5209**	5607
5016	5017	**5511**	**5210**	**5211**	5608
5018	5019	5507	5200	5201	5609
5020	5021	5508	5202	5203	5610
5022	5023	5509	5204	5205	5611

Mc′ 5000	M 5000	T 5500	M2 5231	弱M3 5250	Tc 5600
SCP	F		V	V	SCP
				5253	5603
5008	5009	5504	**5239**	**5254**	5604
5010	5011	5505	**5241**	**5255**	5605

Tc 5700	M 5800	T 5500	M 5231	弱M 5250	Tc 5600	
SCP	V		V	V	SCP	
5702	***5802***	**5502**	**5235**	***5252***	***5602***	18.09.20=リニューアル+連結器密連化
[5004]	[5005]					

Mc′ 5000	弱M 5000	T 5500	Tc 5600
SCP	F		MCP
5000	5001	5500	5600
5002	5003	5501	5601

▽5702F リニューアル時に車イス対応スペース設置。
5702はモーター撤去、車号変更、5802はＶＶＶＦ化、車号変更、
5802・5252・5602はロングシート化、5502は転換式クロスシート化(5235は当初から転換式クロスシート)
▽リニューアル車は両端２両はロングシート、中間２両は転換式クロスシート

▽5600はSP

6000系 **59両**(アルミ車体)[密連] ③

Mc1 6000	弱T 6300	Mc2 6100	新製月日
VCP	S	VCP	
6000	**6300**	**6100**	16.02.17川重
6002	**6302**	**6102**	17.04.10川重
6004	**6304**	**6104**	17.04.19川重
6006	**6306**	**6106**	17.12.18川重
6008	**6308**	**6108**	19.01.24川重
6016	**6316**	**6116**	21.03.30川重

Mc3 6001	弱T 6300	Mc4 6101	新製月日
VCP	S	VCP	
6001	**6301**	**6101**	16.02.17川重
6003	**6303**	**6103**	17.04.18川重
6005	**6305**	**6105**	17.12.14川重
6007	**6307**	**6107**	17.12.19川重
6009	**6309**	**6109**	19.01.29川重
6015	**6315**	**6115**	21.03.31川重

Mc1 6001	弱T 6300	Mc4 6101	新製月日
VCP	S	VCP	
6017	**6317**	**6117**	22.03.30川車

Mc 6010	弱T 6300	T2 6500	Mc 6110	
VCP	S		VCP	
6010	**6310**	**6510**	**6110**	19.07.10川重
6011	**6311**	**6511**	**6111**	19.08.09川重
6012	**6312**	**6512**	**6112**	19.09.04川重
6013	**6313**	**6513**	**6113**	20.06.16川重
6014	**6314**	**6514**	**6114**	21.04.07川重

形式	両数
6000系	
クモハ6000	6
クモハ6001	7
クモハ6100	6
クモハ6101	7
クモハ6010	5
クモハ6110	5
サハ6300	18
サハ6500	5
	59
5030系	
モハ5230	2
モハ5250	6
モハ5231	5
クハ5630	2
クハ5631	2
サハ5530	2
	19
5000系	
クモハ5000	10
モハ5000	10
モハ5200M	6
モハ5800	1
モハ5200M′	6
クハ5600	12
クハ5700	1
サハ5500	11
	57
3050形	
クモハ3050	13
モハ3050	12
クハ3630	12
サハ3530	7
サハ3050	1
	45
3000形	
クモハ3000	8
モハ3000	8
クハ3600	8
サハ3500	3
	27
合　計	207

▽6000系は2016.04.27から営業運転を開始。ワンマン対応
Mc2とMc3を連結することで６両編成でも運用可能。６両編成は直通特急に充当、大阪梅田まで乗入れ

神戸電鉄 鈴蘭台車庫 147両

有馬・三田・粟生・公園都市線（鈴蘭台車庫） 147両

←三田・有馬温泉・粟生　　　ウッディタウン中央・湊川・新開地→

4両運用［小型密着］ ③

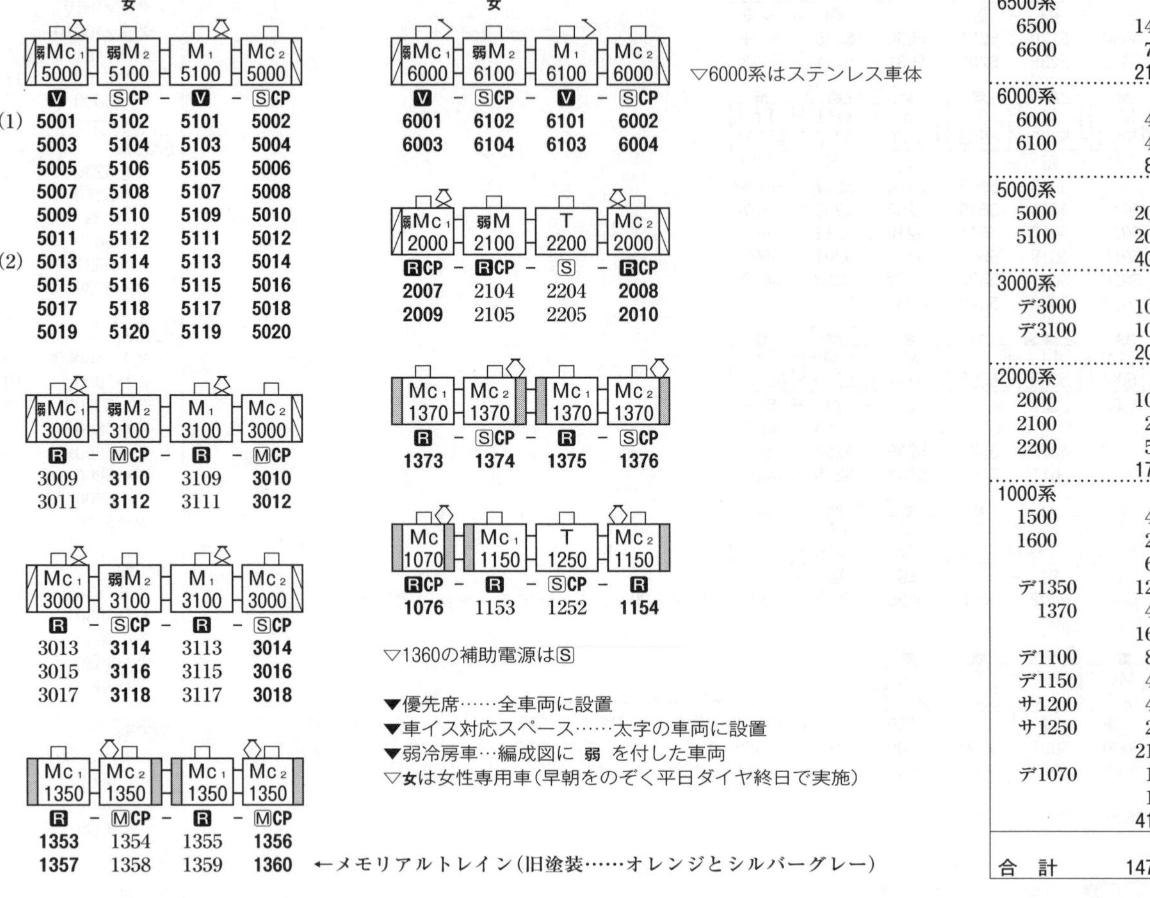

女			
弱Mc1 5000	弱M2 5100	M1 5100	Mc2 5000
V	SCP	V	SCP
(1) **5001**	**5102**	**5101**	**5002**
5003	**5104**	**5103**	**5004**
5005	**5106**	**5105**	**5006**
5007	**5108**	**5107**	**5008**
5009	**5110**	**5109**	**5010**
5011	**5112**	**5111**	**5012**
(2) **5013**	**5114**	**5113**	**5014**
5015	**5116**	**5115**	**5016**
5017	**5118**	**5117**	**5018**
5019	**5120**	**5119**	**5020**

弱Mc1 3000	弱M2 3100	M1 3100	Mc2 3000
R	MCP	R	MCP
3009	**3110**	3109	**3010**
3011	**3112**	3111	**3012**

Mc1 3000	弱M2 3100	M1 3100	Mc2 3000
R	SCP	R	SCP
3013	**3114**	3113	**3014**
3015	**3116**	3115	**3016**
3017	**3118**	3117	**3018**

Mc1 1350	Mc2 1350	Mc1 1350	Mc2 1350
R	MCP	R	MCP
1353	1354	1355	**1356**
1357	1358	1359	**1360**

←メモリアルトレイン（旧塗装……オレンジとシルバーグレー）

Mc1 1350	Mc2 1350	Mc1 1350	Mc2 1350
R	SCP	R	SCP
1361	1362	1351	**1352**

女			
弱Mc1 6000	弱M2 6100	M1 6100	Mc2 6000
V	SCP	V	SCP
6001	**6102**	**6101**	**6002**
6003	**6104**	**6103**	**6004**

▽6000系はステンレス車体

弱Mc1 2000	弱M 2100	T 2200	Mc2 2000
RCP	RCP	S	RCP
2007	2104	2204	**2008**
2009	2105	2205	**2010**

Mc1 1370	Mc2 1370	Mc1 1370	Mc2 1370
R	SCP	R	SCP
1373	**1374**	**1375**	**1376**

Mc 1070	Mc1 1150	T 1250	Mc2 1150
RCP	R	SCP	R
1076	1153	1252	**1154**

▽1360の補助電源はS

▼優先席……全車両に設置
▼車イス対応スペース……太字の車両に設置
▼弱冷房車…編成図に 弱 を付した車両
▽女は女性専用車（早朝をのぞく平日ダイヤ終日で実施）

系列	両数
6500系	
6500	14
6600	7
	21
6000系	
6000	4
6100	4
	8
5000系	
5000	20
5100	20
	40
3000系	
デ3000	10
デ3100	10
	20
2000系	
2000	10
2100	2
2200	5
	17
1000系	
1500	4
1600	2
	6
デ1350	12
1370	4
	16
デ1100	8
デ1150	4
サ1200	4
サ1250	2
	21
デ1070	1
	1
	41
合　計	147

▽2000系·3000系·5000系はアルミ車体
▽ 2 は2扉車。表示なしは3扉車
▽(1)はラッピング車両（神戸電鉄粟生線活性化協議会）［2012.03.25営業運転開始］
　(2)はしんちゃん＆てつくんトレイン たのしーずん（ラッピング）

▽全般検査は鈴蘭台車両工場（車庫に併設）で行なう

←三田・有馬温泉・粟生　　　　ウッディタウン中央・湊川・新開地→

3両運用［小型密着］ ③

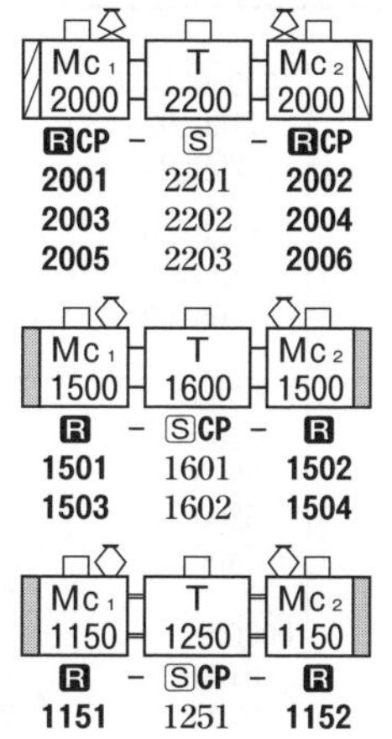

Mc1 2000	T 2200	Mc2 2000
RCP	S	RCP
2001	2201	2002
2003	2202	2004
2005	2203	2006

Mc1 1500	T 1600	Mc2 1500
R	SCP	R
1501	1601	1502
1503	1602	1504

Mc1 1150	T 1250	Mc2 1150
R	SCP	R
1151	1251	1152

←メモリアルトレイン（旧塗装……ライトグリーンとシルバーグレー）

Mc1 1100	T 1200	Mc2 1100
R	SCP	R
1103 2	1202 2	1104 2
1105 2	1203 2	1106 2
1107 2	1204 2	1108 2
1109 2	1205 2	1110 2

6500系　21両（ステンレス車体）［小型密着］

Mc1 6500	T 6600	Mc2 6500	新製月日
VCP	S	VCP	
6501	6601	6502	16.02.29川重
6503	6602	6504	17.02.01川重
6505	6603	6506	18.02.01川重
6507	6604	6508	18.03.12川重
6509	6605	6510	19.02.15川重
6511	6606	6512	19.03.05川重
6513	6607	6514	20.02.27川重

▽6500系は2016.05.21から営業運転を開始

六甲山観光　4両

←六甲ケーブル下　　鋼索　　六甲山上→

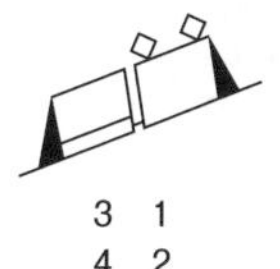

▽2013.10.01　六甲摩耶鉄道から社名変更
▽阪神御影・ＪＲ六甲道・阪急六甲から、神戸市営バス六甲ケーブル下行で終点下車
▽麓寄りの車両はオープンカー

3　1
4　2

▽1·3は赤色ベースのクラシックタイプ、2·4は緑色ベースのレトロタイプ

こうべ未来都市機構　2両

←摩耶ケーブル　　鋼索　　虹の駅→

1　ゆめあじさい（エンジ）
2　にじあじさい（緑）

▽路線の愛称は「まやビューライン」
▽三ノ宮から神戸市営バス摩耶ケーブル下行で終点下車
▽2013.01.01　神戸市都市整備公社から変更
▽2013.03.30　3代目車両運転開始（2013.03.29新製）
2代目は2013.01.17廃車
▽3代目車両は、補助電源をリチウムイオン電池に変更して、走行時の架線集電を省略。パンタグラフは駅停車時の充電用に使用
▽2022.05.01　社名を神戸住環境整備公社と変更
2023.04.01　ケーブルカー事業　こうべ未来都市機構に譲渡

神戸市交通局 名谷車両基地・御崎車両基地 256両

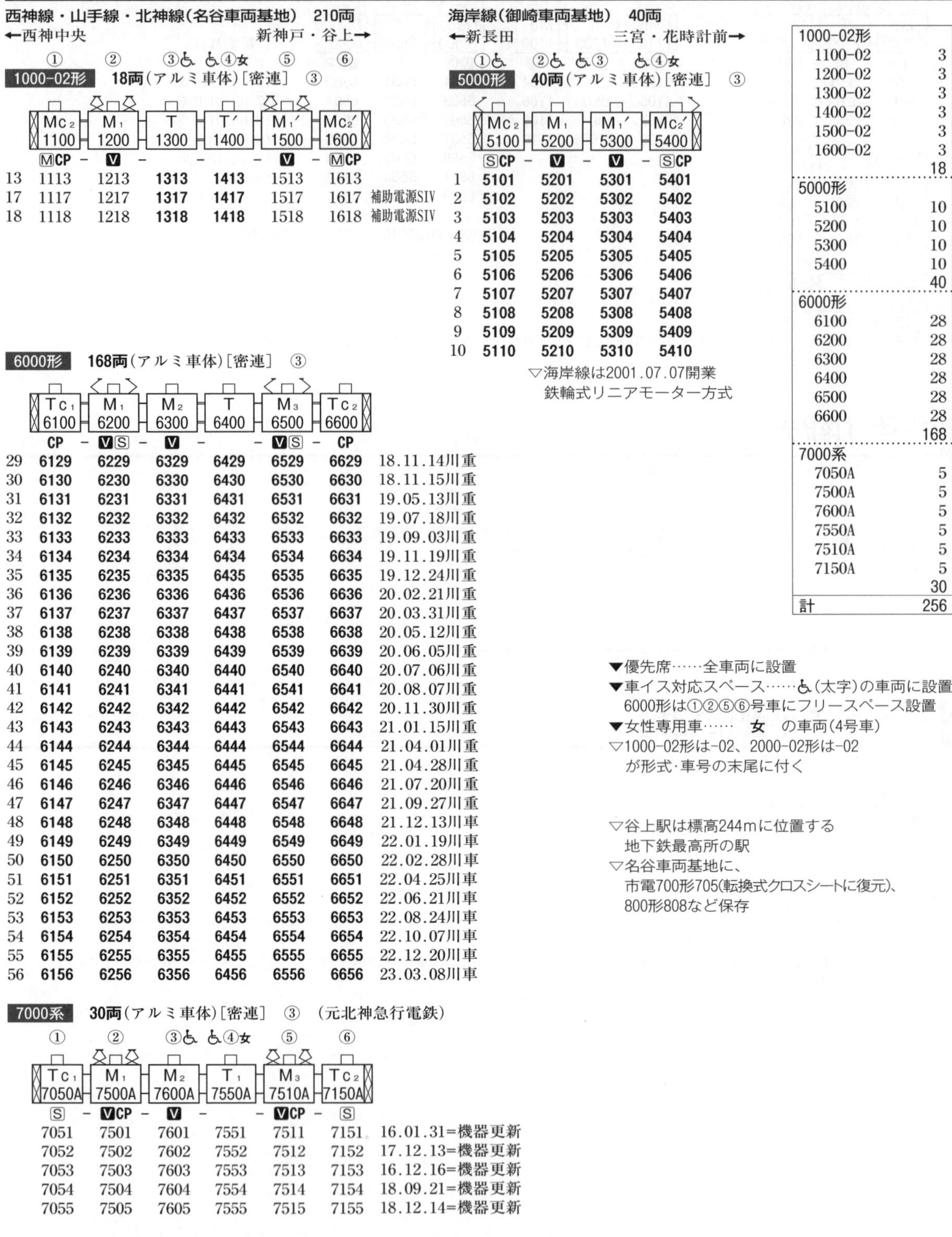

西神線・山手線・北神線（名谷車両基地） 210両

←西神中央 新神戸・谷上→

1000-02形 18両（アルミ車体）［密連］ ③

	①	②	③♿	♿④女	⑤	⑥	
	Mc2 1100	M1 1200	T 1300	T′ 1400	M1′ 1500	Mc2′ 1600	
	ⓂCP	V			V	ⓂCP	
13	1113	1213	1313	1413	1513	1613	
17	1117	1217	1317	1417	1517	1617	補助電源SIV
18	1118	1218	1318	1418	1518	1618	補助電源SIV

6000形 168両（アルミ車体）［密連］ ③

	Tc1 6100	M1 6200	M2 6300	T 6400	M3 6500	Tc2 6600	
	CP	VS	V		VS	CP	
29	6129	6229	6329	6429	6529	6629	18.11.14川重
30	6130	6230	6330	6430	6530	6630	18.11.15川重
31	6131	6231	6331	6431	6531	6631	19.05.13川重
32	6132	6232	6332	6432	6532	6632	19.07.18川重
33	6133	6233	6333	6433	6533	6633	19.09.03川重
34	6134	6234	6334	6434	6534	6634	19.11.19川重
35	6135	6235	6335	6435	6535	6635	19.12.24川重
36	6136	6236	6336	6436	6536	6636	20.02.21川重
37	6137	6237	6337	6437	6537	6637	20.03.31川重
38	6138	6238	6338	6438	6538	6638	20.05.12川重
39	6139	6239	6339	6439	6539	6639	20.06.05川重
40	6140	6240	6340	6440	6540	6640	20.07.06川重
41	6141	6241	6341	6441	6541	6641	20.08.07川重
42	6142	6242	6342	6442	6542	6642	20.11.30川重
43	6143	6243	6343	6443	6543	6643	21.01.15川重
44	6144	6244	6344	6444	6544	6644	21.04.01川重
45	6145	6245	6345	6445	6545	6645	21.04.28川重
46	6146	6246	6346	6446	6546	6646	21.07.20川重
47	6147	6247	6347	6447	6547	6647	21.09.27川重
48	6148	6248	6348	6448	6548	6648	21.12.13川車
49	6149	6249	6349	6449	6549	6649	22.01.19川車
50	6150	6250	6350	6450	6550	6650	22.02.28川車
51	6151	6251	6351	6451	6551	6651	22.04.25川車
52	6152	6252	6352	6452	6552	6652	22.06.21川車
53	6153	6253	6353	6453	6553	6653	22.08.24川車
54	6154	6254	6354	6454	6554	6654	22.10.07川車
55	6155	6255	6355	6455	6555	6655	22.12.20川車
56	6156	6256	6356	6456	6556	6656	23.03.08川車

7000系 30両（アルミ車体）［密連］ ③ （元北神急行電鉄）

①	②	③♿	♿④女	⑤	⑥	
Tc1 7050A	M1 7500A	M2 7600A	T1 7550A	M3 7510A	Tc2 7150A	
S	VCP	V		VCP	S	
7051	7501	7601	7551	7511	7151	16.01.31=機器更新
7052	7502	7602	7552	7512	7152	17.12.13=機器更新
7053	7503	7603	7553	7513	7153	16.12.16=機器更新
7054	7504	7604	7554	7514	7154	18.09.21=機器更新
7055	7505	7605	7555	7515	7155	18.12.14=機器更新

海岸線（御崎車両基地） 40両

←新長田 三宮・花時計前→

5000形 40両（アルミ車体）［密連］ ③

	①♿	②♿ ♿③		♿④女
	Mc2 5100	M1 5200	M1′ 5300	Mc2′ 5400
	SCP	V	V	SCP
1	5101	5201	5301	5401
2	5102	5202	5302	5402
3	5103	5203	5303	5403
4	5104	5204	5304	5404
5	5105	5205	5305	5405
6	5106	5206	5306	5406
7	5107	5207	5307	5407
8	5108	5208	5308	5408
9	5109	5209	5309	5409
10	5110	5210	5310	5410

▽海岸線は2001.07.07開業
鉄輪式リニアモーター方式

形式	両数
1000-02形	
1100-02	3
1200-02	3
1300-02	3
1400-02	3
1500-02	3
1600-02	3
	18
5000形	
5100	10
5200	10
5300	10
5400	10
	40
6000形	
6100	28
6200	28
6300	28
6400	28
6500	28
6600	28
	168
7000系	
7050A	5
7500A	5
7600A	5
7550A	5
7510A	5
7150A	5
	30
計	256

▼優先席……全車両に設置
▼車イス対応スペース……♿（太字）の車両に設置
6000形は①②⑤⑥号車にフリースペース設置
▼女性専用車…… 女 の車両（4号車）
▽1000-02形は-02、2000-02形は-02
が形式・車号の末尾に付く

▽谷上駅は標高244mに位置する
地下鉄最高所の駅
▽名谷車両基地に、
市電700形705（転換式クロスシートに復元）、
800形808など保存

▽客室および乗務員室灯 2014.12.01 ～ 2015.01.16に蛍光灯から電源内蔵直管型ＬＥＤへ全編成変更
▽7050Aは機器更新を実施、各車両の形式を変更。
機器更新により、ＶＶＶＦ制御装置はＧＴＯからフルＳｉＣに、主電動機は開放型から全閉型に、
補助電源装置はＧＴＯからＩＧＢＴに素子変更、140kVAから150kVAに

▽2020.06.01 資産等を神戸市が阪急電鉄グループから譲受、市営化して神戸市営地下鉄北神線として運行開始

神戸新交通 中埠頭車両基地・六甲島検車場 162両

ポートアイランド線(中埠頭車両基地) 114両

←三宮・神戸空港

2000形 102両(ステンレス車体)[密連] ①

Mc1	M1	M2	M3	M4	Mc2
2100	2200	2300	2400	2500	2600
CP	V		V	V	CP
2113	2213	2313	2413	2513	2613
2114	2214	2314	2414	2514	2614
2115	2215	2315	2415	2515	2615

① Mc1	② M1	③ M2	④ M3	⑤ M4	⑥ Mc2	出入口スペース
2100A	2200A	2300A	2400A	2500A	2600A	
2101	2201	2301	2401	2501	2601	18.04.25
2102	2202	2302	2402	2502	2602	18.06.27
2103	2203	2303	2403	2503	2603	18.04.18
2104	2204	2304	2404	2504	2604	19.02.12
2105	2205	2305	2405	2505	2605	19.05.10
2106	2206	2306	2406	2506	2606	19.01.10
2107	2207	2307	2407	2507	2607	19.04.04
2108	2208	2308	2408	2508	2608	18.07.30
2109	2209	2309	2409	2509	2609	18.10.30
2110	2210	2310	2410	2510	2610	18.09.28
2111	2211	2311	2411	2511	2611	18.05.30
2112	2212	2312	2412	2512	2612	18.08.30
2116	2216	2316	2416	2516	2616	19.06.07
2117	2217	2317	2417	2517	2617	18.12.04

2020形 12両(ステンレス車体)[密連] ①

Mc1	M1	M2	M3	M4	Mc2	新製月日
2120	2220	2320	2420	2520	2620	
CP	V		V	V	CP	
2120	2220	2320	2420	2520	2620	16.03.04川重
2121	2221	2321	2421	2521	2621	16.03.04川重

▽2020形は2016.03.19から営業運転を開始

六甲アイランド線(六甲島検車場) 48両

←マリンパーク　住吉→

1000形 12両(アルミ車体)[密連] ①

① Mc1	② M1	③ M2	♿④ Mc2
1100	1200	1500	1600
CP C			CP C
1107	1207	1507	1607
1108	1208	1508	1608
1110	1210	1510	1610

3000形 36両(アルミ車体)[密連] ①

①♿ Mc1	②♿ M1	③♿ M2	④♿ Mc2	
3100	3200	3500	3600	
V	CP	CP	V	
3101	**3201**	**3501**	**3601**	21.06.29川重
3102	**3202**	**3502**	**3602**	19.12.27川重
3103	**3203**	**3503**	**3603**	20.05.18川重
3104	**3204**	**3504**	**3604**	20.11.05川重
3105	**3205**	**3505**	**3605**	21.11.29川車
3106	**3206**	**3506**	**3606**	22.05.17川車
3107	**3207**	**3507**	**3607**	22.09.29川車
3109	**3209**	**3509**	**3609**	19.08.30川重
3112	**3212**	**3512**	**3612**	18.06.29川重

▽2018.08.31から営業運転開始

▼優先席……全車両に設置
▼車イス対応スペース……♿の車両に設置

▽新交通システム(三相交流 600V・側方案内方式)
▽1000形の制御方式はサイリスタ位相制御
▽補助電源装置(トランス)は1000形・3000形＝M2、2000形・2000A形・2020形＝Mc1・Mc2に搭載
▽冷房装置は各形式とも床下集中式
▽ポートアイランド線は南公園経由の循環運転もあり、車両の向きは一定しない
▽2000A形は2000形側出入口スペース拡幅改修による変更

形式	両数
2020形	
2120	2
2220	2
2320	2
2420	2
2520	2
2620	2
	12
2000形	
2100	17
2200	17
2300	17
2400	17
2500	17
2600	17
	102
1000形	
1100	3
1200	3
1500	3
1600	3
	12
3000形	
3100	9
3200	9
3500	9
3600	9
	36
計	162

▽室内灯LED化 2101F＝20.02.05 2102F＝20.02.07 2103F＝16.10.17 2104F＝19.09.25 2105F＝20.02.04 2106F＝17.09.13 2107F＝20.02.04 2108F＝16.07.26 2109F＝17.07.24 2110F＝19.09.27 2111F＝19.09.26 2112F＝20.02.10 2113F＝18.12.20 2114F＝18.12.18 2115F＝18.02.15 2116F＝19.09.24 2117F＝20.02.06

▽前照灯LED化 2101F＝20.02.28 2102F＝20.02.27 2103F＝19.11.25 2104F＝20.02.27 2105F＝20.02.28 2106F＝19.11.22 2107F＝19.11.21 2108F＝20.02.28 2109F＝20.02.17 2110F＝19.08.28 2111F＝19.10.10 2112F＝20.02.25 2113F＝18.12.20 2114F＝18.11.01 2115F＝18.03.21 2116F＝19.07.10 2117F＝19.11.20

阪堺電気軌道 我孫子道車庫 35両

軌道線(阪堺線・上町線) 35両

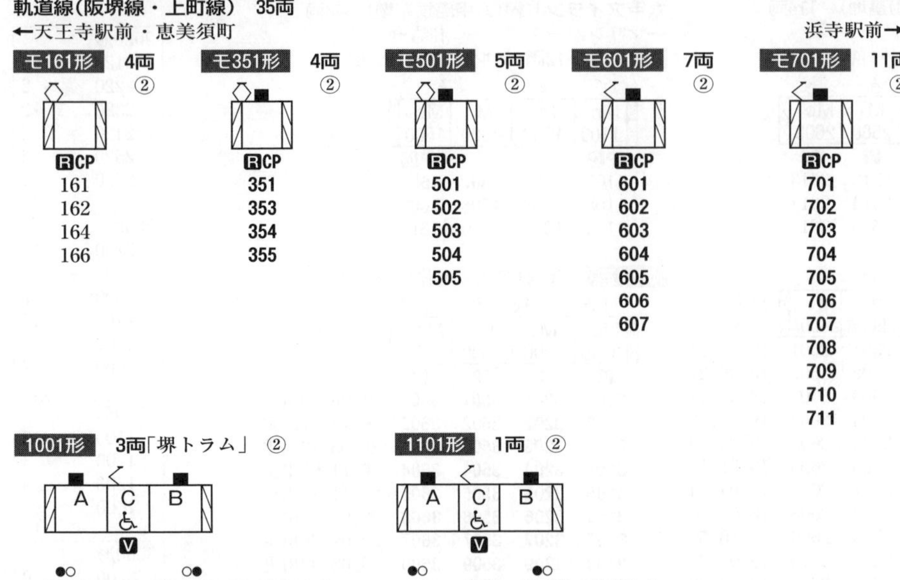

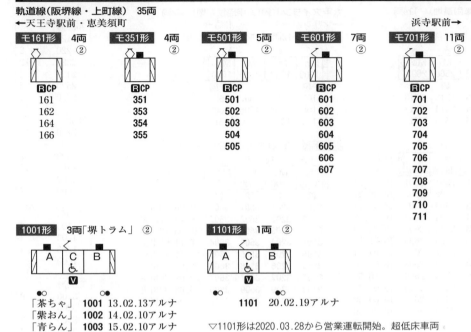

モ161	4
モ351	4
モ501	5
モ601	7
モ701	11
1001	3
1101	1
計	35

▽1101形は2020.03.28から営業運転開始。超低床車両

▽モ161は内装復元(12.05.20)、車体塗装を旧阪堺色に変更(12.06.03)
▽全面広告車、特殊塗装車

162＝筑鉄赤電
164＝旧標準色ブラウン
166＝旧南海色イエローライン
351＝吉川運輸
353＝大阪ガスマーケティング(21.05.19)
354＝ＫＩＥＦＥＬ
355＝岡崎屋質店
501＝桃山学院大学
502＝野村證券
503＝岡崎屋質店
504＝三井住友トラスト不動産(21.10.21)
505＝オリエント住宅販売(22.12.27～)
601＝新大阪建設
602＝黄金糖
603＝帝塚山芋忠
604･605･606＝岡崎屋質店
607＝恵幸商事
701＝アドベンチャーワールド
702＝和光住宅販売
703＝岡崎屋質店
704＝オリエント住宅販売(21.06.24)
705＝モリタサービス
706＝帝塚山学院
707＝アポロビル
708＝岡崎屋質店
709＝新洋海運
710＝SPハウジング
711＝岡崎屋質店
1101＝講談社(全面ラッピング)(22.02.16)

▽パンタグラフは、シングルアーム式とＺ形は定期検査時等に変更となる場合がある(循環式にて使用のため)
▽1001は2013.08.25から営業運転開始。超低床車両
▽車庫内にてモ256を保存
▽住吉～住吉公園間は、2016.01.30限りにて廃止
▼車イス対応スペース…太字の車両に設置

和歌山電鐵 車庫(伊太祁曽駅構内) 12両

貴志川線

←和歌山　貴志→

2270系 12両[自連] ③

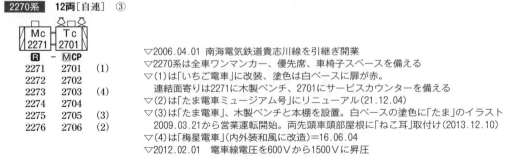

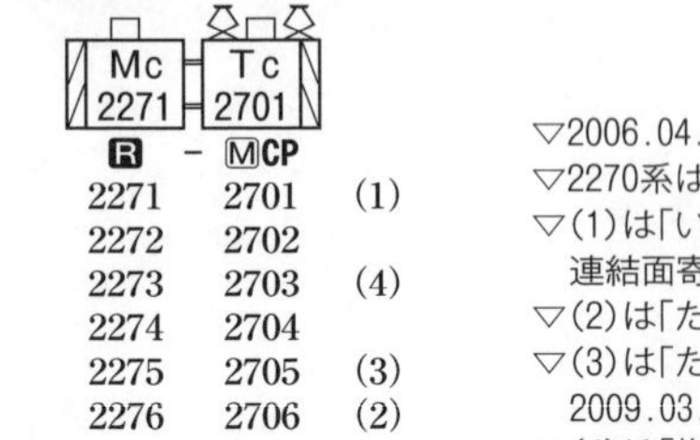

Mc Tc
2271 2701
R - MCP
2271 2701 (1)
2272 2702
2273 2703 (4)
2274 2704
2275 2705 (3)
2276 2706 (2)

▽2006.04.01 南海電気鉄道貴志川線を引継ぎ開業
▽2270系は全車ワンマンカー、優先席、車椅子スペースを備える
▽(1)は「いちご電車」に改装、塗色は白ベースに扉が赤。
連結面寄りは2271に木製ベンチ、2701にサービスカウンターを備える
▽(2)は「たま電車ミュージアム号」にリニューアル(21.12.04)
▽(3)は「たま電車」、木製ベンチと本棚を設置。白ベースの塗色に「たま」のイラスト
2009.03.21から営業運転開始。両先頭車頭部屋根に「ねこ耳」取付け(2013.12.10)
▽(4)は「梅星電車」(内外装和風に改造)＝16.06.04
▽2012.02.01 電車線電圧を600Ｖから1500Ｖに昇圧

水間鉄道 水間車庫

10両

←貝塚　　水間観音→

1000形 8両(ステンレス車体)[小型密着] ③

Mc 1000 – Mc 1000 帯色

F – ⓈCP

1001 ***1002** 赤
1003 **1004** 青

Mc 1000 – Mc 1000 帯色

F – ⓂCP

1005 *1006 緑
1007 *1008 オレンジ

7000系 2両(ステンレス車体)[小型密着] ③

Mc 7000 – Mc 7100

F – ⓂCP

7003 7103

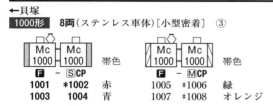

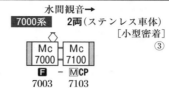

デハ7000	1
デハ7100	1
	2
デハ1000	8
	8
計	10

▽1000形・7000系の旧形式＝東京急行電鉄7000系
▽1000形は7000系のリニューアルとＡＴＳ取付により形式を変更
▽1000形は全車に車椅子スペースあり、1002·1006·1008はⓂⓅ
▽7003-7103は営業運転には使用しない
▽全列車ワンマン運転

紀州鉄道 紀伊御坊車両区

3両

←御坊　　西御坊→

キテツ1形 1両[小型密着] ②

キテツ 1

2

ＫＲ形 2両[小型密着] ②

KR301 16.01.13=信楽高原鐵道SKR301、2019.12.27=車体塗色変更
KR205 17.04.15=信楽高原鐵道SKR205、2021.03.27=車体塗色変更

キテツ1	1
ＫＲ	2
計	3

▽キテツ1形は北条鉄道フラワ1985形を譲受
　2は、2010.11.28に床下を灰色塗装に変更。2015.12.29休車

▼車イス対応スペース……太字の車両に設置

北条鉄道 北条町車庫

4両

←粟生　　北条町→

フラワ2000形 3両[小型密着] ②

2000-1
2000-2
2000-3

キハ40形 1両[小型密着]

ｷﾊ40 535 22.02.18(元JR東日本)

フラワ2000	3
キハ40	1
計	4

▽1985.04.01 国鉄北条線を引継ぎ開業
▽フラワ2000形は全長18.5mのボギー車
▽2000-3の旧形式＝旧三木鉄道ミキ300-104
　2012.04.17＝三木鉄道色からフラワ2000形シリーズに車体塗色変更

▼車イス対応スペース…太字の車両に設置

京都丹後鉄道 西舞鶴運転所・福知山運転所 35両

宮舞線・宮豊線(西舞鶴運転所) 29両[小型密着]

←豊岡　　西舞鶴→

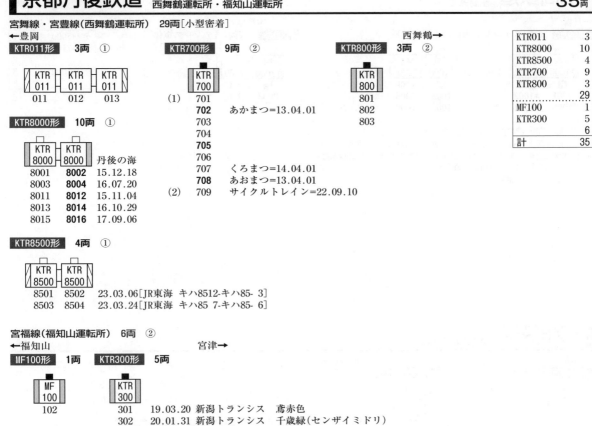

形式	両数
KTR011	3
KTR8000	10
KTR8500	4
KTR700	9
KTR800	3
	29
MF100	1
KTR300	5
	6
計	35

KTR011形 3両 ①

KTR011 - KTR011 - KTR011

011　012　013

KTR8000形 10両 ①

KTR8000 - KTR8000　丹後の海

		丹後の海
8001	**8002**	15.12.18
8003	**8004**	16.07.20
8011	**8012**	15.11.04
8013	**8014**	16.10.29
8015	**8016**	17.09.06

KTR8500形 4両 ①

KTR8500 - KTR8500

8501	8502	23.03.06[JR東海 キハ8512-キハ85- 3]
8503	8504	23.03.24[JR東海 キハ85 7-キハ85- 6]

KTR700形 9両 ②

KTR700

(1)	701	
	702	あかまつ=13.04.01
	703	
	704	
	705	
	706	
	707	くろまつ=14.04.01
	708	あおまつ=13.04.01
(2)	709	サイクルトレイン=22.09.10

KTR800形 3両 ②

KTR800

801
802
803

宮福線(福知山運転所) 6両 ②

←福知山　　宮津→

MF100形 1両

MF100

102

KTR300形 5両

KTR300

301	19.03.20	新潟トランシス	鳶赤色
302	20.01.31	新潟トランシス	千歳緑(センザイミドリ)
303	21.02.02	新潟トランシス	鳶赤色
304	21.02.02	新潟トランシス	千歳緑
305	22.03.04	新潟トランシス	鳶赤色

▽KTR011形の冷房装置は床下に2基ずつ装備
　特急「タンゴリレー」に使用(2011.03.12改正にて、ＪＲ新大阪駅までの乗入れ終了)
　2013.03改正から定期運用から外れ、現在はKTR8000形の予備運用
▽KTR8000形は特急「タンゴリレー」(2011.03.12改正にて登場)・「はしだて」(「タンゴ·ディスカバリー」から改称)に使用。
　奇数車号にパブリックスペース、偶数車号にトイレ・洗面所を備える
▽KTR700形はトイレ付き、KTR800形はトイレなし
▽レール塗油器装備
▽(1)=「丹後ゆめ列車」、(2)=「丹後ゆめ列車2号」
▽709はロングシートの多目的車、イベント時には畳敷とする。22.09.10　サイクルトレインラッピング
▽太字は車イス対応スペース付き
▽「あかまつ」「あおまつ」は観光用車両。2013.04.14から営業運転開始
▽「くろまつ」は観光用車両。2014.05.25から営業運転開始
▽KTR8000形は、内外装をリニューアルして「丹後の海」編成に変更
▽海の京都ラッピング　MF102＝22.09.06　KTR801＝22.11.01

▽2015.04.01　北近畿タンゴ鉄道は第３種鉄道事業者に変更。
　第２種鉄道事業者はＷｉＬＬＥＲ ＴＲＡＩＮＳ、鉄道通称名は京都丹後鉄道に変更
　合わせて、路線名を西舞鶴～宮津間は宮舞線、宮津～豊岡間は宮豊線と改称。宮福線(福知山～宮津間)は変更なし

丹後海陸交通 2両

←府中　鋼索　傘松→

1
2

▽天橋立機橋(京都丹後鉄道宮豊線天橋立駅)から一ノ宮機橋行き天橋立観光船に乗船。
　所要約12分、終点下車。徒歩約5分

智頭急行　大原基地(大原駅構内)　44両

←鳥取(ＪＲ西日本)・智頭　　上郡・京都(ＪＲ西日本)→

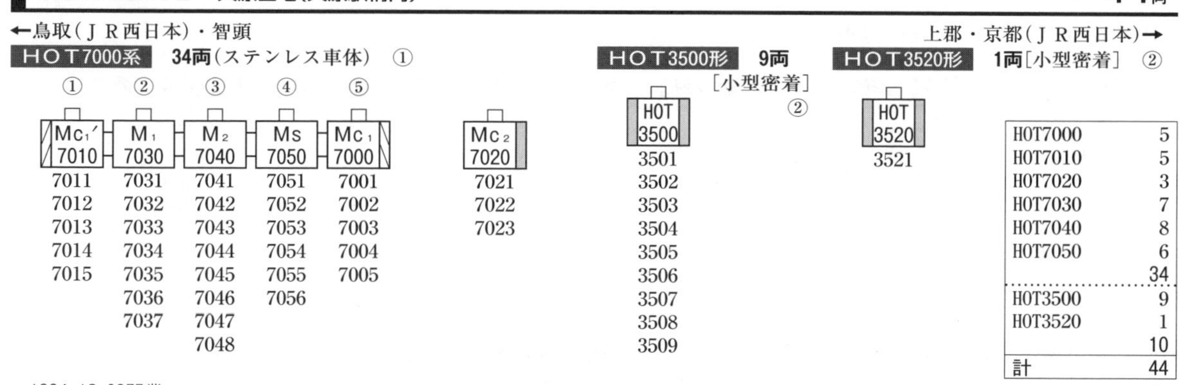

HOT7000	5
HOT7010	5
HOT7020	3
HOT7030	7
HOT7040	8
HOT7050	6
	34
HOT3500	9
HOT3520	1
	10
計	44

▽1994.12.03開業
▽ＨＯＴ7000系は特急「スーパーはくと」(京都～鳥取・倉吉間)に使用、
　ＪＲ西日本後藤総合車両所鳥取支所を基地とする
　2014.12からリニューアル工事を開始。客室にパソコン対応コンセント、トイレの温水洗浄式便座化、荷物置場設置などの実施
　7020形のセミコンパートメントは６席から２席に変更
▽車号は基本編成を示す。連結器は非貫通形は収納。貫通形は電気連結器付密着
▽全車両テレビモニター付き
▽Mc₁、Mc₂に飲料水自販機、M₂に車イス対応設備を備える
▽Mc₂とM₂は方転可能、Mc₂の運転室後の2席はセミコンパートメントタイプ
▽Msは半室グリーン車

▽ＨＯＴ3500形、ＨＯＴ3520形は、智頭～鳥取間でＪＲ因美線に乗入れ
▽ＨＯＴ3520形はＴＶモニターとレーザーカラオケ付きのイベント対応車、通常はＨＯＴ3500形と共通運用
▽ＨＯＴ3500形　車体塗色を側窓周り黒から青に変更　3509=2012.03.26
▽HOT3521　客室内改造=17.03.24、外装ラッピング「あまつぼし」=18.03.18

水島臨海鉄道　機関区(倉敷貨物ターミナル)　13両

←倉敷市　　三菱自工前→

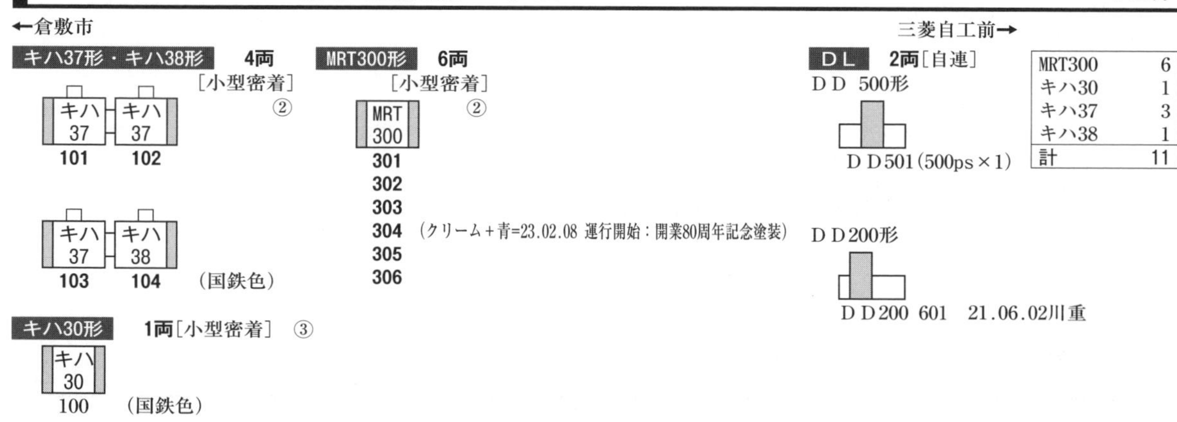

MRT300	6
キハ30	1
キハ37	3
キハ38	1
計	11

▽貨物専用線は、水島～東水島間 3.06km
　倉敷にて山陽本線と接続。
　旅客営業の倉敷市駅は、ＪＲ倉敷駅に隣接

▽MRT300形・キハ37形・キハ38形は冷房車(直結式)
▽冷房車は車号太字、非冷房車は車号細字
▽MRT300形はワンマン運転対応車。電気指令式のため、他形式と連結できない
▽キハ30形・キハ37形・キハ38形は2014.05.12から営業運転開始
▽キハ38形　客用扉は③

岡山電気軌道 東山車庫 25両

東山本線・清輝橋線(東山車庫)　25両

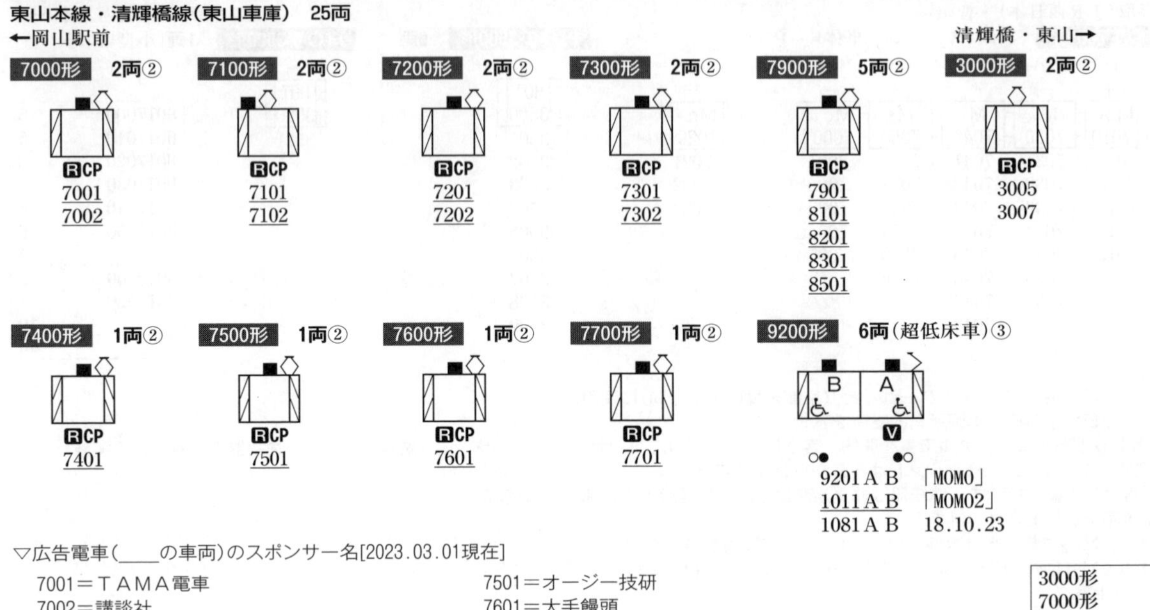

▽広告電車(____の車両)のスポンサー名[2023.03.01現在]

7001＝ＴＡＭＡ電車
7002＝講談社
7101＝ＳＵＥＮＡＧＡ ＧＲＯＵＰ
7102＝ＫＧ情報
7201＝ＫＧ情報
7202＝ＯＨＫ岡山放送
7301＝メタコート工業
7302＝岡山県民共済共同組合
7401＝エブリイ
7501＝オージー技研
7601＝大手饅頭
7701＝岡山トヨペット
7901＝リクルート
8101＝アルファプラス
8201＝空路利用を促進する会
8301＝内山工業
8501＝廣栄堂本店
9201AB＝桃太郎電鉄(23.03.31まで)
1101AB＝おかやま観光コンベンション協会

形式	両数
3000形	2
7000形	2
7100形	2
7200形	2
7300形	2
7400形	1
7500形	1
7600形	1
7700形	1
7900形	5
9200形	6
計	25

▽3007は岡山城をイメージしたデザインで黒塗色、愛称は「ＫＵＲＯ」。
2014.04.10、竹久夢二作品ラッピングが加わり、「夢＝生誕130年記念号」に
▽3005は日光軌道線色
▽7001は、和歌山電鐵の「ＴＡＭＡ電車」と同じデザインに塗装変更(2012.06.25)。その後、「たま電車・わかやま応援館」に変更(2013.03.16)
車内に和歌山紹介のポスター、パンフレットを設置、吊り輪とパンフレット入れを和歌山県産の木製品としたほか、
屋根に、たまの「耳」を設置
▽7101は、2021.02.17　空調装置CU77CH形(三菱電機製)、空調装置電源DA610Y30(三菱電機製)に変更、床材をシータイルに変更
▽全車両を対象に、2020.07からコロナ対策として空気触媒(セルフィール)施工実施
▽7000形～7900形の17両は、2010年度(2011.03.30)に補助ステップを設置。
車内段差37cmを、18cm＋19cmの2段として、乗降しやすく改良した
▽1081ABはチャギントン電車。2019.03.16から運行開始

井原鉄道 井原コントロールセンター(早雲の里荏原駅構内) 12両

←総社・清音　　神辺→

ＩＲＴ355形　**12両**(ステンレス車体)[小型密着]　②

形式	両数
ＩＲＴ355	12
計	12

355-01
355-02
355-03
355-04
355-05
355-06
355-08
355-09
355-10

355-101
355-102
355-201

▽1999.01.11開業
▽総社～清音間3.4kmはＪＲ伯備線との共用区間
(第１種鉄道事業者は西日本旅客鉄道、第２種鉄道事業者は井原鉄道)
▽車号01～10は一般用(セミクロスシート)
▽車号101・102はイベント対応のオール転換クロスシート
▽車号201は特別企画車で木製の腰掛、ブラインドなどを備えたレトロ調車両、愛称は「夢　やすらぎ」
▽ＩＲＴ335形はいずれもトイレ・車イス対応スペース(太字)を備える
▽IRT355-04　2022.02.22　ボックスシートからロングシート化。スタートレイン(青系)
▽IRT355-09　2021.03.12　ボックスシートからロングシート化。アートトレイン(金色)

スカイレールサービス 7両

←みどり中央　みどり口→

200形　**7両**　①

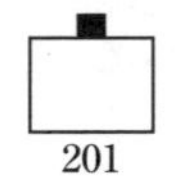

201
202
203
204
205
206
207　19.01.19

▽1998.08.28開業　2024.04末をもって営業運転終了予定(電気バスに代替)
▽スカイレールは懸垂式鉄道の一種で、駅間はロープ駆動、
駅の発進・停止はリニアモーターで駆動する。
いずれもコンピューターによる自動運転で、設計上の最小運転間隔は75秒。
▽みどり口駅はＪＲ山陽本線の瀬野駅と連絡

広島高速交通 長楽寺車両基地 150両

←本通、広域公園前

7000系　**54両**[密連]　①

	Tc1 7100	M2 7200	T3 7300	M4 7400	M5 7500	Tc6 7600	
	Ⓢ CP	Ⓥ		Ⓥ	Ⓥ	Ⓢ CP	
31	**7131**	7231	7331	7431	7531	**7631**	20.03.26三菱重
32	**7132**	7232	7332	7432	7532	**7632**	20.04.22三菱重
33	**7133**	7233	7333	7433	7533	**7633**	21.03.05三菱重
34	**7134**	7234	7334	7434	7534	**7634**	21.04.27三菱重
35	**7135**	7235	7335	7435	7535	**7635**	21.07.13三菱重
36	**7136**	7236	7336	7436	7536	**7636**	21.08.31三菱重
37	**7137**	7237	7337	7437	7537	**7637**	21.11.10三菱重
38	**7138**	7238	7338	7438	7538	**7638**	21.12.23三菱重
39	**7139**	7239	7339	7439	7539	**7639**	22.03.23三菱重
40	**7140**	7240	7340	7440	7540	**7640**	22.05.20三菱重
41	**7141**	7241	7341	7441	7541	**7641**	22.07.14三菱重
42	**7142**	7242	7342	7442	7542	**7642**	22.08.26三菱重
43	**7145**	7245	7345	7445	7545	**7645**	23.03.24三菱重

▽2020.03.26から営業運転開始
▽各車両にフリースペースを設置

6000系　**102両**[密連]　①

	Mc 6100	M 6200	M 6300	M 6400	M 6500	Mc 6600
	CP	Ⓒ	Ⓢ	Ⓢ	Ⓒ	CP
01	**6101**	6201	6301	6401	6501	**6601**
02	**6102**	6202	6302	6402	6502	**6602**
03	**6103**	6203	6303	6403	6503	**6603**
04	**6104**	6204	6304	6404	6504	**6604**
05	**6105**	6205	6305	6405	6505	**6605**
06	**6106**	6206	6306	6406	6506	**6606**
07	**6107**	6207	6307	6407	6507	**6607**
11	**6111**	6211	6311	6411	6511	**6611**
18	**6118**	6218	6318	6418	6518	**6618**
20	**6120**	6220	6320	6420	6520	**6620**
21	**6121**	6221	6321	6421	6521	**6621**
22	**6122**	6222	6322	6422	6522	**6622**

▽1994.08.20開業
▽愛称は「アストラムライン」
▽直流750Ｖ、側方案内方式
▽冷房装置は床下に設置
▽車両基地内に三角線があるため、
車両の向きは一定しない

▼優先席……全車両に設置
▼車イス対応スペース
……各先頭車に設置(太字)

6000系	
6100	12
6200	12
6300	12
6400	12
6500	12
6600	12
	72
7000系	
7100	13
7200	13
7300	13
7400	13
7500	13
7600	13
	78
計	150

錦川鉄道 車両基地(錦町駅構内) 5両

←岩国(ＪＲ西日本)・川西　錦町→

ＮＴ-3000形　**4両**
[小型密着]
②

3001　(せせらぎ)
3002　(ひだまり)
3003　(こもれび)
3004　(きらめき)

キハ40形　**1両**
[小型密着]
②

1009

▽1987.07.25 ＪＲ西日本岩日線を引継ぎ開業
全列車、ＪＲ岩徳線川西～岩国間に乗入れ
▽全車両フランジ塗油器取付け

ＮＴ-3000	4
キハ40	1
計	5

▽キハ40　冷房装置は床下エンジン設置
車体塗装はＪＲ東日本烏山線時代のまま
17.07.31　ワンマン・保安装置改造＋大型テーブル設置

▽NT-3000形は転換式クロスシート、車イス対応スペース(太字)、車イス対応トイレを備える
車体のベースカラーは3001＝ブルー、3002＝ピンク、3003＝黄緑、3004＝黄

広島電鉄　千田車庫・荒手車庫・江波車庫　291両

単車　72両(71＋1)

形式	両数
100形	1
150形	1
200形	1
350形	1
570形	1
600形	1
650形	3
700形	11
750形	2
800形	14
900形	1
1150形	1
1900形	15
連接車	
1000形	18
計	71

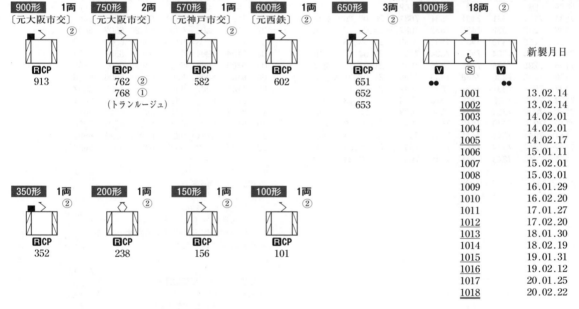

800形　14両　②

CCP

801
802
803
804
805　*VVVF
806　*VVVF
807　*VVVF
808　*VVVF
809　*VVVF
810
811
812
813
814

700形　11両　②

RCP

701
702
703
704
705
706
707
711
712
713
714

1900形　15両

〔元京都市交〕②

RCP

1901
1913

RCP

1902
1903
1904

RCP

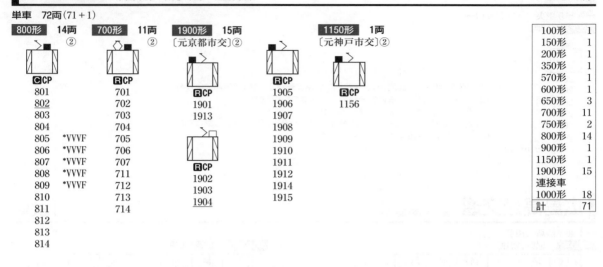

1905
1906
1907
1908
1909
1910
1911
1912
1914
1915

1150形　1両

〔元神戸市交〕②

RCP

1156

900形　1両

〔元大阪市交〕　②

RCP

913

750形　2両

〔元大阪市交〕

RCP

762　②
768　①
(トランルージュ)

570形　1両

〔元神戸市交〕　②

RCP

582

600形　1両

〔元西鉄〕　②

RCP

602

650形　3両　②

RCP

651
652
653

1000形　18両　②

V　S　V

	新製月日
1001	13.02.14
1002	13.02.14
1003	14.02.01
1004	14.02.01
1005	14.02.17
1006	15.01.11
1007	15.02.01
1008	15.03.01
1009	16.01.29
1010	16.02.20
1011	17.01.27
1012	17.02.20
1013	18.01.30
1014	18.02.19
1015	19.01.31
1016	19.02.12
1017	20.01.25
1018	20.02.22

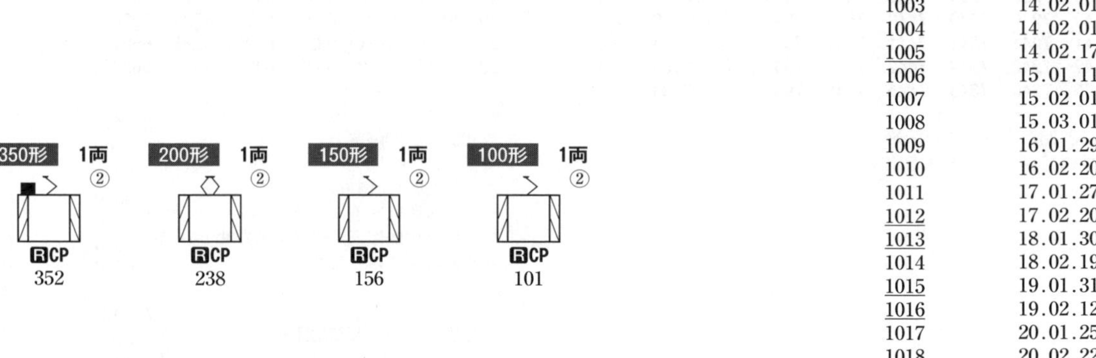

350形　1両　②

RCP

352

200形　1両　②

RCP

238

150形　1両　②

RCP

156

100形　1両　②

RCP

101

電動貨車　1両

貨50形

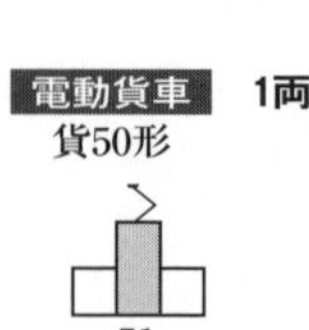

51

▽1900形は、京都市交通局からの譲受車両ということから、
それぞれ京都にちなんだ愛称がつけられている。
1901－東山　1902－桃山　1903－舞妓　1904－かも川
1905－比叡　1906－西陣　1907－銀閣　1908－嵐山
1909－清水　1910－金閣　1911－祇園　1912－大文字
1913－嵯峨野　1914－平安　1915－鞍馬
▽形式には前所有の事業者名を記した
▽1156はハノーバー号
▽貨50形は花電車に使用
▽100形はオープンデッキの単車
▽150形は1925(大正14)年製の単車
▽200形はドイツのハノーバー市から購入した2軸車、
▽廃車となった654はヌマジ交通ミュージアムに展示
▽＿＿は部分ラッピング、＿＿はフルラッピング
▽1000形は、2013.02.15から営業運転開始。製造所は近畿車輛・三菱重工業・東洋電機製造
1001は、車体半分に広電バスの塗装
▽768 はイベント電車「トランルージュ」に改造=16.06.30
▽800形　電機子チョッパ制御からＶＶＶＦインバータ制御に変更
805=18.03.19　806=19.10.07　807=21.02.16　808=21.03.08　809=23.03.13

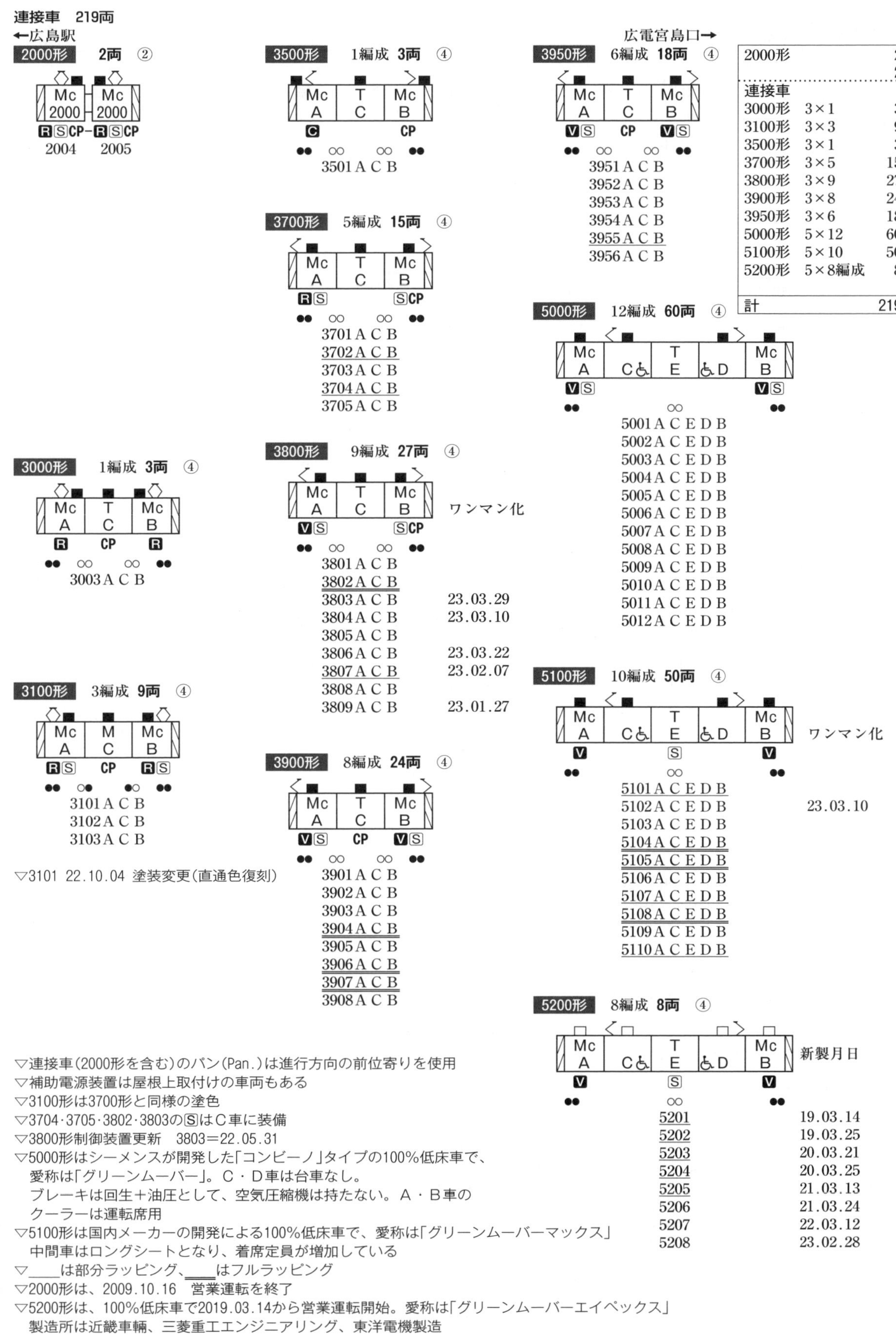

連接車　219両

←広島駅　　　　　　　　　　　　　　　　広電宮島口→

2000形　2両 ②

Mc 2000 ‐ Mc 2000

RSCP‐RSCP

2004　2005

3000形　1編成 3両 ④

Mc A / T C / Mc B

R　CP　R

3003 A C B

3100形　3編成 9両 ④

Mc A / M C / Mc B

RS　CP　RS

3101 A C B
3102 A C B
3103 A C B

▽3101 22.10.04 塗装変更(直通色復刻)

3500形　1編成 3両 ④

Mc A / T C / Mc B

C　CP

3501 A C B

3700形　5編成 15両 ④

Mc A / T C / Mc B

RS　SCP

3701 A C B
3702 A C B
3703 A C B
3704 A C B
3705 A C B

3800形　9編成 27両 ④

Mc A / T C / Mc B　ワンマン化

VS　SCP

3801 A C B	
3802 A C B	
3803 A C B	23.03.29
3804 A C B	23.03.10
3805 A C B	
3806 A C B	23.03.22
3807 A C B	23.02.07
3808 A C B	
3809 A C B	23.01.27

3900形　8編成 24両 ④

Mc A / T C / Mc B

VS　CP　VS

3901 A C B
3902 A C B
3903 A C B
3904 A C B
3905 A C B
3906 A C B
3907 A C B
3908 A C B

3950形　6編成 18両 ④

Mc A / T C / Mc B

VS　CP　VS

3951 A C B
3952 A C B
3953 A C B
3954 A C B
3955 A C B
3956 A C B

形式	編成	両数
2000形		2
		2
連接車		
3000形	3×1	3
3100形	3×3	9
3500形	3×1	3
3700形	3×5	15
3800形	3×9	27
3900形	3×8	24
3950形	3×6	18
5000形	5×12	60
5100形	5×10	50
5200形	5×8編成	8
計		219

5000形　12編成 60両 ④

Mc A / C♿ / T E / ♿D / Mc B

VS　VS

5001 A C E D B
5002 A C E D B
5003 A C E D B
5004 A C E D B
5005 A C E D B
5006 A C E D B
5007 A C E D B
5008 A C E D B
5009 A C E D B
5010 A C E D B
5011 A C E D B
5012 A C E D B

5100形　10編成 50両 ④

Mc A / C♿ / T E / ♿D / Mc B　ワンマン化

V　S　V

5101 A C E D B	
5102 A C E D B	23.03.10
5103 A C E D B	
5104 A C E D B	
5105 A C E D B	
5106 A C E D B	
5107 A C E D B	
5108 A C E D B	
5109 A C E D B	
5110 A C E D B	

5200形　8編成 8両 ④

Mc A / C♿ / T E / ♿D / Mc B

V　S　V

編成	新製月日
5201	19.03.14
5202	19.03.25
5203	20.03.21
5204	20.03.25
5205	21.03.13
5206	21.03.24
5207	22.03.12
5208	23.02.28

▽連接車(2000形を含む)のパン(Pan.)は進行方向の前位寄りを使用
▽補助電源装置は屋根上取付けの車両もある
▽3100形は3700形と同様の塗色
▽3704･3705･3802･3803のⓈはC車に装備
▽3800形制御装置更新　3803＝22.05.31
▽5000形はシーメンスが開発した「コンビーノ」タイプの100%低床車で、
愛称は「グリーンムーバー」。C・D車は台車なし。
ブレーキは回生＋油圧として、空気圧縮機は持たない。A・B車の
クーラーは運転席用
▽5100形は国内メーカーの開発による100%低床車で、愛称は「グリーンムーバーマックス」
中間車はロングシートとなり、着席定員が増加している
▽＿＿は部分ラッピング、＿＿はフルラッピング
▽2000形は、2009.10.16　営業運転を終了
▽5200形は、100%低床車で2019.03.14から営業運転開始。愛称は「グリーンムーバーエイペックス」
製造所は近畿車輛、三菱重工エンジニアリング、東洋電機製造

若桜鉄道 運輸区(若桜駅構内) 8両

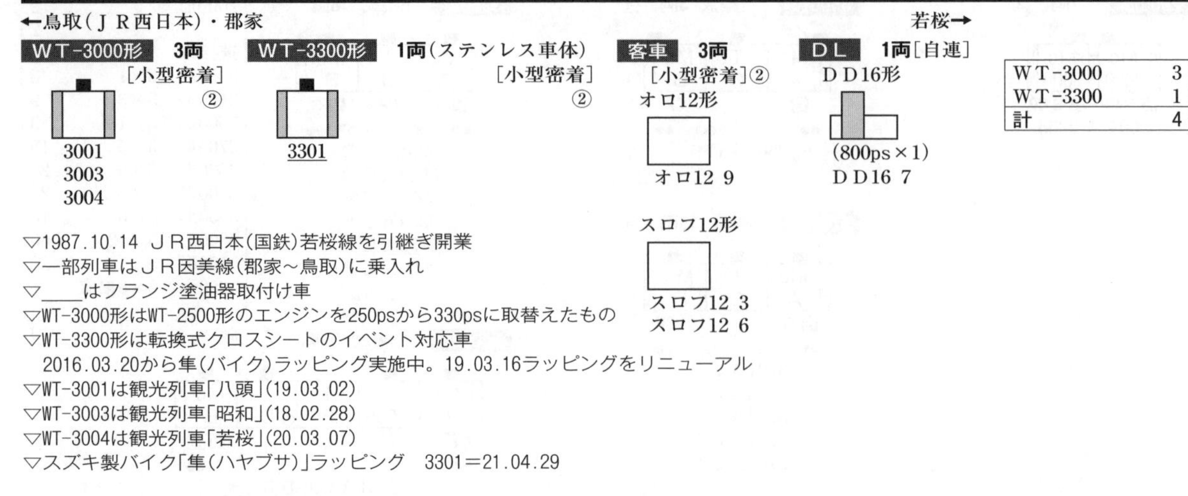

ＷＴ-3000	3
ＷＴ-3300	1
計	4

▽1987.10.14 ＪＲ西日本(国鉄)若桜線を引継ぎ開業
▽一部列車はＪＲ因美線(郡家～鳥取)に乗入れ
▽____はフランジ塗油器取付け車
▽WT-3000形はWT-2500形のエンジンを250psから330psに取替えたもの
▽WT-3300形は転換式クロスシートのイベント対応車
2016.03.20から隼(バイク)ラッピング実施中。19.03.16ラッピングをリニューアル
▽WT-3001は観光列車「八頭」(19.03.02)
▽WT-3003は観光列車「昭和」(18.02.28)
▽WT-3004は観光列車「若桜」(20.03.07)
▽スズキ製バイク「隼(ハヤブサ)」ラッピング 3301＝21.04.29

▽客車 3両は、ＪＲ四国より譲受(2011.07.03)
▽ＤＤ16 7は、若桜駅構内

▽若桜駅構内にＣ12167、ト6貨車(長野電鉄から)を保存
隼駅構内にＥＤ301(北陸鉄道から)、オロ12 6(ＪＲ四国から)を保存

一畑電車 平田車庫 22両

←一畑口　出雲大社前・電鉄出雲市、松江しんじ湖温泉→

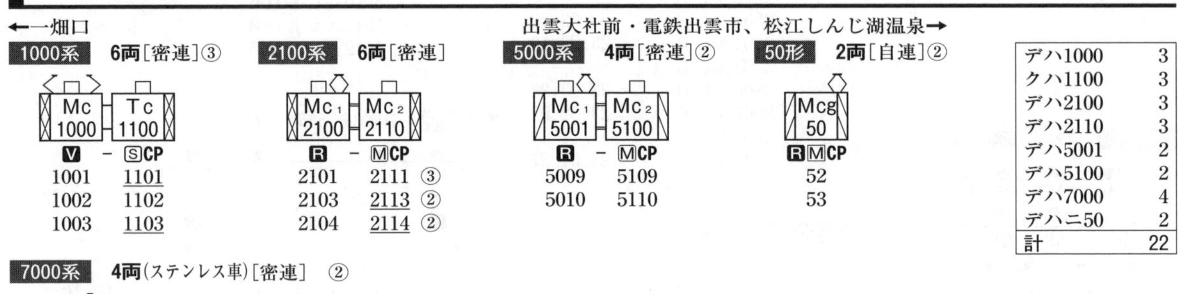

1001 1101
1002 1102
1003 1103

2101 2111 ③
2103 2113 ②
2104 2114 ②

5009 5109
5010 5110

52
53

デハ1000	3
クハ1100	3
デハ2100	3
デハ2110	3
デハ5001	2
デハ5100	2
デハ7000	4
デハニ50	2
計	22

7000系 4両(ステンレス車)[密連] ②

cMc 7000
V S CP

7001 ←16.08.23後藤工業＝出雲大社(ラッピング)
7002 ←17.02.06後藤工業＝宍道湖(ラッピング)
7003 ←17.10.06後藤工業＝棚田(ラッピング)
7004 ←18.02.14後藤工業＝三瓶山(ラッピング)

▽デハニ52･53は2009年3月にさよなら運転を実施。その後も車籍は残り、当面は動態保存となる(営業運転は終了)
▽____はフランジ塗油器取付け車
▽デハニ50形以外はワンマン車
▽5000系･2100系の旧形式は京王電鉄5000系･5100系
▽5000系はセミクロスシート
▽2100系の車号末尾1は3扉。ただし、中扉は締切り扱い
▽5009-5109 2021.03.15 車体塗色変更(オレンジ色に白帯[旧＝青・黒・白])
▽2101-2111＝京王色(2012.07.28)
( )の年月日は塗装変更した車両の営業運転初日。2101-2111は18.12.06＝オレンジ色に白帯に変更
▽2103-2113＝「IZUMO BATADEN楯縫号」[白基調で一部オレンジ色。イベント車両](2013.10.20セレモニー開催)
▽2104-2114＝「ご縁電車しまねっこ号」(2013.09.21運行開始)→20.03.25 車体塗装をオレンジに白帯に
▽1000系は2015.02.08から営業運転開始。元東京急行電鉄1000系、オレンジに白帯のラッピング
1003＋1103は、2015.12.10から営業運転を開始。「しまねっこⅡ」
▽7000系は2016.12.11から営業運転開始

▽途中、一畑口にて進行方向が変わる

▽2006.04.03 鉄道部門の分社化により一畑電車㈱設立(一畑電気鉄道㈱は持株会社に移行)

高松琴平電気鉄道 仏生山検車区・今橋検車区 84両

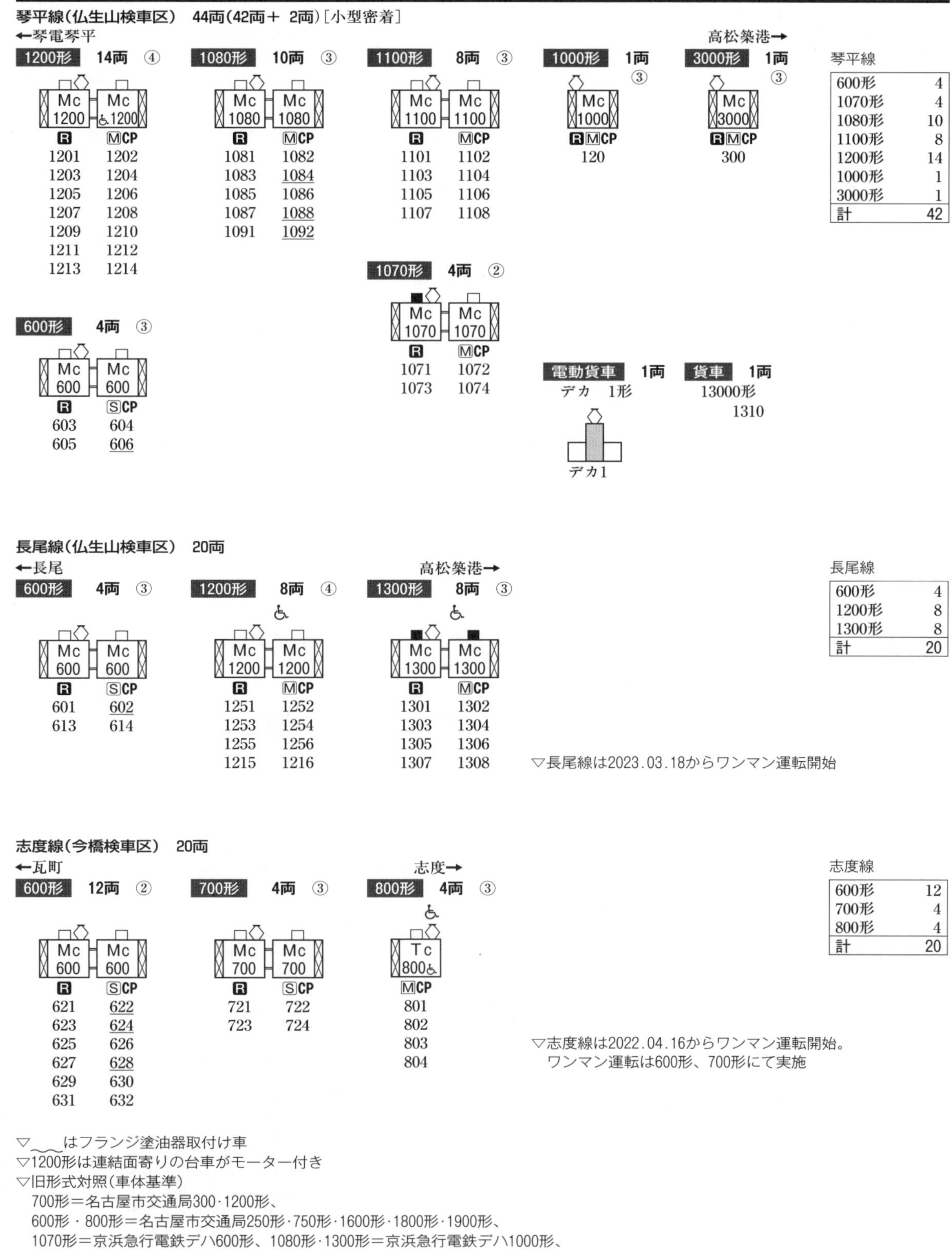

琴平線(仏生山検車区) 44両(42両＋ 2両)[小型密着]

←琴電琴平　　高松築港→

1200形 14両 ④

Mc 1200 (R)	Mc 1200 (MCP)
1201	1202
1203	1204
1205	1206
1207	1208
1209	1210
1211	1212
1213	1214

1080形 10両 ③

Mc 1080 (R)	Mc 1080 (MCP)
1081	1082
1083	1084
1085	1086
1087	1088
1091	1092

1100形 8両 ③

Mc 1100 (R)	Mc 1100 (MCP)
1101	1102
1103	1104
1105	1106
1107	1108

1000形 1両 ③

Mc 1000 (RMCP): 120

3000形 1両 ③

Mc 3000 (RMCP): 300

1070形 4両 ②

Mc 1070 (R)	Mc 1070 (MCP)
1071	1072
1073	1074

600形 4両 ③

Mc 600 (R)	Mc 600 (SCP)
603	604
605	606

電動貨車 1両

デカ 1形

デカ1

貨車 1両

13000形

1310

琴平線

形式	両数
600形	4
1070形	4
1080形	10
1100形	8
1200形	14
1000形	1
3000形	1
計	42

長尾線(仏生山検車区) 20両

←長尾　　高松築港→

600形 4両 ③

Mc 600 (R)	Mc 600 (SCP)
601	602
613	614

1200形 8両 ④

Mc 1200 (R)	Mc 1200 (MCP)
1251	1252
1253	1254
1255	1256
1215	1216

1300形 8両 ③

Mc 1300 (R)	Mc 1300 (MCP)
1301	1302
1303	1304
1305	1306
1307	1308

▽長尾線は2023.03.18からワンマン運転開始

長尾線

形式	両数
600形	4
1200形	8
1300形	8
計	20

志度線(今橋検車区) 20両

←瓦町　　志度→

600形 12両 ②

Mc 600 (R)	Mc 600 (SCP)
621	622
623	624
625	626
627	628
629	630
631	632

700形 4両 ③

Mc 700 (R)	Mc 700 (SCP)
721	722
723	724

800形 4両 ③

Tc 800 (MCP)
801
802
803
804

▽志度線は2022.04.16からワンマン運転開始。
ワンマン運転は600形、700形にて実施

志度線

形式	両数
600形	12
700形	4
800形	4
計	20

▽＿＿はフランジ塗油器取付け車
▽1200形は連結面寄りの台車がモーター付き
▽旧形式対照(車体基準)
700形＝名古屋市交通局300･1200形、
600形・800形＝名古屋市交通局250形･750形･1600形･1800形･1900形、
1070形＝京浜急行電鉄デハ600形、1080形･1300形＝京浜急行電鉄デハ1000形、
1100形＝京王電鉄5000系、1200形＝京浜急行電鉄デハ700形
▽車体塗色は路線別に色分けしている(イベント用車両を除く)
上半＝クリーム、下半は琴平線＝黄、長尾線＝緑、志度線＝赤、
▽1000形、3000形＝通常の営業運転には使用しない
▽♿ は車イス対応スペース付き

伊予鉄道 古町電車庫・古町市内線車庫 96両

鉄道線（高浜線・横河原線・郡中線）（古町電車庫） 53両

←横河原・松山市　　　　郡中港・高浜→

700系 19両［密連］ ③

Tc 760	Mc 710	Mc 720	新塗色
+ SCP －	R	RSCP+	
760	710	720	16.09.14
764	714	724	18.09.14
765	715	725	15.08.17
766	716	726	15.11.17
767	717	727	16.06.24

Tc 760	Mc 710	新塗色
+SCP －	R +	
768	718	16.11.10
769	719	19.04.03

3000系 30両［小型密着］ ③

弱 ♿

Tc 3500	M 3100	Tc 3300	新塗色
CP －	V －	S	
3501	3101	3301	17.08.03
3502	3102	3302	21.06.16
3503	3103	3303	17.12.26
3504	3104	3304	18.03.18
3505	3105	3305	17.10.19
3506	3106	3306	18.06.08
3507	3107	3307	18.11.29
3508	3108	3308	19.02.02
3509	3109	3309	19.09.14
3510	3110	3310	20.03.19

610系 4両［密連］ ③

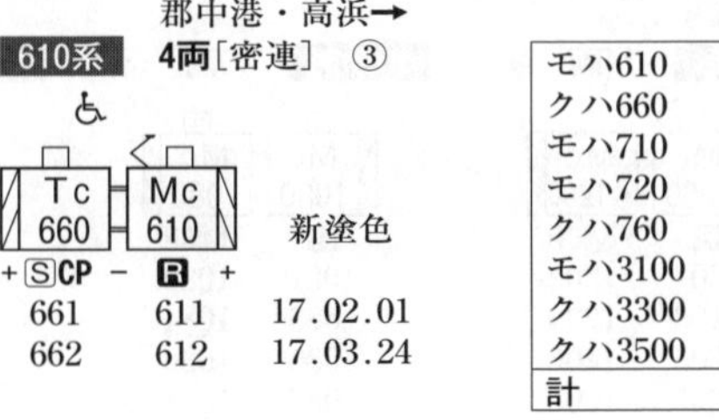

♿

Tc 660	Mc 610	新塗色
+SCP －	R +	
661	611	17.02.01
662	612	17.03.24

形式	両数
モハ610	2
クハ660	2
モハ710	7
モハ720	5
クハ760	7
モハ3100	10
クハ3300	10
クハ3500	10
計	53

▼車イス対応スペース……♿の車両に設置
▼弱冷房車……編成図に 弱 を付した車両

▽朝ラッシュ時は768-718＋769-719と661-611＋662-612の4両編成を2本組み、古町～横河原間で運転
▽モハ610形・クハ660形および3000系はステンレス車体
▽＿＿はフランジ塗油器取付車
▽旧形式対照（車体基準）
　モハ710･720形、クハ760形＝京王電鉄5000系
　3000系＝京王電鉄3000系
▽新塗色は朱色（みかん色）

市内線（古町市内線車庫） 43両（38＋5）

モハ50形 11両②

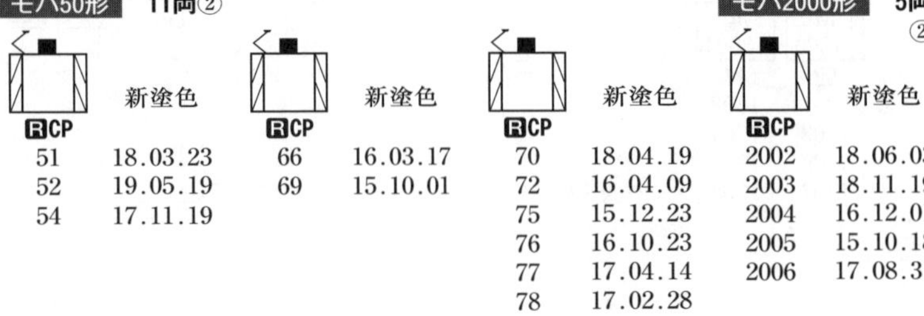

新塗色 RCP	
51	18.03.23
52	19.05.19
54	17.11.19

新塗色 RCP	
66	16.03.17
69	15.10.01

新塗色 RCP	
70	18.04.19
72	16.04.09
75	15.12.23
76	16.10.23
77	17.04.14
78	17.02.28

モハ2000形 5両 ②

新塗色 RCP	
2002	18.06.03
2003	18.11.19
2004	16.12.01
2005	15.10.18
2006	17.08.31

モハ2100形 10両 ②

新塗色 VCP	
2101	15.05.26
2102	15.06.23
2103	17.04.22
2104	
2105	
2106	
2107	16.04.20
2108	16.06.01
2109	
2110	

形式	両数
モハ50	11
モハ2000	5
モハ2100	10
モハ5000	12
計	38

坊っちゃん列車 5両 ②

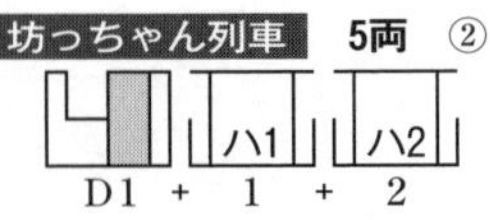

D1 ＋ 1 ＋ 2

D14 ＋ 31

モハ5000形 12両 ②

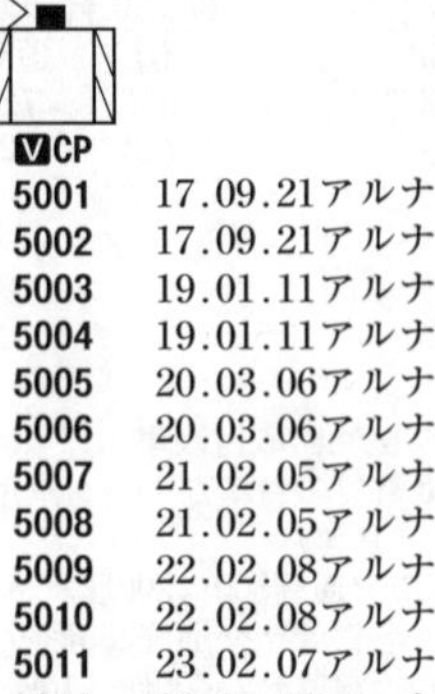

VCP	
5001	17.09.21アルナ
5002	17.09.21アルナ
5003	19.01.11アルナ
5004	19.01.11アルナ
5005	20.03.06アルナ
5006	20.03.06アルナ
5007	21.02.05アルナ
5008	21.02.05アルナ
5009	22.02.08アルナ
5010	22.02.08アルナ
5011	23.02.07アルナ
5012	23.02.07アルナ

▽2017.09.21から営業運転開始

▽モハ50形は、51～61、66～69、70～78の3タイプに大別できる
▽モハ2000形の旧形式は京都市電2000形
▽モハ2100形・モハ5000形は超低床車。車イス対応スペース設置（太字表示）
▽市内線車両の補助電源はS

▽「坊っちゃん列車」の機関車（ＤＬ）の動力はディーゼルエンジン、自動転回装置付き
　客車　前後に１枚ずつ合計２枚の客用扉。ハ１・ハ２は開き戸、ハ31は引き戸

とさでん交通 栈橋車庫

63両

伊野線・後免線・駅前線・桟橋線　63両(62両＋1)

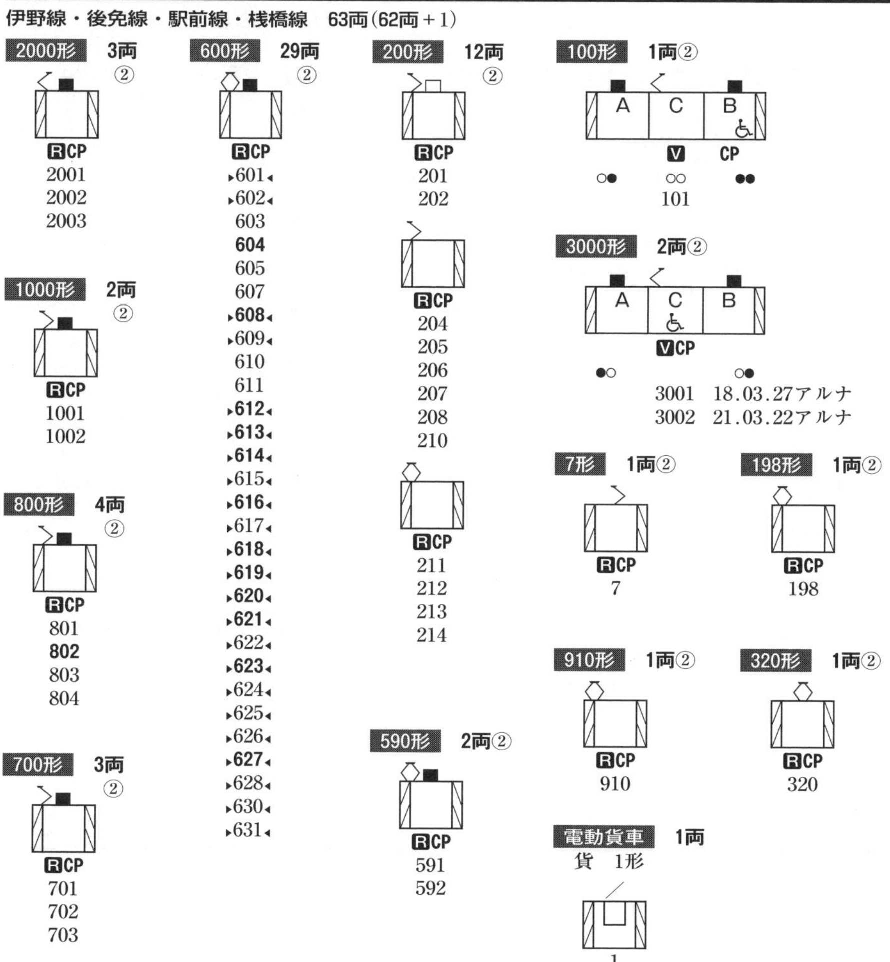

7形	1
198形	1
100形	1
200形	12
320形	1
590形	2
600形	29
700形	3
800形	4
910形	1
1000形	2
2000形	3
3000形	2
計	62

▽802は車内にテーブルとカラオケを備えた団体用車(通称:おきゃく電車)[2015.06]
　通常はテーブルを取外し、一般営業に使用する
▽7形はオープンデッキの2軸車
▽198形はオスロ市(ノルウェー)から購入したボギー車
▽320形はグラーツ市(オーストリア)から購入した2軸車
▽910形はリスボン市(ポルトガル)から購入したボギー車
▽7形と外国型車両はイベント、貸切専用
▽▸ ◂印の車両は連結器付き(ジャンパ栓、エアホースは撤去)
▽600形の▸ ◂印は間接制御車
▽太字は全面広告車
▽100形は超低床車、愛称は「ハートラム」、C車とA車の先頭寄り車軸はモーターなし
▽700形·800形＝元山陽電気軌道700形·800形、590形＝元名古屋鉄道モ590形
▽590形は名鉄色(赤)
▽207は、旧塗色の「金太郎」塗り
▽3000形(ハートラムⅡ)は、2018.03.27から運行開始。超低床車

▽2009.01.25からICカードを使用開始。これに伴い7形と外国型車両はイベント、貸切専用となった
▽2016.02.01　土休日ダイヤの高知駅前～枡形間直通便の運休にともない外国型車両運休に

▽2014.10.01　土佐電氣鐵道は、とさでん交通と社名変更

土佐くろしお鉄道 運転区(中村駅・安芸駅構内) 21両

中村線・宿毛線(中村駅構内)
←(ＪＲ四国)窪川　　宿毛→

TKT-8000形 **8両**(ステンレス車体)
[小型密着]
②

8001 (三原村)
8002 (大月町)
8003 (四万十市)
8004 (宿毛市)
8005 (黒潮町)
8011 (四万十町)
8012 (土佐清水市)
8021 (だるま夕日)

2700系 **2両**(ステンレス車体)[密連]②

w w
2780 2730
+ 2781 2731 +

▽2700系は
ＪＲ四国の車両と共通運用で、
特急「しまんと」「あしずり」に使用される。
wはwc

ごめん・なはり線(安芸駅構内)
←後免　　奈半利→

9640形 **11両**(ステンレス車体)
[小型密着]
②

-1s
-2s
-3
-4
-5
-6
-7
-8
-9
-10
-11

ＴＫＴ-8000	8
2730	1
2780	1
9640	11
計	21

▽中村線(窪川～中村)は1988.04.01 ＪＲ四国中村線を引継ぎ開業。
宿毛線(中村～宿毛)は1997.10.01開業
▽ごめん・なはり線(後免～奈半利)は2002.07.01開業
▽TKT-8000形はトイレ設備。車イス対応スペース(太字)あり
▽更新工事を、2010年度は8005、2011年度は8001に施工
▽8021はロングシートで畳敷に変更可能なイベント対応車
▽フランジ塗油器はTKT-8000形の全車に取付け
▽9640形は各車両に車イス対応スペース(太字)と車イス対応トイレを備える。-1s･-2sは特別仕様車、-11はお座敷対応のロングシート
ＪＲ四国土讃線土佐山田～高知間でも運転
▽TKT-8000形は、地元市町村などにちなんだカラーの車両。( ) 内がその市町村などの名称

阿佐海岸鉄道 車両基地(宍喰) 3両

←阿波海南　　甲浦→

DMV93系 **3両**

DMV
93

931　21.12.13 「未来への波乗り」(青)
932　21.12.22 「すだちの風」(緑)
933　21.12.21 「阿佐海岸維新」(朱)

ＤＭＶ93系	3
計	3

▽1992.03.26開業、2019.03.16改正にてＪＲ牟岐線への乗入れ終了
▽2020(R02).11.01　ＪＲ四国から牟岐線阿波海南～海部間(1.5㎞)の経営を承継
▽2020(R02).11.30にてＤＣ(ASA-100形、ASA-300形)による運行終了。12.01、廃車
▽2020(R02).12.01　阿波海南～海部～甲浦間にてバス代行輸送開始
▽2021(R03).12.25　ＤＭＶ運行開始。阿波海南～甲浦間は鉄道モードにて軌道走行。
阿波海南～阿波海南文化村間、甲浦～海の駅宍喰温泉・海の駅とろむ間はバスモードにて道路を走行

四国ケーブル 2両

←八栗登山口　　鋼索　　八栗山上→

コ-1形

1　ＹＡＫＵＲＩ(朱色)
2　ＹＡＫＵＲＩ(緑色)

▽四国霊場第85番札所、五剣山観自在院 八栗寺への参拝者の足
▽高松琴平電気鉄道志度線八栗駅から約 1.5㎞(徒歩約30分)
駅前からタクシー利用もできる

福岡市交通局 姪浜車両基地・橋本車両基地 228両

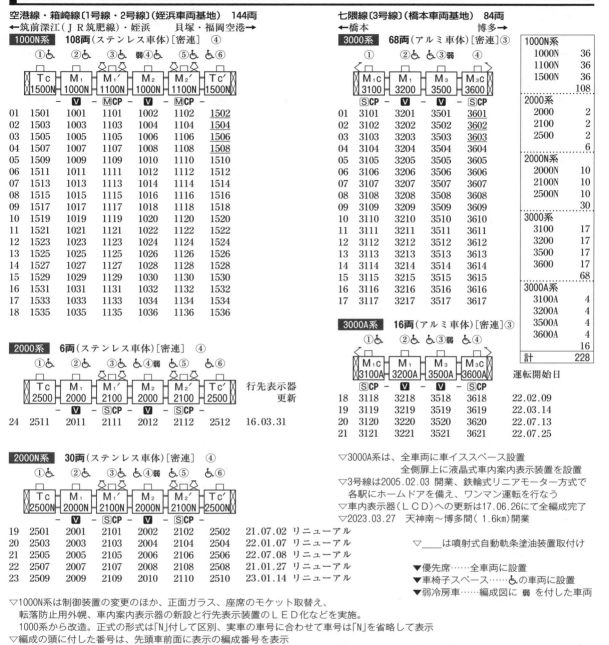

空港線・箱崎線〔1号線・2号線〕（姪浜車両基地） 144両

←筑前深江（ＪＲ筑肥線）・姪浜　　　貝塚・福岡空港→

1000N系 **108両**（ステンレス車体）［密連］ ④

	①♿	②♿	③♿	弱④♿	⑤♿	♿⑥
	Tc 1500N	M1 1000N	M1′ 1100N	M2 1000N	M2′ 1100N	Tc′ 1500N
	－	V	－ ⓂCP －	V	－ ⓂCP －	
01	1501	1001	1101	1002	1102	1502
02	1503	1003	1103	1004	1104	1504
03	1505	1005	1105	1006	1106	1506
04	1507	1007	1107	1008	1108	1508
05	1509	1009	1109	1010	1110	1510
06	1511	1011	1111	1012	1112	1512
07	1513	1013	1113	1014	1114	1514
08	1515	1015	1115	1016	1116	1516
09	1517	1017	1117	1018	1118	1518
10	1519	1019	1119	1020	1120	1520
11	1521	1021	1121	1022	1122	1522
12	1523	1023	1123	1024	1124	1524
13	1525	1025	1125	1026	1126	1526
14	1527	1027	1127	1028	1128	1528
15	1529	1029	1129	1030	1130	1530
16	1531	1031	1131	1032	1132	1532
17	1533	1033	1133	1034	1134	1534
18	1535	1035	1135	1036	1136	1536

2000系 **6両**（ステンレス車体）［密連］ ④

	①♿	②♿	③♿	♿④弱	♿⑤	♿⑥	
	Tc 2500	M1 2000	M1′ 2100	M2 2000	M2′ 2100	Tc′ 2500	行先表示器更新
	－	V	－ ⓈCP －	V	－ ⓈCP －		
24	2511	2011	2111	2012	2112	2512	16.03.31

2000N系 **30両**（ステンレス車体）［密連］ ④

	①♿	②♿	③♿	♿④弱	♿⑤	♿⑥		
	Tc 2500N	M1 2000N	M1′ 2100N	M2 2000N	M2′ 2100N	Tc′ 2500N		
	－	V	－ ⓈCP －	V	－ ⓈCP －			
19	2501	2001	2101	2002	2102	2502	21.07.02	リニューアル
20	2503	2003	2103	2004	2104	2504	22.01.07	リニューアル
21	2505	2005	2105	2006	2106	2506	22.07.08	リニューアル
22	2507	2007	2107	2008	2108	2508	21.01.27	リニューアル
23	2509	2009	2109	2010	2110	2510	23.01.14	リニューアル

七隈線〔3号線〕（橋本車両基地） 84両

←橋本　　　博多→

3000系 **68両**（アルミ車体）［密連］③

	①	②♿	♿③弱	④
	M1c 3100	M1 3200	M3 3500	M3c 3600
	ⓈCP －	V	－ V －	ⓈCP
01	3101	3201	3501	3601
02	3102	3202	3502	3602
03	3103	3203	3503	3603
04	3104	3204	3504	3604
05	3105	3205	3505	3605
06	3106	3206	3506	3606
07	3107	3207	3507	3607
08	3108	3208	3508	3608
09	3109	3209	3509	3609
10	3110	3210	3510	3610
11	3111	3211	3511	3611
12	3112	3212	3512	3612
13	3113	3213	3513	3613
14	3114	3214	3514	3614
15	3115	3215	3515	3615
16	3116	3216	3516	3616
17	3117	3217	3517	3617

3000A系 **16両**（アルミ車体）［密連］③

	①♿	②♿	♿③弱	♿④	
	M1c 3100A	M1 3200A	M3 3500A	M3c 3600A	運転開始日
	ⓈCP －	V	－ V －	ⓈCP	
18	3118	3218	3518	3618	22.02.09
19	3119	3219	3519	3619	22.03.14
20	3120	3220	3520	3620	22.07.13
21	3121	3221	3521	3621	22.07.25

形式	両数
1000N系	
1000N	36
1100N	36
1500N	36
	108
2000系	
2000	2
2100	2
2500	2
	6
2000N系	
2000N	10
2100N	10
2500N	10
	30
3000系	
3100	17
3200	17
3500	17
3600	17
	68
3000A系	
3100A	4
3200A	4
3500A	4
3600A	4
	16
計	228

▽3000A系は、全車両に車イススペース設置
　全側扉上に液晶式車内案内表示装置を設置
▽3号線は2005.02.03 開業、鉄輪式リニアモーター方式で各駅にホームドアを備え、ワンマン運転を行なう
▽車内表示器（ＬＣＤ）への更新は17.06.26にて全編成完了
▽2023.03.27　天神南～博多間（ 1.6km）開業

▽＿＿は噴射式自動軌条塗油装置取付け

▼優先席……全車両に設置
▼車椅子スペース……♿の車両に設置
▼弱冷房車……編成図に 弱 を付した車両

▽1000N系は制御装置の変更のほか、正面ガラス、座席のモケット取替え、転落防止用外幌、車内案内表示器の新設と行先表示装置のＬＥＤ化などを実施。1000系から改造。正式の形式は「N」付して区別、実車の車号に合わせて車号は「N」を省略して表示
▽編成の頭に付した番号は、先頭車前面に表示の編成番号を表示
▽行先表示器更新により、マルチカラーＬＥＤ化
▽2000N系は制御装置の変更のほか、車体内外装の改修、主回路・補助電源装置・換気扇インバータの更新を実施。2000系からの改造。形式は「N」を付して区別。実車の車号は「N」を省略して表示

皿倉登山鉄道 2両

←山麓　　　鋼索　　　山上→

1形

1　かなた
2　はるか

▽2001.06.30　スイス製車両に変更
▽2012.09.30　第２種鉄道事業者に（第３種鉄道事業者は北九州市）
▽2015.04.01　帆柱ケーブルは、皿倉登山鉄道と社名変更

▽車体塗色は、かなた＝青、はるか＝黄

▽ＪＲ八幡駅、小倉駅から無料シャトルバス運行。詳細は皿倉山登山鉄道ホームページ参照
　ＪＲ八幡駅から徒歩約25分、タクシー５分

西日本鉄道　筑紫車庫・柳川車庫・多々良車庫　300両

天神大牟田線・太宰府線・甘木線(筑紫車庫・柳川車庫)　284両(281両+3)

←大牟田　　　　　　　　　　　　　　　　　　　　　　西鉄福岡(天神)→

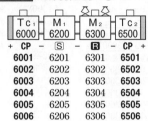

6000形　33両[密連]　④

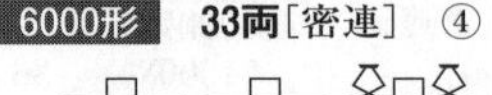

Tc1 6000	M1 6200	M2 6300	Tc2 6500
+ CP −	S −	R −	CP +
6001	6201	6301	6501
6002	6202	6302	6502
6003	6203	6303	6503
6004	6204	6304	6504
6005	6205	6305	6505
6006	6206	6306	6506

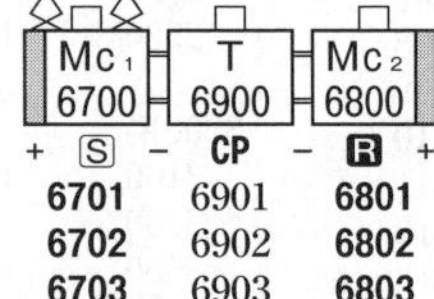

Mc1 6700	T 6900	Mc2 6800
+ S −	CP −	R +
6701	6901	6801
6702	6902	6802
6703	6903	6803

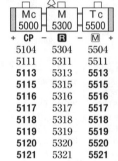

6050形　25両[密連]　④

Tc1 6050	M1 6250	M2 6350	Tc2 6550	
+ CP −	S −	V −	CP +	
6051	6251	6351	6551	18.02.19機器変更
6052	6252	6352	6552	19.08.16機器変更
6054	6254	6354	6554	17.03.22機器変更
6055	6255	6355	6555	17.08.10機器変更

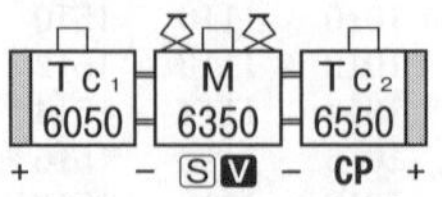

Tc1 6050	M 6350	Tc2 6550	
+ −	SV −	CP +	
6053	6353	6553	19.02.05機器変更
6156	6356	6556	16.08.15機器変更
6157	6357	6557	16.03.30機器変更

▽機器変更
6356・6357は制御装置変更+補助電源取付
6156・6157は制御車化+補助電源撤去
▽主電動機3個→4個に(2015年度以降)
6351=18.02.09、6352=19.08.16、6354=17.03.22、6355=17.08.10
▽制御装置変更(2015年度以降)
6351=18.02.09、6352=19.08.16、6354=17.03.22、6355=17.08.10
▽補助電源装置変更(2015年度以降)
6251=18.02.09、6352=19.08.16、6354=17.03.22、6255=17.08.10
▽電動空気圧縮機変更(2015年度以降)
6556=15.06.23
▽車イススペース設置(2015年度以降)
6004=15.09.15、6052=19.08.16、6051=18.02.09、6054=17.03.22、6055=17.08.10、6156=16.08.15、6157=16.03.30

▽6053Fは更新修繕、リニューアルに合わせて、観光列車「THE RAIL KITCHEN CHIKUGO」に改造。2019.03.23から運行開始

5000形　94両[密連]　③

Mc 5000	M 5300	Tc 5500
+ CP −	R −	M +
5104	5304	5504
5111	5311	5511
5113	5313	5513
5115	5315	5515
5116	5316	5516
5117	5317	5517
5118	5318	5518
5119	5319	5519
5120	5320	5520
5121	5321	5521

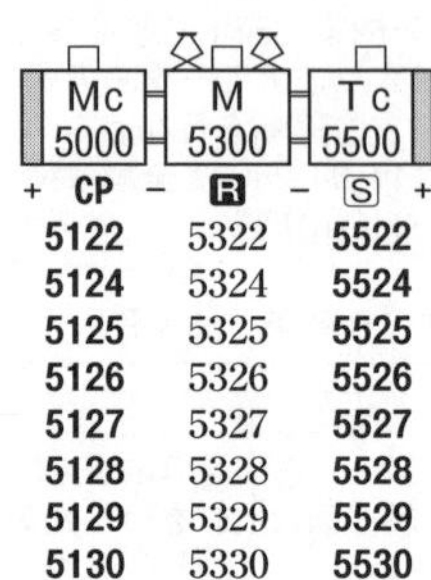

Mc 5000	M 5300	Tc 5500
+ CP −	R −	S +
5122	5322	5522
5124	5324	5524
5125	5325	5525
5126	5326	5526
5127	5327	5527
5128	5328	5528
5129	5329	5529
5130	5330	5530

Tc1 5000	M1 5200	M2 5300	Tc2 5500
+ CP −	−	R −	S +
5032	5232	5332	5532
5033	5233	5333	5533
5034	5234	5334	5534
5035	5235	5335	5535

Mc 5000	M 5300	T 5400	Tc 5500
+ CP −	R −	CP −	S +
5131	5331	5431	5531
5136	5336	5436	5536
5137	5337	5437	5537
5138	5338	5438	5538
5139	5339	5439	5539
5140	5340	5440	5540

3000形　60両(ステンレス車体)[密連]　③

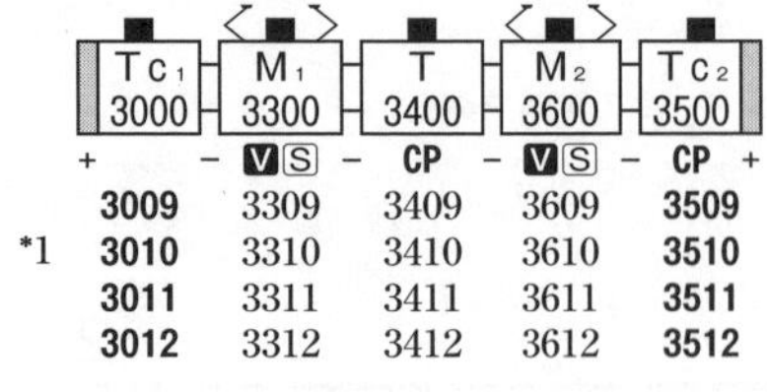

	Tc1 3000	M1 3300	T 3400	M2 3600	Tc2 3500
	+ −	VS −	CP −	VS −	CP +
	3009	3309	3409	3609	3509
*1	3010	3310	3410	3610	3510
	3011	3311	3411	3611	3511
	3012	3312	3412	3612	3512

	Tc1 3000	M 3300	Tc2 3500	新製月日
	+ −	VS −	CP +	
	3001	3301	3501	
	3002	3302	3502	
	3006	3306	3506	
	3007	3307	3507	
	3015	3315	3515	15.03.17川重
	3016	3316	3516	15.03.19川重
*2	3017	3317	3517	16.03.02川重
*2	3018	3318	3518	16.03.12川重

Mc 3100	Tc 3500	新製月日
+ VS −	CP +	
3103	3503	
3104	3504	
3105	3505	
3108	3508	
3113	3513	
3114	3514	15.03.03川重
3119	3519	16.03.24川重
3120	3520	16.03.26川重

▽ラッピング車両
*1=3010F　大宰府観光列車「旅人」
*2=3017F　柳川観光列車「水都」
3018F　柳川観光列車「水都」

7000形 22両[密連] ④　**7050形** 18両[密連] ③　**救援車** 3両[密連] 900形

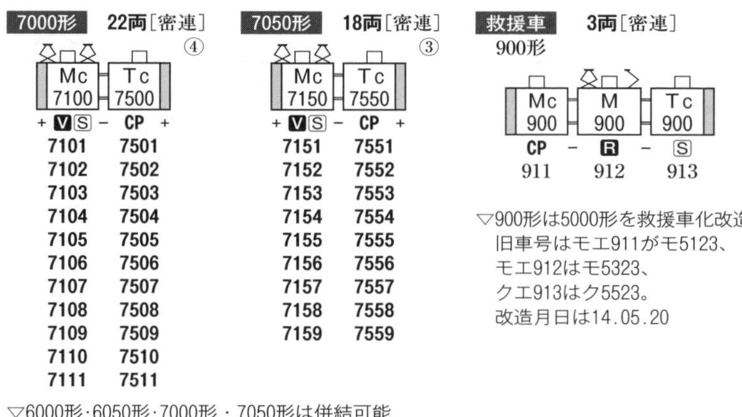

Mc 7100	Tc 7500
+ VS −	CP +
7101	**7501**
7102	**7502**
7103	**7503**
7104	**7504**
7105	**7505**
7106	**7506**
7107	**7507**
7108	**7508**
7109	**7509**
7110	**7510**
7111	**7511**

Mc 7150	Tc 7550
+ VS −	CP +
7151	**7551**
7152	**7552**
7153	**7553**
7154	**7554**
7155	**7555**
7156	**7556**
7157	**7557**
7158	**7558**
7159	**7559**

Mc 900	M 900	Tc 900
CP −	R −	S
911	912	913

▽900形は5000形を救援車化改造。
旧車号はモエ911がモ5123、
モエ912はモ5323、
クエ913はク5523。
改造月日は14.05.20

7050形			5000形		
モ7150	9	Mc	モ5000	24	Mc
ク7550	9	Tc	モ5200	4	M
	18		モ5300	28	M
7000形			ク5000	4	Tc
モ7100	11	Mc	ク5500	28	Tc
ク7500	11	Tc	サ5400	6	T
	22			94	
6050形			3000形		
モ6250	4	M	ク3000	12	Tc
モ6350	7	M	モ3100	8	Mc
ク6050	7	Tc	モ3300	12	M
ク6550	7	Tc	サ3400	4	T
	25		モ3600	4	M
6000形			ク3500	20	Tc
モ6700	3	Mc		60	
モ6800	3	Mc	9000形		
モ6200	6	M	ク9000	5	Tc
モ6300	6	M	モ9100	7	Mc
ク6000	6	Tc	モ9300	5	M
ク6500	6	Tc	ク9500	12	Tc
サ6900	3	T		29	
	33		計	281	

▽6000形·6050形·7000形・7050形は併結可能
▽7000形・7050形・3000形のMcは3個モーター車
▽主電動機3個→4個、車両制御装置[VVVF装置、SIV装置]変更
7102＝20.09.23　7104＝21.09.14　7105＝22.06.30
7106＝23.03.09　7107＝23.02.28
ク7500形を含めて同編成は2名座席撤去→車イススペース拡幅
▽7000形と7050形はワンマン運転対応車
▽3000形は扉間が転換式クロスシート

9000形 29両(ステンレス車体)[密連] ③

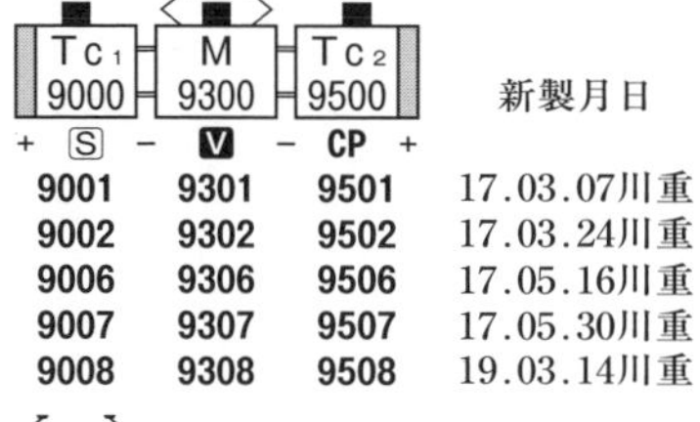

Tc1 9000	M 9300	Tc2 9500	新製月日
+ S −	V −	CP +	
9001	**9301**	**9501**	17.03.07川重
9002	**9302**	**9502**	17.03.24川重
9006	**9306**	**9506**	17.05.16川重
9007	**9307**	**9507**	17.05.30川重
9008	**9308**	**9508**	19.03.14川重

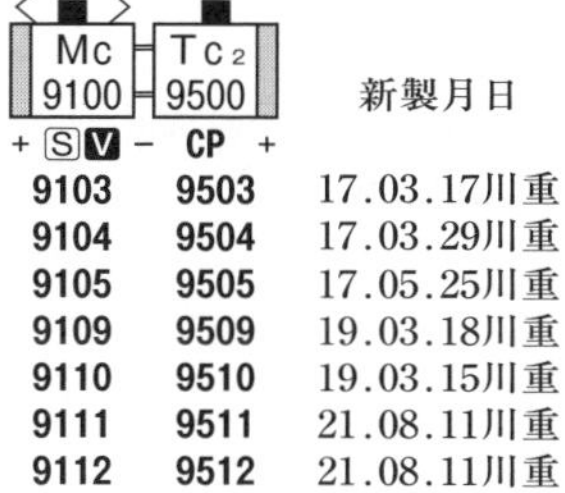

Mc 9100	Tc2 9500	新製月日
+ SV −	CP +	
9103	**9503**	17.03.17川重
9104	**9504**	17.03.29川重
9105	**9505**	17.05.25川重
9109	**9509**	19.03.18川重
9110	**9510**	19.03.15川重
9111	**9511**	21.08.11川重
9112	**9512**	21.08.11川重

▽9000形は2017.03.20から営業運転開始
▽ＶＶＶＦインバータはSiC素子採用。室内灯はＬＥＤ

貝塚線(多々良車庫)　16両

←西鉄新宮　　貝塚→

600形 16両[自連] ③

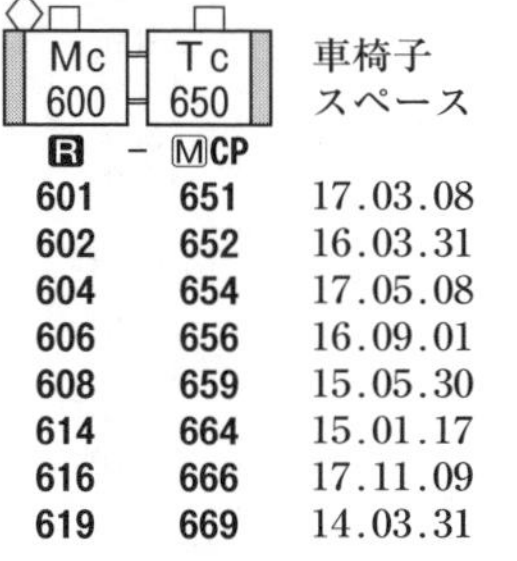

Mc 600	Tc 650	車椅子スペース
R −	MCP	
601	**651**	17.03.08
602	**652**	16.03.31
604	**654**	17.05.08
606	**656**	16.09.01
608	**659**	15.05.30
614	**664**	15.01.17
616	**666**	17.11.09
619	**669**	14.03.31

600形		
モ600	8	Mc
ク650	8	Tc
	16	
計	16	

▽600形の台車はFS-342
▽602·619のパンタグラフは◇
▽モ614-ク664は2015.01.17、モエ901-クエ902から改造。ワンマン化工事併工
▽604-605は、新宮町のラッピング(2020.02.12～)

▽貝塚線(全線)、甘木線(全線)は終日、天神大牟田線(宮の陣～大牟田)は
ラッシュ時を除きワンマン運転
▽全般検査は天神大牟田線が筑紫工場(筑紫車庫に併設)、
貝塚線が多々良工場(多々良車庫に併設)で行なう

▼優先席……全車両に設置
▼車イス対応スペース……太字の車両に設置

筑豊電気鉄道 楠橋車庫 25両

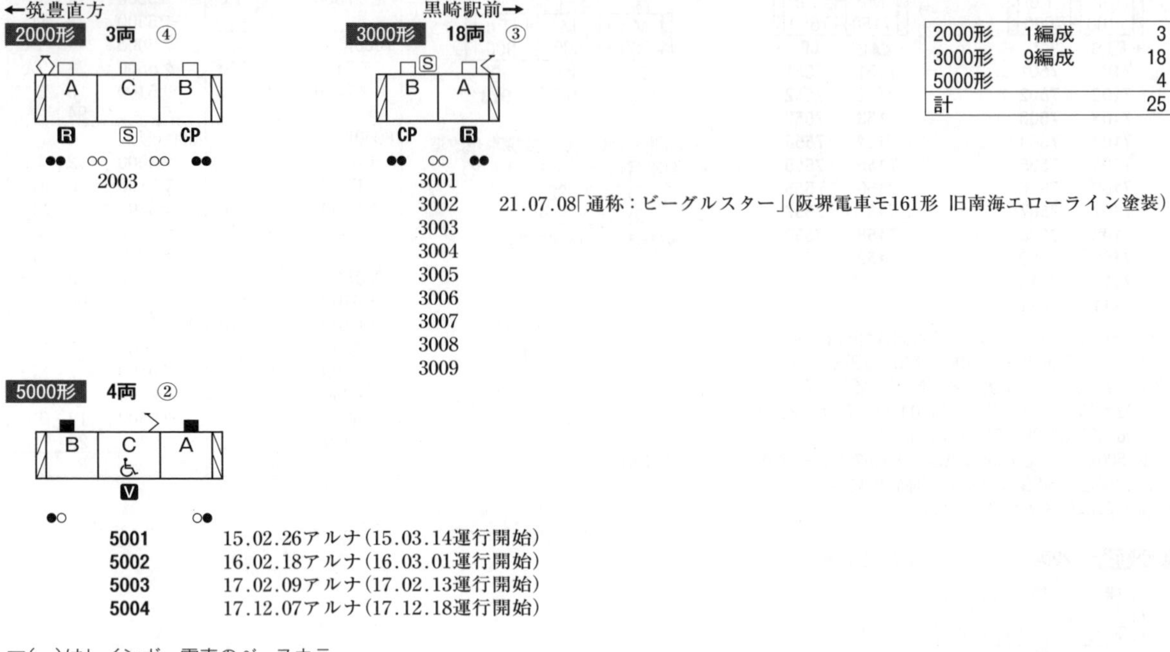

2000形	1編成	3
3000形	9編成	18
5000形		4
計		25

3001
3002　21.07.08「通称：ビーグルスター」(阪堺電車モ161形 旧南海エローライン塗装)
3003
3004
3005
3006
3007
3008
3009

5001　15.02.26アルナ(15.03.14運行開始)
5002　16.02.18アルナ(16.03.01運行開始)
5003　17.02.09アルナ(17.02.13運行開始)
5004　17.12.07アルナ(17.12.18運行開始)

▽(　)はレインボー電車のベースカラー
▽ラッピング車両
3001AB＝北九州銀行(22.08.26 再度ラッピング)＝イエロー
3005AB＝サッカークラブ「ギラヴァンツ号」(20.12.04)＝イエロー
3006AB＝献血推進マスコット３代目「けんけつちゃん号」(21.11.29～)
3007AB＝ONOホールディングス「bizdco」(20.09.17～デザインリニューアル)
3008AB＝ミクニ「ミクニ号」(19.09.13～)
3009AB＝日の丸「太陽会館」(20.08.31～)
▽西鉄グループ創立110周年特別企画として、
3004AB＝西鉄5000形・6000形・7000形・7050形の車体塗色と同じアイスグリーン色(18.08.02)→従来塗装に復帰(22.12.23)
▽2003ACB＝開業時塗装「西鉄マルーン＆ベージュ」と初代2000形塗装「黄電(きなでん)」の２パターンを１編成に施す
▽3003AB　西鉄北九州線の全廃から20年を迎え、当時の車両カラーの通称「赤電」塗装に(20.05.30)
▽補助電源を25kVAから40kVAに、電動空気圧縮機取替
3001AB＝20.02.21、3002AB＝19.03.05、3003AB＝21.01.20、3004AB＝16.08.12、3007AB＝18.02.20(2016年度～)

▽5000形は３車体２台車の超低床車。車イス対応スペース設置

北九州高速鉄道 企救丘車両基地 36両

←小倉　　企救丘→

1000系 **4両**(アルミ車体)[密連] ②

	Mc1	M2	M1	Mc2
	1100	1200	1300	1400
	SCP	C	SCP	C
10	1110	**1210**	1310	1410

1000N系 **32両**(アルミ車体)[密連] ②

	Mc1	M2	M1	Mc2
	1100	1200	1300	1400
	MCP	V	MCP	V
02	1102	**1202**	1302	1402
03	1103	**1203**	1303	1403
04	1104	**1204**	1304	1404
05	1105	**1205**	1305	1405
06	1106	**1206**	1306	1406
07	1107	**1207**	1307	1407
08	1108	**1208**	1308	1408
09	1109	**1209**	1309	1409

1000系	
1100	1
1200	1
1300	1
1400	1
	4
1000N系	
1100N	8
1200N	8
1300N	8
1400N	8
	32
計	36

▽アルウェーグ式、直流1500Ｖ
▽全車両冷房装置装備
▽太字の車両は車イス対応スペースを設置
▽____の先頭寄り台車はモーターなし
▽2015年度は1103FをＶＶＶＦ化(2016.03.09)
2016年度は1107FをＶＶＶＦ化(2016.10.26)
以上にて当初計画完了
▽01(1101F)編成は2016.04.20をもって営業運転終了(車籍なしへ)

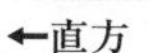

平成筑豊鉄道 検修庫(金田) 13両

←直方　田川後藤寺・行橋→

400形 **12両**[小型密着] ②　500形 **1両**[小型密着] ②

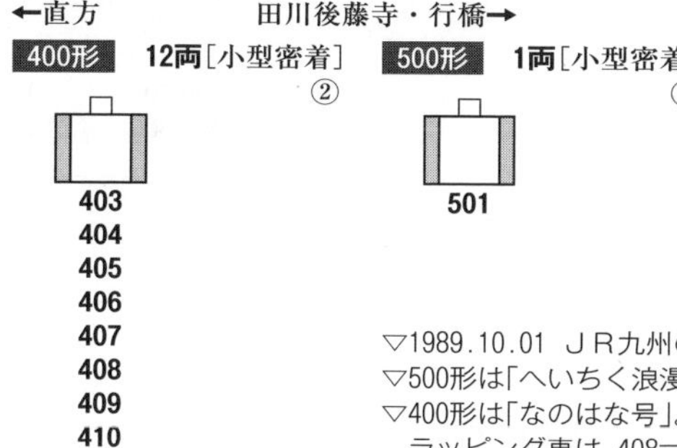

400形	12
500形	1
計	13

403
404
405
406
407
408
409
410
411
412

501

▽1989.10.01 ＪＲ九州の田川·伊田·糸田線を引継ぎ開業
▽500形は「へいちく浪漫号」、転換クロスシート·カラオケ付のイベント対応車(団体専用)
▽400形は「なのはな号」。403は「ハッピートレイン号」(21.04.17)
ラッピング車は 408=「ちくまる号」(ブルー)、411=「ちくまるLINE号」(グリーン)、410=「つながる号」
広告車は 407=「マクセル号」(18.11.16)
「ことこと列車」は19.03.21から運行開始
▽400形403 ～ 412はクロスシートを撤去、オールロングシート化
▼車イス対応スペース…太字の車両に設置

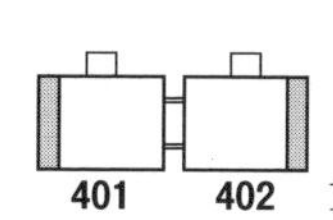

401　**402**　19.02.19=観光列車「ことこと列車」

北九州市 (関門海峡めかり構内) 4両

←九州鉄道記念館　(北九州銀行レトロライン)　関門海峡めかり→

ＤＬ **2両** · 客車 **2両**[自連=+] ①

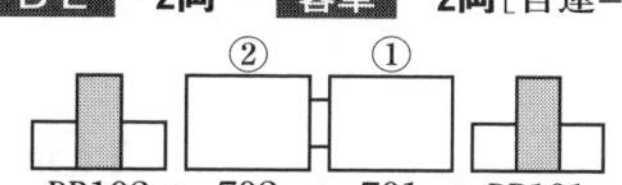

DB102 + 702 + 701 + DB101
(702 ②, 701 ①)

▽門司港レトロ観光線(九州鉄道記念館～関門海峡めかり)は観光用の特定目的鉄道で、2009.04.26から営業運転を開始。
北九州市が施設と車両を所有する第三種鉄道事業者、
平成筑豊鉄道が運行と車両の管理を行なう第二種鉄道事業者
▽九州鉄道記念館駅は、ＪＲ九州門司港駅に隣接
▽貨車のトラ70000形はトロッコ客車。全車自由席
▽車両の旧所有者：ＤＢ10形＝南阿蘇鉄道、トラ70000形＝島原鉄道
▽ＤＬのＤＢ10形は、2013.02.28 機関換装(定格出力 129.05kW/2200rpm)
▽運転日　門司港観光レトロ列車「潮騒号」のホームページを参照

甘木鉄道 甘木検修庫(甘木駅構内) 8両

←基山　甘木→

ＡＲ-300形 **7両**[小型密着] ②　ＡＲ-400形 **1両**[小型密着] ②

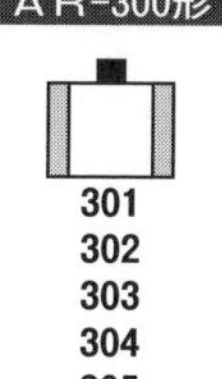

301
302
303
304
305
306
307

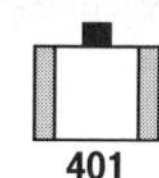

401

ＡＲ-300	7
ＡＲ-400	1
計	8

▽1986.04.01　国鉄甘木線を引継ぎ開業
▽AR-300形はセミクロス、AR-400形は固定クロス(2015.12.26)
▽302は新塗色(ブルーベース)(2010.07)
303は国鉄ローカル用ツートンカラーに準拠した塗装(2011.07.20)
304は緑と黄緑のツートンカラー(2013.01.15)
305は国鉄急行色に準拠したツートンカラー(2013.12.20)
306はピンク色(2015.10.25)
307は濃紺と濃赤のツートンカラーで銀色帯(2023.02.24)
401は沿線自治体のキャラクターを車体側面にならべて表記(2016.11.17)
▼車イス対応スペース……太字の車両に設置

松浦鉄道 佐々車両基地(佐々駅構内)

23両

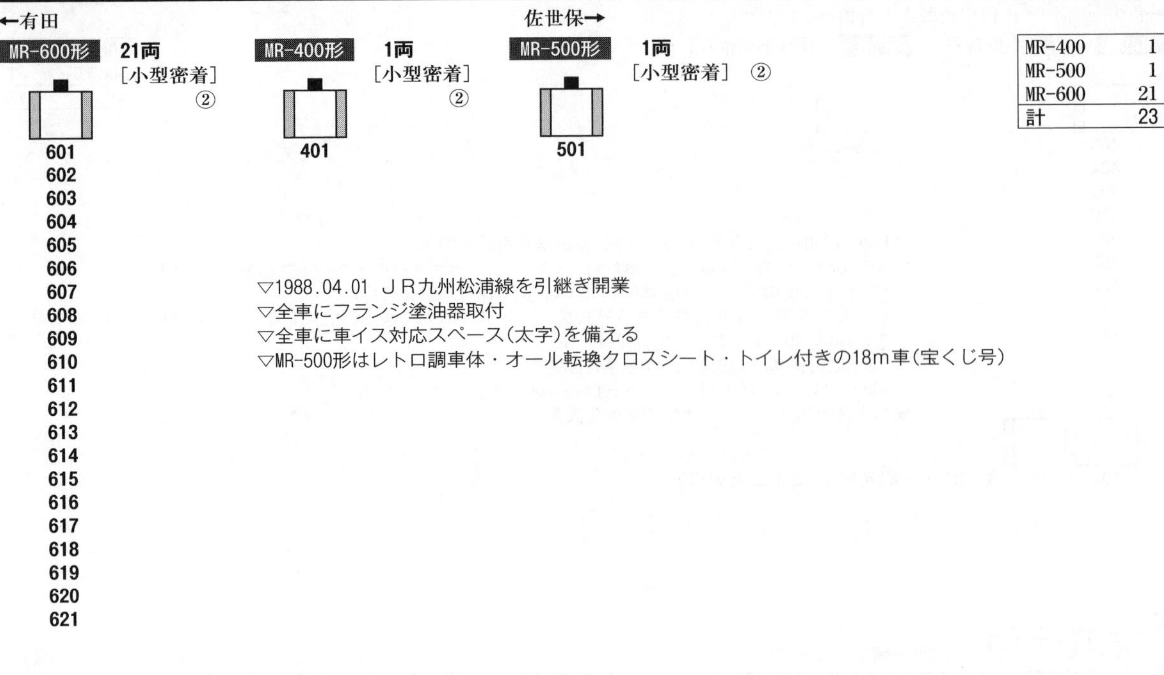

←有田　　　　佐世保→

MR-600形 21両 [小型密着] ②

601
602
603
604
605
606
607
608
609
610
611
612
613
614
615
616
617
618
619
620
621

MR-400形 1両 [小型密着] ②

401

MR-500形 1両 [小型密着] ②

501

MR-400	1
MR-500	1
MR-600	21
計	23

▽1988.04.01 ＪＲ九州松浦線を引継ぎ開業
▽全車にフランジ塗油器取付
▽全車に車イス対応スペース(太字)を備える
▽MR-500形はレトロ調車体・オール転換クロスシート・トイレ付きの18m車(宝くじ号)

島原鉄道 車両工場(島原船津)

15両

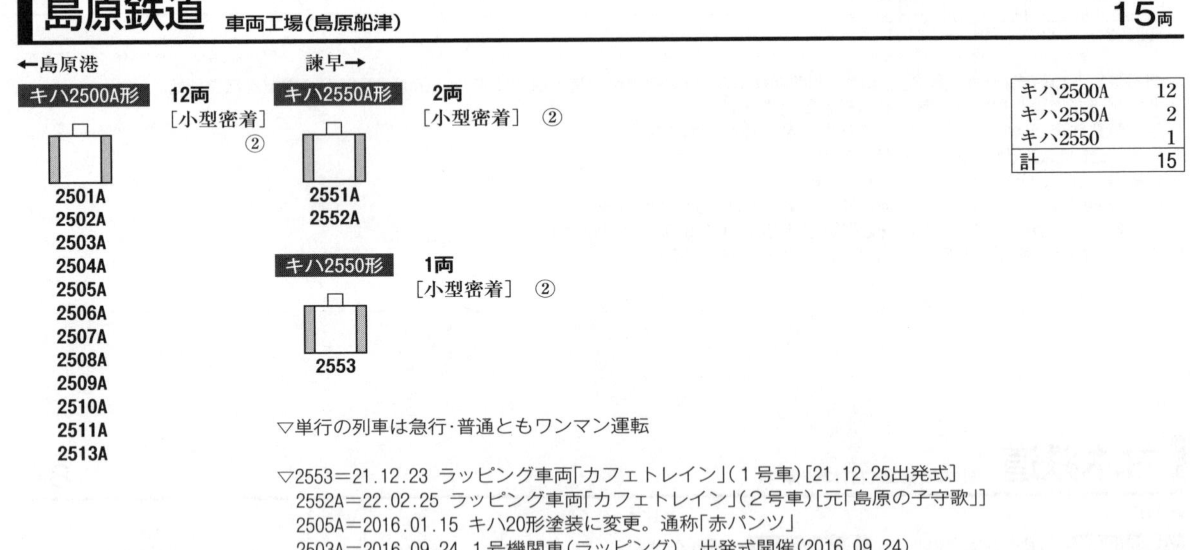

←島原港　　　　諫早→

キハ2500A形 12両 [小型密着] ②

2501A
2502A
2503A
2504A
2505A
2506A
2507A
2508A
2509A
2510A
2511A
2513A

キハ2550A形 2両 [小型密着] ②

2551A
2552A

キハ2550形 1両 [小型密着] ②

2553

キハ2500A	12
キハ2550A	2
キハ2550	1
計	15

▽単行の列車は急行·普通ともワンマン運転

▽2553=21.12.23 ラッピング車両「カフェトレイン」(１号車)[21.12.25出発式]
　2552A=22.02.25 ラッピング車両「カフェトレイン」(２号車)[元「島原の子守歌」]
　2505A=2016.01.15 キハ20形塗装に変更。通称「赤パンツ」
　2503A=2016.09.24 １号機関車(ラッピング)。出発式開催(2016.09.24)
　2551A=2017.10.22 「鯉駅長のさっちゃん」(ラッピング)。出発式開催(2017.10.22)
▽各車両に車イス対応スペースを設置

▽南島原駅　2019.10.01　島原船津駅と改称

長崎電気軌道 浦上車庫

72両

本線・桜町支線・大浦支線・蛍茶屋支線　72両(71両＋1両)

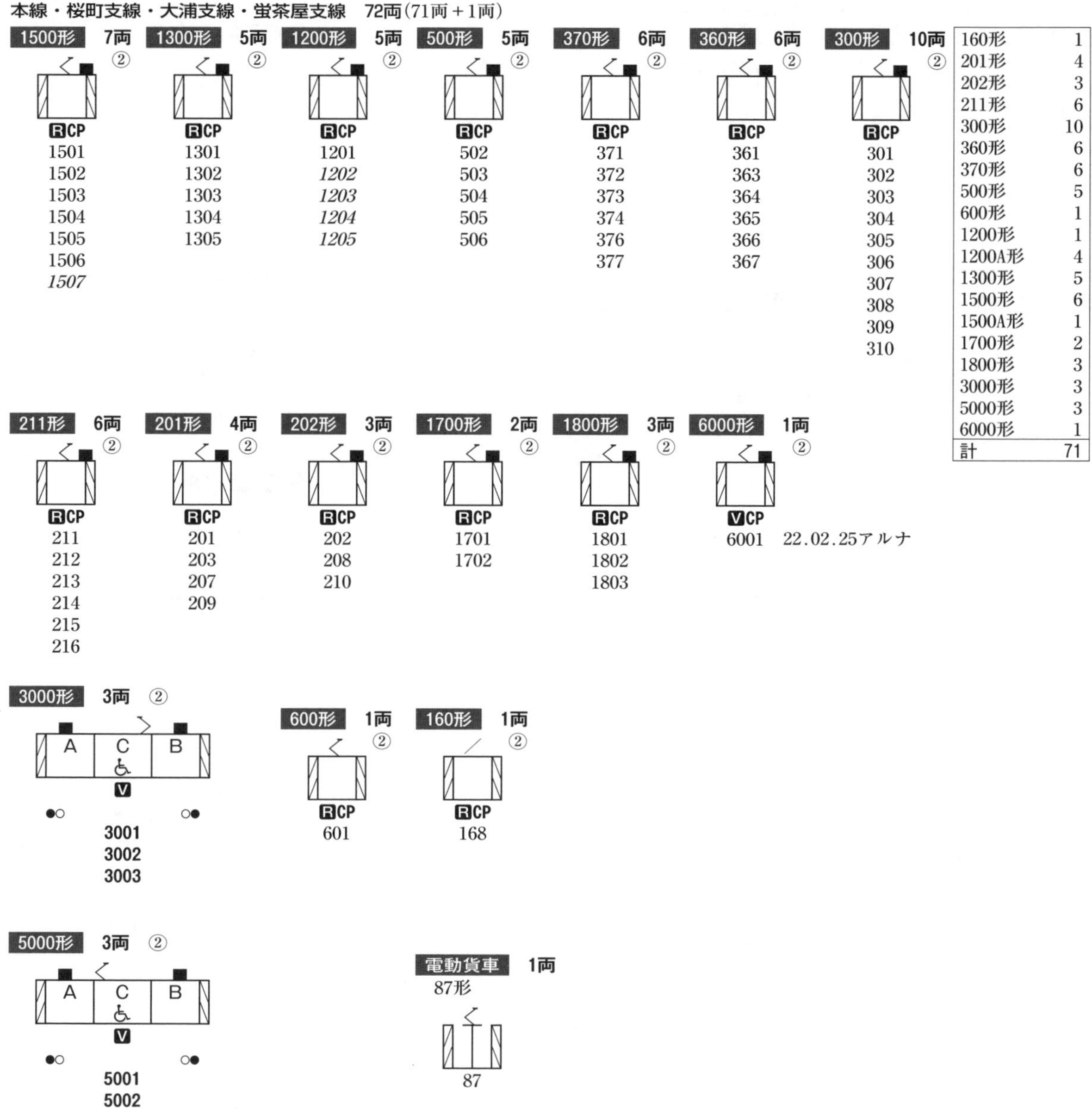

形式	両数
160形	1
201形	4
202形	3
211形	6
300形	10
360形	6
370形	6
500形	5
600形	1
1200形	1
1200A形	4
1300形	5
1500形	6
1500A形	1
1700形	2
1800形	3
3000形	3
5000形	3
6000形	1
計	71

▽1200形・1500形　車号斜字の車両は、1200A形・1500A形
▽1800形と1200A形、1500A形は間接式、
　3000形、5000形はVVVF制御、そのほかの形式は直接制御
▽1700形は700形の車体更新車(台車・制御装置などを再利用)
▽3000形は超低床車、C車は台車なし。アルナ車両が開発したリトルダンサーUタイプ
▽601は熊本市交通局、168は西日本鉄道のオリジナルカラー
▽168はダブルルーフの木造ボギー車(イベント用)
▽冷房車の電源Ⓢは屋根上に取付け
▽5000形は超低床車。C車は台車なし(アルナ車両が開発した「リトルダンサーUa」タイプ)。5001は2011.02.15から営業運転開始
▽6000形は世界初の単車型全低床車。2022.03.24から営業運転開始
▽3車体連接車は1編成1両として計上
▽300形310は2017.03.31リニューアル工事施工。定員変更
▽87形87は202形204から改造(2015.02.13)
▼車イス対応スペース…太字の車両に設置

熊本市交通局 上熊本車両基地・大江車庫 54両

幹線・水前寺線・健軍線・上熊本線・田崎線　54両

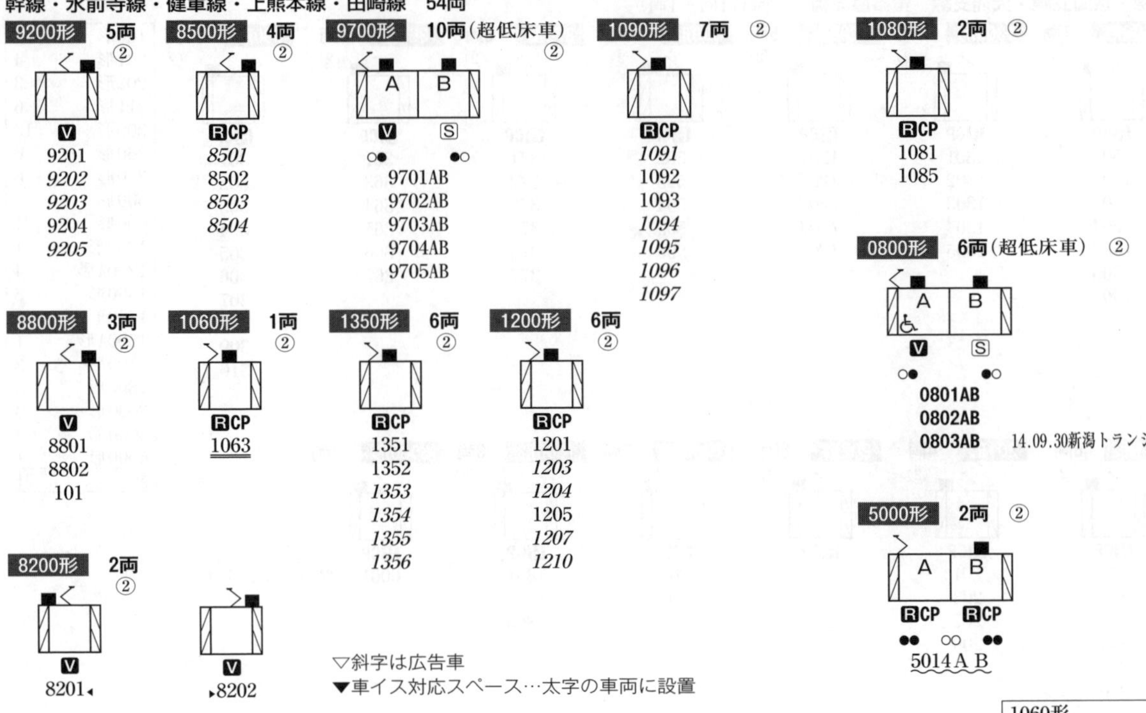

1060形	1
1080形	2
1090形	7
1200形	6
1350形	6
8200形	2
8500形	4
8800形	3
9200形	5
	36
連接	
5000形	2
9700形	10
0800形	6
	18
計	54

▽8200形·8800形·9200形·9700形·0800形はＶＶＶＦ制御車
　101はレトロ調の車体で、塗色はマルーン
▽▸ ◂ は折畳み式の連結器を装備
▽車両別の愛称名
　8801=「サンアントニオ号」、8802=「桂林号」、9201=「ハイデルベルク号」、
　8201=「しらかわ号」、8202=「火の国号」、0803AB=「COCORO」(2014.10.03運行開始)
▽車体塗色(下記以外はクリームに緑帯の標準色)
　〰=旧西鉄色　＿=ベージュに濃紺の帯(旧標準色)
　9200形・8800形は1両ごとに異なる(9203·9204は同色)
　9700形は白をベースに、9701のみ車体裾にブルーのグラデーション
　0800形は白をベースにエンジ色の帯。超低床車
　2014年度増備の0803ABは濃茶のメタリック色
▽5000形5014ＡＢは車体更新修繕、座席配置変更(17.03.27)
　(DC・DCコンバータ新製、運賃箱更新、ＩＣ機器新設など)。2017.03.27運行再開
▽冷房装置　直流型(東洋電機製)から交流型(東芝製)に更新
　補助電源装置取付、室内灯LED化、窓枠更新
　1205=23.03　1207=23.01
▽座席配置変更
　8501=22.06　8502=22.06　8504=22.06
▽1949～1972年に運用していた車体色に復刻(開業100周年記念)
　1205=23.03

熊本電気鉄道 北熊本車両工場

16両

←御代志　　　　　　　　　　　　　　　　　　　　　　　　上熊本・藤崎宮前→

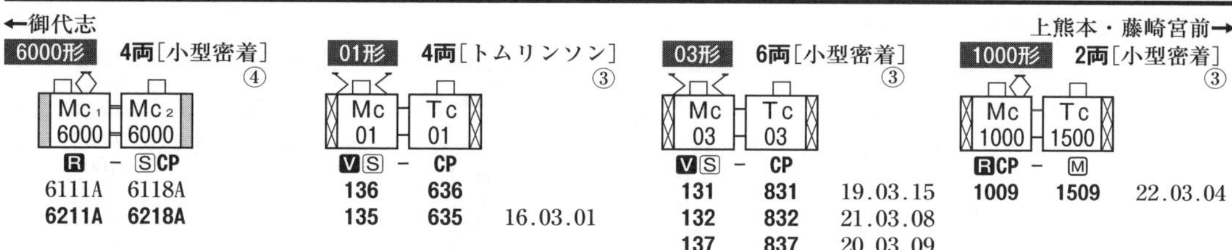

6000形 4両［小型密着］④
Mc1 6000 ‐ Mc2 6000
R ‐ S CP
6111A 6118A
6211A **6218A**

01形 4両［トムリンソン］③
Mc 01 ‐ Tc 01
V S ‐ CP
136 **636**
135 **635** 16.03.01

03形 6両［小型密着］③
Mc 03 ‐ Tc 03
V S ‐ CP
131 **831** 19.03.15
132 **832** 21.03.08
137 **837** 20.03.09

1000形 2両［小型密着］③
Mc 1000 ‐ Tc 1500
R CP ‐ M
1009 **1509** 22.03.04

▽旧型式：01形は東京地下鉄01系（アルミ車体）、
　03形は東京地下鉄03系（アルミ車体）、6000形は東京都交通局6000系。
　03形は2019.04.04から運行開始。01形は上熊本～北熊本間にておもに運行
▽1000形は元静岡鉄道1000系（ステンレス車）。譲受時に車イススペース設置等改造工事施工
▽01形の台車はefWING台車KW206
▽ワンマン運転実施。ＡＴＳ装備（この装備に合わせて6000形は車号にＡを追加）
▼車イス対応スペース……太字の車両に設置
▽車両工場にてモハ71、モハ5101Aを保存

形式	両数
1000形	2
6000形	4
01形	4
03形	6
計	16

南阿蘇鉄道 高森検修庫（高森駅構内）

12両

←立野　　　　　　　　　　　　　　　　　　　　　　　　高森→

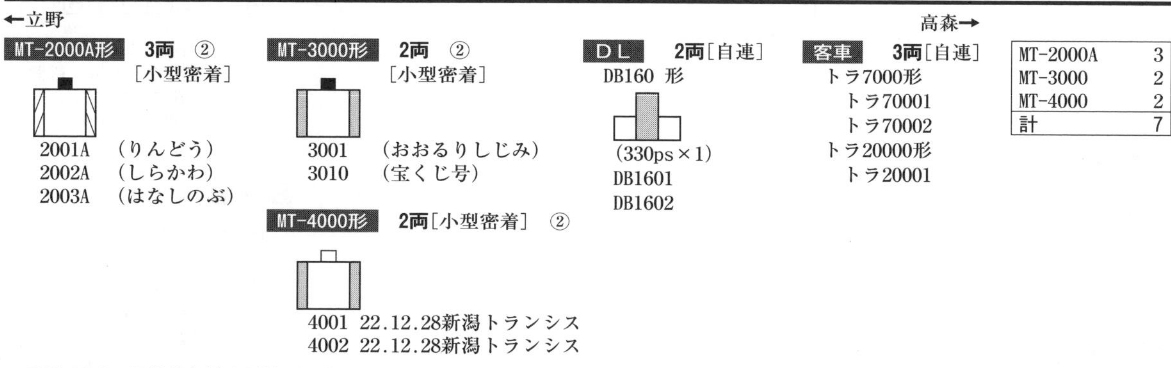

MT-2000A形 3両 ②［小型密着］
2001A （りんどう）
2002A （しらかわ）
2003A （はなしのぶ）

MT-3000形 2両 ②［小型密着］
3001 （おおるりしじみ）
3010 （宝くじ号）

MT-4000形 2両［小型密着］②
4001 22.12.28新潟トランシス
4002 22.12.28新潟トランシス

ＤＬ 2両［自連］
DB160 形
（330ps×1）
DB1601
DB1602

客車 3両［自連］
トラ7000形
　トラ70001
　トラ70002
トラ20000形
　トラ20001

形式	両数
MT-2000A	3
MT-3000	2
MT-4000	2
計	7

▽1986.04.01 国鉄高森線を引継ぎ開業
▽2016.04に発生した熊本地震にて立野～中松間は被災、中松～高森間にて現在運転中。2023.07.15　全線運転再開予定
▽トロッコ列車「ゆうすげ号」はＤＬ＋トラ＋トラ＋トラ＋ＤＬの編成で運転
　運転期間などの詳細は南阿蘇鉄道のホームページを参照
▽MT-3000形(3001)はイベント兼用車、塗色は上半＝シルバーホワイト、下半＝イエロー、裾に黒帯、イエロー部分にルリ蝶のステッカー
　3010はレトロ調車体、カラオケ設置可能、車イススペース付き
▽MT-2000A形は足回りを2軸駆動の空気ばね台車に取替えたもの
▽2023.04.01　鉄道事業再構築実施計画認定により、南阿蘇鉄道は第二種鉄道事業者に。
　第三種鉄道事業者は一般社団法人 南阿蘇管理機構

くま川鉄道 検修庫（人吉）

5両

←人吉　　　　湯前→

KT-500形 5両［小型密着］②

新製月日
501 14.01.22 冬（茶）
502 14.01.22 秋（赤）
503 14.01.22 春（ベージュ）
504 14.12.26 夏（青）
505 14.12.26 白秋（白）

形式	両数
KT-500形	5
計	5

▽1989.10.01 ＪＲ九州湯前線を引継ぎ開業
▽KT-500形は「田園シンフォニー」。2014.03.15から営業運転開始（KT-501 ～ 503）。
　2014年度増備のKT-504・505は2014.12.28から営業運転開始
　１両ごとに愛称があり、（ ）内は車体塗色。各車両に車イススペース設置
▽KT103・KT203は2016.06.30にて営業運転終了（あさぎり駅留置）
▽KT102は新潟トランシス工場にて保存、展示
▼車イス対応スペース……太字の車両に設置
▽2019年度　８月に、各車座席配置の変更を実施
▽2021(R03)11.28　肥後西村～湯前間運転再開

鹿児島市交通局　神田(交通局前)車庫　58両

第一期線・第二期線・谷山線・唐湊線　58両(56両＋2)

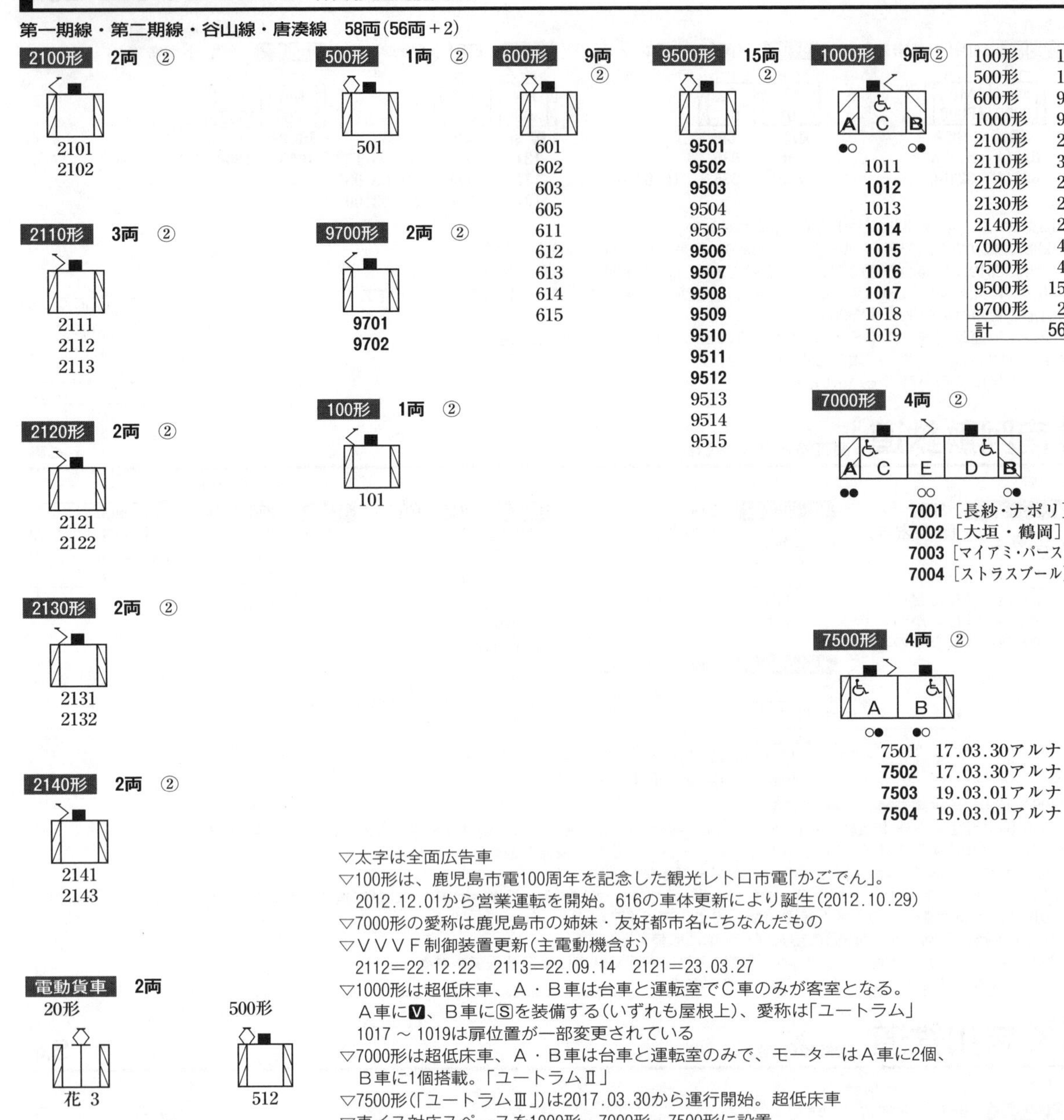

2100形　2両　②
2101
2102

2110形　3両　②
2111
2112
2113

2120形　2両　②
2121
2122

2130形　2両　②
2131
2132

2140形　2両　②
2141
2143

電動貨車　2両
20形
花 3
500形
512

500形　1両　②
501

9700形　2両　②
9701
9702

100形　1両　②
101

600形　9両　②
601
602
603
605
611
612
613
614
615

9500形　15両　②
9501
9502
9503
9504
9505
9506
9507
9508
9509
9510
9511
9512
9513
9514
9515

1000形　9両②
A C B
1011
1012
1013
1014
1015
1016
1017
1018
1019

形式	両数
100形	1
500形	1
600形	9
1000形	9
2100形	2
2110形	3
2120形	2
2130形	2
2140形	2
7000形	4
7500形	4
9500形	15
9700形	2
計	56

7000形　4両　②
A C E D B
7001［長紗・ナポリ］
7002［大垣・鶴岡］
7003［マイアミ・パース］
7004［ストラスブール］

7500形　4両　②
A B
7501　17.03.30アルナ
7502　17.03.30アルナ
7503　19.03.01アルナ
7504　19.03.01アルナ

▽太字は全面広告車
▽100形は、鹿児島市電100周年を記念した観光レトロ市電「かごでん」。
　2012.12.01から営業運転を開始。616の車体更新により誕生(2012.10.29)
▽7000形の愛称は鹿児島市の姉妹・友好都市名にちなんだもの
▽ＶＶＶＦ制御装置更新(主電動機含む)
　2112＝22.12.22　2113＝22.09.14　2121＝23.03.27
▽1000形は超低床車、Ａ・Ｂ車は台車と運転室でＣ車のみが客室となる。
　Ａ車にⓋ、Ｂ車にⓈを装備する(いずれも屋根上)、愛称は「ユートラム」
　1017～1019は扉位置が一部変更されている
▽7000形は超低床車、Ａ・Ｂ車は台車と運転室のみで、モーターはＡ車に2個、
　Ｂ車に1個搭載。「ユートラムⅡ」
▽7500形(「ユートラムⅢ」)は2017.03.30から運行開始。超低床車
▽車イス対応スペースを1000形・7000形・7500形に設置
▽9500形9513　19.03.29＝車内改造(定員変更・座席配置変更)
▽605は「イベント用貸切電車」で、通常の営業運転には使用しない
▽512は散水や芝刈(専用台車を牽引)に使用する
　芝生は、2004.03.13の九州新幹線開業に伴い、
　電停名を西鹿児島駅前から鹿児島中央駅前に改称する際に、
　軌道敷に植えたのが最初で、以降、軌道敷緑化事業のもと進行。
　512は軌道敷内の芝刈り用として2010年度から稼働
▽花３は、504を２軸ボギー貨物電車に改造(21.02.17)。この導入にて21.03.14 花２を廃車

▽2015.05.01　上荒田町(最寄電停は神田)に新交通局舎、電車施設完成。使用開始
　電停名変更(以下の4電停)
　交通局前→二中通、市立病院前→甲東中学校前、
　神田→神田(交通局前)、たばこ産業前→市立病院前

肥薩おれんじ鉄道 出水車両基地(出水駅構内) 19両

←八代　　川内→

HSOR-100A形 17両［小型密着］ ②

101A 鹿児島国体ラッピング［22.09.26］
102A くまもんラッピング３号
103A かぞくいろ(車内のみ)
104A
105A
106A
107A くまもんラッピング２号
108A
109A
110A
111A くまもんラッピング１号
112A
113A
114A おれんじ食堂１号車
115A ＪＮＣ
116A おれんじ食堂２号車
117A 放課後ていぼう日誌(アニメ)［20.12.24］

HSOR-150A形 2両［小型密着］ ②

151A

152A 台湾鉄路

▽2004.03.13 ＪＲ九州鹿児島本線の一部を引継ぎ開業
▽各車両に車イス対応スペース、ドア開閉予告ブザーを装備
▽太字はイベント対応車(転換クロス・テーブル・カラオケ装備)、2両とも塗色が異なり、キャラクターのイラスト付き
▽「おれんじ食堂」は、2013.03.24から営業運転開始
▽保安装置をＡＴＳ-ＤＫ形に変更したため、各形式・車号に「Ａ」を付けた

岡本製作所 2両

←ラクテンチ下　鋼索　ラクテンチ上→

No.１ メモリー号
No.２ ドリーム号

▽別府駅(東口)から15番(ラクテンチ経由鉄輪行)亀の井バスに乗車。ラクテンチ下車。別府ラクテンチ施設内
▽メモリー号は猫、ドリーム号は犬がモチーフの顔

沖縄都市モノレール 運営基地(那覇空港駅隣接) 42両

←那覇空港　首里・てだこ浦西→

1000形 42両(アルミ車体)［密連］ ②

1000形	
1100	21
1200	21
計	42

	Mc1 1100 (V)	Mc2 1200 (V S CP)	
01	**1101**	1201	
02	**1102**	1202	
03	**1103**	1203	
04	**1104**	1204	
05	**1105**	1205	
06	**1106**	1206	
07	**1107**	1207	
08	**1108**	1208	
09	**1109**	1209	
10	**1110**	1210	
11	**1111**	1211	
12	**1112**	1212	
13	**1113**	1213	
14	**1114**	1214	16.04.27日立
15	**1115**	1215	17.10.05日立
16	**1116**	1216	17.10.13日立
17	**1117**	1217	17.10.13日立
18	**1118**	1218	18.04.18日立
19	**1119**	1219	18.09.26日立
20	**1120**	1220	20.10.01日立
21	**1121**	1221	20.10.01日立

▽2003.08.10開業
▽2019.10.01 首里～てだこ浦西間開業
▽アルウェーグ式、直流1500Ｖ
▽優先席は各車、車イス対応スペースは太字の車両に設置
▽Mc2の先頭台車はモーターなし
▽04編成は「京急」(ラッピング車両)［18.02.08～］
12編成は「おきぎん キキ＆ララ」(ラッピング車両)［16.07.04～］
13編成は三和金属 アル美＆テリー(ラッピング車両)［22.09.09～］
14編成は「ＤＭＭかりゆし水族館」(ラッピング車両)(19.07.29～)
15編成は「ＤＭＭかりゆし水族館」(ラッピング車両)(20.01.27～)
16編成は「そらとぶピカチュウ」(ラッピング車両)(21.06.21～)
車内も21.12.21からラッピング施工
17編成は「ＯＦＧおきなわフィナンシャルグループ」(ラッピング車両)(21.10.04～)
18編成は「ＤＭＭかりゆし水族館」(ラッピング車両)(19.08.06～)
19編成は「ＤＭＭかりゆし水族館」(ラッピング車両)(19.08.29～)
20編成は三和金属 アル美＆テリー(ラッピング車両)［22.09.07～］
21編成はＦＩＢＡバスケットボールワールドカップ(ラッピング車両)［22.12.28～］
▽14編成以降、これまでの車両と比べて車内が広くなったほか、車内表示器をマップ式からＬＣＤ表示器に変更

新製車両　2022年度

企業体名	形式・車号	製造	落成月日
札幌市交通局	1100形 1108	アルナ	22.09.29
	1109	〃	〃
	雪20形 23	札幌交通	22.11.11
阿武隈急行	AB900-4	総合	23.03.15
	AB901-4	〃	〃
	AB900-5	総合	23.03.15
	AB901-5	〃	〃
福島臨海鉄道	DD56形 DD562	新潟ト	23.03.31
舞浜リゾートライン	100形 141	日立	22.11.18
	142	〃	〃
	143	〃	〃
	144	〃	〃
	145	〃	〃
	146	〃	〃
新京成電鉄	80000形 80036	日車	22.11.01
	80035	〃	〃
	80034	〃	〃
	80033	〃	〃
	80032	〃	〃
	80031	〃	〃
東京都交通局	6500形 6510-1	近車	22.06.23
	6510-2	〃	〃
	6510-3	〃	〃
	6510-4	〃	〃
	6510-5	〃	〃
	6510-6	〃	〃
	6510-7	〃	〃
	6510-8	〃	〃
	6511-1	近車	22.07.13
	6511-2	〃	〃
	6511-3	〃	〃
	6511-4	〃	〃
	6511-5	〃	〃
	6511-6	〃	〃
	6511-7	〃	〃
	6511-8	〃	〃
	6512-1	近車	22.08.18
	6512-2	〃	〃
	6512-3	〃	〃
	6512-4	〃	〃
	6512-5	〃	〃
	6512-6	〃	〃
	6512-7	〃	〃
	6512-8	〃	〃
	6513-1	近車	22.09.14
	6513-2	〃	〃
	6513-3	〃	〃
	6513-4	〃	〃
	6513-5	〃	〃
	6513-6	〃	〃
	6513-7	〃	〃
	6513-8	〃	〃
	10-300形 -690	総合	22.05.09
	-691	〃	〃
	-692	〃	〃
	-693	〃	〃
	-694	〃	〃
	-695	〃	〃
	-696	〃	〃
	-697	〃	〃
	-698	〃	〃
	-699	〃	〃
	-700	総合	22.06.01
	-701	〃	〃
	-702	〃	〃
	-703	〃	〃
	-704	〃	〃
	-705	〃	〃
	-706	〃	〃
	-707	〃	〃
	-708	〃	〃
	-709	〃	〃
	-710	総合	22.07.06
	-711	〃	〃
	-712	〃	〃
	-713	〃	〃
	-714	〃	〃
	-715	〃	〃
	-716	〃	〃
	-717	〃	〃
	-718	〃	〃
	-719	〃	〃
	-720	総合	22.09.05
	-721	〃	〃
	-722	〃	〃
	-723	〃	〃
	-724	〃	〃
	-725	〃	〃
	-726	〃	〃
	-727	〃	〃
	-728	〃	〃
	-729	〃	〃

企業体名	形式・車号	製造	落成月日
東京都交通局	12-600形		
	12-821	川車	22.07.24
	12-822	〃	〃
	12-823	〃	〃
	12-824	〃	〃
	12-825	〃	〃
	12-826	〃	〃
	12-827	〃	〃
	12-828	〃	〃
	12-831	川車	23.03.19
	12-832	〃	〃
	12-833	〃	〃
	12-834	〃	〃
	12-835	〃	〃
	12-836	〃	〃
	12-837	〃	〃
	12-838	〃	〃
	330形 334-1	三菱重	22.06.07
	334-2	〃	〃
	334-3	〃	〃
	334-4	〃	〃
	334-5	〃	〃
	335-1	三菱重	22.07.26
	335-2	〃	〃
	335-3	〃	〃
	335-4	〃	〃
	335-5	〃	〃
	336-1	三菱重	22.11.01
	336-2	〃	〃
	336-3	〃	〃
	336-4	〃	〃
	336-5	〃	〃
	337-1	三菱重	23.02.07
	337-2	〃	〃
	337-3	〃	〃
	337-4	〃	〃
	337-5	〃	〃
西武鉄道	40000系 40158	川車	22.07.01
	40258	〃	〃
	40358	〃	〃
	40458	〃	〃
	40558	〃	〃
	40658	〃	〃
	40758	〃	〃
	40858	〃	〃
	40958	〃	〃
	40058	〃	〃
	40159	川車	23.01.20
	40259	〃	〃
	40359	〃	〃
	40459	〃	〃
	40559	〃	〃
	40659	〃	〃
	40759	〃	〃
	40859	〃	〃
	40959	〃	〃
	40059	〃	〃
	40160	川車	23.03.24
	40260	〃	〃
	40360	〃	〃
	40460	〃	〃
	40560	〃	〃
	40660	〃	〃
	40760	〃	〃
	40860	〃	〃
	40960	〃	〃
	40060	〃	〃
京王電鉄	5000系 5737	総合	22.10.21
	5037	〃	〃
	5087	〃	〃
	5537	〃	〃
	5137	〃	〃
	5187	〃	〃
	5587	〃	〃
	5237	〃	〃
	5287	〃	〃
	5787	〃	〃
小田急電鉄	5000形 5060	川車	22.04.01
	5010	〃	〃
	5110	〃	〃
	5160	〃	〃
	5260	〃	〃
	5210	〃	〃
	5310	〃	〃
	5360	〃	〃
	5410	〃	〃
	5460	〃	〃
	5061	川車	22.10.20
	5011	〃	〃
	5111	〃	〃
	5161	〃	〃
	5261	〃	〃

企業体名	形式・車号	製造	落成月日
小田急電鉄	5000形 5211	川車	22.10.20
	5311	〃	〃
	5361	〃	〃
	5411	〃	〃
	5461	〃	〃
	5062	川車	22.12.21
	5012	〃	〃
	5112	〃	〃
	5162	〃	〃
	5262	〃	〃
	5212	〃	〃
	5312	〃	〃
	5362	〃	〃
	5412	〃	〃
	5462	〃	〃
東急電鉄	2020系 2150	総合	22.06.06
	2250	〃	〃
	2350	〃	〃
	2450	〃	〃
	2550	〃	〃
	2650	〃	〃
	2750	〃	〃
	2850	〃	〃
	2950	〃	〃
	2050	〃	〃
	3000系 仮3402	総合	22.04.25
	仮3502	〃	〃
	仮3404	総合	22.04.25
	仮3504	〃	〃
	仮3408	総合	22.04.25
	仮3508	〃	〃
	5000系 4412	総合	22.07.01
	4512	〃	〃
	4415	総合	23.02.23
	4515	〃	〃
	4413	総合	23.02.26
	4513	〃	〃
	4414	総合	23.02.26
	4514	〃	〃
	5000系 仮5483	総合	22.07.25
	仮5583	〃	〃
	仮5485	総合	22.07.25
	仮5585	〃	〃
	仮5481	総合	22.09.01
	仮5581	〃	〃
	仮5482	総合	22.09.01
	仮5582	〃	〃
	仮5488	総合	22.09.01
	仮5588	〃	〃
	2000系 2133	近車	22.07.04
	2233	〃	〃
	2333	〃	〃
	2433	〃	〃
	2533	〃	〃
東京地下鉄	2033	〃	〃
	2134	近車	22.09.30
	2234	〃	〃
	2334	〃	〃
	2434	〃	〃
	2534	〃	〃
	2034	〃	〃
	2135	近車	22.11.09
	2235	〃	〃
	2335	〃	〃
	2435	〃	〃
	2535	〃	〃
	2035	〃	〃
	2136	近車	22.11.08
	2236	〃	〃
	2336	〃	〃
	2436	〃	〃
	2536	〃	〃
	2036	〃	〃
	2137	近車	22.11.29
	2237	〃	〃
	2337	〃	〃
	2437	〃	〃
	2537	〃	〃
	2037	〃	〃
	2138	近車	22.12.27
	2238	〃	〃
	2338	〃	〃
	2438	〃	〃
	2538	〃	〃
	2038	〃	〃

企業体名	形式・車号	製造	落成月日
東京地下鉄	17000系 17193	近車	22.04.02
	17293	〃	〃
	17393	〃	〃
	17493	〃	〃
	17593	〃	〃
	17693	〃	〃
	17793	〃	〃
	17093	〃	〃
	17194	近車	22.04.23
	17294	〃	〃
	17394	〃	〃
	17494	〃	〃
	17594	〃	〃
	17694	〃	〃
	17794	〃	〃
	17094	〃	〃
	17195	近車	22.05.14
	17295	〃	〃
	17395	〃	〃
	17495	〃	〃
	17595	〃	〃
	17695	〃	〃
	17795	〃	〃
	17095	〃	〃
	18000系 18105	日立	22.05.27
	18205	〃	〃
	18305	〃	〃
	18405	〃	〃
	18505	〃	〃
	18605	〃	〃
	18705	〃	〃
	18805	〃	〃
	18905	〃	〃
	18005	〃	〃
	18106	日立	22.06.24
	18206	〃	〃
	18306	〃	〃
	18406	〃	〃
	18506	〃	〃
	18606	〃	〃
	18706	〃	〃
	18806	〃	〃
	18906	〃	〃
	18006	〃	〃
	18107	日立	22.07.22
	18207	〃	〃
	18307	〃	〃
	18407	〃	〃
	18507	〃	〃
	18607	〃	〃
	18707	〃	〃
	18807	〃	〃
	18907	〃	〃
	18007	〃	〃
	18108	日立	22.08.12
	18208	〃	〃
	18308	〃	〃
	18408	〃	〃
	18508	〃	〃
	18608	〃	〃
	18708	〃	〃
	18808	〃	〃
	18908	〃	〃
	18008	〃	〃
	18109	日立	22.09.09
	18209	〃	〃
	18309	〃	〃
	18409	〃	〃
	18509	〃	〃
	18609	〃	〃
	18709	〃	〃
	18809	〃	〃
	18909	〃	〃
	18009	〃	〃
	18110	日立	22.09.30
	18210	〃	〃
	18310	〃	〃
	18410	〃	〃
	18510	〃	〃
	18610	〃	〃
	18710	〃	〃
	18810	〃	〃
	18910	〃	〃
	18010	〃	〃
	18111	日立	22.11.11
	18211	〃	〃
	18311	〃	〃
	18411	〃	〃
	18511	〃	〃
	18611	〃	〃
	18711	〃	〃
	18811	〃	〃

企業体名	形式・車号	製造	落成月日
東京地下鉄	18000系 18911	日立	22.11.11
	18011	〃	〃
相模鉄道	21000系 21105	日立	22.11.01
	21205	〃	〃
	21305	〃	〃
	21405	〃	〃
	21505	〃	〃
	21605	〃	〃
	21705	〃	〃
	21805	〃	〃
	21106	日立	22.12.01
	21206	〃	〃
	21306	〃	〃
	21406	〃	〃
	21506	〃	〃
	21606	〃	〃
	21706	〃	〃
	21806	〃	〃
	21107	日立	23.01.02
	21207	〃	〃
	21307	〃	〃
	21407	〃	〃
	21507	〃	〃
	21607	〃	〃
	21707	〃	〃
	21807	〃	〃
横浜市交通局	4000形 4631	川車	22.10.04
	4632	〃	〃
	4633	〃	〃
	4634	〃	〃
	4635	〃	〃
	4636	〃	〃
	4641	川車	22.11.19
	4642	〃	〃
	4643	〃	〃
	4644	〃	〃
	4645	〃	〃
	4646	〃	〃
	4651	川車	23.01.13
	4652	〃	〃
	4653	〃	〃
	4654	〃	〃
	4655	〃	〃
	4656	〃	〃
	4661	川車	23.02.10
	4662	〃	〃
	4663	〃	〃
	4664	〃	〃
	4665	〃	〃
	4666	〃	〃
	10000形10033	川車	22.12.02
	10034	〃	〃
	10113	川車	23.03.31
	10114	〃	〃
	10123	川車	22.09.24
	10124	〃	〃
しなの鉄道	ＳＲ１系		
	SR111-304	総合	23.01.27
	305	〃	23.02.17
	306	〃	23.02.17
	SR112-304	総合	23.01.27
	305	〃	23.02.17
	306	〃	23.02.17
静岡鉄道	3000系 A3011	総合	23.02.25
	A3511	〃	〃
名古屋市交通局	N3000形 N3116	日車	23.02.13
	N3216	〃	〃
	N3316	〃	〃
	N3416	〃	〃
	N3716	〃	〃
	N3816	〃	〃
名古屋鉄道	9500系 9509	日車	22.04.14
	9559	〃	〃
	9659	〃	〃
	9609	〃	〃
	9510	日車	22.05.12
	9560	〃	〃
	9660	〃	〃
	9610	〃	〃
	9511	日車	22.05.12
	9561	〃	〃
	9661	〃	〃
	9611	〃	〃
	9512	日車	22.06.16
	9562	〃	〃
	9662	〃	〃
	9612	〃	〃
	9100系 9107	日車	22.06.16
	9207	〃	〃
西濃鉄道	ＤＤ45　1	北陸	23.03
あいの風	クモハ521-1005	川車	23.02.20
とやま鉄道	クハ520-1005	〃	〃

企業体名	形式・車号	製造	落成月日
あいの風	クモハ521-1006	川車	23.02.20
とやま鉄道	クハ520-1006	〃	〃
福井鉄道	F2000形 F2001	アルナ	23.02.20
京都市交通局	20系 2132	近車	22.06.16
	2232	〃	〃
	2332	〃	〃
	2632	〃	〃
	2732	〃	〃
	2832	〃	〃
	2133	近車	22.11.01
	2233	〃	〃
	2333	〃	〃
	2633	〃	〃
	2733	〃	〃
	2833	〃	〃
阪急電鉄	1300系 1314	日立	22.05.24
	1814	〃	〃
	1914	〃	〃
	1364	〃	〃
	1464	〃	〃
	1864	〃	〃
	1964	〃	〃
	1414	〃	〃
	1315	日立	22.07.26
	1815	〃	〃
	1915	〃	〃
	1365	〃	〃
	1465	〃	〃
	1865	〃	〃
	1965	〃	〃
	1415	〃	〃
阪神電気鉄道	5700系 5719	近車	22.04.18
	5819	〃	〃
	5820	〃	〃
	5720	〃	〃
	5721	近車	22.05.24
	5821	〃	〃
	5822	〃	〃
	5722	〃	〃
大阪市高速	30000系 31621	川車	22.05.12
電気軌道	31021	〃	〃
	31121	〃	〃
	31721	〃	〃
	31421	〃	〃
	31821	〃	〃
	31521	〃	〃
	31321	〃	〃
	31221	〃	〃
	30921	〃	〃
	31622	川車	22.06.10
	31022	〃	〃
	31122	〃	〃
	31722	〃	〃
	31422	〃	〃
	31822	〃	〃
	31522	〃	〃
	31322	〃	〃
	31222	〃	〃
	30922	〃	〃
	32651	近車	22.04.08
	32151	〃	〃
	32851	〃	〃
	32351	〃	〃
	32251	〃	〃
	32951	〃	〃
	32652	近車	22.07.28
	32152	〃	〃
	32852	〃	〃
	32352	〃	〃
	32252	〃	〃
	32952	〃	〃
	32653	近車	22.08.22
	32153	〃	〃
	32853	〃	〃
	32353	〃	〃
	32253	〃	〃
	32953	〃	〃
	32654	近車	22.09.02
	32154	〃	〃
	32854	〃	〃
	32354	〃	〃
	32254	〃	〃
	32954	〃	〃
	32655	近車	22.09.26
	32155	〃	〃
	32855	〃	〃
	32355	〃	〃
	32255	〃	〃
	32955	〃	〃
	32656	近車	22.10.07
	32156	〃	〃
	32856	〃	〃

企業体名	形式・車号	製造	落成月日
大阪市高速	30000系 32356	近車	22.10.07
電気軌道	32256	〃	〃
	32956	〃	〃
	32657	近車	22.12.06
	32157	〃	〃
	32857	〃	〃
	32357	〃	〃
	32257	〃	〃
	32957	〃	〃
	32658	近車	22.12.16
	32158	〃	〃
	32858	〃	〃
	32358	〃	〃
	32258	〃	〃
	32958	〃	〃
	32659	近車	23.01.06
	32159	〃	〃
	32859	〃	〃
	32359	〃	〃
	32259	〃	〃
	32959	〃	〃
	32660	近車	23.01.19
	32160	〃	〃
	32860	〃	〃
	32360	〃	〃
	32260	〃	〃
	32960	〃	〃
	400系 406-1	日立	22.11.22
	401-1	〃	〃
	408-1	〃	〃
	403-1	〃	〃
	402-1	〃	〃
	409-1	〃	〃
	406-2	日立	23.03.09
	401-2	〃	〃
	408-2	〃	〃
	403-2	〃	〃
	402-2	〃	〃
	409-2	〃	〃
大阪モノレール	3000系 3654	日立	22.08.09
	3554	〃	〃
	3254	〃	〃
	3154	〃	〃
	3655	日立	23.01.24
	3555	〃	〃
	3255	〃	〃
	3155	〃	〃
神戸市交通局	6000形 6151	川車	22.04.25
	6251	〃	〃
	6351	〃	〃
	6451	〃	〃
	6551	〃	〃
	6651	〃	〃
	6152	川車	22.06.21
	6252	〃	〃
	6352	〃	〃
	6452	〃	〃
	6552	〃	〃
	6652	〃	〃
	6153	川車	22.08.24
	6253	〃	〃
	6353	〃	〃
	6453	〃	〃
	6553	〃	〃
	6653	〃	〃
	6154	川車	22.10.07
	6254	〃	〃
	6354	〃	〃
	6454	〃	〃
	6554	〃	〃
	6654	〃	〃
	6155	川車	22.12.20
	6255	〃	〃
	6355	〃	〃
	6455	〃	〃
	6555	〃	〃
	6655	〃	〃
	6156	川車	23.03.08
	6256	〃	〃
	6356	〃	〃
	6456	〃	〃
	6556	〃	〃
	6656	〃	〃
神戸新交通	3000形 3106	川車	22.05.17
	3206	〃	〃
	3506	〃	〃
	3606	〃	〃
	3107	川車	22.09.29
	3207	〃	〃
	3507	〃	〃
	3607	〃	〃

企業体名	形式・車号	製造	落成月日
広島高速交通	7000系 7140	三菱重	22.05.20
	7240	〃	〃
	7340	〃	〃
	7440	〃	〃
	7540	〃	〃
	7640	〃	〃
	7141	三菱重	22.07.14
	7241	〃	〃
	7341	〃	〃
	7441	〃	〃
	7541	〃	〃
	7641	〃	〃
	7142	三菱重	22.08.26
	7242	〃	〃
	7342	〃	〃
	7442	〃	〃
	7542	〃	〃
	7642	〃	〃
	7145	三菱重	23.03.24
	7245	〃	〃
	7345	〃	〃
	7445	〃	〃
	7545	〃	〃
	7645	〃	〃
広島電鉄	5000形 5208	※	23.02.28
伊予鉄道	モハ5000形		〃
	5011	アルナ	23.02.07
	5012	〃	〃
福岡市交通局	3000A系 3120	日立	22.07.13
	3220	〃	〃
	3520	〃	〃
	3620	〃	〃
	3121	日立	22.07.25
	3221	〃	〃
	3521	〃	〃
	3621	〃	〃
南阿蘇鉄道	MT-4000形		
	4001	新潟ト	22.12.28
	4002	〃	〃

▽札幌交通=札幌交通機械
新潟=新潟トランシス

▽※印は、近畿車輛、三菱重工エンジニアリング、東洋電機製造製

廃車車両　2022年度

企業体名	形式・車号	廃車月日	譲渡先
札幌市交通局	250形 254	22.10.11	
	255	22.10.11	
	雪形 3	22.10.11	
岩手開発鉄道	DD56 52	23.02.04	
阿武隈急行	8100系 8103	23.01.01	
	8104	〃	
	8105	23.01.01	
	8106	〃	
福島臨海鉄道	DD55形 DD552	23.03.31	
野岩鉄道	6050系 61101	22.04.05	
	62101	22.04.06	
鹿島臨海鉄道	6000形 6009	23.03.18	
いすみ鉄道	キハ282346	23.02.28	保存
新京成電鉄	8800形 8801-6	22.08.24	
	8801-5	〃	
	8801-4	〃	
	8801-3	〃	
	8801-2	〃	
	8801-1	〃	
京成電鉄	3400形 3411	23.03.24	
	3412	〃	
	3413	〃	
	3414	〃	
	3415	〃	
	3416	〃	
	3417	〃	
	3418	〃	
	3700形 3741	23.03.24	
	3742	〃	
	3743	〃	
	3746	〃	
	3787	23.03.24	
	3788	〃	
東京都交通局	5300形 5320-1	23.02.24	
	5320-2	〃	
	5320-3	〃	
	5320-4	〃	
	5320-5	〃	
	5320-6	〃	
	5320-7	〃	
	5320-8	〃	
	6300形 6301-1	22.10.10	
	6301-2	〃	
	6301-3	〃	
	6301-4	〃	
	6301-7	〃	
	6301-8	〃	
	6302-1	23.03.16	
	6302-2	〃	
	6302-3	〃	
	6302-4	〃	
	6302-7	〃	
	6302-8	〃	
	6303-1	23.03.16	
	6303-2	〃	
	6303-3	〃	
	6303-4	〃	
	6303-7	〃	
	6303-8	〃	
	6304-1	22.06.02	
	6304-2	〃	
	6304-3	〃	
	6304-4	〃	
	6304-7	〃	
	6304-8	〃	
	6305-1	22.07.18	
	6305-2	〃	
	6305-3	〃	
	6305-4	〃	
	6305-7	〃	
	6305-8	〃	
	6306-1	22.08.15	
	6306-2	〃	
	6306-3	〃	
	6306-4	〃	
	6306-7	〃	
	6306-8	〃	
	6307-1	22.08.24	
	6307-2	〃	
	6307-3	〃	
	6307-4	〃	
	6307-7	〃	
	6307-8	〃	
	6308-1	22.12.14	
	6308-2	〃	
	6308-3	〃	
	6308-4	〃	
	6308-7	〃	
	6308-8	〃	
	6309-1	23.02.06	
	6309-2	〃	
	6309-3	〃	
東京都交通局	6300形 6309-4	23.02.06	
	6309-7	〃	
	6309-8	〃	
	6310-1	23.03.16	
	6310-2	〃	
	6310-3	〃	
	6310-4	〃	
	6310-7	〃	
	6310-8	〃	
	6311-1	23.03.16	
	6311-2	〃	
	6311-3	〃	
	6311-4	〃	
	6311-7	〃	
	6311-8	〃	
	6312-1	23.03.16	
	6312-2	〃	
	6312-3	〃	
	6312-4	〃	
	6312-7	〃	
	6312-8	〃	
	6313-1	23.03.16	
	6313-2	〃	
	6313-3	〃	
	6313-4	〃	
	6313-7	〃	
	6313-8	〃	
	10-300形 -380	22.05.07	
	-381	〃	
	-382	〃	
	-385	〃	
	-386	〃	
	-387	〃	
	-388	〃	
	-389	〃	
	-400	22.05.28	
	-401	〃	
	-402	〃	
	-405	〃	
	-406	〃	
	-407	〃	
	-408	〃	
	-409	〃	
	-410	22.06.21	
	-411	〃	
	-412	〃	
	-415	〃	
	-416	〃	
	-417	〃	
	-418	〃	
	-419	〃	
	-420	22.08.20	
	-421	〃	
	-422	〃	
	-425	〃	
	-426	〃	
	-427	〃	
	-428	〃	
	-429	〃	
	-430	22.04.09	
	-431	〃	
	-432	〃	
	-435	〃	
	-436	〃	
	-437	〃	
	-438	〃	
	-439	〃	
	-440	22.07.12	
	-441	〃	
	-442	〃	
	-445	〃	
	-446	〃	
	-447	〃	
	-448	〃	
	-449	〃	
	12-000形		
	12-161	22.09.26	
	12-162	〃	
	12-163	〃	
	12-164	〃	
	12-165	〃	
	12-166	〃	
	12-167	〃	
	12-168	〃	
	12-211	23.01.16	
	12-212	〃	
	12-213	〃	
	12-214	〃	
	12-215	〃	
	12-216	〃	
	12-217	〃	
	12-218	〃	
東京都交通局	300形 302-1	23.02.16	
	302-2	〃	
	302-3	〃	
	302-4	〃	
	302-5	〃	
	308-1	22.08.22	
	308-2	〃	
	308-3	〃	
	308-4	〃	
	308-5	〃	
	309-1	22.11.22	
	309-2	〃	
	309-3	〃	
	309-4	〃	
	309-5	〃	
	310-1	22.07.06	
	310-2	〃	
	310-3	〃	
	310-4	〃	
	310-5	〃	
京浜急行電鉄	1500形 1501	23.03.15	
	1502	〃	
	1503	〃	
	1504	〃	
	1517	23.03.15	
	1518	〃	
	1519	〃	
	1520	〃	
東武鉄道	100系 104-1	22.06.24	
	104-2	〃	
	104-3	〃	
	104-4	〃	
	104-5	〃	
	104-6	〃	
	105-1	23.03.07	
	105-2	〃	
	105-3	〃	
	105-4	〃	
	105-5	〃	
	105-6	〃	
	200系 202-1	22.10.27	
	202-2	〃	
	202-3	〃	
	202-4	〃	
	202-5	〃	
	202-6	〃	
	250系 251-1	22.07.15	
	251-2	〃	
	251-3	〃	
	251-4	〃	
	251-5	〃	
	251-6	〃	
	350系 351-1	22.07.08	
	351-2	〃	
	351-3	〃	
	351-4	〃	
	353-1	22.07.26	
	353-2	〃	
	353-3	〃	
	353-4	〃	
	10000系 11004	23.01.18	
	12004	〃	
	13004	〃	
	14004	〃	
	15004	〃	
	16004	〃	
	17004	〃	
	18004	〃	
	19004	〃	
	10004	〃	
	11460	22.05.12	
	12460	〃	
	13460	〃	
	14460	〃	
	8000系 8563	22.06.09	
	8663	〃	
	8564	22.06.03	
	8664	〃	
	8570	23.03.13	
	8670	〃	
	6050系 6151	22.04.12	
	6251	〃	
	6152	22.09.08	
	6252	〃	
	6157	22.09.05	
	6257	〃	
	6162	23.01.25	
	6262	〃	
	6172	22.09.15	
	6272	〃	
	6173	23.01.21	
	6273	〃	
西武鉄道	2000系 2007	22.04.27	
	2107	〃	
	2108	〃	
	2307	〃	
	2308	〃	
	2207	〃	
	2208	〃	
	2008	〃	
	2027	22.10.19	
	2127	〃	
	2128	〃	
	2227	〃	
	2228	〃	
	2028	〃	
	2033	22.08.24	
	2133	〃	
	2134	〃	
	2233	〃	
	2234	〃	
	2034	〃	
	2057	23.01.28	
	2157	〃	
	2158	〃	
	2257	〃	
	2258	〃	
	2357	〃	
	2358	〃	
	2058	〃	
	2059	22.05.25	
	2159	〃	
	2160	〃	
	2259	〃	
	2260	〃	
	2359	〃	
	2360	〃	
	2060	〃	
	2061	23.02.18	
	2161	〃	
	2162	〃	
	2261	〃	
	2262	〃	
	2361	〃	
	2632	〃	
	2062	〃	
	2403	23.03.23	
	2404	〃	
	2405	22.12.21	
	2406	〃	
	2413	22.06.16	
	2414	〃	
	2501	22.07.27	
	2502	〃	
	2601	〃	
	2602	〃	
	2503	22.06.16	
	2504	〃	
	2603	〃	
	2604	〃	
	2505	22.12.21	
	2506	〃	
	2605	〃	
	2606	〃	
	2511	23.03.23	
	2512	〃	
	2611	〃	
	2612	〃	
	2515	23.03.15	
	2516	〃	
	2615	〃	
	2616	〃	
京王電鉄	7000系 7708	22.09.06	
	7008	〃	
	7058	〃	
	7108	〃	
	7158	〃	
	7758	〃	
小田急電鉄	1000系 1058	22.10.04	
	1008	〃	
	1108	〃	
	1158	〃	
	1061	22.06.14	
	1011	〃	
	1111	〃	
	1161	〃	
	1251	22.09.08	
	1201	〃	
	1301	〃	
	1351	〃	
	1401	〃	
	1451	〃	

企業体名	形式・車号	廃車月日	譲渡先
小田急電鉄	1000系 1253	22.07.26	
	1203	〃	
	1303	〃	
	1353	〃	
	1403	〃	
	1453	〃	
	1254	22.08.09	
	1204	〃	
	1304	〃	
	1354	〃	
	1404	〃	
	1454	〃	
	1754	22.05.12	
	1704	〃	
	1804	〃	
	1854	〃	
	1904	〃	
	1954	〃	
	8054	23.02.07	
	8004	〃	
	8104	〃	
	8155	〃	
	8055	22.12.02	
	8005	〃	
	8105	〃	
	8155	〃	
	8056	22.10.27	
	8006	〃	
	8106	〃	
	8156	〃	
	8062	23.01.13	
	8012	〃	
	8112	〃	
	8162	〃	
	8259	22.11.14	
	8209	〃	
	8309	〃	
	8459	〃	
	8509	〃	
	8559	〃	
東急電鉄	8000系 8622	22.07.07	
	8630	〃	
	8766	22.06.15	
	8961	〃	
	8874	22.06.13	
	8767	〃	
	8875	22.06.22	
	8768	〃	
	8962	22.06.20	
	8876	〃	
	8531	22.07.04	
	8973	23.02.01	
	0801	〃	
	8798	23.02.15	
	0808	〃	
	0711	23.02.21	
	0803	〃	
東京地下鉄	02系 105	23.01.30	
	205	〃	
	305	〃	
	405	〃	
	505	〃	
	605	〃	
	116	22.12.06	
	216	〃	
	316	〃	
	416	〃	
	516	〃	
	616	〃	
	117	22.08.23	
	217	〃	
	317	〃	
	417	〃	
	517	〃	
	617	〃	
	118	23.01.16	
	218	〃	
	318	〃	
	418	〃	
	518	〃	
	618	〃	
	150	22.10.11	
	250	〃	
	350	〃	
	450	〃	
	550	〃	
	650	〃	
	153	22.11.22	
	253	〃	
	353	〃	
	453	〃	
	553	〃	

企業体名	形式・車号	廃車月日	譲渡先
東京地下鉄	02系 653	22.11.22	
	181	22.09.20	
	281	〃	
	381	〃	
	184	22.09.06	
	284	〃	
	384	〃	
	185	22.09.07	
	285	〃	
	385	〃	
	186	22.09.21	
	286	〃	
	386	〃	
	7000系 7133	22.04.18	
	7333	〃	
	7433	〃	
	7533	〃	
	7233	〃	
	7933	〃	
	7833	〃	
	7033	〃	
	7134	22.05.02	
	7334	〃	
	7434	〃	
	7534	〃	
	7234	〃	
	7934	〃	
	7834	〃	
	7034	〃	
	8000系 8102	23.02.06	
	8202	〃	
	8302	〃	
	8402	〃	
	8502	〃	
	8602	〃	
	8702	〃	
	8802	〃	
	8902	〃	
	8002	〃	
	8105	22.09.28	
	8205	〃	
	8305	〃	
	8405	〃	
	8505	〃	
	8605	〃	
	8705	〃	
	8805	〃	
	8905	〃	
	8005	〃	
	8108	22.05.11	
	8208	〃	
	8308	〃	
	8408	〃	
	8508	〃	
	8608	〃	
	8708	〃	
	8808	〃	
	8908	〃	
	8008	〃	
	8112	22.08.03	
	8212	〃	
	8312	〃	
	8412	〃	
	8512	〃	
	8612	〃	
	8712	〃	
	8812	〃	
	8912	〃	
	8012	〃	
	8113	22.08.24	
	8213	〃	
	8313	〃	
	8413	〃	
	8513	〃	
	8613	〃	
	8713	〃	
	8813	〃	
	8913	〃	
	8013	〃	
	8114	22.12.07	
	8214	〃	
	8314	〃	
	8414	〃	
	8514	〃	
	8614	〃	
	8714	〃	
	8814	〃	
	8914	〃	
	8014	〃	
	8117	22.06.16	
	8217	〃	
	8317	〃	

企業体名	形式・車号	廃車月日	譲渡先
東京地下鉄	8000系 8417	22.06.16	
	8517	〃	
	8617	〃	
	8717	〃	
	8817	〃	
	8917	〃	
	8017	〃	
	8119	22.11.03	
	8219	〃	
	8319	〃	
	8419	〃	
	8519	〃	
	8619	〃	
	8719	〃	
	8819	〃	
	8919	〃	
	8019	〃	
横浜市交通局	3000A形 3241	22.11.30	
	3242	〃	
	3243	〃	
	3244	〃	
	3245	〃	
	3246	〃	
	3251	22.10.19	
	3252	〃	
	3253	〃	
	3254	〃	
	3255	〃	
	3256	〃	
	3271	23.02.16	
	3272	〃	
	3273	〃	
	3274	〃	
	3275	〃	
	3276	〃	
	3301	23.01.16	
	3302	〃	
	3303	〃	
	3304	〃	
	3305	〃	
	3306	〃	
伊豆急行	8000系 8253	22.03	
	8103	〃	
	8003	〃	
しなの鉄道	115系		
	クモハ115-1036	23.03.31	
	モハ114-1047	〃	
	クハ115-1037	〃	
	クモハ115-1070	22.04.28	
	モハ114-1167	〃	
	クハ115-1213	〃	
	クモハ115-1015	22.04.28	
	モハ114-1020	〃	
	クハ115-1014	〃	
	クモハ115-1011	23.03.31	
	クモハ14-1507	〃	
	クモハ115-1528	22.04.28	
	クモハ14-1508	〃	
	クモハ115-1005	23.03.31	
	クモハ14-1510	〃	
アルピコ交通	3000形 3001	22.11.01	
	3002	〃	
静岡電鉄	1000形 1012	23.02.26	
	1512	〃	
名古屋市交通局	3000形 3114	23.02.14	
	3214	〃	
	3119	〃	
	3219	〃	
	3714	〃	
	3814	〃	
名古屋鉄道	6000系 6002	23.03.17	
	6302	〃	
	6102	〃	
	6202	〃	
	6006	22.07.21	
	6306	〃	
	6106	〃	
	6206	〃	
	6007	22.12.23	
	6307	〃	
	6107	〃	
	9207	〃	
	6028	22.10.14	
	6328	〃	
	6128	〃	
	6228	〃	
西濃鉄道	DE10 501	21.12.31	
	DD40 2	23.02.06	
黒部峡谷鉄道	2000形 2011	22.07.13	
	2012	〃	
	2013	〃	
	2014	〃	

企業体名	形式・車号	廃車月日	譲渡先
黒部峡谷鉄道	2000形 2015	22.07.13	
	2016	〃	
あいの風	413系		
とやま鉄道	クモハ413-2	23.01.17	
	モハ412-2	〃	
	クハ412-2	〃	
	DE15 1004	22.09.21	
北陸鉄道	8800系 8802	22.10.23	
	8812	〃	
福井鉄道	モハ200形		
	203-1	22.03.31	
	203-2	〃	
	モ600形 602	19.07.04	
	モ800形 880	22.11.27	
	881	〃	
	デキ1形 3	12.12.	
	11	19.03.31	
	D100形 101	13.09.30	
近江鉄道	220形 226	23.03.31	
	チ10形 11	23.03.31	
	12	〃	
	ホキ10形 11	23.03.31	
	13	〃	
京都市交通局	10系 1102	22.10.31	
	1202	〃	
	1302	〃	
	1602	〃	
	1702	〃	
	1802	〃	
	1107	22.06.15	
	1207	〃	
	1307	〃	
	1607	〃	
	1707	〃	
	1807	〃	
近畿日本鉄道	12200系 12239	22.09.09	
	12139	〃	
	12039	〃	
	12339	〃	
	12249	23.02.20	
	12129	〃	
	12029	〃	
	12349	〃	
	12251	22.09.07	
	12131	〃	
	12031	〃	
	12351	〃	
	12253	23.02.22	
	12353	〃	
	1000系 1106	22.11.17	
	1056	〃	
	1006	〃	
	1107	22.11.22	
	1057	〃	
	1007	〃	
	8000系 8078	23.02.24	
	8278	〃	
	8578	〃	
	8079	23.02.21	
	8279	〃	
	8579	〃	
	8400系 8416	22.11.18	
	8466	〃	
	8316	〃	
京阪電気鉄道	2600系 2601	22.09.12	
	2701	〃	
	2801	〃	
	2200系 2225	23.03.07	
	2323	〃	
	2365	〃	
	2366	〃	
	2332	〃	
	2324	〃	
	2275	〃	
阪急電鉄	3300系 3324	22.10.06	
	3404	〃	
	3335	〃	
	3811	〃	
	3304	〃	
	3804	〃	
	3354	〃	
	5300系 5802	22.10.06	
阪神電気鉄道	5000系 5005	22.06.17	
	5006	〃	
	5007	〃	
	5008	〃	
	5021	22.06.30	
	5022	〃	
	5023	〃	
	5024	〃	
大阪市高速	10系 1124	22.04.27	
電気軌道	1024	〃	

企業体名	形式・車号	廃車月日	譲渡先
大阪市高速電気軌道	10系 1924	22.04.27	
	1324	〃	
	1224	〃	
	1624	〃	
	1724	〃	
	1424	〃	
	1524	〃	
	1824	〃	
	1125	22.05.27	
	1025	〃	
	1925	〃	
	1325	〃	
	1225	〃	
	1625	〃	
	1725	〃	
	1425	〃	
	1525	〃	
	1825	〃	
	1126	22.07.05	
	1026	〃	
	1926	〃	
	1326	〃	
	1226	〃	
	1626	〃	
	1726	〃	
	1426	〃	
	1526	〃	
	1826	〃	
	20系 2602	22.09.20	
	2102	〃	
	2802	〃	
	2302	〃	
	2202	〃	
	2902	〃	
	2603	23.01.10	
	2103	〃	
	2803	〃	
	2303	〃	
	2203	〃	
	2903	〃	
	2607	22.10.03	
	2107	〃	
	2807	〃	
	2307	〃	
	2207	〃	
	2907	〃	
	2631	22.08.01	
	2131	〃	
	2831	〃	
	2331	〃	
	2231	〃	
	2931	〃	
	2634	22.12.08	
	2134	〃	
	2834	〃	
	2334	〃	
	2234	〃	
	2934	〃	
	2635	22.12.19	
	2135	〃	
	2835	〃	
	2335	〃	
	2235	〃	
	2935	〃	
	2636	23.01.23	
	2136	〃	
	2836	〃	
	2336	〃	
	2236	〃	
	2936	〃	
大阪モノレール	1000形 1631	22.06.16	
	1531	〃	
	1231	〃	
	1131	〃	
能勢電鉄	1700系 1754	23.02.	
	1734	〃	
	1784	〃	
	1704	〃	
	1756	22.12.	
	1736	〃	
	1786	〃	
	1706	〃	
山陽電気鉄道	3000系 3501	22.06.30	
	3619	〃	
	3500	22.12.29	
	5000系 5006	22.03.31	
	5007	〃	
	5503	〃	
	5237	〃	
神戸市交通局	1000-02形		
	1112-02	23.03.13	
	1212-02	〃	

企業体名	形式・車号	廃車月日	譲渡先
神戸市交通局	1000-02形		
	1312-02	23.03.13	
	1412-02	〃	
	1512-02	〃	
	1612-02	〃	
	1114-02	23.03.13	
	1214-02	〃	
	1314-02	〃	
	1414-02	〃	
	1514-02	〃	
	1614-02	〃	
	1116-02	23.03.13	
	1216-02	〃	
	1316-02	〃	
	1416-02	〃	
	1516-02	〃	
	1616-02	〃	
	2000-02形		
	2121-02	22.12.13	
	2221-02	〃	
	2321-02	〃	
	2421-02	〃	
	2521-02	〃	
	2621-02	〃	
	2122-02	22.12.13	
	2222-02	〃	
	2322-02	〃	
	2422-02	〃	
	2522-02	〃	
	2622-02	〃	
神戸新交通	1000形 1106	22.06.16	
	1206	〃	
	1506	〃	
	1606	〃	
	1111	22.10.25	
	1211	〃	
	1511	〃	
	1611	〃	
京都丹後鉄道	001系 001	22.09.20	
	002	〃	
	003	〃	
水島臨海鉄道	DD500形 DD506	23.02.28	
	DE70形 DE701	23.01.31	
広島高速交通	6000系 6114	22.04.08	
	6214	〃	
	6314	〃	
	6414	〃	
	6514	〃	
	6614	〃	
	6115	22.06.08	
	6215	〃	
	6315	〃	
	6415	〃	
	6515	〃	
	6615	〃	
	6116	22.07.29	
	6216	〃	
	6316	〃	
	6416	〃	
	6516	〃	
	6616	〃	
	6117	22.11.16	
	6217	〃	
	6317	〃	
	6417	〃	
	6517	〃	
	6617	〃	
	6119	23.02.15	
	6219	〃	
	6319	〃	
	6419	〃	
	6519	〃	
	6619	〃	
広島電鉄	350形 351	23.03.20	
	353	23.03.20	
伊予鉄道	モハ50形 55	22.11.19	
	68	22.11.19	
西日本鉄道	5000形 5114	22.06.24	
	5514	〃	
	5006	22.10.06	
	5206	22.10.20	
	5306	22.11.15	
	5506	22.12.01	
	5008	22.08.09	
	5208	22.08.09	
	5308	22.09.07	
	5508	22.09.16	
	5010	22.12.20	
	5210	22.12.28	
	5310	23.02.17	
	5510	23.02.24	
筑豊電気鉄道	2000形2002ACB	22.06.15	

譲受車両

2022年度

企業体名	形式・車号		入籍月日	前所有者(旧車号)
小湊鐵道	キハ40	3	22.04.12	ＪＲ東日本(キハ402018)
		4	22.04.12	ＪＲ東日本(キハ402019)
伊豆急行	3000系	3001	22.03.31	ＪＲ東日本(クハ209-2109)
		3101	〃	ＪＲ東日本(モハ209-2118)
		3201	〃	ＪＲ東日本(モハ208-2118)
		3051	〃	ＪＲ東日本(クハ208-2109)
		3002	22.03.31	ＪＲ東日本(クハ209-2101)
		3102	〃	ＪＲ東日本(モハ209-2102)
		3202	〃	ＪＲ東日本(モハ208-2102)
		3052	〃	ＪＲ東日本(クハ208-2101)
アルピコ交通	20100形	20103	23.03.18	東武(25584)
		20104	〃	東武(26803)
愛知高速交通	100形	191	22.04.01	三菱重工インフラシステムズ
		192	〃	〃
		193	〃	〃
西濃鉄道	ＤＥ10	1251	22.08.01	秋田臨海鉄道(ＤＥ101251)
北陸鉄道	03系	134	23.03.06	東京メトロ(03-134)
		834	〃	東京メトロ(03-834)
京都丹後鉄道	KTR8000形	8501	23.03.16	ＪＲ東海(キハ85-12)
		8502	〃	ＪＲ東海(キハ85- 3)
		8503	23.03.24	ＪＲ東海(キハ85- 7)
		8504	〃	ＪＲ東海(キハ85- 6)
熊本電気鉄道	1000形	1009	22.03.04	静岡鉄道(1009)
		1509	〃	静岡鉄道(1509)

車両の移動

2022年度

企業体名	形式・編成	移動月日	新区 ← 旧区
京浜急行電鉄	1000形 1433×4	23.03.15	新町←金沢
	1437×4	23.03.15	〃
東武鉄道	20000系		
	21448×4	22.05.13	新栃木←春日部
	8000系8576×2	22.12.25	館林→春日部
	10000系		
	11204×2	22.12.25	館林←春日部
	事業所統合		
	配置車両全車	23.03.18	南栗橋←新栃木
		23.03.18	春日部←館林
西武鉄道	30000系		
	38108×8	23.03.07	武蔵丘←南入曽
	20000系		
	20104×10	22.08.01	小手指←武蔵丘
	6000系		
	6103×10	23.03.21	玉川上水←小手指
	2000系		
	2085×8	23.03.07	南入曽←武蔵丘
	2095×8	23.02.24	〃
	2461×2	23.03.20	〃
	2463×2	23.03.20	〃
	2465×2	23.03.20	〃
	101系 1245×4	22.04.17	玉川上水←小手指
	1251×4	22.04.17	小手指←玉川上水
	1241×4	22.06.12	小手指←玉川上水
	1249×4	22.06.12	玉川上水←小手指
	1251×4	22.09.11	玉川上水←小手指
	1253×4	22.09.11	小手指←玉川上水
	1241×4	22.12.18	玉川上水←小手指
	1247×4	22.12.18	小手指←玉川上水
	1245×4	23.03.05	小手指←玉川上水
	1253×4	23.03.05	玉川上水←小手指
神奈川臨海鉄道	ＤＤ5516	22.06.	川崎貨物→横浜本牧
	ＤＤ5518	22.06.	横浜本牧→川崎貨物
阪急電鉄	1000系		
	1010F×8	22.04.07	神戸線←宝塚線
	1010F×8	22.09.29	宝塚線←神戸線
	1010F×8	22.10.28	神戸線←宝塚線
	1010F×8	22.12.12	宝塚線←神戸線
	1010F×8	22.12.26	神戸線←宝塚線
	1010F×8	23.01.10	宝塚線←神戸線
	1010F×8	23.01.19	神戸線←宝塚線
	6000系		
	6014F×4	23.02.01	神戸線←宝塚線
南海電気鉄道	50000系		
	50503F×6	22.10.26	高野線←南海線

改造車両

2022年度

企業体名	形式・車号	改造月日	改造内容
函館市企業局	8000形 8005	23.03.17	車体改良（補助電源取替）
弘南鉄道	7000形 7101	23.01.18	イベント用車両
	7154	〃	
由利高原鉄道	2000形 2001	23.03.10	リニューアル
	2002	22.09.10	〃
岩手開発鉄道	ＤＤ56 51	22.05.31	冷房装置取付
	53	22.06.02	〃
関東鉄道	キハ2100形2105	23.02.16	車両更新、機関換装（新潟→コマツ）
首都圏新都市鉄道	TX1000系		
	TX1113×6	22.04.26	更新修繕
	TX1114×6	22.08.09	〃
	TX2000系		
	TX2166×6	22.06.17	更新修繕
	TX2167×6	22.11.17	〃
	TX2168×6	23.03.03	〃
	TX2169×6	22.09.27	〃
	TX2170×6	23.01.13	〃
新京成電鉄	8800形 8815-6	22.12.05	車内リニューアル＋ＶＶＶＦ更新
	8815-5	〃	ＳＩＶ・ＣＰ更新＋表示器新設
	8815-4	〃	＋パンダグラフシングルアーム化
	8815-3	〃	〃
	8815-2	〃	〃
	8815-1	〃	〃
東葉高速鉄道	2000系		
	2101×10	22.12.18	デジタル空間波無線対応、
	2102×10	23.01.24	ＡＴＣ改造、ＡＴＯ化準備
京成電鉄	3700形 3788	23.03.01	車号変更（3748）
	3787	〃	〃 （3747）
	3500形3505・3508	22.11.22	ワンマン化
	3513・3516	22.09.12	〃
	3541・3544	22.07.26	〃
	3600形3661・3668	22.10.31	〃
京浜急行電鉄	1000形 1041×8	22.08.22	1・4・5・7号車=VVVF改造、
	1057×8	23.03.03	3・6号車＝Ｔ車化
	1441×4	22.07.20	1・4号車=VVVF改造、3号車＝Ｔ車化
	1445×4	22.10.26	〃
	1409×4	22.11.17	車体更新
	1413×4	23.03.15	〃
東武鉄道	20440型		
	21448［21807］	22.05.13	20000系４両化 ［ ］=旧車号
	22448［26855］	〃	〃
	23448［27855］	〃	〃
	24448［28807］	〃	〃
	10000系 11204	22.12.23	ＯＭ化
	12204	〃	〃
西武鉄道	20000系		
	20103F×10	22.06.23	ＣＰ取替
	20156F×8	22.08.05	〃
	20906	22.05.16	〃
	20305	22.07.01	〃
	20907	22.09.30	〃
	20905	22.10.28	〃
	6000系		
	6102F×10	23.03.27	主回路装置更新
	6102F×10	23.03.27	ＬＥＤ表示器更新
	6103F×10	23.03.14	〃
	30000系	〃	〃
	38113F×8	22.11.26	情報配信装置更新
	6000系		
	6108F×10	23.03.04	情報配信装置更新
	6111F×10	23.01.21	〃
京王電鉄	8000系 8703	23.03.22	車イススペース設置
	8003	〃	ＶＶＶＦ更新
	8053	〃	車イススペース設置
	8103	〃	ＶＶＶＦ更新
	8153	〃	車イススペース設置
	8503	〃	
	8553	〃	
	8203	〃	ＶＶＶＦ更新・車イススペース設置
	8253	〃	
	8753	〃	車イススペース設置
	8721	22.12.02	車体修理・車イススペース設置
	8021	〃	車体修理
	8071	〃	車体修理・ＳＩＶ更新・ 車イススペース設置
	8521	〃	車体修理・車イススペース設置
	8571	〃	車体修理・車イススペース設置
	8121	〃	車体修理・車イススペース設置
	8171	〃	車体修理・ＳＩＶ更新・ パンタグラフ設置
	8771	〃	車体修理・車イススペース設置
小田急電鉄	3000形		
	3265F×6	22.11	車体更新＋制御装置Sic適用VVVF
	3266F×6	23.01	〃
	3268F×6	23.03	〃

企業体名	形式・車号	改造月日	改造内容
東急電鉄	3000系 3101	22.08.11	目黒線８両化に伴う車号変更（3001）
	3201	〃	〃 （3251）
	3301	〃	〃 （3201）
	3401	〃	〃 （仮3401）
	3501	〃	〃 （仮3501）
	3601	〃	〃 （3501）
	3701	〃	〃 （3401）
	3801	〃	〃 （3101）
	3102	23.02.15	〃 （3002）
	3202	〃	〃 （3252）
	3302	〃	〃 （3202）
	3402	〃	〃 （仮3402）
	3502	〃	〃 （仮3502）
	3602	〃	〃 （3502）
	3702	〃	〃 （3402）
	3802	〃	〃 （3102）
	3103	22.12.09	〃 （3003）
	3203	〃	〃 （3253）
	3303	〃	〃 （3203）
	3403	〃	〃 （仮3403）
	3503	〃	〃 （仮3503）
	3603	〃	〃 （3503）
	3703	〃	〃 （3403）
	3803	〃	〃 （3103）
	3104	23.02.24	〃 （3004）
	3204	〃	〃 （3254）
	3304	〃	〃 （3204）
	3404	〃	〃 （仮3404）
	3504	〃	〃 （仮3504）
	3604	〃	〃 （3504）
	3704	〃	〃 （3404）
	3804	〃	〃 （3104）
	3105	23.01.05	〃 （3005）
	3205	〃	〃 （3255）
	3305	〃	〃 （3205）
	3405	〃	〃 （仮3405）
	3505	〃	〃 （仮3505）
	3605	〃	〃 （3505）
	3705	〃	〃 （3405）
	3805	〃	〃 （3105）
	3106	22.12.01	〃 （3006）
	3206	〃	〃 （3256）
	3306	〃	〃 （3206）
	3406	〃	〃 （仮3406）
	3506	〃	〃 （仮3506）
	3606	〃	〃 （3506）
	3706	〃	〃 （3406）
	3806	〃	〃 （3106）
	3107	22.12.16	〃 （3007）
	3207	〃	〃 （3257）
	3307	〃	〃 （3207）
	3407	〃	〃 （仮3407）
	3507	〃	〃 （仮3507）
	3607	〃	〃 （3507）
	3707	〃	〃 （3407）
	3807	〃	〃 （3107）
	3108	23.02.03	〃 （3008）
	3208	〃	〃 （3258）
	3308	〃	〃 （3208）
	3408	〃	〃 （仮3408）
	3508	〃	〃 （仮3508）
	3608	〃	〃 （3508）
	3708	〃	〃 （3408）
	3808	〃	〃 （3108）
	3109	22.11.07	〃 （3009）
	3209	〃	〃 （3259）
	3309	〃	〃 （3209）
	3409	〃	〃 （仮3409）
	3509	〃	〃 （仮3509）
	3609	〃	〃 （3509）
	3709	〃	〃 （3409）
	3809	〃	〃 （3109）
	3110	22.09.22	〃 （3010）
	3210	〃	〃 （3260）
	3310	〃	〃 （3210）
	3410	〃	〃 （仮3410）
	3510	〃	〃 （仮3510）
	3610	〃	〃 （3510）
	3710	〃	〃 （3410）
	3810	〃	〃 （3110）
	3111	22.12.21	〃 （3011）
	3211	〃	〃 （3261）
	3311	〃	〃 （3211）
	3411	〃	〃 （仮3411）
	3511	〃	〃 （仮3511）
	3611	〃	〃 （3511）

企業体名	形式・車号	改造月日	改造内容
東急電鉄	3000系　3711	22.12.21	目黒線８両化に伴う車号変更(3411)
	3811	〃	〃　(3111)
	3112	22.03.08	〃　(3012)
	3212	〃	〃　(3262)
	3312	〃	〃　(3212)
	3412	〃	〃　(仮3412)
	3512	〃	〃　(仮3512)
	3612	〃	〃　(3512)
	3712	〃	〃　(3412)
	3812	〃	〃　(3112)
	3113	23.01.25	〃　(3013)
	3213	〃	〃　(3263)
	3313	〃	〃　(3213)
	3413	〃	〃　(仮3413)
	3513	〃	〃　(仮3513)
	3613	〃	〃　(3513)
	3713	〃	〃　(3413)
	3813	〃	〃　(3113)
	5000系　4112	22.08.04	東横線８両化に伴う車号変更(5166)
	4212	〃	〃　(5266)
	4312	〃	〃　(5366)
	4612	〃	〃　(5466)
	4712	〃	〃　(5566)
	4812	〃	〃　(5666)
	4912	〃	〃　(5766)
	4012	〃	〃　(5866)
	4115	23.02.23	〃　(5169)
	4215	〃	〃　(5269)
	4315	〃	〃　(5369)
	4615	〃	〃　(5469)
	4715	〃	〃　(5569)
	4815	〃	〃　(5669)
	4915	〃	〃　(5769)
	4015	〃	〃　(5869)
	5000系　5481	22.10.03	目黒線８両化に伴う車号変更(仮5481)
	5581	〃	〃　(仮5581)
	5681	〃	〃　(5481)
	5781	〃	〃　(5581)
	5881	〃	〃　(5681)
	5482	22.10.10	〃　(仮5482)
	5582	〃	〃　(仮5582)
	5682	〃	〃　(5482)
	5782	〃	〃　(5582)
	5882	〃	〃　(5682)
	5483	22.10.17	〃　(仮5483)
	5583	〃	〃　(仮5583)
	5683	〃	〃　(5483)
	5783	〃	〃　(5583)
	5883	〃	〃　(5683)
	5484	22.06.27	〃　(仮5484)
	5584	〃	〃　(仮5584)
	5684	〃	〃　(5484)
	5784	〃	〃　(5584)
	5884	〃	〃　(5684)
	5485	22.08.12	〃　(仮5485)
	5585	〃	〃　(仮5585)
	5685	〃	〃　(5485)
	5785	〃	〃　(5585)
	5885	〃	〃　(5685)
	5486	22.06.17	〃　(仮5486)
	5586	〃	〃　(仮5586)
	5686	〃	〃　(5486)
	5786	〃	〃　(5586)
	5886	〃	〃　(5686)
	5488	22.09.15	〃　(仮5488)
	5588	〃	〃　(仮5588)
	5688	〃	〃　(5488)
	5788	〃	〃　(5588)
	5888	〃	〃　(5688)
	5489	22.05.30	〃　(仮5489)
	5589	〃	〃　(仮5589)
	5689	〃	〃　(5489)
	5789	〃	〃　(5589)
	5889	〃	〃　(5689)
	5490	22.05.20	〃　(仮5490)
	5590	〃	〃　(仮5590)
	5690	〃	〃　(5490)
	5790	〃	〃　(5590)
	5890	〃	〃　(5690)
神奈川臨海鉄道	ＤＤ55　18	23.03.28	エンジン換装工事
相模鉄道	10000系		
	10703F×8	22.06.13	VVVF ST-SC60A→ST-SC113-G1(M1)
			SIV ST-SC61A→SVH210S3A
			CP ST-MH3119-C1600S1→VV180-T更新
	10703F×8	22.06.13	前照灯移設、前面・側面表示器更新

企業体名	形式・車号	改造月日	改造内容
相模鉄道	8000系		
	8708F×10	22.12.14	前照灯移設、前面表示器更新等
	8710F×10	23.02.08	
	20000系		
	20101F×10	22.09.22	ＳＴ相直対応工事
	20102F×10	22.08.24	〃
	20103F×10	22.07.28	〃
	20104F×10	22.06.01	〃
	21000系		
	21102F×8	22.04.14	ＳＴ相直対応工事
	21103F×8	22.04.27	〃
	21104F×8	22.07.04	〃
横浜市交通局	3000R形		
	3461F×6	22.06.22	列車制御管理装置・ブレーキ装置、
	3471F×6	22.08.01	運転状況記録装置等
	3481F×6	22.09.15	〃
	3491F×6	22.10.28	〃
	3501F×6	22.12.12	〃
	3511F×6	23.01.31	〃
	10000形		
	10031F×4	22.09.27	列車制御管理装置更新
	10111F×4	22.12.02	〃
箱根登山鉄道	2000形　2003	23.03.27	貫通路扉更新空気式化・
	2004	〃	客室照明LED化　など
大井川鐵道	スロフ300形　318	22.03.22	クロスシート等(501)
豊橋鉄道	1800系　1802F×3	22.12.17	床材更新、室内灯ＬＥＤ化
	1809F×3	22.08.08	〃
名古屋臨海	1000形　1607	22.10.12	ＴＡＳＣ装置更新
高速鉄道	1608	23.02.22	〃
	1101F×4	23.03.31	車内案内表示器更新(ＬＣＤ化)
	1102F×4	23.03.28	〃
	1103F×4	23.03.10	〃
	1104F×4	23.03.20	〃
	1105F×4	23.03.07	〃
	1106F×4	23.03.24	〃
	1107F×4	23.03.02	〃
	1108F×4	23.03.15	〃
名古屋鉄道	3500系　3517F×4	22.07.15	制御装置更新＋室内灯ＬＥＤ化＋
	3522F×4	22.09.06	中間車に車イススペース設置
	3521F×4	22.12.02	〃
	3526F×4	23.03.16	〃
	3502F×4	22.09.30	ワンマン化
	6500系　6419F×4	22.10.14	内装更新、ロングシート化、ＬＣＤ
	6418F×4	23.02.07	車内案内表示器新設、ワンマン化
	9500系　9509F×4	22.11.18	ワンマン化
	9510F×4	22.12.23	〃
	9511F×4	23.02.17	〃
	2400系　2404F×4	23.02.03	ＬＥＤ化
	2409F×4	22.09.28	〃
	3150系　3154F×2	22.08.12	ＬＥＤ化
	3164F×2	22.08.29	〃
万葉線	7070形　7076	23.03.24	電源装置・冷房装置改造
叡山電鉄	デオ710形　712	22.11.25	改修工事(車体修繕、車イススペース
			設置、車内灯ＬＥＤ化等)、塗色変更
京都市交通局	50系　5102×6	22.06.20	機器更新＋形式5100→5100Ａに変更
	5103×6	22.09.07	〃
	5105×6	23.02.01	〃
近畿日本鉄道	19200系　19201	22.04.09	観光列車化(車番変更)
	19351	〃	〃
	19251	〃	〃
	19301	〃	〃
	19301	〃	〃
	9200系　9302×4	22.06.24	内装新デザイン
	9000系　9101×2	22.07.09	〃
	9104×4	23.03.08	〃
	9105×4	23.01.31	〃
	9106×4	22.11.02	〃
	9107×4	23.03.28	〃
	8810系　8926×4	22.08.25	〃
	1201系　1307×2	22.07.25	〃
	1308×2	22.10.07	〃
	1310×2	22.12.28	〃
	6600系　6604×2	22.11.04	〃
	5200系　5101	23.03.25	補助電源SIV化
京阪電気鉄道	8000系		
	8002Ｆ×8	23.03.27	改修工事
	8005Ｆ×8	22.04.01	〃
阪急電鉄	8000系		
	8006Ｆ×8	22.07.01	客室内装改良＋ＶＶＶＦ更新
			8506・8106=座席ロングシート化
	7000系		
	7017Ｆ×8	22.09.26	客室内装改良・ＶＶＶＦ化
	8300系		
	8300Ｆ×8	23.03.09	客室内装改良・ＶＶＶＦ化

企業体名	形式・車号	改造月日	改造内容
阪急電鉄	6000系		
	6014Ｆ×4	23.01.31	乗務員室改良他
阪神電気鉄道	5501形		
	5509Ｆ×4	22.12.27	リニューアル改修
南海電気鉄道	9000系		
	9513Ｆ×6	22.07.28	更新工事
			モハ901(9016)→サハ9812(9816)
大阪市高速電気軌道	20系 23606	22.12.24	四つ橋線 転用改造(24656)
	23106	〃	〃 (24156)
	23806	〃	〃 (24856)
	23306	〃	〃 (24356)
	23206	〃	〃 (24256)
	23906	〃	〃 (24956)
	22651	23.02.01	谷町線 転用改造(24601)
	22151	〃	〃 (24101)
	22851	〃	〃 (24801)
	22351	〃	〃 (24301)
	22251	〃	〃 (24201)
	22951	〃	〃 (24901)
	20系		
	22610Ｆ×6	22.05.09	中間更新・車内リフレッシュ化・LED化
	22611Ｆ×6	22.09.13	〃
	23611Ｆ×6	22.06.27	中間更新・車内リフレッシュ化・LED化
	23612Ｆ×6	22.10.25	〃
	66系		
	66610Ｆ×8	22.05.12	中間更新・車内リフレッシュ化・LED化
	66611Ｆ×8	23.02.14	中間更新・車内リフレッシュ化・LED化
	70系		
	7123Ｆ×4	22.06.07	中間更新・車内リフレッシュ化・LED化
	7124Ｆ×4	22.11.21	〃
泉北高速鉄道	5000系		
	5503Ｆ×8	22.11.18	制御装置の更新
山陽電気鉄道	3000系 3071	22.07.13	モハ3050形付随車化
広島電鉄	800形 809	23.03.13	制御装置更新(VVVF化改造)
	3800形 3803ACB	22.05.31	制御装置更新
	3803ACB	23.03.29	ワンマン化
	3804ACB	23.03.10	〃
	3806ACB	23.03.22	〃
	3807ACB	23.02.07	〃
	3809ACB	23.01.27	〃
	5100形		
	5102ACEDB	23.03.10	ワンマン化
	3100形 3101ACB	22.10.04	塗装変更(直通色復刻)
福岡市交通局	2000N系		
	2505F×6	22.07.08	車両大規模改修(車内リニューアル)
			2000系→2000N系に
	2509F×6	23.01.14	〃
西日本鉄道	7000形 7105	22.06.28	制御装置(VVVF装置)変更
	7106	23.03.09	〃
	7107	23.02.28	〃
	7105	22.06.28	主電動機 ３個→４個に
	7106	23.03.09	〃
	7107	23.02.28	〃
	7105	22.06.30	ＳＩＶ装置変更
	7106	23.03.09	〃
	7107	23.02.28	〃
	7105	22.06.30	2名座席撤去→車イススペース拡幅
	7505	〃	〃
	7106	23.03.09	〃
	7506	〃	〃
	7107	23.02.28	〃
	7507	〃	〃
甘木鉄道	ＡＲ300形 305	23.02.24	塗色変更
熊本市交通局	1200形 1205	23.03.	冷房装置更新(交流化)、
	1207	23.01.	補助電源装置取付
	1200形 1205	23.03.	旧塗装に復刻
	8500形 8501	22.06.	座席配置変更
	8502	22.06.	〃
	8504	22.06.	〃
	1200形 1205	23.03.	室内灯ＬＥＤ化
	1207	23.01.	〃
	8800形 8802	23.03.	VVVF装置の予防保全工事
鹿児島市交通局	2100形 2112	22.12.22	VVVF制御装置更新
			(主電動機含む)
	2113	22.09.14	〃
	2120形 2121	23.03.27	〃

▽過年度分　追加を含む

車両数の比較

■総車両数

( )内は2021年度両数と丸中数字は順位

①東京地下鉄 2722 (2736 ①)
②近畿日本鉄道 1895 (1924 ②)
③東武鉄道 1837 (1900 ③)
④大阪市高速電気軌道 1374 (1354 ⑤)
⑤東京都交通局 1353 (1415 ④)
⑥東急電鉄 1308 (1291 ⑥)
⑦阪急電鉄 1295 (1287 ⑦)
⑧西武鉄道 1227 (1267 ⑧)
⑨名古屋鉄道 1088 (1086 ⑨)
⑩小田急電鉄 1063 (1087 ⑩)

■電気機関車

①黒部峡谷鉄道 24
②秩父鉄道 17
③三岐鉄道 12
④大井川鐵道 9

■ディーゼル機関車

①神奈川臨海鉄道 7
①京葉臨海鉄道 7
③名古屋臨海鉄道 6
③大井川鐵道 6
⑤富山地方鉄道 5

■蒸気機関車

①大井川鐵道 5
②東武鉄道 2
③真岡鐵道 1
③秩父鉄道 1

■路面電車(非営業車を除く)

①広島電鉄 291
②長崎電気軌道 72
③とさでん交通 63
④鹿児島市交通局 58
⑤熊本市交通局 54

■気動車

①関東鉄道 55
②智頭急行 44
③京都丹後鉄道 35
④三陸鉄道 26
⑤松浦鉄道 23

■モノレール

①東京モノレール 120
②大阪モノレール 92
③多摩都市モノレール 64
④沖縄都市モノレール 42
⑤北九州高速鉄道 36
⑤舞浜リゾートライン 36

■新交通

①神戸新交通 162
②ゆりかもめ 156
③広島高速鉄道 150
④東京都交通局 100
⑤横浜シーサイドライン 90

■客車

①黒部峡谷鉄道 129
②大井川鐵道 47
③東武鉄道 8
④津軽鉄道 5
④嵯峨野観光鉄道 5

■貨車

①黒部峡谷鉄道 145
②秩父鉄道 134
③岩手開発鉄道 45
④大井川鐵道 20
⑤名古屋鉄道 10

私鉄年表 2022(令和4)年度

2021年度

22.03.31 **東急電鉄**
元住吉検車区にて、相鉄・東急直通線アピールのため、埼玉高速2000系、東京都交通局6500系、東京地下鉄9000系、東急3020系、相鉄20000系、東武50070系、西武40000系の７編成を並べた報道公開開催。なお西武は相鉄との相互直通運転は行わない

22.03.31 **上田電鉄**
別所温泉駅、窓口乗車券販売終了

2022年度

22.04.01 **ひたちなか海浜鉄道**
ひたちなか市の補助事業を活用した、各種「湊線１日フリー切符」期間限定で割引販売開始

22.04.01 **小田急電鉄**
全ての特急ロマンスカーをＣＯ2排出量ゼロに！「ゼロカーボン ロマンスカー」として運行に小田急線利用に応じてポイントを付与「小田急おでかけポイント」スタート
組織改正。ＣＳＲ・広報部を広報・環境部と変更

22.04.01 **東急電鉄**
鉄軌道全路線での運行にかかる電力を再生可能エネルギー由来の実質ＣＯ２排出ゼロの電力に置換え。これは日本で初

22.04.01 **東急電鉄**
目黒線、８両編成運転開始

22.04.01 **箱根登山鉄道**
箱根ロープウェイと合併。存続会社は箱根登山鉄道

22.04.01 **富士山麓電気鉄道**
富士急行、鉄道事業を分社化、富士山麓電気鉄道に承継

22.04.01 **大井川鐵道**
ＳＬ急行料金改定。820円が1000円に

22.04.01 **天竜浜名湖鉄道**
奥浜名湖駅、副駅名「ぶんぶんに出会えるまち」を命名。ラッピング列車「ぶんぶん号」運行開始。「ぶんぶん」は副駅名の長坂養蜂場キャラクター

22.04.01 **近畿日本鉄道**
天理線電化100周年を記念、記念ヘッドマークを04.30迄掲出。天理駅にて100周年記念式典開催、大阪上本町～天理間に臨時急行運転

22.04.01 **京阪電気鉄道**
環境配慮型車両13000系、誕生10周年を迎え、記念ヘッドマーク掲出、オリジナルグッズ等を販売

22.04.01 **嵯峨野観光鉄道**
普通旅客運賃630円を880円に。旅客運賃上限変更認可申請は22.01.19

22.04.01 **筑豊電気鉄道**
普通旅客運賃改定。１区、特１区、200円を210円に

22.04.01 **長崎電気軌道**
ダイヤ改正。利用実態に見合った運行体系に

22.04.01 **鹿児島市交通局**
ダイヤ改正。利用実態に見合った運行体系に

22.04.02 **東急電鉄**
万葉線、2022.04.01、開業20周年を迎えたことを記念、10.31迄、20周年記念ヘッドマークを掲出

22.04.05 **東急電鉄**
田園都市線8500系、2023.01に定期運行終了と発表。04.06から「ありがとうハチゴー」プロジェクト開始。04.20からヘッドマーク掲出。04.17、長津田検車区にて有料撮影会実施　など

22.04.08 **東武鉄道**
東上線みずほ台、鶴瀬、ふじみ野駅、埼玉県富士見市の市制50周年を記念、同市のＰＲ特別大使の「ももいろクローバーＺ」の発車メロディに変更

22.04.08 **東急電鉄**
2023.03、鉄軌道旅客運賃改定を認可。初乗り運賃10円程度値上げ、140円に

22.04.13 **京王電鉄**
ＪＲ東日本と、新宿駅西南口地区の開発計画について概要発表。現在の新宿駅、京王百貨店等も対象にて、北街区、南街区のツインタワーにて構成

22.04.15 **東武鉄道**
大宮駅、定期券うりば営業終了

22.04.15 **小湊鐵道**
21.03.24、営業開始した「こみなと待合室」にて、「安全第一カレー」販売開始

22.04.15 **東京地下鉄**
「丸ノ内線全線開業60周年」記念、スタンプ&クイズラリー、05.08迄実施

22.04.15 **富山地方鉄道**
鉄道線、ダイヤ改正

22.04.15 **近畿日本鉄道**
鉄軌道旅客運賃の改定を申請。09.02、旅客運賃の上限変更認可

22.04.16 **高松琴平電気鉄道**
志度線(瓦町～琴電志度間12.5km)、ワンマン運転開始

22.04.18 **大阪市高速電気軌道(Osaka Metro)**
堺筋線、2022年度、全駅に可動式ホーム柵設置と発表

22.04.19 **高松琴平電気鉄道**
ウクライナの鉄道員に敬意と連帯の意を、一刻も早く平和を…
ウクライナ国旗の青と黄色のラッピング車両、運行開始。11月末まで

22.04.20 **東京モノレール**
大門通り～モノレール浜松町駅への通路変更
（世界貿易センタービル、再開発工事進捗に伴う）

22.04.21 **新京成電鉄**
ふなっしーイラストで装飾ラッピング電車「ふなっしートレイン」運行開始。運行期間は2022.12末頃迄

22.04.21 **東武鉄道**
Ｃ11123蒸気機関車、南栗橋車両管区での試運転を報道公開

22.04.22 **南海電気鉄道**
新今宮駅、１階改札内にＡＩを活用した案内「ＡＩさくらさん」稼働開始

22.04.23 **京福電気鉄道**
映画「シン・ウルトラマン」公開に合わせ、ウルトラマンや人気怪獣たちが乗車券となった「ウルトラマン 嵐電記念乗車券セット」販売

22.04.25 **東武鉄道**
特急スペーシア新型車両のインテリア&シートバリエーション（６種）決定。2023年、６両編成４本24両を導入、車両形式はＮ100系

22.04.25 **京成電鉄**
「スカイライナー」等有料特急、特急料金改定(日暮里～成田空港間1,250円を1,300円に等)。「スカイライナー」警備員乗車開始

22.04.27 **伊予鉄道**
「みかん電車」、通年運行に(02.08～冬期間限定にて運行。車内にみかんの吊手のある電車[市内線50形51])

22.04.28 **東武鉄道**
東武アーバンパークラインに５両編成の新型車を導入と発表。2024年度導入予定。導入とともに現行６両編成を５両編成化の計画

22.04.28 **小田急電鉄**
本社を新宿本社と海老名本社に移転と発表。新宿本社は現在地から、新宿区西新宿２丁目７番１号小田急第一生命ビルに2023.08に移転、海老名本社は、神奈川県海老名市めぐみ町２番２号 ViNA GARDENS OFFICEに2023.02に移転。現本社は明治安田生命保険相互会社に譲渡

22.04.29 **銚子電気鉄道**
外川つくしBirthday記念！ 3000形に05.08まで記念ヘッドマーク掲出。05.01からミニヘッドマーク、入場券発売開始

22.04.29 **近畿日本鉄道**
観光列車「あをによし」、大阪難波～近鉄奈良～京都間、運行開始。04.28から、フリー区間乗り放題「大阪・奈良・京都 三都めぐりきっぷ」発売

22.04.29 **高松琴平電気鉄道**
三条駅、終日無人化

22.04.30 **伊豆急行**
3000系「アロハ電車」（元ＪＲ東日本209系）、営業運転開始。記念乗車券発売

22.05.01 **神戸すまいまちづくり公社**
神戸住環境整備公社に改称

22.05.02 **横浜市交通局**
ブルーライン、新型車両4000形、営業運転開始。2023年度までに８編成投入

22.05.10 **北総鉄道**
創立50周年を記念「創立50周年記念乗車券セット」発売

22.05.12 **西武鉄道**
2023春、鉄道駅バリアフリー料金制度を導入、運賃改定

22.05.12 **京葉臨海鉄道**
創立60周年を記念、記念ヘッドマークを掲出

22.05.14 **東京都交通局**
三田線、新型車両6500形運行開始。８両編成。2022年度末までに13編成導入

22.05.17 **京成電鉄**
西登戸駅、上り新駅舎供用開始。跨線橋は撤去に

22.05.17 **近畿日本鉄道**
2024秋、奈良線、京都線、橿原線、天理線に新型車両を導入と発表。
新造両数は４両編成10本、40両（Ｌ/Ｃシート）

22.05.18 **阪神電気鉄道**
営業列車内における防犯カメラの設置試験実施。普通列車、４両編成１本にて実施。08.31迄

22.05.21 **能勢電鉄**
絹延橋駅、下りホームの新改札口供用開始。構内踏切道は撤去に

22.05.25 **信楽高原鐵道**
玉桂寺前駅、ラッピング作業完了

22.05.26 **京浜急行電鉄**
1000形1090代「Le Ciel」、鉄道友の会「ブルーリボン賞」受賞

22.05.26 **東京地下鉄**
有楽町線、副都心線新型車両17000系、半蔵門線新型車両18000系、
鉄道友の会「ローレル賞」受賞

22.05.26 **京阪電気鉄道**
3000系「プレミアムカー」（3850形）、鉄道友の会「ローレル賞」受賞

22.05.27 **東京地下鉄**
銀座線田原町、稲荷町、末広町駅のほか、丸ノ内線８駅、日比谷線６駅、東西線５駅、千代田線４駅、有楽町線10駅、副都心線７駅、半蔵門線２駅、南北線５駅の合計50駅、国民保護法に基づく緊急一時避難施設に指定

22.05.28 **小田急電鉄**
下北沢駅南西口の「NANSEI PLUS」が完成、下北線路街が全面開業

22.05.30 **大阪市高速電気軌道(Osaka Metro)**
中央線、新型車両30000A系、緑木車両工場にて報道公開

22.05.31 **南海電気鉄道**
「ＨＹＤＥ サザン」運行終了

22.06.01 **南海電気鉄道**
車両側面にカメラを試験的に設置、ホームにおける安全確認の方法、
8300系４両編成１本にて検証実験開始

22.06.02 **上信電鉄**
「上信電鉄700形譲受車両入場券セット」発売

22.06.04 **函館市企業局**
ダイヤ改正。８時台前半～16時台前半、概ね８分間隔に

22.06.04 **近畿日本鉄道**
長野線貴志～富田林間上り線(約0.9km)、高架化

22.06.04 **沖縄都市モノレール**
牧志駅、３両化に対応、既設ホームドアを新ホームドアに取替え

22.06.05 **近畿日本鉄道**
橿原線結崎駅、新駅舎使用開始。バリアフリー適合スロープ設置

22.06.08 **福岡市交通局**
七隈線延伸区間(天神南～博多間 1.6km)開業に伴う運賃認可申請。博多駅は空港線博多駅と改札内約150mにて乗換えが可能

22.06.10 **アルピコ交通**
西松本～渚間、田川橋梁復旧工事完了、全線運行再開。2021.08豪雨にて橋脚洗損にて傾斜し不通となっていた

22.06.13 **東京地下鉄**
航空（ＡＮＡ・ＪＡＬ）&鉄道５社（ＪＲ東日本・ＪＲ東海）が東京を盛り上げる「ただいま東京」キャンペーン、09.30迄実施

22.06.13 **伊豆急行**
3000系「アロハ電車」（元ＪＲ東日本209系）、伊東線での運用開始

22.06.13 **神戸市交通局**
西神・山手線新長田駅、大規模改修工事に着手。ＪＲ新長田駅との連絡階段部の内装更新、東出入口上屋の建替え等。上屋の建替え工事期間中は改札階東側通路および東出入口の使用停止。工期は2024.03.15予定

22.06.16　**京王電鉄**
京王線(新線も含む)全33駅に傘シェアリングサービス「アイカサ」設置

22.06.16　**阪急電鉄**
オンライン鉄道イベント「阪急レールウェイフェスティバル2022」、08.31迄開催。例年春と秋、正雀工場にて開催してきたイベントに変わり

22.06.16　**南海電気鉄道**
和歌山港線(和歌山市～和歌山港間 2.8km)にて、「自動運転実証実験」を2022.07開始

22.06.18　**東急電鉄**
１日乗り降り自由「東急線キッズ100円パス」、期間限定発売。08.28までの土休日。発売対象は小児のみ

22.06.20　**西武鉄道**
多摩川線、全線開通(武蔵境～是政間)100周年を迎える。記念乗車券発売

22.06.21　**京都市交通局**
烏丸線、新型車両20系第２編成、営業運転開始。第１編成内装に装飾した「西陣織」「京友禅」に対して、第２編成は「京仏具」「京焼・清水焼」に

22.06.25　**東京都交通局**
日暮里・舎人ライナー、330形３次車、運行開始。座席を全面ロングシート。フリースペース６か所に拡大の車両。既存車12編成は2024年度までに置換え、ラッシュ時間帯の混雑緩和を図る

22.06.25　**沖縄都市モノレール**
儀保駅、３両化に対応、既設ホームドアを新ホームドアに取替え

22.06.27　**阿武隈急行**
03.16、福島県沖地震にて被災、運転を見合わせていた福島～保原間、運転再開。全線復旧。07.04から通常運行に

22.06.27　**横浜シーサイドライン**
駅構内に設置のゴミ箱撤去

22.06.28　**宇都宮ライトレール**
ＬＲＴ車両の第17編成(HU317)、車両基地に納入。開業時の全17編成が落成

22.06.29　**東京地下鉄**
日比谷線、半蔵門線、「東京メトロ my!アプリ」で、号車ごとの混雑状況を配信開始。これにより、銀座線等を含め８路線にて配信に

22.06下旬　**西濃鉄道**
新型ディーゼル機関車、ＤＤ451、搬入

22.07.01　**京王電鉄**
吉祥寺、京王多摩センター駅、ベビーカーのレンタルサービス「ベビカル」導入

22.07.01　**大井川鐵道**
「大井川鐵道ひと駅きっぷ」(硬券)、09.30迄期間限定にて発売

22.07.01　**肥薩おれんじ鉄道**
開業100周年を迎える(西方～川内[開業時:川内町]間)。記念きっぷ発売のほかイベント等開催

22.07.02　**新京成電鉄**
松戸新田駅、北口の新駅舎、供用開始。出入口変更

22.07.02　**京浜急行電鉄**
京急東神奈川駅、ホームドア運用開始

22.07.02　**広島電鉄**
広電宮島口駅、駅及び軌道を移設、新駅供用開始。新駅は現在地から約70m海側に移動、宮島に渡る船が発着の宮島口旅客ターミナルに近接。移設のため14時頃迄、広電宮島口～ＪＡ広島病院前間を運休。この移設を踏まえて、宮島線ダイヤ改正(線内のみ)。新駅供用開始を記念、記念乗車乗船券発売(宮島杓子をそのまま使用)

22.07.02　**広島電鉄**
全扉乗降サービス車両の拡大に伴う車内精算効率向上により、一部駅での集札(運賃精算)廃止。集札時間変更なしは広島駅、横川駅と紙屋町西の平日のみに(07.23以降)

22.07.04　**福井県並行在来線準備**
社名をハピラインふくいと変更(社名決定は2022.03.28)。北陸本線敦賀～大聖寺間を北陸新幹線金沢～敦賀間開業とともに承継の会社

22.07.04　**大阪市高速電気軌道(Osaka Metro)**
御堂筋線で活躍した10系、営業運転終了。07.29、記念乗車券発売。06.21から引退記念ヘッドマークを掲出

22.07.06　**京王電鉄**
東京競馬場にて開催の音楽とシンクロさせた花火大会を踏まえて「東京ＳＵＧＯ！花火 ザ・ローリング・ストーンズ 記念乗車券発売」

22.07.07　**熊本市交通局**
ＶＩＳＡタッチ決済による実証実験、2023.03.31まで実施

22.07.09　**由利高原鉄道**
開業100周年を記念、「由利高原鉄道鳥海山ろく線開業100周年記念乗車券」、羽後本荘駅にて発売

22.07.09　**北陸鉄道**
浅野川線、なつかしの京王電鉄井の頭線カラーを再現した車両、運行開始。運行車両は8802編成(8802＋8812)

22.07.13　**信楽高原鐵道**
開業35周年を記念、「開業35周年記念乗車券」、記念グッズ発売

22.07.15　**東武鉄道**
特急スペーシア新型車両 N100系、愛称名「ＳＰＡＣＩＡ Ｘ(スペーシア エックス)」に決定。2023.07.15から運行開始

22.07.15　**東急電鉄**
2022.09.02、東急グループが創立100周年に感謝を込めて、「東急グループ創立100周年記念入場券セット」発売。09.02からは「東急創立100周年記念東急線ワンデーパス」発売。また特別企画列車「東急グループ100周年トレイン」を東急線全７路線で運行。同編成では08.02から「東急沿線今昔編」を車内に掲出

22.07.16　**会津鉄道**
1987.07.16に開業、35周年を記念、「会津線全駅記念入場券セット」発売

22.07.16　**近畿日本鉄道**
みえ応援ポケモンの「ミジュマル」をデザインしたラッピング列車「ミジュマルトレイン」を臨時列車として志摩線鳥羽～賢島間で08.15までの７日間限定にて運転

22.07.16　**四日市あすなろう鉄道**
内部線開業100周年、八王子線開業110周年を記念、かつて八王子線に存在した室山駅、伊勢八王子駅の復刻駅名標キーホルダーを発売

22.07.16　**沖縄都市モノレール**
市立病院前駅、３両化に対応、既設ホームドアを新ホームドアに取替え

22.07.18　**東武鉄道**
Ｃ11123蒸気機関車、復元作業完了。営業運転を開始。記念乗車券発売

22.07.18　**伊賀鉄道**
開業100周年を迎える。「記念入場券」、記念グッズ等発売

22.07.22　**西武鉄道**
狭山線、全３駅の発車メロディを埼玉西武ライオンズの応援歌に変更

22.07.22　**東急電鉄・相模鉄道**
神奈川東部方面線(相鉄・東急直通線)、横浜市港北区新横浜２丁目にてレール締結式開催。相鉄線西谷～東急東横線・目黒線線路つながる

22.07.22　**大阪市高速電気軌道(Osaka Metro)**
中央線、新型車両30000A系、営業運転開始。2022年度、10編成を導入

22.07.23　**札幌市交通局**
札幌市の市制施行100周年事業の一環、「花電車」を運行。土曜・休日、10～15時、内回り循環に充当。08.21迄

22.07.23　**京王電鉄**
夏休みの土・休日に期間限定「こどもといっしょ割 座席指定券」発売。期間中の下り列車は７号車、上り列車が１・２号車は「こどもといっしょ割専用車両」として運転

22.07.24　**阿武隈急行**
ラッピング車両「阿武急ラブラス＆ラッキートレイン」、お披露目を福島駅、ＪＲ仙台駅にて開催。運行開始は07.30。運転開始に合わせて福島、槻木駅の駅案内看板も装飾

22.07.27　**阪急電鉄**
京都線南茨木駅に直結商業施設「南茨木阪急ビル」竣工。コンビニエンスストア、飲食店舗４店舗、08.01から順次開店。３階建て、延べ床面積1588㎡

22.07.27　**西日本鉄道**
天神大牟田線雑餉隈～春日原間に2023年度後半開業予定の新駅、駅名を桜並木と決定。所在地は福岡市博多区竹丘町３丁目。相対式２面２線

22.07.28　**東武鉄道**
東武東上線大山駅付近の約1.6km、連続立体交差事業(高架化)に着手。高架化にて８箇所の踏切除去。完成は2030年度予定

22.07.28　**京王電鉄**
下北沢駅、高架下施設「ミカン下北」Ｂ街区開業。商業店舗１区画や全７室のオフィス区画、駐輪場にて構成

22.07.28　**相模鉄道**
さがみ野駅、改札窓口にて「字幕透明ディスプレイ」の実証実験開始。期間は09.23迄

22.07.28　**京阪電気鉄道**
KUZUHA MALL内の「SANZEN-HIROBA」に、2023春、5000系を復刻展示と発表。5000系5551の半両分。また同じく2600系の先頭部分カットモデルも展示、既に設置の旧3000系と合わせ、往年の名車３車系が展示に

22.07.29　**筑豊電気鉄道**
「アイスグリーン」(西鉄大牟田線色)、3004、定期検査のため運行終了

22.07.29　**鹿児島市交通局**
平川動物公園50周年記念、ラッピング電車「ＺＯＯっと平川号」、運行開始

22.07.30　**北条鉄道**
フリー切符、車内販売終了。発売は北条町駅窓口のみに変更

22.07.31　**大阪モノレール**
回数券発売終了

22.08.01　**京王電鉄**
モバイルバッテリーレンタルサービス「充レン」を京王線、井の頭線府中、高幡不動、京王八王子、吉祥寺駅など12駅に設置

22.08.01　**小田急電鉄**
小田急ポイントのＰＡＳＭＯへのチャージサービス開始

22.08.01　**東京都交通局**
東京都交通局開局111周年を記念、「都営まるごときっぷ」提示にて、記念オリジナルデザイン「靴用消臭ペーパー」配布。2023.01.11迄。1911(明治44).08.01、東京市電気局として開局

22.08.01　**岳南電車**
岳南電車スマホ定期アプリ「チケパスプラス」導入開始

22.08.01　**名古屋市交通局**
名古屋市営交通100年祭スペシャルメニューとして、「黄電メモリアルトレイン」、運行開始。東山線は100形デザイン、2023.01.22迄、名城線・名港線は1000形デザイン、2023.01.29迄運転

22.08.03　**ＩＧＲいわて銀河鉄道**
大雨の影響により、奥中山高原～小鳥谷間、土砂流入により不通に。運転再開は08.08

22.08.03　**西武鉄道**
鉄道駅バリアフリー料金制度を活用、2030年度までに23駅62番線にホームドア設置、運行情報提供設備など加速と発表

22.08.03　**阪急電鉄**
全駅にホーム柵設置と全駅のバリアフリー化を目指すと発表。鉄道駅バリアフリー料金制度を活用。料金改定は2023.04.01予定

22.08.03　**阪急電鉄**
miffy and Hankyuコラボレーション企画、装飾列車「ミッフィー号」、神戸線、宝塚線、京都線にて各線１編成ずつ、運行開始。2023.03.30迄。「miffy and Hankyu」阪急全線１日乗車券も発売。発売期間は08.10～11.06

22.08.03　**阪神電気鉄道**
全駅にホーム柵設置と全駅のバリアフリー化を目指すと発表。鉄道駅バリアフリー料金制度を活用。料金改定は2023.04.01予定

22.08.03　**南海電気鉄道**
公式ウェブサイト、約10年ぶりに大幅リニューアル。ＡＩによるチャットボットの導入

22.08.04　**小田急電鉄**
鉄道駅バリアフリー料金制度を活用、新宿～本厚木間のホームドア整備、ホームと車両の段差、隙間縮小等の整備計画を発表するとともに運賃改定認可を国土交通省に届出

22.08.04　**大井川鐵道**
2025.03.10、創立100周年を迎えることを踏まえて特設サイト開設

22.08.04　**神戸電鉄**
鉄道駅バリアフリー料金制度を活用、全駅においてバリアフリー施設整備実施のための運賃改定を届出。2023.04.01予定

22.08.05　**札幌市交通局**
「Pokémon GO Fest 2022 Sapporo」開催に伴い、ラッピング車両「Pokémon GO」運行開始(A1200形A1201)。2023.03.09迄

22.08.05　**大井川鐵道**
05.21に発生した落石により見合わせていた井川線閑蔵～井川間、運転再開

22.08.05　**京阪電気鉄道**
鉄道駅バリアフリー料金制度を活用、ホームドア整備やバリアフリー設備の整備を加速するため、運賃改定を届出。料金改定は2023.04.01予定

22.08.06　**函館市企業局**
「ポケモン市電１日乗車券」発売開始(2023.03.31迄)

22.08.06 **東京地下鉄**
有楽町線小竹向原～新木場間でワンマン運転開始(全線)

22.08.06 **名古屋鉄道**
犬山線、開通110周年記念イベント実施。記念乗車券発売

22.08.06 **阪神電気鉄道**
2024.08.01、阪神甲子園球場は開場100周年となるのを記念、「阪神甲子園球場100周年記念グッズ」第１弾、発売開始。Ｔシャツ、フェイスタオル、アクリルキーホルダー等

22.08.07 **京王電鉄**
味の素スタジアムで開催のＦＣ東京ＶＳ清水エンパルスの試合、「京王電鉄ＤＡＹ」開催を記念、記念乗車券発売。また07.29～08.07 8000系１編成にＦＣ東京デザインのヘッドマークを掲出

22.08.07 **東急電鉄**
「ありがとう8500系記念きっぷ」発売。Ｄ型硬券。渋谷駅など10駅

22.08.07 **東京モノレール**
2000形、デビュー25周年を記念、「記念乗車券セット」発売

22.08.08 **京浜急行電鉄**
羽田空港第１・第２ターミナル駅、引上線工事に着手。引上線整備と品川駅２面４線化工事と合わせて、輸送力は１時間当たり片道３本に増強

22.08.08 **江ノ島電鉄**
シーブリーズ誕生120周年×江ノ電開業120周年記念、フルラッピング車両(車内装飾)、運行開始。1101-1151編成。09.30迄

22.08.08 **南海電気鉄道**
特急券付きデジタルきっぷ「ラピートデジタルきっぷ」発売開始。難波・新今宮・天下茶屋・堺～関西空港間の片道乗車券とラピートの特急券がセット

22.08.08 **相模鉄道**
和田町駅、2022.08.15、開業70周年を踏まえてイベント開催。15日迄

22.08.09 **東急電鉄**
2023.03開業の東急新横浜線(新横浜～日吉間、5.8km)の旅客運賃設定に係る認可申請実施。新横浜～新綱島間の区間、または同区間とまたがって乗車する場合、基本運賃に加えて加算運賃70円(大人)を設定

22.08.09 **相模鉄道**
2023.03開業の相鉄・東急直通線(相鉄新横浜線羽沢横浜国大～新横浜間4.2km)の旅客運賃設定に関しての認可申請。また同開業に合わせて、ＩＣ通勤定期乗車券の券面表示区間に「相鉄新横浜線西谷駅～新横浜駅」を含む場合に、相鉄本線横浜駅における乗降を可能とするサービスを導入。直通線開業による運行区間は、海老名・湘南台～西谷～羽沢横浜国大～日吉～渋谷・目黒方面となり、日吉にて東急線に接続、東京メトロ南北線、副都心線、都営三田線、埼玉高速鉄道埼玉スタジアム線、東武東上線まで直通運転。編成両数は８・10両

22.08.09 **しなの鉄道**
小諸駅、待合室に115系車両の座席(ボックスシート)設置

22.08.09 **京都市交通局**
烏丸線、「京都国際マンガ・アニメフェア(略称:京まふ)2022」ＰＲのため、ラッピング列車「京まふ号」運行開始。10.28迄

22.08.10 **野岩鉄道**
6050型１編成(61103編成)を乗って楽しい魅力のある車両に改修するため、クラウドファンディングに挑戦。期間は10.07迄。09.13に達成

22.08.10 **東武鉄道**
「ＳＬ大樹」運行開始５周年イベント、鬼怒川温泉駅等で開催。14日迄は「ＳＬ大樹」５周年オリジナルヘッドマーク掲出

22.08.10 **東急電鉄**
田園都市線地下区間５駅(池尻大橋～用賀間)のリニューアルプロジェクト「Green UNDER GROUND」第１弾の駒沢大学駅リニューアル工事にて計画する全国発の耐火・構造技術を導入した駅ビル「(仮称) 駒沢大学西口ビル(2)」が国土交通省の「令和４年度サステナブル建築物等先導事業(木造先導型)」に採択。竣工は2024年度予定

22.08.10 **相模鉄道**
和田町、上星川駅にて、ＡＩ画像解析技術を活用したサポート開始。すでに天王町、鶴ケ峰駅では運用

22.08.10 **大阪市高速電気軌道(Osaka Metro)**
鉄道駅バリアフリー料金制度を活用、2025年度までにホームドア全駅設置等の整備を加速するため、運賃改定を届出。料金改定は2023.04.01

22.08.10 **大阪モノレール**
千里中央駅、ミスト装置を設置

22.08.10 **山陽電気鉄道**
鉄道駅バリアフリー料金制度を活用、バリアフリー未設備駅での段差解消等の整備のため、運賃改定を届出。2023.04.01予定

22.08.10 **北九州モノレール**
西南女学院、創立100周年を記念したラッピング列車「西南女学院号」運行開始。ベースカラーはスクールカラーの蘇芳(すおう)色

22.08.11 **東京都交通局**
新宿線、10-300形増備車両投入完了。全列車10両編成に。08.10、８両編成最終となった編成は10-300形420編成

22.08.11 **箱根登山鉄道、富士山麓電気鉄道、大井川鐵道、アルピコ交通、叡山電鉄、南海電気鉄道、神戸電鉄**
７社による「全国鉄道‰(パーミル)会」、約３年ぶりに「山の日」から、「‰会ヘッドマーク」掲出車両を運行開始。11.30迄

22.08.11 **広島電鉄**
業務用スマートフォンを、西広島担当乗務員から順次導入

22.08.13 **秋田内陸縦貫鉄道**
米内沢～前田南間、大雨の影響にて被災、運転見合せ。08.15から不通区間の鷹巣～阿仁合間、バス代行輸送開始

22.08.15 **東京地下鉄**
車内緊急時における非常用設備の使用法等に関して、全９路線の車内ディスプレイにて案内映像放映開始。改札口ディスプレイでは08.03～

22.08.15 **京阪電気鉄道**
大津線開業110周年記念特別企画実施。記念ラッピング電車運行、記念ヘッドマーク掲出等。2023.03.31迄。大津線フリーチケットも発売

22.08.17 **宇都宮ライトレール**
宇都宮駅東口～芳賀・高根沢工業団地間、開業予定2023.08見込みと発表。2022.10～ 宇都宮駅東口～平石間にて試運転開始予定

22.08.17 **京王電鉄**
LINE上の専用ECモール「トレくるby KEIO」で注文した商品を、駅の専用ロッカーで受け取れる実証実験開始。設置駅は新宿、明大前、桜上水、八幡山、国領、調布駅(６駅)

22.08.18 **東武鉄道**
2023.03 ダイヤ改正から、南栗橋駅に特急列車を停車すると発表

22.08.18 **名古屋鉄道**
名鉄岐阜駅、岐阜市を中心に活動するＪリーグ所属サッカークラブ「ＦＣ岐阜」とタイアップ、24日まで「名鉄ＦＣ岐阜」駅の装飾に

22.08.19 **大井川鐵道**
「きかんしゃトビー号」、井川線千頭～奥泉間にて運行開始

22.08.20 **近畿日本鉄道**
観光列車「つどい」、賢島～伊勢市間にて「海女さん列車」として運転。「つどい」、同区間での運転は５年ぶり。運転は09.25までの８日間

22.08.20 **京阪電気鉄道**
8000系プレミアムカー運転開始５周年。19日から「オリジナルマルチケース」プレゼント開始。21日迄。淀屋橋駅、出町柳駅

22.08.20 **沖縄都市モノレール**
安里駅、３両化に対応、既設ホームドアを新ホームドアに取替え

22.08.22 **広島電鉄**
宮島線開業100周年を迎える。宮島線電車に記念ヘッドマーク掲出。3100形リバイバル塗装(2022.09下旬～)等の記念事業実施

22.08.23 **伊予鉄道**
市内電車50形、導入70周年記念イベントとして、古町車両工場にて27日迄、運転体験、鉄道部品特別販売会開催

22.08.25 **北大阪急行電鉄**
新駅、箕面船場阪大前駅、報道公開。建設中の千里中央～箕面萱野間、中間駅。１面２線。大阪大学箕面キャンパスへの最寄り駅。開業予定2023年度

22.08.26 **上信電鉄**
上州新屋駅、新駅舎、ホーム使用開始。旧駅舎、ホームの反対側に建設

22.08.26 **東急電鉄**
目黒線、各駅発車音、2022.09～2023.03に新発車音に更新。新発車音が採用されるのは目黒線と新横浜線(日吉～新横浜間)

22.08.26 **ハピラインふくい**
会社ロゴマーク決定。キャッチコピーは ふくいとあしたの架け橋に

22.08.26 **沖縄都市モノレール**
那覇市沖宮、新車両基地建設工事の安全祈願祭開催

22.08.27 **札幌市交通局**
札幌市交通資料館(南北線自衛隊前駅、徒歩約５分)に展示の地下鉄南北線第１号車、再塗装にてきれいになった姿を１日のみ無料特別公開

22.08.27 **東京地下鉄**
銀座線、丸ノ内線、東西線、千代田線、ダイヤ改正。
銀座線、平日10～16時も土休日８～20時、１時間あたり18本を12本に。丸ノ内線、中野坂上～方南町間の３両編成運転終了、全線６両運転に。東西線、一部列車の行先、運転時刻を変更、運転本数減に。千代田線、一部列車の運転時刻を変更、運転本数減になど

22.08.27 **名古屋鉄道**
名鉄西尾・蒲郡線活性化協議会主催「西浦駅舎ありがとうイベント」開催に合わせて、「ありがとう西浦駅舎記念入場券セット」発売

22.08.27 **叡山電鉄**
京都国際マンガ・アニメフェア2022「京まふ」とのコラボ企画、ヘッドマークを801-851に掲出。09.18迄

22.08.28 **八戸臨海鉄道**
ＤＤ16303 撮影会を八戸貨物駅構内にて開催

22.08.28 **アルピコ交通**
「モハ10形リバイバルカラー復活記念 撮影会＆貸切乗車」開催

22.08.28 **嵯峨野観光鉄道**
08.21、倒木のため運転を見合わせていたが、運転再開

22.08.28 **大阪市高速電気軌道(Osaka Metro)**
堺筋線動物園前駅、可動式ホーム柵供用開始

22.08.28 **西日本鉄道**
天神大牟田線雑餉隈～下大利間連続立体交差事業、高架化完了。19箇所の踏切が廃止、下大利駅は新駅舎供用開始。合わせてダイヤ改正実施。高架化に伴い最大２分、所要時間短縮

22.08.30 **東京都交通局**
新宿線、「子育て応援スペース」、６編成に設置。４・７号車

22.08.31 **北総鉄道**
ラッピング車両「活性化トレイン」(7500系7503編成)運行開始

22.08.31 **福岡市交通局**
七隈線天神南～博多間開業、2023.03.27と発表

22.09.01 **東武鉄道・東京地下鉄**
「東京スカイツリー®入場券付きメトロ東上デジタルきっぷ」発売。東上線１日乗り放題きっぷと東京メトロ和光市～押上間往復乗車券に東京スカイツリーの展望台入場券がセットとなったきっぷ

22.09.01 **京成電鉄・新京成電鉄**
京成電鉄、新京成電鉄を完全子会社化。決議決定は04.28

22.09.01 **東急グループ**
2022.09.02、創立100周年を迎える。「ありがとうを、ずっと、ずっと。」キャンペーンを09.30まで実施

22.09.01 **江ノ島電鉄**
鉄道開業120周年。江ノ島駅(上りホーム)にて記念出発式開催

22.09.01 **叡山電鉄**
鞍馬線全線運転再開１周年記念行事実施。700系723、800系813-814の２編成にヘッドマークを掲出。09.30迄

22.09.01 **明知鉄道**
クローバー模様のラッピング列車(アケチ10形11)、運行開始

22.09.01 **近畿日本鉄道**
東花園駅、「ラクビー場前」駅から改称55周年を記念、「オリジナル台紙付き記念入場券」発売

22.09.01 **阪神電気鉄道**
ＩＣＯＣＡによる「阪神電車ポイント還元サービス」開始

22.09.01 **南海電気鉄道・泉北高速鉄道**
中百舌鳥駅、４番線、ホームドア設置工事開始。使用開始は2024.04頃

22.09.01 **長崎電気軌道**
４号系統減便(蛍茶屋～崇福寺間、朝・夕のみの運行)等ダイヤ改正。
乗換え電停に西浜町、長崎駅前を追加。交通系ＩＣカード利用による、チョイ乗り割引設定

22.09.02 **東急電鉄、伊豆急行、上田電鉄**
東急グループ創立100周年(「目黒蒲田電鉄」設立)を記念、記念乗車券発売

22.09.02 **近畿日本鉄道**
04.15届出、鉄軌道旅客運賃の変更認可申請、認可

22.09.03 **関東鉄道**
2022.09.03、前身の鹿島参宮鉄道創立から100周年を迎える。竜ヶ崎駅にて「旧硬券」(鹿島参宮鉄道時代)販売等イベント開催

22.09.03 **小田急電鉄**
1000形未更新車のさよならイベントとして貸切運行を実施。４日に1000形未更新車２編成の撮影会開催

22.09.03 **万葉線**
「ドラえもんトラム」運行開始10周年を記念、イベント開催

22.09.03 **近畿日本鉄道**
2022.04.16～24、期間限定にて実施した山田線、鳥羽線、志摩線松阪～賢島間(57.6km)サイクルトレイン本格実施に。繁忙期をのぞく通年実施

22.09.06 **東武鉄道**
久喜～加須間開通120周年を記念、記念乗車券発売

22.09.06 **広島電鉄**
軌道事業の旅客運賃の上限変更を申請。本線(白島線以外)190円を220円に等

22.09.07 **弘南鉄道**
開業95周年を記念、記念ステッカーを無料配布

22.09.08 **東京都交通局**
浅草線、「子育て応援スペース」、8編成に設置。3・6号車

22.09.08 **六甲ケーブル**
車両故障により07.22から運休となっていたが、営業運転再開

22.09.09 **新京成電鉄**
京成津田沼～北習志野間の相互利用区間の特定運賃廃止を届出

22.09.10 **沖縄都市モノレール**
古島駅、3両化に対応、既設ホームドアを新ホームドアに取替え

22.09.11 **天竜浜名湖鉄道**
「KATANTラッピング列車」(TH2113)、車両展示会、記念切符発売

22.09.11 **京阪電気鉄道**
本線寝屋川市～枚方市間(約5.5km)連続立体交差事業、起工式開催。高架化工事により、踏切21箇所が除去

22.09.12 **小田急電鉄**
全国初「小児ＩＣ運賃を全区間一律150円化」、第21回「日本鉄道賞、特別賞」

22.09.12 **東京地下鉄**
「列車混雑検測システム～鉄道業界初！デプスカメラと人口知能(AI)を用いて列車内の混雑率をリアルタイム算出～」、第21回「日本鉄道賞、特別賞」

22.09.13 **秩父鉄道**
駅ナンバリング、9月中旬以降に導入と発表。熊谷駅はCH09、寄居駅はCH20

22.09.14 **弘南鉄道**
車内がピンク1色のアート列車、運行開始。7021編成。11.13迄

22.09.15 **弘南鉄道**
大鰐線松木平駅、「初恋ベンチ」設置。ベンチ作成は弘前工業高校

22.09.15 **東急**
東急グループ創立100周年を記念、東急百貨店、東急電鉄8500系車両デザインの純金小判、発売

22.09.16 **東急電鉄、相模鉄道**
相鉄新横浜線、東急新横浜線、開業ＰＲロゴ、駅ナンバー決定。新横浜駅は相鉄新横浜線がSO52、東急新横浜線がSH01

22.09.16 **江ノ島電鉄**
駅業務体制見直し。鵠沼、極楽寺駅、終日駅員不在駅に

22.09.16 **近畿日本鉄道**
08.06、落雷の影響にて電気設備故障のために運休していた西信貴鋼索線(信貴山口～高安山間)、運転再開

22.09.16 **福岡市交通局**
空港線博多駅、筑紫口、エレベーター供用開始(ホーム～コンコース間)

22.09.17 **三陸鉄道**
三陸縦断夜行列車「さんりくあさかぜ号」運転。盛発21時過ぎ、野田玉川駅で日出時刻を迎える。ボックスシートを2名にて利用

22.09.17 **西武鉄道**
埼玉西武ライオンズ中村剛也選手、通算450本塁打達成記念乗車券、発売

22.09.17 **南海電気鉄道・泉北高速鉄道**
中百舌鳥駅、東口改札口の供用開始。御堂筋線なかもず駅への乗換が約50ｍ短縮、利便性向上(従来からの南改札口を移設)

22.09.17 **阪堺電気軌道**
モ161形車撮影会ツアー開催(天王寺駅前～我孫子道車庫間、貸切電車)。撮影会は18日も。モ162・164・166を撮影

22.09.17 **福岡市交通局**
博多駅、七隈線延伸に伴う博多口側階段撤去工事のため、階段及びエスカレーター1基利用停止に。工事期間は12月中旬迄。七隈線～空港線の連絡(エスカレーター、エレベーター)通路がここに出来る

22.09.18 **叡山電鉄**
デオ710形712、リニューアル工事施工。阪神電車尼崎車庫内にて見学会開催(県学会ツアー)。

22.09.18 **広島電鉄**
3100形ぐりーんらいなー3編成(現行カラー)撮影会を荒手車庫にて開催

22.09.19 **錦川鉄道**
台風14号の影響により線路に隣接する道路崩壊が発生、運転見合せ。運転再開は11.14

22.09.20 **大井川鐵道**
Ｃ56135、復活に向けてクラウドファンディング開始。期間は11.30迄、目標金額は1億円。動態化に向けての修繕期間は2025.12目標

22.09.20 **長崎電気軌道**
長崎駅前停留所、駅前歩道橋と結ぶエレベーター供用開始。合わせて駅前歩道橋と大黒町を結ぶエレベーターも

22.09.21 **伊豆箱根鉄道**
鉄道事業の旅客運賃の改定申請。初乗り140円を160円に。実施予定日は駿豆線が2023.04.01、大雄山線は2024春

22.09.21 **西日本鉄道**
「鉄道駅バリアフリー料金制度」を活用した料金設定及び整備等計画について普通旅客運賃改定を届出

22.09.22 **長崎電気軌道**
デジタル乗車券「ＲＹＤＥ ＰＡＳＳ」、サービス開始

22.09.23 **小田急電鉄**
ロマンスカーＶＳＥと箱根登山電車カラーの赤い電車1000形共演、「夢の紅白追いかけっこリレー！」実施。25日迄の3日間。新宿駅に赤い電車1000形4両編成初入線

22.09.23 **大井川鐵道**
深夜から24日未明に通過した台風15号にて、神尾～福用間を中心に大規模な土砂崩落、土砂流入等が発生したため、大井川本線金谷～千頭間、井川線千頭～井川間にて運転見合せ。09.26から本線はバス代行輸送開始。10.08、井川線千頭～接岨峡温泉間、10.22、井川線接岨峡温泉～井川間運転再開。全線復旧

22.09.23 **阪急電鉄**
池田駅、直結「阪急池田ブランマルシェ」大規模リニューアル、一部ゾーンが先行開業。グランドオープンは秋

22.09.23 **松浦鉄道・島原鉄道**
西九州新幹線開業に伴うＪＲ九州ダイヤ改正を踏まえ、ダイヤ改正実施

22.09.23 **松浦鉄道・島原鉄道**
西九州新幹線開業に合わせてＪＲ九州と乗り降り自由なきっぷ「長崎スローライン」を発売。有効期間は連続する3日間。2023.03.31迄

22.09.23 **島原鉄道**
西九州新幹線開業&鉄道開業150周年記念商品発売。レール文鎮・硬券セット、駅名標型カレンダースタンドの2種

22.09.23 **長崎電気軌道**
八千代町停留所、仮設停留所に移設。本設停留所供用開始は2022.12末頃

22.09.24 **京浜急行電鉄**
デト集合「デトフェス！！」開催。品川駅から貸切列車にて久里浜工場入線

22.09.24 **横浜市交通局**
グリーンライナー、6両編成運行開始。2024年度末までに全17編成中10編成

22.09.24 **北陸鉄道**
浅野川線、8802＋8812編成、運行終了。
08.25から引退記念ヘッドマーク掲出等のイベントも開催

22.09.25 **大阪市高速電気軌道(Osaka Metro)**
堺筋線日本橋駅、可動式ホーム柵供用開始

22.09.26 **東京地下鉄**
南北線にて全号車ごとのリアルタイム混雑状況配信開始。これにより、全路線での配信に

22.09.26 **富士山麓電気鐵道**
「富士急行線サイクルトレイン」、本格導入開始。平日は9時頃～15時頃、土曜・休日は始発～18時頃(除外日は別途指定)

22.09.27 **南海電気鉄道・泉北高速鉄道**
「高野山デジタルきっぷ」発売。「KiiPass Koyasn(キーパス高野山)」事業の一環。11.28迄。泉北高速でのＱＲコードを利用した「デジタルきっぷ」発売の最初。往復乗車券と高野山内バス2日間フリー乗車券がセット

22.09.28 **南海電気鉄道**
尾崎駅、東出口にエレベーター設置、供用開始

22.09.29 **京浜急行電鉄**
モバイルバッテリーシェアリングサービス「ChargeSPOT」、順次設置開始

22.09.29 **黒部峡谷鉄道**
携帯電話 au、全区間にて利用可能に

22.09.30 **小田急電鉄**
「江の島1ｄａｙパスポート」の発売終了

22.09.30 **東京地下鉄**
四谷三丁目、仲御徒町、秋葉原、高田馬場、小竹向原、目黒、赤羽岩淵駅、国民保護法に基づく緊急一時避難施設に追加指定。58駅に

22.09.30 **江ノ島電鉄**
鉄道開業120周年記念「開業時駅名復刻入場券」発売

22.09.30 **福井鉄道**
新型車両「FUKURAMU Liner」、内装デザイン決定

22.10.01 **秩父鉄道**
ふかや花園駅前にプレミアム・アウトレット開業に伴うダイヤ改正実施。急行のふかや花園駅停車、熊谷～寄居間大幅増発、「ＳＬパレオエクスプレス」は武川駅通過、ふかや花園駅停車に。

22.10.01 **筑波観光電鉄**
ロープウェイ旅客運賃改定。届出は07.14。大人630円→750円

22.10.01 **北総鉄道**
運賃値下げ。初乗り運賃 210円が190円に

22.10.01 **京成電鉄**
押上線四ツ木～青砥間連続立体交差事業進捗に伴い、京成立石駅、南口東側階段が通行止めに

22.10.01 **京王電鉄**
高尾線開業55周年を記念、ヘッドマーク付き列車運行開始。12.28迄。また「高尾山ＧＯ！ＧＯ！デジタルスタンプラリー」を10.31迄実施

22.10.01 **小田急電鉄**
特別急行料金改定(新宿～小田原間、910円→1000円[大人])、「チケットレス特急料金」導入(新宿～小田原間、950円[大人])

22.10.01 **小田急電鉄**
「はじめての、ロマンスカー。」プロモーションをスタート。移動時間が楽しめる情報を発信

22.10.01 **京阪電気鉄道**
3000系プレミアムカー、ローレル賞受賞記念企画開催。記念乗車券&記念入場券のセット発売、記念ヘッドマーク掲出、ローレル賞受賞銘板取付等

22.10.01 **阪堺電気軌道**
新今宮駅前乗車券発売所、営業時間、水・日曜日、祝日及び年始休業に変更

22.10.01 **岡山電気軌道**
100円区間の岡山駅前～県庁通り・郵便局前間、120円に値上げ

22.10.02 **東武鉄道**
下今市駅、転車台広場で「2022 ＳＬファンフェスタ」開催

22.10.02 **小田急電鉄**
新宿駅、小田急百貨店新宿店本館、この日限りにて営業終了。新宿店は新宿西口ハルクにて営業継続。新宿駅西口地区開発計画の進捗に伴い

22.10.03 **小田急電鉄・東京地下鉄**
新宿駅西口地区開発計画における既存建物解体工事に順次、着手。新宿駅西口地上、西口地下にて順次利用通路の変更が発生

22.10.03 **広島電鉄**
1・5号線、ダイヤ改正

22.10.03 **一畑電車**
平日ダイヤ改正。昼間帯上下各3本を急行に種別変更。始終端9～12分短縮

22.10.06 **東武鉄道**
環境配慮型・観光MaaS「NIKKO MaaS」で、日光地域のネイチャーツアー等15種類の体験・アクティビティ購入可能に

22.10.06 **京王電鉄**
モバイルバッテリーシェアリングサービス「ChargeSPOT」、全69駅に2022年度末までに設置と発表

22.10.07 **阪急電鉄**
「阪急電車のデザイン」、グッドデザイン・ロングライフデザイン賞受賞。「阪急三宮阪急ビル」、グッドデザイン受賞

22.10.10 **熊本電鉄**
御代志駅、再春医療センター前駅、御代志地区土地区画整理事業に伴い、駅、線路移設。御代志駅は南東に約200ｍ移設、1面2線

22.10.13 **西武鉄道**
本川越駅、構内に「サイボク冷凍自動販売機」設置

22.10.13 **愛知高速交通**
100形09編成、営業運転再開。愛・地球博記念公園ジブリパーク開業で。ジブリパーク開業は11.01

22.10.14 **函館市企業局**
「鉄道の日」記念イベント開催。箱館ハイカラ號特別運行等

22.10.14 **京成電鉄・新京成電鉄・北総鉄道・関東鉄道**
「鉄道開業150周年記念 京成グループ鉄道4社共通1日乗車券」発売。1500円。1500部限定。10.31迄

22.10.14 **東急電鉄**
大田区と新空港線整備に向けて第三セクター、羽田エアポートライン設立。新空港線は多摩川線矢口渡～蒲田～京急蒲田～大鳥居間。このうち矢口渡～京急蒲田間を先行整備

22.10.14 **名古屋鉄道**
日本の鉄道開業150周年を記念、272駅の硬券入場券と入場券収納ホルダーを発売。発売は有人駅69駅

22.10.15 **愛知環状鉄道**
ジブリパークをイメージしたラッピング車両、運行開始(2000系G11編成)

22.10.16 **小田急電鉄**
「誰も知らない深夜の新宿駅ナイトツアー」を実施。17日にかけて

22.10.16 **近江鉄道**
近畿圏初！となる「鉄道線全線無料デイ」実施。沿線各地でイベント開催

22.10.16 **西日本鉄道**
3年ぶりに「にしてつ電車まつり」(筑紫車両基地)を開催

22.10.18 **新京成電鉄**
「鉄道の日記念乗車券 新京成電鉄開業75周年記念」、記念乗車券発売

22.10.19 **東武鉄道**
鉄道駅バリアフリー料金制度を活用、駅設備のバリアフリー化促進のため、整備計画を発表するとともに運賃改定認可を国土交通省に届出

22.10.20 **東武鉄道・秩父鉄道**
「東武鉄道×秩父鉄道 SAITAMAプラチナルート乗車券」、秩父鉄道ふかや花園駅前にプレミアム・アウトレットの開業を踏まえて、フリー区間をこれまでの東武鉄道東上線、越生線、秩父鉄道寄居～三峰口間を、ふかや花園～三峰口間に拡大

22.10.21 **東急電鉄**
東急新横浜線新横浜～日吉間(5.8㎞)、旅客運賃設定に係る申請認可。認可申請は08.09。新横浜～新綱島間、加算運賃、普通旅客運賃(大人)70円

22.10.21 **相模鉄道**
相鉄新横浜線羽沢横浜国大～新横浜間(4.2㎞)、旅客運賃設定に係る申請認可。認可申請は08.09。加算運賃は普通旅客運賃(大人)40円

22.10.21 **相模鉄道**
鉄道駅バリアフリー料金制度を活用、駅設備のバリアフリー化促進のため、整備計画を発表するとともに運賃改定認可を国土交通省に届出

22.10.22 **東京地下鉄**
「懐かしの6000系・7000系車両撮影会in東京メトロ新木場車両基地」開催

22.10.22 **富士山麓電気鉄道**
鉄道開業150年記念、富士急行線駅入場券セット発売

22.10.22 **広島電鉄**
2022-23シーズン「サンフレッチェ広島レジーナ電車」運行開始。5107編成

22.10.23 **大阪市高速電気軌道(Osaka Metro)**
堺筋線長堀橋駅、可動式ホーム柵供用開始

22.10.24 **東急電鉄**
東横線,「ＱＳＥＡＴ」車両組込み、営業運転開始(ロングシートにて運転)

22.10.24 **鹿児島市交通局**
花電車「花3」(元500形504)運行開始。「おはら祭」に合わせて11.03迄

22.10.26 **静岡鉄道**
鉄道事業の旅客運賃改定申請。初乗り140円を160円に。2023.04.01実施

22.10.26 **南海電気鉄道**
鉄道事業の旅客運賃改定申請。初乗り160円を180円に。実施予定2023.10。難波～中百舌鳥間に特定運賃(350円)新規設定、空港線加算運賃、特別急行料金、座席指定料金、特別車両料金、鋼索線等の運賃・料金は変更なし

22.10.27 **東京地下鉄**
鍵の受け渡しができる「KEY STATION」、恵比寿、広尾、六本木、白金台、麻布十番駅構内に設置

22.10.27 **南海電気鉄道**
「ラピート」、「SEVENTEEN」デザインラッピング編成運行開始。2023.03末まで運行予定。HYBE JAPANが日本初開催する「THE CITY」プロジェクトとコラボレーション。当日は臨時列車としてなんば～泉佐野間を運行

22.10.28 **京成電鉄**
3代目「スカイライナー」、利用客4000万人を達成。成田空港駅にて式典開催。4000万人目の乗客に記念品贈呈

22.10.28 **西武ホールディングス**
所沢車両工場跡地を含む周辺一帯で進められている「所沢駅西口開発計画」、2022.11に着工、2024秋開業予定と発表。7階建て、敷地面積約34,000㎡、延べ床面積約129,000㎡。店舗数約150店舗

22.10.28 **小田急電鉄**
海老名駅、駅前の複合施設「ViNA GARDENS PERCH」、グランドオープン

22.10.28 **高松琴平電気鉄道**
11.18に開業111周年を迎えるのを記念、1080形(1087-1088)復刻塗装に変更(10.16)、運行開始

22.10.29 **京成電鉄**
「京成電鉄 宗吾車両基地キッズフェスタ」開催

22.10.29 **西武鉄道**
6000系デビュー 30周年を記念、小手指車両基地にて、「みんなで6000系を撮ろう」撮影会開催。30日も。小手指駅～車両基地間は指定列車に乗車

22.10.29 **長野電鉄・富士山麓電気鉄道・岳南電車・銚子電気鉄道**
長野電鉄3500系N8編成引退記念、4社コラボ入場券セット発売

22.10.30 **近畿日本鉄道**
10.01、名古屋線鼓ヶ浦駅が、子安観音駅から駅名改称100周年を記念、100周年記念グッズ、発売

22.11.01 **東武鉄道**
日光線、鬼怒川線、宇都宮線営業列車において、自動運転に必要な障害物検知システムを仮設搭載、実証試験開始(20400型1編成)

22.11.01 **東京都交通局**
東京都交通局開局111周年を記念企画、都営デジタルスタンプラリー開始。開催は12.12、17時迄

22.11.01 **京都市交通局**
東西線、山科、三条京阪、二条駅、有人改札のリモート化

22.11.01 **近畿日本鉄道**
近鉄忘れ物センター、鶴橋駅、近鉄四日市駅に開設

22.11.01 **南海電気鉄道・泉北高速鉄道**
「泉北ライナー」、一部列車に50000系「ラピート車両」を充当開始

22.11.01 **広島電鉄**
鉄道運賃改定。本線(白島線以外の区間)、190円→220円。鉄道線は除く。運賃改定認可申請は09.06。認可認定は10.18

22.11.02 **新京成電鉄**
80000形、3次車、営業運転開始(フルＳｉＣ適用ＶＶＶＦ装置搭載)

22.11.02 **東急**
自由が丘駅。大井町線線路跡地「トレインチ自由が丘」リニューアルオープン

22.11.03 **東急電鉄・相模鉄道**
相鉄・東急直通線(羽沢横浜国大～新横浜～日吉間)、鉄道施設の検査完了。習熟運転開始

22.11.03 **しなの鉄道**
しなの鉄道開業25周年を記念、小諸駅にて「25周年まつり記念入場券」発売

22.11.03 **アルピコ交通**
「全線開通100周年記念筑摩電気鉄道鳥瞰図手ぬぐい」発売

22.11.05 **西武鉄道**
新宿線井荻～本川越間にて、10000系「レッドアロー」を使用、サイクルトレインの実証実験実施。6日も。当日は「小江戸」3・34号、井荻駅臨時停車

22.11.05 **十国峠**
ケーブルカー山麓の「十国峠レストハウス」をリニューアル、「森の駅 箱根十国峠」開業。合わせてケーブルカーの名称を十国峠ケーブルカーから十国峠パノラマケーブルカーに、山麓駅を十国峠登り口駅から十国峠山麓駅、山頂駅を十国峠駅から十国峠山頂駅に変更

22.11.05 **京阪電気鉄道**
京阪線中之島～中書島間、大津線四宮～石山寺間にて「サイクルトレイン」運行。乗車駅は中之島、中書島、四宮駅

22.11.07 **東京モノレール**
ダイヤ改正。平日9時台に下り区間快速運転、平日夜間帯に2本増発

22.11.07 **筑豊電気鉄道**
2000形、営業運転終了

22.11.07 **大阪モノレール**
ラッピング列車「EXPO TRAIN 2025号」、試乗会開催

22.11.08 **南海電気鉄道**
なんば駅、駅前広場周辺を車両通行止めに

22.11.10 **東武鉄道**
東上線池袋～川越間各駅にて、傘シェアリングサービス「アイカサ」設置開始

22.11.10 **東京地下鉄**
世界初 鉄道用「同期リラクタンスモーターシステム」による省エネ化を実現と発表。日比谷線13000系にて、2021.12.27から長期評価試験を実施、継続中

22.11.11 **小田急電鉄**
足柄～小田原間の山王川改修事業に伴う線路切替工事のため、新松田～小田原間、深夜、区間運休。新松田 0:17発小田原行以降の3列車

22.11.11 **泉北高速鉄道**
新型通勤車両9300系、2023夏営業運転開始と発表。4両編成2本。導入に合わせて既存車両のラインカラーもライトブルーを廃止、ブルーのみに変更

22.11.12 **銚子電気鉄道**
銚子電鉄初のリクライニングシートを3000形3501に1脚設置。11.19からは2000形2002にも設置。座席は元しなの鉄道169系にて使用

22.11.12 **西武鉄道**
鉄道コレクション「西武鉄道創立110周年記念ＢＯＸ」、発売開始。現役車両、1950年代から活躍した車両をＮゲージで再現、全10種類(＋シークレット1種類)の車両のなかから1種類の模型が入っている

22.11.12 **西武鉄道**
芝浦工業大学付属中学高等学校創立100周年記念事業の一環として、元鉄道院403号機を同校に寄贈。新豊洲校地にて一般公開開始。機関車の土台は、海上に築かれた鉄道用の堤「高輪築堤」の築石を使用

22.11.12 **東京地下鉄**
「懐かしの6000系・7000系車両撮影会in東京メトロ新木場車両基地(第二弾)」開催。今回は親子コースも設定

22.11.12 **岳南電車**
8000形電車導入20周年記念＆新塗装完成記念出発式、吉原駅にて開催。新塗装は「赤がえる」の愛称で親しまれた5000形電車の復刻カラー「インターナショナルオレンジ」

22.11.12 **名古屋市交通局**
市営交通100周年、新ロゴマークを制定、表示開始

22.11.12 **筑豊電気鉄道**
ダイヤ改正。土曜・休日ダイヤを土曜ダイヤ、日祝日ダイヤに分離等

22.11.13 **名古屋鉄道**
大森・金城学院前駅、駅名改称30周年記念イベント実施。記念乗車券セット等も発売

22.11.14 **西武鉄道**
ＡＩや3Ｄ画像解析を用いた新たな踏切異常監視システム運用開始。設置は池袋線、池袋第9号踏切、所沢第3号踏切、椎名町第7号踏切の3箇所

22.11.14 **京王電鉄**
水木しげる氏の生誕100周年を記念、「ゲゲゲ忌2022」記念ヘッドマークを1編成に掲出(11.30迄)。式典開催の11.19、記念乗車券発売

22.11.15 **小田急電鉄**
ロマンスカー 30000形、60000形、4・7号車ドア締切扱いに。ホームドア設置工事に伴い、車両のドア位置とホームドア位置が合致しなくなるため

22.11.16 **長崎電気軌道**
「開通記念の日」、記念電車運行(168)

22.11.17 **宇都宮ライトレール**
宇都宮駅東口～平石間にて試運転開始(HU306)

22.11.18 **大阪市高速電気軌道(Osaka Metro)**
大阪・関西万博開催会場へのアクセス向上に向け、弁天町駅の連絡通路新設等の乗換え経路改良を発表

22.11.19 **小田急電鉄**
本厚木駅、ホームドア設置工事開始。1番線下りホームは26日、据付

22.11.19 **名古屋鉄道**
全ての「ミュースカイ」の運転再開。2020.05.02以降、多客期を除いて一部の列車を新型コロナ感染拡大に伴い運休していた

22.11.19 **能勢電鉄**
「さよなら1754·1756編成プレミアムな撮影会」開催。川西能勢口駅に集合。1754編成に乗車、日生中央、平野にて撮影会を実施。26日も。両編成は12.17 ダイヤ改正にて引退

22.11.20 **相模鉄道**
三ツ境駅、1·2番線，ホームドア設置，使用開始

22.11.20 **大井川鐵道**
新金谷駅構内にて、大鉄の電車勢揃い！電車撮影会開催。大井川本線全線運転見合せを踏まえて。27日には元西武ＥＬが３両横並び！３重連も！電気機関車撮影会も実施

22.11.22 **大阪市高速電気軌道(Osaka Metro)**
谷町·堺筋線南森町駅、駅構内に本格的ウイスキーバー「お酒の美術館」開業

22.11.23 **秩父鉄道**
創立123年記念、全37駅をセットとした入場券を発売

22.11.23 **東武鉄道**
東武鉄道創立125周年を記念、「ＳＬ大樹」、新藤原駅に初乗入れ。試運転は16·17日。乗入れに合わせて記念乗車券発売

22.11.23 **京都丹後鉄道**
サイクルステーション(自転車で観光を楽しむ旅行者向け)、宮津、天橋立、網野、夕日ヶ浦木津温泉、久美浜駅に開設

22.11.24 **東武鉄道**
東武日光〜下今市〜鬼怒川温泉間で「サイクルトレイン」サービスの実証実験を開始。乗降駅可能駅は、東武日光、下今市、鬼怒川温泉駅の３駅。対象列車は10:00 〜 15:00に発車する普通列車。実施期間は2023.04.07迄

22.11.24 **東急電鉄**
東急新横浜線の運行計画の概要発表。１時間あたり最大16本運行。そのうち東横線には４本、目黒線が直通。菊名始発の各停を東急新横浜線と直通する急行に変更。目黒線急行の各停追い越し駅を原則として武蔵小山から奥沢に変更、日吉〜目黒間所要時間を22分→20分短縮。渋谷〜新横浜間最速25分。目黒線ワンマン運転区間を新横浜まで延長。新横浜駅は相模鉄道との共同管理駅。東急は新綱島駅寄りの北改札を運営

22.11.24 **相模鉄道**
相鉄·東急直通線運行計画の概要発表。１時間あたり最大11本運行。そのうち本線４本、いずみ野線７本。使用車両は東急東横線直通用20000系10両編成、東急目黒線直通用21000系８両編成。運行は本線から東急目黒線方面へ、いずみ野線から東急東横線方面への直通運転のほか、本線西谷〜横浜間の列車を設定。いずみ野線内の特急運行再開。新横浜駅は東急電鉄との共同管理駅。相鉄は羽沢横浜国大寄りの南改札を運営

22.11.24 **東急**
マルチ決済端末搭載のコインロッカー、渋谷、自由が丘、宮前平、鷺沼、あざみ野、江田、市が尾、青葉台駅に導入

22.11.24 **土佐くろしお鉄道**
チケットアプリ「しこくスマートえきちゃん」サービス開始(ＪＲ四国連動)

22.11.26 **京成電鉄**
ダイヤ改正。青砥駅に停車する「スカイライナー」、新鎌ヶ谷駅に停車。金町線、千原線、東成田線にてワンマン運転開始等。
新鎌ヶ谷駅、「スカイライナー」停車の記念式典開催

22.11.26 **芝山鉄道**
ダイヤ改正。ワンマン運転開始

22.11.26 **北総鉄道**
ダイヤ改正。土曜·休日ダイヤ、新鎌ヶ谷〜印西牧の原間の普通列車を大幅増発。平日ダイヤ、夜間下り普通列車増発等

22.11.26 **京浜急行電鉄**
ダイヤ改正。日中の運行パターンを「快特」「特急」交互10分間隔に変更。日中の空港線〜品川·都営線方面は「快特」から一部「特急」に変更。空港線〜横浜方面への「エアポート急行」の運転間隔を10分から20分に変更。朝の快適通勤のため、「モーニング·ウィング」運行時間を約30分繰上げ等

22.11.26 **東京都交通局**
浅草線ダイヤ改正。平日朝通勤帯の運転本数変更等

22.11.26 **宇都宮ライトレール**
宇都宮駅東口停留所付近にて車両の特別展示会開催。27日も

22.11.26 **西武鉄道**
池袋線秩津〜西武秩父間にて、40000系「S-TRAIN」を使用、サイクルトレインの実証実験実施。27日も。当日は「S-TRAIN」１·４号、新秋津駅臨時停車

22.11.26 **相模鉄道**
鶴ヶ峰駅付近連続立体交差事業、着工式開催。事業区間は西谷〜二俣川間約2.8km。踏切除去数10箇所。工事終了は2032.03を予定

22.11.27 **いすみ鉄道**
キハ282346、定期運行終了。10.01から各種ヘッドマーク掲出にて運転。引退後は国吉駅にて保存(2023.02.08発表)

22.11.27 **東武鉄道**
東武スカイツリーラインとうきょうスカイツリー〜曳舟間上り線(約0.9km)高架区間使用開始。とうきょうスカイツリー駅上りホームを合わせて使用開始、改札口の位置を変更。下り線は2024年度完成予定

22.11.28 **スカイレール**
2023年末、運行終了と発表。11月初旬からＥＶ路線バスを運行開始

22.11.30 **相模鉄道**
相鉄本線17駅に「アイカサ」を新規設置

22.11.30 **近畿日本鉄道**
近鉄百貨店東大阪店に、沿線の新鮮な野菜を輸送、販売する「ハルチカマルシェ」オープン。野菜輸送は大阪線榛原〜布施間にて実施

22.12.01 **青い森鉄道·ＩＧＲいわて銀河鉄道**
東北新幹線盛岡〜八戸間開業とともに誕生、開業20周年を迎える。両社にて07.16運転を開始した快速「青森·盛岡ライナー」(盛岡〜青森間直通、以降の３連休を中心に運転)等の開業開業イベントを実施

22.12.01 **小田急電鉄**
新宿駅、西口地下街「小田急エース」北館の西側に食品売場「SHINJUKU DELISH PARK」オープン

22.12.01 **東京地下鉄**
11月から丸ノ内線四ツ谷〜荻窪間にて、無線式列車制御システム(ＣＢＴＣシステム)の走行試験開始(営業運転終了後)と発表

22.12.01 **東京臨海高速鉄道**
りんかい線全線開業20周年記念ヘッドマーク列車、運行開始。2023.03.31迄

22.12.01 **静岡鉄道**
ダイヤ改正。平日７〜９時台、６分間隔に統一など

22.12.01 **名古屋市交通局**
市営交通100周年、新制服を導入、着用開始

22.12.01 **肥薩おれんじ鉄道**
硬券入場券ラリー開催

22.12.02 **神戸市交通局**
西神·山手線1000形13号車(編成)、引退記念イベント開催。４日も実施

22.12.03 **西武鉄道**
新宿線の一部レッドアロー号車内および西武新宿、東村山、本川越駅にて25日迄、「特急券引換券」を発売。４種類のセット台紙

22.12.03 **東京地下鉄**
鉄道友の会「ローレル賞」受賞記念、有楽町線·副都心線17000系車両＆半蔵門線18000系車両受賞記念撮影会in東京メトロ新木場車両基地」開催。４日も

22.12.03 **近畿日本鉄道**
近鉄奈良駅、副駅名「奈良公園前」を設定

22.12.03 **南海電気鉄道**
吉見ノ里駅、新駅舎の供用開始。木目調が基調。待合室新設

22.12.04 **東武鉄道**
南栗橋車両管区にて「2022東武プレミアムファンフェスタ」開催

22.12.04 **京浜急行電鉄**
1000形「Le Ciel」、鉄道友の会「ブルーリボン賞」受賞プレート取付。記念ヘッドマーク付き電車運行開始。2023.03.31迄予定

22.12.05 **東急電鉄**
「Green UNDER GROUND」駒沢大学駅の新しい駅構内トイレが、グッドトイレ選奨「奨励奨」を受賞。駅リニューアル工事により2022.07供用開始

22.12.05 **名古屋鉄道**
「ＡＩ画像解析、ETC2.0及びITSスマートポールを活用した踏切の注意喚起システム」に関する実証実験を開始。実施場所は住吉町駅南端の住吉町１号踏切(愛知県半田市宮路町)

22.12.05 **近畿日本鉄道**
ラッピング列車「ならしかトレイン」、近鉄奈良〜阪神神戸三宮間にて運転開始。無料試乗会、大阪上本町〜近鉄奈良間にて３·４日に開催

22.12.05 **阪神電気鉄道**
ローカル５Ｇ等を活用、西宮〜芦屋駅区間内のホーム·踏切、御影駅周辺及び走行中試運転列車内にて安全·安心かつ効率的な運営を行うための実証実験を１月から２月に実施と発表

22.12.07 **仙台市交通局**
東西線荒井駅、１番線に到着、到着後回送列車となる列車、誤乗防止の観点から列車の車内灯消灯を試験的に実施。期間は2023.02.28迄の予定

22.12.07 **大阪市高速電気軌道(Osaka Metro)**
中央線に導入する新型車両 400系、緑木車両工場にて報道公開。2025年度までに６両編成23本を投入の計画。６両編成の４号車は１人掛けのクロスシート車両、１·６号車にモバイル用電源付きカウンターを設置

22.12.09 **京浜急行電鉄**
三崎口駅、１番線ホームに「三浦半島パンと畑の直売所」自販機設置と発表

22.12.09 **神戸市交通局**
名谷駅、商業施設名称を「tete(テテ)名谷」と決定。開業は2023夏予定

22.12.10 **叡山電鉄**
700系リニューアル車両712、運行開始。３·６日に車両展示撮影会、貸切運行を実施。車体は緑色を基調。10日から記念乗車券発売

22.12.11 **西武鉄道·上信電鉄·秩父鉄道·伊豆箱根鉄道·三岐鉄道·流鉄·近江鉄道**
「SEIBU101boors.キラ鉄ファイルSEIBU101boors.連結アクリルキーホルダー」を発売

22.12.11 **京王電鉄**
動物園線、三沢架道橋架け替え工事に伴い、終日運休

22.12.11 **小田急電鉄**
下北沢駅、中央改札口、「チョークアート」登場。2023.01.31迄

22.12.11 **名古屋鉄道**
羽島線開通40周年記念乗車券を発売

22.12.11 **阪急電鉄**
6300系「京トレイン」、定期運転終了

22.12.12 **秋田内陸縦貫鉄道**
米内沢〜前田南間被災にて運転を見合わせていた鷹巣〜阿仁合間復旧。これにより全線運転再開

22.12.12 **京浜急行電鉄**
上大岡駅、上りホームに青汁専門店「aostand(アオスタンド)」開業

22.12.12 **あいの風とやま鉄道**
旅客運賃改定認可届出

22.12.14 **東京都交通局**
大江戸線、電車線において、デジタル技術を活用した導電鋼レール方式の鋼体電車線における計測手法を実用化。全国初

22.12.15 **小田急電鉄**
Yahoo!JAPANと連携、Yahoo!MAPとYahoo!乗換案内から「小田急ロマンスカー」の電子特急券の予約·購入が可能に

22.12.15 **東京地下鉄**
ＪＲ東日本と無線式列車制御システムの導入推進に向け、協力して検討を進めると発表。2024年度には丸ノ内線全区間に導入予定

22.12.15 **東京臨海高速鉄道**
無料Ｗｉ-Ｆｉサービス「りんかい線フリーＷｉ-Ｆｉ」、サービス提供終了

22.12.16 **大井川鐵道**
大井川本線金谷〜家山間、運転再開。「ＳＬ急行 かわね路号」は新金谷〜家山間にて運転再開

22.12.17 **横浜市交通局**
地下鉄開業50周年記念、小児を対象とした「子供無料デー」実施

22.12.17 **近畿日本鉄道**
難波線、大阪線、奈良線、京都線、橿原線、天理線、生駒線、田原本線、信貴線、名古屋線、山田線、鳥羽線、志摩線、湯の山線、鈴鹿線、ダイヤ改正。観光特急「あをによし」京都〜奈良間１往復増発、平日朝、大和西大寺発大阪難波行「ひのとり」増発、夕方以降、神戸三宮〜奈良間の快速急行８両化と所要時間短縮、朝ラッシュ時、京都線京都〜新田辺間の普通をすべて６両化、京都市交通局国際会館〜奈良間の急行、朝夕時間帯に変更等

22.12.17 **京都市交通局**
ダイヤ改正。烏丸線、東西線、11 〜 14時台、それぞれ４往復減便等

22.12.17 **阪急電鉄**
全線でダイヤ改正。京都線:快速急行を準特急、快速を急行に変更、西京極駅を急行停車駅に。10両編成の運転終了(最長は８両編成)。宝塚線:箕面発大阪梅田行直通廃止。10両編成で運転の通勤特急全列車を８両編成に。神戸線:朝ラッシュ時、阪急三宮駅にて10両編成に増結の新開地駅発特急を８両編成として、所要時間短縮。阪急三宮発10両編成の通勤特

急は継続。各線とも女性専用車両を設定する列車を通勤特急に統一。平日における朝ラッシュ時間帯や夜間・深夜時間帯のダイヤ見直し等

22.12.17 **阪神電気鉄道**
ダイヤ改正。夕ラッシュ帯、神戸三宮～奈良間の快速急行８両化と所要時間短縮。快速急行停車駅に武庫川、今津を追加、芦屋は通過駅に変更。最終列車発車時刻の繰上げ等

22.12.17 **大阪市高速電気軌道(Osaka Metro)**
堺筋線、ダイヤ改正。平日朝ラッシュおよび平日昼時間帯の運転間隔変更、深夜帯の運転間隔変更等

22.12.17 **能勢電鉄**
ダイヤ改正。直通列車は川西能勢口～日生中央間の運行を基本とし、山下～妙見口間は区間運転に、土曜ダイヤを廃止、土休日ダイヤへ統合等

22.12.17 **山陽電気鉄道**
ダイヤ改正。最終列車発車時刻の繰上げ、夕ラッシュ時間帯、Ｓ特急増発等

22.12.18 **西武鉄道**
チケットレスサービス新「Smooz」スタート。PayPayでの支払いも可能に。導入に対応、従来での予約サービスは12.17にて一旦終了

22.12.18 **福岡市交通局**
櫛田神社駅にて、七隈線新駅舎、トンネル、新型車両3000A系見学会開催

22.12.19 **京阪電気鉄道**
大津線、ダイヤ改正(京津線、平日の運転本数見直し)

22.12.20 **近畿日本鉄道**
富吉列車区・富吉検車区開業55周年記念ヘッドマーク掲出

22.12.21 **鋸山ロープウェイ**
開業60周年を記念、「60周年記念企画」実施

22.12.21 **近畿日本鉄道**
橿原線新ノ口、大和八木、八木西口、畝傍御陵前駅開業99周年カウントダウン企画記念入場券、大和八木駅にて発売。03.20迄

22.12.21 **大阪市高速電気軌道(Osaka Metro)**
森之宮検車場内に、新駅設置の方針を決定。新駅は、万博開催時は留置線として活用、万博終了後に既存の側線を有効活用するとともに新駅を設置、大阪城東部地区の拠点として開発する。開業予定は2028春。

22.12.22 **京成電鉄**
金町駅、金町線開業110周年を記念！　映画「男はつらいよ」構内装飾デザイン「寅さんのいる柴又」をリニューアル

22.12.22 **名古屋鉄道**
河和線新駅、駅名を「加木屋中ノ池(かぎやなかのいけ)」に決定。副駅名は「公立西知多総合病院前」。所在地は高横須賀1.4km～1.4km南加木屋間。東海市加木屋町唐畑46。２面２線６両対応。2023年度末開業予定

22.12.22 **伊予鉄道**
「媛ひのき・媛すぎ電車」(50形64)、運行開始。吊革に県産木材を使用

22.12.23 **小田急電鉄**
経堂駅、「駅ナカ絵本交換スペース」を開設。2023.03.22迄

22.12.23 **阪神電気鉄道**
夜間有料臨時列車「らくやんライナー」運行(大阪梅田～青木間)。定員制。乗車専用駅は大阪梅田、野田駅。降車専用駅は尼崎、武庫川、甲子園、西宮、香櫨園、打出、芦屋、青木駅。乗車整理券200円(均一料金)。運転日はほかに１月６、13、20日の金曜日

22.12.24 **京王電鉄**
リクライニングシート装備の5000系新造車両、「クリスマス初乗り体験会」開催。行程は若葉台～つつじが丘～府中競馬正門前～つつじが丘～若葉台間

22.12.24 **長野電鉄**
3500系、最後の現役車両Ｎ８編成引退に伴うイベント開催。2023.01.19迄

22.12.24 **熊本市交通局**
「バス・電車無料の日」実施。市電全線が終日無料

22.12.25 **京王電鉄**
京王線、井の頭線の21駅等で設置の無料公衆ＬＡＮサービス「ＫＥＩＯ　ＦＲＥＥ Ｗｉ－Ｆｉ」サービス、終了

22.12.25 **大阪市高速電気軌道(Osaka Metro)**
堺筋線南森町駅、可動式ホーム柵運用開始

22.12.26 **東京都交通局**
駅及び車内にて提供していた公衆無線ＬＡＮサービス、終了

22.12.27 **近江鉄道**
線路などを所有、管理する、㈶近江鉄道線管理機構、設立。管理機構は滋賀県と10沿線市町村で構成。2023.04、業務開始

22.12.28 **東京都交通局**
日比谷定期券発売所、この日限りにて営業終了

22.12.28 **南阿蘇鉄道**
新型気動車 MT-4000形、２両の導入を発表

22.12.30 **相模鉄道**
回数券の販売終了

22.12.30 **松浦鉄道**
「鉄印キーホルダー」発売。有田、たびら平戸口、佐世保駅等７駅

22.12.31 **関東鉄道**
普通回数券および一部企画乗車券の発売終了

22.12.31 **小田急電鉄**
全駅にて提供、「d Wi-Fi」サービス終了

22.12.31 **ゆりかもめ**
全駅にて提供、「d Wi-Fi」サービス終了

23.01.01 **近畿日本鉄道**
布施駅、2023年 布施戎記念入場券発売

23.01.01 **鹿児島市交通局**
停留所に副呼称追加。二中通(キラメキテラス前)、唐湊(小松建設前)

23.01.04 **名古屋市交通局**
駅名改称。名城線市役所駅、「名古屋城」駅に、神宮西駅、「熱田神宮西」駅に、伝馬町駅、「熱田神宮伝馬町」駅に、桜通線中村市役所駅、太閤通駅に

23.01.04 **長崎電気軌道**
長崎市役所新庁舎開庁に合わせ、最寄電停の「市民会館」を「市役所」と変更

23.01.09 **近畿日本鉄道**
近鉄西大寺営業所、この日限りにて営業終了

23.01.10 **京阪電気鉄道**
「京阪電車×パナソニック パンサーズ 京阪線フリーチケット」、淀屋橋、天満橋、京橋、枚方市、三条駅で発売。2023.03.31迄

23.01.10 **岡山電気軌道**
岡山駅東口広場まで100m延伸、乗入れ工事着工。完成予定は2025年度

23.01.10 **南阿蘇鉄道**
ＪＲ乗入れ対応新型車 MT-4000形、納車式開催。高森～中松間にてお披露目

23.01.12 **東急**
東急電鉄8500系の鉄道模型、相模原市のふるさと納税の返礼品に

23.01.12 **大阪市高速電気軌道(Osaka Metro)**
南森町駅、駅構内に本格的ウイスキーバー「お酒の美術館」開業と発表

23.01.13 **京浜急行電鉄**
鉄道旅客運賃の改定を申請。平均改定率10.8％。初乗り運賃は150円に。実施は2023.10を予定

23.01.14 **京浜急行電鉄**
「東海道品川宿スタンプラリー」、03.05迄実施

23.01.17 **近江鉄道**
2024年度、「公有民営＝上下分離方式」導入移行後に線路・車両等を保有する一般社団法人 近江鉄道線管理機構(沿線10市町と滋賀県が構成団体)発足。移行後、近江鉄道は運行に専念

23.01.18 **西武鉄道**
全線に無線式列車制御システム導入を目指し、多摩川線で無線式列車制御(ＣＢＴＣ)システムの実証実験を実施。１月から工事に着手、2024年度初頭に走行試験を開始の予定

23.01.16 **京王電鉄**
渋谷駅、サラダ等を販売する自動販売機「SALAD STAND」設置。実証実験

23.01.18 **弘南鉄道**
7000形7101編成、「和」をテーマとしたイベント列車に。報道公開

23.01.18 **東京都交通局**
大江戸線、平日朝ラッシュ時(光が丘駅発07:00～08:30)、４号車を女性専用車両に

23.01.18 **大阪モノレール**
2000系2115編成、ＥＸＰＯ'70ラッピングに

23.01.19 **長野電鉄**
3500系(Ｎ８編成)、引退。ラストラン

23.01.19 **泉北高速鉄道**
運賃改定申請。改定日は2023.10.01予定。初乗り170円を180円に。当社線内の小児ＩＣ運賃を一律50円に

23.01.21 **東武鉄道**
「リバティりょうもう」を活用、両毛地域の農産物を都内に輸送・販売する実証実験実施。輸送区間は赤城～北千住間

23.01.23 **舞浜リゾートライン**
100形131編成、ラッピング車両「トイ・ストーリー」に

23.01.23 **小田急電鉄**
「電子特急券無料引換券付デジタル箱根フリーパス」、02.28迄限定発売

23.01.24 **西武鉄道**
「西武鉄道創立110周年記念トレイン」運行開始。2000系2069編成(８両編成)を武蔵野鐵道を代表するデハ5560形をモデルカラーとして塗色変更。池袋線系統にて運行

23.01.24 **南海電気鉄道**
難波、関西空港駅にて多言語対応「対話型ＡＩ案内ロボット」の実証実験開始。05.10迄

23.01.25 **東急電鉄**
田園都市線8500系8637編成、長津田検車区から長津田工場まで回送。これにて8500系は本線上から消滅

23.01.26 **万葉線**
ラッピング車両「ドラえもんトラム」、ラッピングを更新

23.01.26 **くま川鉄道**
2020.07、熊本豪雨にて流失した球磨川第四橋梁の架け替え工事、起工式開催。完成予定は2025年度予定。完成により全線運転再開の計画

23.01.27 **京福電気鉄道**
旅客運賃改定に関する認可申請。普通旅客運賃は250円に。2023.04.01実施

23.01.28 **東武鉄道**
東武スカイツリーライン浅草～曳舟間、「とうきょうスカイツリー駅付近連続立体交差化」進捗に伴う仮線切替えのため21時頃から最終列車迄運休。特急列車は北千住駅折返し運転

23.01.28 **東武鉄道**
02.26迄の土曜・休日に「日光・鬼怒川エリア週末フリーデー」を実施、エリア内の鉄道・路線バス・一部の東武グループ施設が無料。対象はNIKKO MaaS webサイトから「日光・鬼怒川エリア週末フリーパス」申込者限定

23.01.28 **京王電鉄**
座席指定列車「Ｍｔ．ＴＡＫＡＯ号」1・2号で「サイクルトレイン」の実証実験を実施。乗車区間は新宿～高尾山口の往復。10号車

23.01.28 **愛知環状鉄道**
大河ドラマ「どうする家康」ラッピングトレイン、運行開始。約１年間

23.01.28 **阪神電気鉄道**
大阪梅田駅、新２番線の供用開始

23.01.28 **大阪モノレール**
公園東口駅、可動式ホーム柵使用開始。これにより、全28駅、整備完了

23.01.29 **名古屋鉄道**
空港線開業18周年に合わせ1800系と1200系を名鉄岐阜～中部国際空港間運行

23.01.30 **相模鉄道**
一部車両に発車メロディの機能搭載、順次使用開始

23.01.31 **西武鉄道**
特急料金および座席指定席料金、2023.07.01改定と発表。Ｓ-ＴＲＡＩＮは現行料金にて据え置き

23.01.31 **北陸鉄道**
旅客運賃上限変更認可申請。初乗りは160円から200円に

23.01.31 **水島臨海鉄道**
ＭＲＴ304、クリームと青色の新塗装に

23.02.01 **京王電鉄**
ＡＩを活用したお忘れ物検索サービス「落とし物クラウドfind」の実証実験開始。実証実験は2023.04.30迄。「find」ＬＩＮＥ公式アカウントを利用

23.02.01 **東急電鉄**
新型「超音波レール探傷車」、2023.02頃完成、４月頃から稼動開始予定と発表

23.02.01 **東京地下鉄**
65才以上を対象とした「シニア東京メトロ24時間券」(500円)発売。発売は03.19迄。有効期間は04.30迄

23.02.01 **富山地方鉄道**
「宇奈月温泉開湯100周年写真ギャラリー号」運行開始

23.02.01 **大阪市高速電気軌道(Osaka Metro)**
アパホテル＆リゾート(大阪梅田駅タワー)34階に、初の直営レストラン「OrchidTime(オーキッドタイム)by Osaka Metro」開業

23.02.02 **相模鉄道**
星川駅、東口通路の供用開始

23.02.02 **京阪電気鉄道**
将来の状態基準保全(ＣＢＭ)に向けた車両状態監視システム、13000系において試験開始と発表

23.02.03 **東武鉄道**
春日部駅、東口駅舎営業終了。４日から仮駅舎に

23.02.03 **名古屋鉄道**
犬山遊園駅、パブリックアート完成、公開開始

23.02.03 **近畿日本鉄道**
ラッピング列車「とばしばメモリー なみの章」、鳥羽駅にて出発セレモニー開催。定期運行開始は02.06。「とばしばメモリー うみの章」は２月下旬運行開始。鳥羽・志摩の魅力をたっぷりのせたラッピング列車

23.02.03 **南海電気鉄道**
鉄道線旅客運賃の改定申請が認可。初乗り160円が180円に。2023.10.01に運賃改定実施

23.02.03 **南阿蘇鉄道**
2023.07.15より全線運転再開と発表。立野〜中松間は2016.04に発生した熊本地震の影響により、第一白川橋梁等が大きく被災、同橋梁の架け替え工事等を行っていた。全線運転再開後はＪＲ九州豊肥本線立野〜肥後大津間の乗入れも計画

23.02.04 **東京都交通局**
三田線、発車サイン音(発車メロディ)を03.18に向けて全駅にてリニューアル

23.02.04 **阪堺電鉄**
ダイヤ改正。平日、天王寺駅前〜我孫子道間９〜15時台運転間隔を６分または８分間隔に。我孫子道〜浜寺間は12分間隔を14分間隔に。恵美須町〜我孫子道間９〜16時台運転間隔を24分から28分間隔に。新今宮駅前乗車券発売所は営業終了

23.02.07 **伊予鉄道**
新型ＬＲＴ車両(低床式)5000形、5011・5012の２両が運行開始

23.02.08 **西武鉄道**
「飯能・西武の森」、環境省「自然共生サイト(仮称)認定実証実験」において、「認定相当」の評価を獲得。鉄道業界で唯一

23.02.08 **京浜急行電鉄**
三浦半島に所有する都市近郊社有林を健全に管理する「みうらの森林(もり)プロジェクト」を２月から始動と発表

23.02.08 **熊本市交通局**
2023.06.01、運賃改定と発表。普通旅客運賃170円を180円に

23.02.09 **南阿蘇鉄道**
立野起点1.5kmでレール締結式開催。復活した第一白川橋梁を初渡り

23.02.10 **叡山電鉄**
鉄道事業旅客運賃改定を申請。初乗り210円を220円に。改定日は2023.04.01

23.02.11 **東急電鉄**
田園都市線青葉台駅にて、ペロブスカイト太陽電池(新タイプの太陽電池)の先行実証実験、正面改札口前自由通路にて実施

23.02.13 **富山地方鉄道**
「宇奈月温泉開湯100周年記念ラッピング電車」運行開始

23.02.14 **京成電鉄**
西登戸駅、下りホームバリアフリートイレ設置完了

23.02.20 **小田急電鉄**
海老名本社(海老名市めぐみ町2-2 ViNA GARDENS OFFICE)にて業務開始。最初に移転は、交通サービス事業本部。27日にも一部部署が移転

23.02.25 **西武鉄道**
所沢、飯能、本川越駅、「常備普通回数券」発売開始。03.17迄

23.02.25 **小田急電鉄**
新宿駅、西口地上改札内「ロマンスカーカフェ」閉店。駅周辺再開発に伴い

23.02.25 **福井鉄道**
新型車両Ｆ2000形「フクラムライナー」、報道公開。02.27、営業運転開始

23.02.25 **福井鉄道**
越前武生駅、北陸新幹線に「越前たけふ駅」設置に対応、たけふ新駅に改称。「駅名変更記念乗車券(硬券タイプ)」を発売

23.02.25 **西日本鉄道**
日本初！鉄道・バスのメタバースミュージアム「にしてつバース」オープン

23.02.26 **京王電鉄**
笹塚駅、１・４番線、ホームドア使用開始。２・３番線も2023年度の使用開始を目指して設置工事を進める

23.02.26 **大阪市高速電気軌道(Osaka Metro)**
堺筋線恵美須町駅、可動式ホーム柵運用開始

23.02.27 **大阪モノレール**
ダイヤ改正。本線平日10〜14時台、21〜22時台の運行間隔を10分から12分に変更、彩都線は平日10〜14時台20分間隔を12分間隔に運転本数増発等

23.02.28 **京王電鉄**
吉祥寺駅、ワンコインサポーター実証実験開始。500円/10分で簡単な手伝い

23.02.28 **東急電鉄**
普通回数乗車券、時差回数乗車券、土・休日割引回数乗車券、発売終了

23.02.28 **ＩＲいしかわ鉄道**
鉄道事業再構築実施計画の認定および鉄道事業の許可を認定。北陸新幹線金沢〜敦賀間開業に伴う北陸本線大聖寺〜金沢間の鉄道事業が許可

23.03.01 **小田急電鉄**
代々木八幡、下北沢、登戸、相模大野、秦野、大和、鶴間駅にて、完全個室「ベビーケアルーム」の展開開始

23.03.01 **名古屋鉄道**
ＪＲ東海との振替輸送、利用方法を変更、乗車券類提示にて利用可能に

23.03.04 **京浜急行電鉄**
「あの幻の新品川駅を限定公開‼」引上げ線・待避線ツアー！を開催。新品川駅は品川駅引上げ線。京急川崎、子安、神奈川新町駅の待避線、引上げ線にも入線

23.03.04 **近畿日本鉄道**
観光列車「つどい」２号車にサイクルスタンドを設置、『観光列車「つどい」サイクルトレイン-KettA-』運行開始に先駆けて、近鉄名古屋〜賢島間にて無料試乗会を開催。03.05も

23.03.04 **京阪電気鉄道**
大津線開業110周年記念錦織車庫撮影会開催。03.05も

23.03.05 **西武鉄道**
「MoiMOOMIN HANNO ラッピングトレイン」(40000系40152編成)、運行開始。水と緑の交流拠点・飯能 街なか回遊・認知向上促進事業、展開に伴い

23.03.05 **小田急電鉄**
「人気の"通勤車両全車種"が大集合」撮影会、海老名電車基地にて開催

23.03.05 **東急電鉄・相模鉄道**
「相鉄・東急直通線」式典を新横浜駅にて開催。式典後、新綱島駅まで試乗

23.03.05 **大阪市高速電気軌道(Osaka Metro)**
堺筋線天神橋筋六丁目駅、可動式ホーム柵運用開始。堺筋線全駅完了

23.03.05 **広島電鉄**
「ありがとう351号・353号ラスト撮影会」、荒手車庫にて開催

23.03.05 **福岡市交通局**
「七隈線延伸博多駅見学会・延伸区間試乗会」を開催

23.03.06 **東急電鉄**
東横線の発車サイン音、順次変更(渋谷駅は除く)

23.03.07 **福岡市交通局**
天神南駅、コンビニエンスストア開業

23.03.08 **小田急電鉄**
伊勢原市と「持続可能なまちづくりを推進する連携協定」を締結。市が進める「都市計画道路田中笹窪線整備事業」と、新たな総合車両所の建設計画実現に向けて。場所は伊勢原〜鶴巻温泉間に位置する。新駅設置も検討

23.03.10 **京成電鉄**
西登戸駅上りホーム、トイレ改修工事(洋式化)完了。これにて京成線全65駅のトイレ洋式化完了

23.03.10 **南阿蘇鉄道**
鉄道事業再構築実施計画、認定。現行の事業構造、第一種鉄道事業者、南阿蘇鉄道を、南阿蘇鉄道は第二種鉄道事業者に、第三種鉄道事業者は熊本県、高森町、南阿蘇村が出資の一般社団法人 南阿蘇鉄道管理機構に、2023.04.01から変更

23.03.11 **横浜市交通局**
新横浜駅、新改札口、中央改札口、供用開始。また相鉄・東急直通線開業に伴い、03.18から出入口の新設とともに番号変更

23.03.11 **阿佐海岸鉄道**
ダイヤ改正。平日13往復を火・水曜８往復、月・木・金曜13往復に

23.03.11 **福岡市交通局**
七隈線ダイヤ改正。営業時間を30分拡大。ラッシュ時間帯増便

23.03.12 **相模鉄道**
いずみ野駅、２・３番線のホームドア供用開始。１・４番線は03.26から

23.03.13 **東京都交通局**
都営浅草線5300形引退記念「ありがとう5300形 都営まるごときっぷ」(一日乗車券)発売。最終となる5300形5320編成は、02.23をもって営業運転を終了

23.03.13 **大井川鐵道**
井川線ダイヤ改正。接岨峡温泉〜井川間２往復に変更等

23.03.16 **相模鉄道、東急電鉄**
「相鉄・東急新横浜線開業 記念時刻表」限定販売

23.03.17 **東京都交通局**
都営地下鉄及び日暮里・舎人ライナー、普通回数券の発売終了

23.03.18 **秩父鉄道**
ダイヤ改正。土曜・休日ダイヤでは羽生駅発着の急行 秩父路を２往復設定、西武線直通列車は長瀞〜お花畑間２往復、西武秩父〜三峰口間１往復設定

23.03.18 **東武鉄道**
特急料金改定。距離区分および料金改定。
ダイヤ改正。東上線・越生線：相鉄新横浜線、東急新横浜線開業による鉄道ネットワークの拡大。ＴＪライナー及び川越特急の増発。急行の朝霞駅停車。準急の上板橋停車。快速急行の停車駅を志木から朝霞台駅に変更、川越〜小川町間を各駅停車へ。Ｆライナーの種別を急行から快速急行に変更。ワンマン運転区間を森林公園〜寄居間に拡大。東武スカイツリーライン・伊勢崎線・日光線系統：南栗橋駅を特急停車駅に。特急列車全般の運行形態見直し

23.03.18 **西武鉄道**
旅客運賃改定。鉄道バリアフリー料金の収受開始。初乗りは150円→160円。
ダイヤ改正(多摩川線以外の各線)。新宿線では上り「拝島ライナー」新設。池袋線では、混雑時間帯に上り特急を増発。池袋駅、平日夕方〜夜間の急行発車ホームを５番線に変更等

23.03.18 **京王電鉄**
ダイヤ改正。京王線：平日「京王ライナー」を増発。土・休日の上り「Ｍｔ.ＴＡＫＡＯ号」、下り「京王ライナー」を増発。井の頭線も含めて、早朝〜朝間、夜間〜深夜帯における運転本数、運行間隔等を見直し等

23.03.18 **小田急電鉄**
鉄道駅バリアフリー料金収受開始に伴う運賃改定。
東京地下鉄千代田線、ＪＲ東日本常磐線のダイヤ改正に伴うダイヤ修正。
鉄道駅バリアフリー料金収受開始に伴う運賃改定。普通運賃10円加算。小児全線一律50円など「通学定期旅客運賃」および「企画乗車券」は対象外

23.03.18 **東急電鉄**
鉄軌道旅客運賃改定。初乗りは130円→140円に。
東急新横浜線新横浜〜日吉間 5.8km、開業。新駅、新綱島駅は１面２線、新横浜駅は２面３線。
ダイヤ改正。東急新横浜線開業に伴う東横線、目黒線運行形態変更。目黒線、田園都市線では所要時間短縮による速達性、利便性向上。田園都市線、大井町線、池上線、東急多摩川線では、利用状況を踏まえた運行ダイヤを見直し等。
大井町線有料座席サービス「Ｑ SEAT」、サービス区間、料金改定

23.03.18 **東京地下鉄**
鉄道駅バリアフリー料金収受開始。普通運賃10円加算。
東西線、千代田線、有楽町線、半蔵門線、南北線、副都心線でダイヤ改正。副都心線では東急新横浜線、相鉄線との直通運転を開始。通勤急行の停車駅に明治神宮前＜原宿＞を追加。南北線も東急新横浜線、相鉄線との直通運転を開始等

23.03.18 **東京都交通局**
新宿線、三田線でダイヤ改正。三田線では相鉄との相互直通運転を開始。新宿線では昼間時の急行を廃止、全列車各駅停車に。都営三田線内の特定区間(目黒・白金台・白金高輪)の運賃改定。大人170円が180円に(ＩＣ=168円→178円)

23.03.18 **埼玉高速鉄道**
ダイヤ改正。相鉄との相互直通運転を開始

23.03.18 **東葉高速鉄道**
ダイヤ改正。東京メトロ東西線のダイヤ改正に合わせて実施

23.03.18 **首都圏新都市鉄道**
ダイヤ改正。ホーム延伸工事による徐行運転実施に伴う所要時間見直し等

23.03.18 **横浜高速鉄道**
ダイヤ改正。東急東横線のダイヤ改正に合わせてみなとみらい線にて実施

23.03.18 **相模鉄道**
相鉄新横浜線羽沢横浜国大〜新横浜間 4.2km、開業。

ダイヤ改正。東急線との相互直通運転開始。直通運転は東武東上線森林公園、埼玉高速鉄道浦和美園、都営三田線西高島平迄乗入れ。いずみ野線にて特急の運行再開。本線の特急運行時間帯拡大のほか、横浜〜西谷間区間運転の列車を新設等。鉄道駅バリアフリー料金収受開始に伴う運賃改定

23.03.18 **相模鉄道、東急電鉄、東京地下鉄、東京都交通局、東武鉄道、西武鉄道、埼玉高速鉄道**
「7社局合同企画 相鉄・東急新横浜線開業－広域ネットワーク拡大記念乗車券－」発売。各社局の乗入れ車両がデザインされている

23.03.18 **横浜市交通局**
グリーンライン、ブルーライン、ダイヤ改正。運転本数見直し

23.03.18 **名古屋鉄道**
ダイヤ改正。朝間帯ダイヤを含めた終日にわたる輸送力の適正化。名古屋市近郊における利便性向上。ワンマン運転区間を各務原線・犬山線名鉄岐阜〜犬山間、知多新線富貴〜内海間に拡大。新木曽川、笠松駅に快速特急・特急の全列車停車化

23.03.18 **青い森鉄道**
ダイヤ改正。703系運行区間八戸〜青森間から三戸〜青森間に拡大等

23.03.18 **ＩＧＲいわて銀河鉄道**
ダイヤ改正。盛岡〜滝沢間朝ラッシュ時４本増発、ＪＲ東北本線直通列車を５本から９本に増強　等

23.03.18 **江ノ島電鉄**
ダイヤ改正。現在の12分間隔を14分間隔に

23.03.18 **しなの鉄道**
ダイヤ改正。千曲駅、無人駅化

23.03.18 **北越急行**
ダイヤ改正。全列車各駅停車とし、ほくほく線内の各駅に停車

23.03.18 **あいの風とやま鉄道**
ダイヤ改正。土休日通勤・通学時間帯一部列車編成両数見直し、ワンマン化

23.03.18 **道南いさりび鉄道・仙台空港鉄道・秋田内陸鉄道・由利高原鉄道・山形鉄道・阿武隈急行・わたらせ渓谷鐵道・真岡鐵道・銚子電鉄・流鉄・いすみ鉄道・関東鉄道・小湊鐵道・千葉都市モノレール・埼玉都市交通・東京臨海高速鉄道・伊豆急行・伊豆箱根鉄道・富士山麓電気鉄道・岳南電車・上田電鉄・アルピコ交通・長野電鉄・明知鉄道・天竜浜名湖鉄道・愛知環状鉄道・長良川鉄道・東海交通事業・伊勢鉄道・えちごトキめき鉄道・ＩＲいしかわ鉄道・のと鉄道・えちぜん鉄道・近江鉄道・嵯峨野観光鉄道・京都丹後鉄道・紀州鉄道・北条鉄道・智頭急行・井原鉄道・水島臨海鉄道・広島高速交通・錦川鉄道・若桜鉄道・阿佐海岸鉄道・福岡市交通局空港線・箱崎線・平成筑豊鉄道・甘木鉄道・松浦鉄道・肥薩おれんじ鉄道**
ＪＲグループ等のダイヤ改正に伴い実施。

23.03.18 **ＰＡＳＭＯ**
障がい者割引が適用される乗客向けの新たな割引サービス開始

23.03.18 **京王電鉄**
渋谷駅、中央口改札外に「パパママサポートゾーン」開設

23.03.18 **横浜高速鉄道**
ダイヤ改正。ワンマン運転開始
鉄道駅バリアフリー料金の収受開始

23.03.18 **新京成電鉄**
京成津田沼〜北習志野間の相互利用区間における特定運賃廃止

23.03.18 **伊豆急行**
運賃改定。特急、グリーン料金も改定

23.03.18 **アルピコ交通**
20100形第２編成、営業運転開始

23.03.18 **阪急電鉄**
春日野道駅、新設の西改札口、エレベーター、トイレおよび可動式ホーム柵使用開始

23.03.18 **高松琴平電鉄**
ダイヤ改正。長尾線にてワンマン運転開始。終電時刻繰下げ

23.03.20 **多摩モノレール**
ダイヤ改正。平日朝間、夕方、夜間帯に列車増発

23.03.21 **西武鉄道**
「西武鉄道創立110周年記念トレイン運行記念」記念乗車券発売。乗車券は「硬券」素材に、車両「デハ5560形」のイメージ画

23.03.21 **名古屋鉄道**
知立駅付近連続立体交差化事業に伴い、名古屋本線上り線を高架に切替え。高架化に伴い、上り線ホームは６番線から８番線に変更

23.03.21 **近畿日本鉄道**
橿原線全線開通100周年記念式典、大和八木駅にて開催。記念ヘッドマークを03.22〜04.09掲出。記念ツアーも開催

23.03.22 **新京成電鉄**
「新京成アプリ」リニューアル。ＪＲ東日本が提供する「リアルタイム経路検索サービス」と連携のほか、発車予定時刻、到着予定時刻の機能も追加

23.03.22 **東武鉄道**
高校３年生に対して22・23日、２日間有効の「＃ミライエールきっぷ」贈呈。東武線全線、東京スカイツリー、東武動物公園、東武ワールドスクウェアの12路線、３施設に無料で乗車・入場できる

23.03.23 **東急電鉄・東京地下鉄**
東急田園都市線、東京メトロ半蔵門線の信号保安システムを2028年度、同一の無線式列車制御システムに更新と発表

23.03.24 **京王電鉄**
旅客運賃の改定を申請。10月実施を予定。初乗りは140円に。相模原線加算運賃の廃止

23.03.24 **東京地下鉄**
2025年度から丸ノ内線において、車掌が先頭車両に乗務する自動運転の実証実験を開始と発表

23.03.24 **名古屋鉄道**
新型券売機で通勤定期乗車券（継続manaca定期券）の購入が可能に

23.03.25 **小田急電鉄**
新宿ミロード「モザイク通り」「モール２階」、営業終了

23.03.25 **相模鉄道**
海老名駅、北口改札の供用開始（交通系ＩＣカード専用）

23.03.25 **相模鉄道、東急電鉄**
新横浜駅、待合室「Shin-Yoko Gateway Spot」オープン。内装材に、ＪＲ東海の「東海道新幹線再生アルミ」、相鉄の「デザインブランドアッププロジェクト」で使用の煉瓦、東急駅舎の廃木材を素材として使用

23.03.25 **横浜シーサイドライン**
ダイヤ改正。平日朝ラッシュ時間帯、４〜５分間隔に

23.03.26 **相模鉄道**
いずみ野駅、1・4番線、ホームドア稼動開始

23.03.26 **福岡市交通局**
七隈線天神南〜博多間（1.6㎞）開業式典を博多駅コンコース、プラットホームにて開催。特別列車発車式

23.03.27 **東武鉄道**
東武グループのショッピングサイト「ＴＯＢＵ ＭＡＬＬ」オープン。鉄道グッズや体験イベントのデジタルチケット等も発売

23.03.27 **東急電鉄・東京地下鉄**
列車乗降時に介助を必要とされる乗客に、社員用案内アプリを連携したサービス開始

23.03.27 **相模鉄道**
「十代目そうにゃんトレイン」運転開始。運行開始から10年を踏まえて、歴代ラッピングを１〜９号車に装飾、10号車は記念デザイン

23.03.27 **西日本鉄道**
「鉄道駅バリアフリー料金制度」を活用した普通旅客運賃改定。運賃加算10円

23.03.27 **福岡市交通局**
七隈線天神南〜博多間（1.6㎞）開業。櫛田神社前駅開業。七隈線、空港線の乗換え指定駅は天神南・天神駅から博多駅に変更。櫛田神社前、博多駅ともにホームは１面２線。開業記念式典は03.26開催

23.03.28 **埼玉高速鉄道**
開業22周年を記念、「一日乗車券」発売

23.03.28 **京成電鉄**
ラッピング電車「京成線 マリーズ号」、運行開始と発表

23.03.28 **南阿蘇鉄道**
鉄道事業における旅客運賃の上限、認可。認可申請は03.10。改定は04.01

23.03.29 **小田急電鉄**
ロマンスカーＧＳＥ就役５周年記念ツアー開催

23.03.30 **京成電鉄**
モバイルバッテリーシェアサービス「Charge SPOT」、全65駅に設置完了

23.03.30 **東武鉄道**
獨協大学前駅、商業施設「TOBU icourt/トーブ イーコート」開業。24店舗

23.03.30 **小田急電鉄**
「丹沢・大山エリアナビ」開設

23.03.31 **函館市企業局**
紙製 市電・函館バス１日・２日乗車券発売終了（「市電１日乗車券」は除く）。ポケモン市電１日乗車券販売終了

23.03.31 **東京都交通局**
駅構内、車内にてのWi-Fi無料サービス、Toei_Subway_Free_wi-fi、提供終了

23.03.31 **小田急電鉄**
ロマンスカーＭＳＥ就役15周年記念ツアー開催

23.03.31 **南海電気鉄道**
回数乗車券のすべて発売終了

23.03.31 **山陽電気鉄道**
回数乗車券および往復乗車券の発売終了

23.03.31 **若桜鉄道**
ＪＲ線にまたがる連絡回数券の発売終了

2023年度

23.04.01 **西武鉄道**
乗車ポイントサービス「SEIBU Smile POINT」スタート。同一運転区間を月に複数回乗車にてポイントが貯まる「リピートプラス」も開始

23.04.01 **小田急電鉄**
「ふじさん号」、ＪＲ御殿場線内を含むシーズン別特別急行料金廃止。通年、繁忙期加算、閑散期減額がなくなり通年通常料金に変更。組織改正。デジタルイノベーション部をデジタル変革推進部に、デジタル事業創造部を新設、広報・環境部を広報部と改称

23.04.01 **東京都交通局**
新たなポイントサービス「ＴｏＫｏＰｏステップアップボーナス」開始。乗れば乗るほどポイント付与率がアップする

23.04.01 **伊豆箱根鉄道**
駿豆線、運賃改定。0〜8㎞区間は一律20円加算

23.04.01 **静岡鉄道**
旅客運賃改定。初乗り140円を160円に

23.04.01 **しなの鉄道**
「千曲川回数券」を「千曲川きっぷ（６枚つづり）」に変更。
ＪＲ東日本との間で実施の乗継割引廃止に伴い、一部区間の運賃変更。戸倉駅、業務委託駅化

23.04.01 **あいの風とやま鉄道**
旅客運賃改定。運賃改定届出は2022.12.12。観光列車「一万三千尺物語」、食事やサービスをリニューアル

23.04.01 **京都市交通局**
「京都地下鉄・バスＩＣポイントサービス」開始。各種割引乗車券及び割引サービスを終了

23.04.01 **京都市交通局**
烏丸線、今出川駅（南改札口）、竹田駅（南改札口）、有人改札のリモート化

23.04.01 **京阪電気鉄道・叡山電鉄**
京阪線祇園四条〜神宮丸太町間と叡山電車元田中〜修学院間の乗継割引廃止

23.04.01 **近畿日本鉄道**
旅客運賃改定。初乗り160円が180円に。精神障がい者割引導入

23.04.01 **叡山電鉄**
旅客運賃改定。茶山駅を茶山・京都芸術大学駅に改称

23.04.01 **阪急電鉄**
鉄道駅バリアフリー料金収受開始に伴う運賃改定。
ＩＣＯＣＡによる「阪急電車ポイント還元サービス」開始

23.04.01 **阪神電気鉄道**
鉄道駅バリアフリー料金収受開始に伴う運賃改定

23.04.01 **能勢電鉄**
ＩＣＯＣＡによる「能勢電車ポイント還元サービス」開始

23.04.01 **神戸住環境整備公社**
ケーブルカー事業をこうべ未来都市機構に譲渡

23.04.01 **南阿蘇鉄道**
第二種鉄道事業者に。第三種鉄道事業者は一般社団法人 南阿蘇鉄道管理機構に

23.04.30 **阪急電鉄**
回数券および往復乗車券の発売終了

23.04.30 **能勢電鉄**
回数券および往復乗車券の発売終了

23.07.15 **南阿蘇鉄道**
立野〜中松間、運転再開。全線復旧

私鉄（ＪＲ各線をのぞく民鉄各企業体）全路線

2023.04.01 現在

事業者名	路線名	運転区間	路線キロ	軌間	動力	駅数	駅数	営業キロ	備考
札幌市交通局	南北線	麻生～真駒内	14.3	案内軌条	直流 750V	16			第三軌条式
	東西線	宮の沢～新さっぽろ	20.1	案内軌条	直流1500V	19			
	東豊線	栄町～福住	13.6	案内軌条	直流1500V	14			
			48.0			49			
	一条線、山鼻線、山鼻西線	西４丁目～すすきの	8.5	1067㎜	直流 600V	23			路面電車
	都心線	西４丁目～狸小路～すすきの	0.4	1067㎜	直流 600V	1			路面電車。停留所数は狸小路のみを計上
			8.9			24			都心線は2015.12.20開業。環状運転開始
							73	56.9	駅数　重複駅を含む
道南いさりび鉄道		木古内～五稜郭	37.8	1067㎜	内燃	12	12	37.8	2016.03.26 ＪＲ江差線木古内～五稜郭を承継して開業
函館市企業局 交通部	本線	函館ドック前～函館駅前	2.9	1372㎜	直流 600V	7			路面電車
	宝来・谷地頭線	十字街～谷地頭	1.4	1372㎜	直流 600V	4			路面電車
	大森線	松風町～函館駅前	0.5	1372㎜	直流 600V	2			路面電車
	湯の川線	松風町～湯の川	6.1	1372㎜	直流 600V	16	29	10.9	路面電車
青函トンネル記念館	青函トンネル竜飛斜坑線	青函トンネル記念館～体験坑道	0.8	914㎜	鋼索		2	0.8	交走設備なし
津軽鉄道	津軽鉄道線	津軽五所川原～津軽中里	20.7	1067㎜	内燃		12	20.7	
青い森鉄道	青い森鉄道線	目時～八戸～青森<第２種>	121.9	1067㎜	交流 2万V		27	121.9	
ＩＧＲいわて銀河鉄道	いわて銀河鉄道線	盛岡～目時	82.0	1067㎜	交流 2万V		18	82.0	
弘南鉄道	弘南線	弘前～黒石	16.8	1067㎜	直流1500V	12			
	大鰐線	中央弘前～大鰐	13.9	1067㎜	直流1500V	14	26	30.7	
八戸臨海鉄道	八戸臨海鉄道線	八戸貨物～北沼	8.5	1067㎜	内燃			8.5	貨物線
秋田内陸縦貫鉄道	秋田内陸線	鷹巣～角館	94.2	1067㎜	内燃		29	94.2	
由利高原鉄道	鳥海山ろく線	羽後本荘～矢島	23.0	1067㎜	内燃	12			
三陸鉄道	リアス線(旧:北リアス線)	宮古～久慈	71.0	1067㎜	内燃	17			2019.03.23 リアス線に変更
	リアス線	釜石～宮古	55.4	1067㎜	内燃	13			2019.03.23 ＪＲ東日本から移管して復活。釜石、宮古駅は含めず
	リアス線(旧:南リアス線)	盛～釜石	36.6	1067㎜	内燃	10	40	163.0	2019.03.23 リアス線に変更
岩手開発鉄道	日頃市線	盛～岩手石橋	9.5	1067㎜	内燃				貨物線
	赤崎線	盛～赤崎	2.0	1067㎜	内燃			11.5	貨物線
仙台臨海鉄道	臨海本線	陸前山王～仙台北港	5.4	1067㎜	内燃				貨物線。陸前山王はＪＲ東北本線
	仙台埠頭線	仙台港～仙台埠頭	1.6	1067㎜	内燃				貨物線
	仙台西港線	仙台港～仙台西港	2.5	1067㎜	内燃			9.5	貨物線
仙台市交通局	南北線	富沢～泉中央	14.8	1067㎜	直流1500V	17			
	東西線	荒井～八木山動物公園	13.9	1435㎜	直流1500V	13	30	28.7	鉄輪式リニアモーター方式。2015.12.06開業
山形鉄道	フラワー長井線	赤湯～荒砥	30.5	1067㎜	内燃		16	30.5	
福島交通	飯坂線	福島～飯坂温泉	9.2	1067㎜	直流1500V		12	9.2	
阿武隈急行	阿武隈急行線	福島～槻木	54.9	1067㎜	交流 2万V		24	54.9	
福島臨海鉄道	福島臨海鉄道本線	泉～小名浜	4.8	1067㎜	内燃			4.8	貨物線。2015.01.13 営業キロ数を変更
会津鉄道	会津線	西若松～会津田島	42.0	1067㎜	内燃				
		会津田島～会津高原尾瀬口	15.4	1067㎜	直流1500V		21	57.4	
野岩鉄道	会津鬼怒川線	新藤原～会津高原尾瀬口	30.7	1067㎜	直流1500V		9	30.7	
わたらせ渓谷鐵道	わたらせ渓谷線	桐生～間藤	44.1	1067㎜	内燃	17	17	44.1	
上信電鉄	上信線	高崎～下仁田	33.7	1067㎜	直流1500V		21	33.7	
上毛電気鉄道	上毛線	中央前橋～西桐生	25.4	1067㎜	直流1500V		23	25.4	
秩父鉄道	秩父本線	羽生～熊谷～三峰口	71.7	1067㎜	直流1500V		35		
	三ヶ尻線	武川～三ヶ尻	3.7	1067㎜	直流1500V				貨物線。三ヶ尻～熊谷貨物ターミナル間3.9km2020.12.31限り廃止
								75.4	
ひたちなか海浜鉄道	湊線	勝田～阿字ヶ浦	14.3	1067㎜	内燃		11	14.3	
関東鉄道	常総線	取手～下館	51.1	1067㎜	内燃	25			
	竜ヶ崎線	佐貫～竜ヶ崎	4.5	1067㎜	内燃	3	28	55.6	
真岡鐵道	真岡線	下館～茂木	41.9	1067㎜	内燃		17	41.9	
鹿島臨海鉄道	鹿島臨海線	鹿島サッカースタジアム～奥野谷浜	19.2	1067㎜	内燃				貨物線
	大洗鹿島線	水戸～鹿島サッカースタジアム	53.0	1067㎜	内燃		15	72.2	
筑波観光鉄道	筑波山鋼索鉄道線	宮脇～筑波山頂	1.6	1067㎜	鋼索		2	1.6	交走式
銚子電気鉄道	銚子電気鉄道線	銚子～外川	6.4	1067㎜	直流 600V		10	6.4	
いすみ鉄道	いすみ線	大原～上総中野	26.8	1067㎜	内燃		14	26.8	
千葉都市モノレール	１号線	千葉みなと～県庁前	3.2	懸垂式	直流1500V	15			
	２号線	千葉～千城台	12.0	懸垂式	直流1500V	3			
							18	15.2	

事業者名	路線名	運転区間	路線キロ	軌間	動力	駅数	駅数	営業キロ	備考
小湊鉄道	小湊鉄道線	五井～上総中野	39.1	1067mm	内燃		18	39.1	
京葉臨海鉄道	臨海本線	蘇我～浜五井	8.8	1067mm	内燃				貨物線
		市原分岐点～京葉市原	1.6	1067mm	内燃				貨物線
		浜五井～椎津	8.9	1067mm	内燃				貨物線
		椎津～北袖	2.2	1067mm	内燃				貨物線
		北袖分岐点～京葉久保田	2.3	1067mm	内燃			23.8	貨物線
流鉄	総武流山線	馬橋～流山	5.7	1067mm	直流1500V		6	5.7	
埼玉高速鉄道	埼玉高速鉄道線	赤羽岩淵～浦和美園	14.6	1067mm	直流1500V		8	14.6	赤羽岩淵は東京地下鉄との共同使用駅
埼玉新都市交通	伊奈線	大宮～内宿	12.7	案内軌条	交流 600V		13	12.7	
山万	ユーカリが丘線	ユーカリが丘～公園	4.1	案内軌条	直流 750V		6	4.1	
東葉高速鉄道	東葉高速線	西船橋～東葉勝田台	16.2	1067mm	直流1500V		9	16.2	
舞浜リゾートライン	ディズニーリゾートライン	リゾートゲートウェイ・ステーション→ ベイサイド・ステーション→ リゾートゲートウェイ・ステーション	5.0	跨座式	直流1500V		4	5.0	
首都圏新都市鉄道	つくばエクスプレス	秋葉原～つくば	58.3	1067mm	直流1500V		20		
		守谷～みらい平間にて交直切換		1067mm	交流 2万V			58.3	
新京成電鉄	新京成線	松戸～京成津田沼	26.5	1435mm	直流1500V		24	26.5	
北総鉄道		京成高砂～小室	19.8	1435mm	直流1500V	12			京成高砂は京成電鉄との共同使用駅
		小室～印旛日本医大<第２種>	12.5	1435mm	直流1500V	3	15	32.3	駅数に小室は含まず
京成電鉄	本線	京成上野～京成成田～駒井野分岐点	67.2	1435mm	直流1500V	40			
	東成田線	京成成田～東成田(ほか6.0kmは本線と重複)	1.1	1435mm	直流1500V	1			駅数に京成成田は含まず
	押上線	押上～青砥	5.7	1435mm	直流1500V	5			駅数に青砥は含まず
	千葉線	京成津田沼～千葉中央	12.9	1435mm	直流1500V	9			駅数に京成津田沼は含まず
	千原線	千葉中央～ちはら台	10.9	1435mm	直流1500V	5			駅数に千葉中央は含まず
	金町線	京成高砂～京成金町	2.5	1435mm	直流1500V	2			駅数に京成高砂は含まず
	本線	駒井野分岐点～成田空港<第２種>	2.1	1435mm	直流1500V	2			
	成田空港線	印旛日本医大～成田空港高速鉄道分岐点<第２種>	17.0	1435mm	直流1500V	1			成田湯川のみ計上
						65	69	119.4	
芝山鉄道		東成田～芝山千代田	2.0	1435mm	直流1500V		1	2.0	駅数に東成田は含まず
東京都交通局	浅草線	西馬込～押上	18.3	1435mm	直流1500V	20			
	三田線	目黒～高島平	26.5	1067mm	直流1500V	27			
	新宿線	新宿～本八幡	23.5	1372mm	直流1500V	21			
	大江戸線	都庁前～西新宿～新宿～都庁前～光が丘	40.7	1435mm	直流1500V	38			鉄輪式リニアモーター方式
			109.0			106	106		重複駅も含む
	日暮里・舎人ライナー	日暮里～見沼代親水公園	9.7	案内軌条	交流 600V		13		
	上野懸垂線	上野動物園東園～上野動物園西園	0.3	懸垂式	直流 600V		2		2019.11.01 運休
	荒川線	三ノ輪橋～早稲田	12.2	1372mm	直流 600V		30		路面電車 路線愛称=東京さくらトラム
								123.2	
東武鉄道	伊勢崎線	浅草～伊勢崎	114.5	1067mm	直流1500V	54			浅草・押上～東武動物公園は 路線愛称=東武スカイツリーライン
	亀戸線	曳舟～亀戸	3.4	1067mm	直流1500V	4			
	大師線	西新井～大師前	1.0	1067mm	直流1500V	1			
	桐生線	太田～赤城	20.3	1067mm	直流1500V	7			
	小泉線	館林～西小泉	12.0	1067mm	直流1500V	7			
		東小泉～太田	6.4	1067mm	直流1500V	3			
	佐野線	館林～葛生	22.1	1067mm	直流1500V	9			
	日光線	東武動物公園～東武日光	94.5	1067mm	直流1500V	25			
	鬼怒川線	下今市～新藤原	16.2	1067mm	直流1500V	9			
	宇都宮線	新栃木～東武宇都宮	24.3	1067mm	直流1500V	10			
	野田線	大宮～船橋	62.7	1067mm	直流1500V	34			路線愛称=東武アーバンパークライン
	東上本線	池袋～寄居	75.0	1067mm	直流1500V	39			
	越生線	坂戸～越生	10.9	1067mm	直流1500V	7			
						209	204	463.3	駅数 204 は旅客駅数

事業者名	路線名	運転区間	路線キロ	軌間	動力	駅数	駅数	営業キロ	備考
西武鉄道	池袋線	池袋～吾野	57.8	1067㎜	直流1500V	30			駅数に所沢は含まず
	西武秩父線	吾野～西武秩父	19.0	1067㎜	直流1500V	5			
	西武有楽町線	小竹向原～練馬	2.6	1067㎜	直流1500V	2			駅数に練馬は含まず
	豊島線	練馬～豊島園	1.0	1067㎜	直流1500V	1			駅数に練馬は含まず
	狭山線	西所沢～西武球場前	4.2	1067㎜	直流1500V	2			駅数に西所沢は含まず
	新宿線	西武新宿～本川越	47.5	1067㎜	直流1500V	29			
	拝島線	小平～拝島	14.3	1067㎜	直流1500V	5			駅数に小平、萩山、小川は含まず
	西武園線	東村山～西武園	2.4	1067㎜	直流1500V	1			駅数に東村山は含まず
	国分寺線	国分寺～東村山	7.8	1067㎜	直流1500V	4			駅数に東村山は含まず
	多摩湖線	国分寺～多摩湖	9.2	1067㎜	直流1500V	6			駅数に国分寺は含まず
	多摩川線	武蔵境～是政	8.0	1067㎜	直流1500V	6			
			173.8			91			
	山口線	多摩湖～西武球場前	2.8	案内軌条	直流 750V	1			駅数に多摩湖、西武球場前は含まず
						92	92	179.8	
京王電鉄	京王線	新宿～京王八王子	37.9	1372㎜	直流1500V	34			
	相模原線	調布～橋本	22.6	1372㎜	直流1500V	11			駅数に調布は含まず
	高尾線	北野～高尾山口	8.6	1372㎜	直流1500V	6			駅数に北野は含まず
	競馬場線	東府中～府中競馬正門前	0.9	1372㎜	直流1500V	1			駅数に東府中は含まず
	動物園線	高幡不動～多摩動物公園	2.0	1372㎜	直流1500V	1			駅数に高幡不動は含まず
	井の頭線	渋谷～吉祥寺	12.7	1067㎜	直流1500V	16			駅数に明大前は含まず
						69	69	84.7	
小田急電鉄	小田原線	新宿～小田原	82.5	1067㎜	直流1500V	47			
	江ノ島線	相模大野～片瀬江ノ島	27.4	1067㎜	直流1500V	16			駅数に相模大野は含まず
	多摩線	新百合ヶ丘～唐木田	10.6	1067㎜	直流1500V	7			駅数に新百合ヶ丘は含まず
						70	70	120.5	
多摩都市モノレール	多摩都市モノレール線	上北台～多摩センター	16.0	跨座式	直流1500V		19	16.0	
東京急行電鉄	東横線	渋谷～横浜	24.2	1067㎜	直流1500V	21			
	目黒線	目黒～日吉	11.9	1067㎜	直流1500V	7			駅数に田園調布～日吉間６駅は含まず
	新横浜線	新横浜～日吉	5.8	1067㎜	直流1500V	2			駅数に日吉は含まず。開業日は2023.03.18
	東急多摩川線	多摩川～蒲田	5.6	1067㎜	直流1500V	6			駅数に多摩川は含まず
	大井町線	大井町～溝の口	12.4	1067㎜	直流1500V	14			駅数に大岡山、溝の口は含まず
	池上線	五反田～蒲田	10.9	1067㎜	直流1500V	13			駅数に旗の台、蒲田は含まず
	田園都市線	渋谷～中央林間	31.5	1067㎜	直流1500V	25			駅数に渋谷、二子玉川は含まず
	こどもの国線	長津田～こどもの国<第２種>	3.4	1067㎜	直流1500V	2			駅数に長津田は含まず
			105.7			90			
	世田谷線	三軒茶屋～下高井戸	5.0	1372㎜	直流 600V	9			路面電車。駅数に三軒茶屋は含まず
						99	97	110.7	
横浜高速鉄道	みなとみらい線	横浜～元町･中華街	4.1	1067㎜	直流1500V	6	6	4.1	横浜は東急電鉄との共同使用駅
京浜急行電鉄	本線	泉岳寺～品川～堀ノ内～浦賀	56.7	1435㎜	直流1500V	50			
	空港線	京急蒲田～羽田空港国内線ターミナル	6.5	1435㎜	直流1500V	6			駅数に京急蒲田は含まず
	大師線	京急川崎～小島新田	4.5	1435㎜	直流1500V	6			駅数に京急川崎は含まず
	逗子線	金沢八景～新逗子	5.9	1435㎜	直流1500V	3			駅数に金沢八景は含まず
	久里浜線	堀ノ内～三崎口	13.4	1435㎜	直流1500V	8			駅数に堀ノ内は含まず
						73	73	87.0	
東京地下鉄	銀座線	浅草～渋谷	14.2	1435㎜	直流 600V	19			第三軌条式 2020.01.03=渋谷駅移設に伴って営業キロ数0.1km短縮
	丸ノ内線	池袋～荻窪	24.2	1435㎜	直流 600V	25			第三軌条式
	丸ノ内分岐線	中野坂上～方南町	3.2	1435㎜	直流 600V	3			第三軌条式 駅数に中野坂上は含まず
	日比谷線	北千住～中目黒	20.3	1067㎜	直流1500V	21			
	東西線	中野～西船橋	30.8	1067㎜	直流1500V	23			
	千代田線	綾瀬～代々木上原	21.9	1067㎜	直流1500V	18			
		綾瀬～北綾瀬	2.1	1067㎜	直流1500V	2			駅数に綾瀬は含まず
	有楽町線	和光市～小竹向原～新木場	28.3	1067㎜	直流1500V	24			
	半蔵門線	渋谷～押上	16.8	1067㎜	直流1500V	14			
	南北線	目黒～赤羽岩淵	21.3	1067㎜	直流1500V	19			
	副都心線	小竹向原～池袋～渋谷	11.9	1067㎜	直流1500V	16			
						-5	179	195.0	駅数は179駅　重複駅５駅
ゆりかもめ	東京臨海新交通臨海線	新橋～豊洲	14.7	案内軌条	交流 600V	16	16	14.7	
東京臨海高速鉄道	臨海副都心線	新木場～大崎	12.2	1067㎜	直流1500V		8	12.2	路線愛称は=りんかい線
東京モノレール	東京モノレール羽田空港線	モノレール浜松町～羽田空港第２ターミナル	17.8	跨座式	直流 750V		11	17.8	

事業者名	路線名	運転区間	路線キロ	軌間	動力	駅数	駅数	営業キロ	備考
御岳登山鉄道		滝本～御岳山	1.0	1049㎜	鋼索		2	1.0	交走式
高尾登山電鉄		清滝～高尾山	1.0	1000㎜	鋼索		2	1.0	交走式
大山観光電鉄	大山鋼索線	追分～下社	0.8	1067㎜	鋼索		3	0.8	交走式
横浜市交通局	ブルーライン	湘南台～関内～あざみ野	40.4	1435㎜	直流 750V	32			1・3号線。第三軌条式
	グリーンライン	中山～日吉	13.0	1435㎜	直流1500V	10	42	53.4	4号線。鉄輪式リニアモーター方式
神奈川臨海鉄道	水江線	川崎貨物～水江町	[2.6]	1067㎜	内燃				貨物線。2017.09.30限り廃止
	千鳥線	川崎貨物～千鳥町	4.2	1067㎜	内燃				貨物線
	浮島線	川崎貨物～浮島町	3.9	1067㎜	内燃				貨物線
	本牧線	根岸～本牧	5.6	1067㎜	内燃			13.7	貨物線
相模鉄道	本線	横浜～海老名	24.6	1067㎜	直流1500V	18			
	いずみ野線	二俣川～湘南台	11.3	1067㎜	直流1500V	7			駅数に二俣川は含まず
	新横浜線	西谷～羽沢横浜国大	2.1	1067㎜	直流1500V	1			駅数に西谷は含まず。開業日は2019.11.30
		羽沢横浜国大～新横浜	4.2	1067㎜	直流1500V	1			駅数に羽沢横浜国大は含まず。開業日は2023.03.18
			42.2						
	厚木線	相模国分～厚木	2.2	1067㎜	直流1500V				貨物線
						27	26	44.4	
横浜新都市交通	金沢シーサイドライン	新杉田～金沢八景	10.6	案内軌条	直流 750V		14	10.6	
湘南モノレール	江の島線	大船～湘南江の島	6.6	懸垂式	直流1500V		8	6.6	
江ノ島電鉄		藤沢～鎌倉	10.0	1067㎜	直流 600V		15	10.0	
箱根登山鉄道	鉄道線	小田原～強羅	15.0	1067㎜	直流1500V	11			小田原～箱根湯本
		入生田～箱根湯本=3線区間		1435㎜	直流 750V				箱根湯本～強羅
	鋼索線	強羅～早雲山	1.2	983㎜	鋼索	6			交走式。駅数に強羅は含まず
							16	16.2	
伊豆急行	伊豆急行線	伊東～伊豆急下田	45.7	1067㎜	直流1500V		16	45.7	
伊豆箱根鉄道	駿豆線	三島～修善寺	19.8	1067㎜	直流1500V	13			
	大雄山線	小田原～大雄山	9.6	1067㎜	直流1500V	12			
			29.4				25	29.4	
十国峠	十国鋼索線	十国峠山麓～十国峠山頂	0.3	1435㎜	鋼索	2	2	0.3	交走式。2022.02.01 全株式を伊豆箱根鉄道から富士急行に売却 2022.11.05　ケーブルカー名称を十国峠パノラマケーブルカーに
岳南鉄道		吉原～岳南江尾	9.2	1067㎜	直流1500V		10	9.2	
富士山麓電気鉄道	大月線	大月～富士山	23.6	1067㎜	直流1500V	16			2022.04.01 富士急行から社名変更
	河口湖線	富士山～河口湖	3.0	1067㎜	直流1500V	2	18	26.6	駅数に富士山は含まず
上田交通	別所線	上田～別所温泉	11.6	1067㎜	直流1500V	15	15	11.6	
長野電鉄	長野線	長野～湯田中	33.2	1067㎜	直流1500V	24	24	33.2	
しなの鉄道	しなの鉄道線	軽井沢～篠ノ井	65.1	1067㎜	直流1500V	19			
	北しなの線	長野～妙高高原	37.3	1067㎜	直流1500V	8			
						27	27	102.4	
アルピコ交通	上高地線	松本～新島々	14.4	1067㎜	直流1500V	14	14	14.4	
静岡鉄道	静岡清水線	新静岡～新清水	11.0	1067㎜	直流1500V		15	11.0	
大井川鐵道	大井川本線	金谷～千頭	39.5	1067㎜	直流1500V	19			
	井川線	千頭～井川	25.5	1067㎜	内燃	13		65.0	路線愛称=南アルプスあぷとライン
		アプトいちしろ～長島ダム=直流1500V				32	32		駅数に千頭は含まず
遠州鉄道	鉄道線	新浜松～西鹿島	17.8	1067㎜	直流 750V		18	17.8	
天竜浜名湖鉄道	天竜浜名湖線	掛川～新所原	67.7	1067㎜	内燃		39	67.7	
豊橋鉄道	渥美線	新豊橋～三河田原	18.0	1067㎜	直流1500V	16			
	東田本線	駅前～運動公園・赤岩口	5.4	1067㎜	直流 600V	14			路面電車 路線愛称=豊橋市内線
						30	30	23.4	
愛知環状鉄道	愛知環状鉄道線	岡崎～高蔵寺	45.3	1067㎜	直流1500V	23	23	45.3	
愛知高速鉄道	東部丘陵線	藤が丘～八草	8.9	浮上式	直流1500V		9	8.9	常電導吸引型磁気浮上・ リニアインダクションモーター推進方式
東海交通事業	城北線	枇杷島～勝川	11.2	1067㎜	内燃		6	11.2	
名古屋臨海高速鉄道	あおなみ線	名古屋～金城ふ頭	15.2	1067㎜	直流1500V		11	15.2	
名古屋市交通局	東山線	高畑～藤が丘	20.6	1435㎜	直流 600V	22			第三軌条式
	名城線	金山～栄～大曽根～八事～金山	26.4	1435㎜	直流 600V	28			第三軌条式
	名港線	金山～名古屋港	6.0	1435㎜	直流 600V	7			第三軌条式
	鶴舞線	上小田井～赤池	20.4	1067㎜	直流1500V	20			
	桜通線	中村区役所～徳重	19.1	1067㎜	直流1500V	21			
	上飯田線	平安通～上飯田<第2種>	0.8	1067㎜	直流1500V	2			
							87	93.3	

事業者名	路線名	運転区間	路線キロ	軌間	動力	駅数	駅数	営業キロ	備考
名古屋鉄道	名古屋本線	豊橋～名鉄岐阜	99.8	1067㎜	直流1500V	60			
	西尾線	新安城～吉良吉田	24.7	1067㎜	直流1500V	13			駅数に新安城は含まず
	蒲郡線	吉良吉田～蒲郡	17.6	1067㎜	直流1500V	9			駅数に吉良吉田は含まず
	豊田線	赤池～梅坪	15.2	1067㎜	直流1500V	7			駅数に梅坪は含まず
	三河線	碧南～知立～猿投	39.8	1067㎜	直流1500V	22			駅数に知立は含まず
	常滑線	神宮前～常滑	29.3	1067㎜	直流1500V	22			駅数に神宮前は含まず
	空港線	常滑～中部国際空港＜第２種＞	4.2	1067㎜	直流1500V	2			駅数に常滑は含まず
	築港線	大江～東名古屋港	1.5	1067㎜	直流1500V	1			駅数に大江は含まず
	河和線	太田川～河和	28.8	1067㎜	直流1500V	18			駅数に太田川は含まず
	知多新線	富貴～内海	13.9	1067㎜	直流1500V	5			駅数に富貴は含まず
	瀬戸線	栄町～尾張瀬戸	20.5	1067㎜	直流1500V	20			
	小牧線	味鋺～犬山	18.3	1067㎜	直流1500V	12			駅数に犬山は含まず
	小牧線	味鋺～上飯田＜第２種＞	2.3	1067㎜	直流1500V	1			駅数に味鋺は含まず
	各務原線	名鉄岐阜～新鵜沼	17.6	1067㎜	直流1500V	16			駅数に名鉄岐阜、新鵜沼は含まず
	犬山線	枇杷島分岐点～新鵜沼	26.8	1067㎜	直流1500V	17			
	広見線	犬山～御嵩	22.3	1067㎜	直流1500V	10			駅数に犬山は含まず
	津島線	須ヶ口～津島	11.8	1067㎜	直流1500V	7			駅数に須ヶ口は含まず
	尾西線	弥富～名鉄一宮～玉ノ井	30.9	1067㎜	直流1500V	20			駅数に津島･名鉄一宮は含まず
	竹鼻線	笠松～江吉良	10.3	1067㎜	直流1500V	8			駅数に笠松は含まず
	羽島線	江吉良～新羽島	1.3	1067㎜	直流1500V	1			駅数に江吉良は含まず
	豊川線	国府～豊川稲荷	7.2	1067㎜	直流1500V	4			駅数に国府は含まず
						275	275	444.1	
名古屋ガイドウェイバス	ガイドウェイバス志段味線	大曽根～小幡緑地	6.5	案内軌条	内燃		9	6.5	
衣浦臨海鉄道	半田線	半田埠頭～東成岩	3.4	1067㎜	内燃				貨物線
	衣浦線	東浦～権現崎	11.3	1067㎜	内燃			14.7	貨物線
名古屋臨海鉄道	東港線	笠寺～東港	3.8	1067㎜	内燃				貨物線
	昭和町線	東港～昭和町	1.1	1067㎜	内燃				貨物線
	汐見町線	東港～汐見町	3.0	1067㎜	内燃				貨物線
	南港線	東港～名古屋南貨物	6.9	1067㎜	内燃				貨物線
		名古屋南貨物～知多	4.4	1067㎜	内燃				貨物線
	東築線	東港～名電築港	1.3	1067㎜	内燃			20.5	貨物線
三岐鉄道	三岐線	富田～三岐朝明(信)	1.0	1067㎜	直流1500V				貨物線
		三岐朝明(信)～西藤原	25.5	1067㎜	直流1500V	14			
	近鉄連絡線	近鉄富田～三岐朝明(信)	1.1	1067㎜	直流1500V	1			
			27.6			15			
	北勢線	西桑名～阿下喜	20.4	762㎜	直流 750V	13			
							28	48.0	
四日市あすなろう鉄道	内部線	近鉄四日市～内部＜第２種＞	5.7	762㎜	直流 750V	8			
	八王子線	日永～西日野＜第２種＞	1.3	762㎜	直流 750V	1	9	7.0	駅数に日永は含まず
養老鉄道	養老線	揖斐～大垣～桑名＜第２種＞	57.5	1067㎜	直流1500V		27	57.5	
伊賀鉄道	伊賀線	伊賀上野～伊賀神戸＜第２種＞	16.6	1067㎜	直流1500V		14	16.6	
伊勢鉄道	伊勢線	河原田～津	22.3	1067㎜	内燃		10	22.3	
西濃鉄道	市場線	美濃赤坂～乙女坂	1.3	1067㎜	内燃			1.3	貨物線、2022.09 猿岩駅を乙女坂駅構内として変更
樽見鉄道	樽見線	大垣～樽見	34.5	1067㎜	内燃		11	34.5	
明知鉄道	明知線	恵那～明智	25.1	1067㎜	内燃		11	25.1	
長良川鉄道	越美南線	美濃太田～北濃	72.1	1067㎜	内燃		38	72.1	
北越急行	ほくほく線	六日町～犀潟	59.5	1067㎜	直流1500V		12	59.5	
えちごトキめき鉄道	妙高はねうまライン	妙高高原～直江津	37.7	1067㎜	直流1500V	10			
	日本海ひすいライン	直江津～梶屋敷～糸魚川～市振	59.3	1067㎜	直流1500V	12			
		梶屋敷～糸魚川間にて交直切換		1067㎜	交流 2万V				
							22	97.0	
黒部峡谷鉄道	本線	宇奈月～欅平	20.1	762㎜	直流 600V	10	10	20.1	
立山黒部貫光	鋼索線	黒部湖～黒部平	0.8	1067㎜	鋼索	2			交走式
	無軌条電車線	大観峰～室堂	3.7	無軌条	直流 600V	2	4	4.5	トロリーバス
立山開発鉄道	鋼索線	立山～美女平	1.3	1067㎜	鋼索	2	2	1.3	交走式

事業者名	路線名	運転区間	路線キロ	軌間	動力	駅数	駅数	営業キロ	備考
富山地方鉄道	本線	電鉄富山～宇奈月温泉	53.3	1067㎜	直流1500V	41			
	立山線	寺田～立山	24.2	1067㎜	直流1500V	13			
	不二越線	稲荷町～南富山	3.3	1067㎜	直流1500V	3			
	上滝線	南富山～岩峅寺	12.4	1067㎜	直流1500V	9			
			93.2			66			
富山軌道線	本線	南富山駅前～電鉄富山駅･エスタ前	3.6	1067㎜	直流 600V	14			路面電車
	支線	電鉄富山駅･エスタ前～丸の内	1.0	1067㎜	直流 600V	3			路面電車
	安野野線	丸の内～安野野	0.6	1067㎜	直流 600V	2			路面電車
	呉羽線	安野野～大学前	1.2	1067㎜	直流 600V	2			路面電車
	富山都心線	丸の内～西町	0.9	1067㎜	直流 600V	3			路面電車
	富山駅南北接続線	支線接続点～富山駅	0.3	1067㎜	直流 600V	1			路面電車。2015.03.14に開業。北陸新幹線高架下に乗入れ
	富山港線	富山駅～岩瀬浜	7.7	1067㎜	直流 600V	14			路面電車。富山ライトレールは2020.02.22 富山地方鉄道に統合
			15.3			39			
							103	108.5	駅数は本線基本に分岐駅は含まず
万葉線	万葉線	高岡～越ノ潟	12.8	1067㎜	直流 600V		24	12.8	路面電車
あいの風とやま鉄道		市振～富山～倶利伽羅	100.1	1067㎜	交流 2万V		20		市振駅はえちごトキめき鉄道
								100.1	倶利伽羅駅はＩＲいしかわ鉄道
ＩＲいしかわ鉄道		倶利伽羅～金沢	17.8	1067㎜	交流 2万V		5	17.8	
北陸鉄道	浅野川線	北鉄金沢～内灘	6.8	1067㎜	直流 600V	12			
	石川線	野町～加賀一の宮	13.8	1067㎜	直流 600V	17			
							29	22.6	
のと鉄道	七尾線	七尾～穴水＜第２種＞	33.1	1067㎜	内燃		8	94.1	
えちぜん鉄道	えちぜん本線	福井～勝山	27.8	1067㎜	直流 600V	23			
	三国芦原線	福井口～三国港	25.2	1067㎜	直流 600V	21			2016.03.27から福井鉄道との相互乗入れ開始。田原町～越前武生
							44	53.0	
福井鉄道	福武線	越前武生～鉄軌分界点	18.1	1067㎜	直流 600V				路面電車。2016.03.27からえちぜん鉄道との相互乗入れ開始。
									田原町～鷲塚針原
		鉄軌分界点～本町通	1.3	1067㎜	直流 600V				路面電車
		本町通～田原町	1.5	1067㎜	直流 600V				路面電車
		市役所前～福井駅前	0.6	1067㎜	直流 600V				路面電車
							25	21.5	
近江鉄道	本線	米原～貴生川	47.7	1067㎜	直流1500V	25			
	多賀線	高宮～多賀大社前	2.5	1067㎜	直流1500V	2			
	八日市線	八日市～近江八幡	9.3	1067㎜	直流1500V	6			駅数は本線を基本分岐駅は含まず
							33	59.5	
信楽高原鐵道	信楽線	貴生川～信楽＜第２種＞	14.7	1067㎜	内燃	6	6	14.7	
京都丹後鉄道	宮舞線	西舞鶴～宮津＜第２種＞	24.7	1067㎜	内燃	7			
(WILLER TRAINS)	宮豊線	宮津～豊岡＜第２種＞	58.9	1067㎜	内燃	12			駅数に宮津は含まず
	宮福線	福知山～宮津＜第２種＞	30.4	1067㎜	内燃	13			駅数に宮津は含まず
						32	32	114.0	2015.04.01 北近畿タンゴ鉄道は第３種鉄道事業者に変更
丹後海陸交通		府中～傘松	0.4	1067㎜	鋼索		2	0.4	交走式
叡山電鉄	叡山本線	出町柳～宝ヶ池～八瀬比叡山口	5.6	1435㎜	直流 600V	8			
	鞍馬線	宝ヶ池～鞍馬	8.8	1435㎜	直流 600V	9	17	14.4	
鞍馬寺	鞍馬山鋼索鉄道	山門～多宝塔	0.2	800㎜	鋼索		2	0.2	つるべ式
嵯峨野観光鉄道	嵯峨野観光線	トロッコ嵯峨～トロッコ亀山	7.3	1067㎜	内燃		4	7.3	
京福電気鉄道	嵐山本線	四条大宮～帷子ノ辻～嵐山	7.2	1435㎜	直流 600V	13			
	北野線	北野白梅町～帷子ノ辻	3.8	1435㎜	直流 600V	9			駅数に帷子ノ辻は含まず
			11.0			22			
	鋼索線	ケーブル八瀬～ケーブル比叡	1.3	1067㎜	鋼索	2			交走式
							24	12.3	
比叡山鉄道	比叡山鉄道線	ケーブル坂本～ケーブル延暦寺	2.0	1067㎜	鋼索	4	4	2.0	交走式
京都市交通局	烏丸線	国際会館～竹田	13.7	1435㎜	直流1500V	15			
	東西線	太秦天神川～六地蔵	17.5	1435㎜	直流1500V	17			駅数に烏丸御池を含む
						32	32	31.2	

事業者名	路線名	運転区間	路線キロ	軌間	動力	駅数	駅数	営業キロ	備考
近畿日本鉄道	大阪線	大阪上本町～伊勢中川	108.9	1435㎜	直流1500V	59			
	難波線	大阪上本町～大阪難波	2.0	1435㎜	直流1500V	2			駅数に大阪上本町は含まず
	山田線	伊勢中川～宇治山田	28.3	1435㎜	直流1500V	13			駅数に伊勢中川は含まず
	鳥羽線	宇治山田～鳥羽	13.2	1435㎜	直流1500V	4			
	志摩線	鳥羽～賢島	24.5	1435㎜	直流1500V	15			
	奈良線	布施～近鉄奈良	26.7	1435㎜	直流1500V	18			
	けいはんな線	長田～生駒	10.2	1435㎜	直流 750V	4			第三軌条式 駅数に生駒は含まず
	けいはんな線	生駒～学研奈良富美ケ丘<第２種>	8.6	1435㎜	直流 750V	3			第三軌条式 駅数に生駒は含まず
	橿原線	大和西大寺～橿原神宮前	23.8	1435㎜	直流1500V	15			駅数に大和西大寺、大和八木は含まず
	天理線	平端～天理	4.5	1435㎜	直流1500V	3			駅数に平端は含まず
	信貴線	河内山本～信貴山口	2.8	1435㎜	直流1500V	2			駅数に河内山本は含まず
	京都線	京都～大和西大寺	34.6	1435㎜	直流1500V	25			駅数に大和西大寺は含まず
	生駒線	王寺～生駒	12.4	1435㎜	直流1500V	11			駅数に生駒は含まず
	田原本線	西田原本～新王寺	10.1	1435㎜	直流1500V	8			
	名古屋線	伊勢中川～近鉄名古屋	78.8	1435㎜	直流1500V	43			駅数に伊勢中川は含まず
	鈴鹿線	伊勢若松～平田町	8.2	1435㎜	直流1500V	4			駅数に伊勢若松は含まず
	湯の山線	近鉄四日市～湯の山温泉	15.4	1435㎜	直流1500V	9			駅数に近鉄四日市は含まず
	南大阪線	大阪阿倍野橋～橿原神宮前	39.8	1067㎜	直流1500V	27			駅数に橿原神宮前は含まず
	吉野線	橿原神宮前～吉野	25.2	1067㎜	直流1500V	15			駅数に橿原神宮前は含まず
	長野線	古市～河内長野	12.5	1067㎜	直流1500V	7			駅数に古市は含まず
	道明寺線	柏原～道明寺	2.2	1067㎜	直流1500V	2			駅数に道明寺は含まず
	御所線	尺土～近鉄御所	5.2	1067㎜	直流1500V	3			駅数に尺土は含まず
			497.9						
	生駒鋼索線	鳥居前～宝山寺(宝山寺１号線・２号線)	0.9	1067㎜	鋼索	4			交走式、複線
		宝山寺～生駒山上(山上線)	1.1	1067㎜	鋼索	2			交走式
	西信貴鋼索線	信貴山口～高安山	1.3	1067㎜	鋼索	2			交走式
							286	501.2	
京阪電気鉄道	京阪本線	淀屋橋～三条	49.3	1435㎜	直流1500V	40			
	鴨東線	三条～出町柳	2.3	1435㎜	直流1500V	2			駅数に三条は含まず
	中之島線	中之島～天満橋	3.0	1435㎜	直流1500V	4			駅数に天満橋は含まず
	交野線	枚方市～私市	6.9	1435㎜	直流1500V	7			駅数に枚方市は含まず
	宇治線	中書島～宇治	7.6	1435㎜	直流1500V	7			駅数に中書島は含まず
	京津線	御陵～びわ湖浜大津	7.5	1435㎜	直流1500V	7			
	石山坂本線	石山寺～坂本比叡山口	14.1	1435㎜	直流1500V	20			駅数にびわ湖浜大津は含まず
			90.7			87			
	岩清水八幡宮参道ケーブル	ケーブル八幡宮口～ケーブル八幡宮山上	0.4	1067㎜	鋼索	2			交走式
							89	91.1	
阪急電鉄	京都本線	十三～京都河原町	45.3	1435㎜	直流1500V	26			
	千里線	天神橋筋六丁目～北千里	13.6	1435㎜	直流1500V	9			駅数に天神橋筋六丁目、淡路は含まず
	嵐山線	桂～嵐山	4.1	1435㎜	直流1500V	3			駅数に桂は含まず
	神戸本線	大阪梅田～神戸三宮	32.3	1435㎜	直流1500V	16			
	今津線	宝塚～今津	9.3	1435㎜	直流1500V	8			駅数に西宮北口、宝塚は含まず
	伊丹線	塚口～伊丹	3.1	1435㎜	直流1500V	3			駅数に塚口は含まず
	甲陽線	夙川～甲陽園	2.2	1435㎜	直流1500V	2			駅数に夙川は含まず
	宝塚本線	大阪梅田～宝塚	24.5	1435㎜	直流1500V	16			駅数は大阪梅田、十三は含まず
	箕面線	石橋～箕面	4.0	1435㎜	直流1500V	3			駅数に石橋は含まず
	神戸高速東西線	神戸三宮～新開地<第２種>	2.8	1435㎜	直流1500V	3	90	141.2	駅数に神戸三宮は含まず
能勢電鉄	妙見線	川西能勢口～妙見口	12.2	1435㎜	直流1500V	14			
	日生線	山下～日生中央	2.6	1435㎜	直流1500V	1			駅数に山下は含まず
			14.8			15			
	鋼索線	黒川～ケーブル山上	0.6	1435㎜	鋼索	2			交走式
							17	15.4	
阪神電気鉄道	本線	大阪梅田～元町	32.1	1435㎜	直流1500V	33			
	阪神なんば線	西九条～尼崎	6.3	1435㎜	直流1500V	7			駅数に尼崎は含まず
		西九条～大阪難波<第２種>	3.8	1435㎜	直流1500V	3			駅数に西九条、大阪難波は含まず
	武庫川線	武庫川～武庫川団地前	1.7	1435㎜	直流1500V	3			駅数に武庫川は含まず
	神戸高速東西線	元町～西代<第２種>	5.0	1435㎜	直流1500V	6	51	48.9	駅数に元町は含まず
六甲山観光	六甲ケーブル線	六甲ケーブル下～六甲山上	1.7	1067㎜	鋼索		2	1.7	交走式

事業者名	路線名	運転区間	路線キロ	軌間	動力	駅数	駅数	営業キロ	備考
こうべ未来都市機構	摩耶ケーブル線	摩耶ケーブル～虹の駅[正式駅名=虹駅]	0.9	1067㎜	鋼索		2	0.9	交走式　2022.05.01=神戸住環境整備公社に名称変更 2023.04.01=こうべ未来都市機構に経営譲渡
南海電気鉄道	南海本線	難波～和歌山市	64.2	1067㎜	直流1500V	43			
	高師浜線	羽衣～高師浜	1.5	1067㎜	直流1500V	2			駅数に羽衣は含まず
	空港線	泉佐野～りんくうタウン	1.9	1067㎜	直流1500V	1			駅数に泉佐野は含まず
	空港線	りんくうタウン～関西空港<第２種>	6.9	1067㎜	直流1500V	1			駅数にりんくうタウンは含まず
	多奈川線	みさき公園～多奈川	2.6	1067㎜	直流1500V	3			駅数にみさき公園は含まず
	加太線	紀ノ川～加太	9.6	1067㎜	直流1500V	7			駅数に紀ノ川は含まず
	和歌山港線	和歌山市～久保町	0.8	1067㎜	直流1500V				
	和歌山港線	久保町～和歌山港<第２種>	2.0	1067㎜	直流1500V	1			
	高野線	汐見橋～極楽橋	64.5	1067㎜	直流1500V	41			
			154.0			99			
	鋼索線	極楽橋～高野山	0.8	1067㎜	鋼索	1			交走式　駅数に極楽橋は含まず
							100	154.8	
泉北高速鉄道	泉北高速鉄道線	中百舌鳥～和泉中央	14.3	1067㎜	直流1500V		6	14.3	
阪堺電気軌道	阪堺線	恵美須町～浜寺駅前	14.0	1435㎜	直流 600V	31			路面電車。2020.02.01=恵美須町停留所移設にて14.1kmから変更
	上町線	天王寺駅前～住吉	4.3	1435㎜	直流 600V	9			路面電車。2016.12.03=営業キロ変更
						40	40	18.3	駅数に住吉は含まず
和歌山電鐵	貴志川線	和歌山～貴志	14.3	1067㎜	直流1500V		14	14.3	
大阪市高速電気軌道	御堂筋線	江坂～中百舌鳥	24.5	1435㎜	直流 750V	20			第三軌条式
	谷町線	大日～八尾南	28.1	1435㎜	直流 750V	26			第三軌条式
	中央線	大阪港～長田	15.5	1435㎜	直流 750V	13			第三軌条式
	ＯＴＳテクノポート線	大阪港～コスモスクエア<第２種>	2.4	1435㎜	直流 750V	1			第三軌条式 駅数に大阪港は含まず
	堺筋線	天神橋筋六丁目～天下茶屋	8.5	1435㎜	直流1500V	10			
	四つ橋線	西梅田～住之江公園	11.4	1435㎜	直流 750V	11			第三軌条式
	千日前線	野田阪神～南巽	12.6	1435㎜	直流 750V	14			第三軌条式
	長堀鶴見緑地線	大正～門真市	15.0	1435㎜	直流1500V	17			鉄輪式リニアモーター方式
	今里筋線	井高野～今里	11.9	1435㎜	直流1500V	11			鉄輪式リニアモーター方式
			129.9			123			
	南港ポートタウン線	中ふ頭～住之江公園	6.6	案内軌条	交流 600V	8			
	ＯＴＳニュートラム テクノポート線	コスモスクエア～中ふ頭<第２種>	1.3	案内軌条	交流 600V	2			駅数に中ふ頭は含まず
						133	133	137.8	駅数　一部重複駅も含む
北大阪急行電鉄	南北線	江坂～千里中央	5.9	1435㎜	直流 750V		4	5.9	第三軌条式
大阪高速鉄道	大阪モノレール線	大阪空港～門真市	21.2	跨座式	直流1500V	14			
	国際文化公園モノレール線	万博記念公園～彩都西	6.8	跨座式	直流1500V	4	28	28.0	駅数に万博記念公園は含まず
水間鉄道	水間線	貝塚～水間	5.5	1067㎜	直流1500V		10	5.5	
紀州鉄道	紀州鉄道線	御坊～西御坊	2.7	1067㎜	内燃		5	2.7	
山陽電気鉄道	本線	西代～山陽姫路	54.7	1435㎜	直流1500V	43			
	網干線	飾磨～山陽網干	8.5	1435㎜	直流1500V	6	49		駅数に飾磨は含まず
	神戸高速東西線	阪神元町～西代<第２種>	5.0	1435㎜	直流1500V	5			駅数に西代、元町は含まず
	神戸高速東西線	阪急三宮～高速神戸<第２種>	2.2	1435㎜	直流1500V	1			駅数に阪急三宮、高速神戸は含まず
							6	70.4	山陽電鉄 駅数(49)と神戸高速鉄道 駅数(6)は別途計上
神戸電鉄	有馬線	湊川～有馬温泉	22.5	1067㎜	直流1500V	16			
	三田線	有馬口～三田	12.0	1067㎜	直流1500V	9			駅数に有馬口は含まず
	公園都市線	横山～ウッディタウン中央	5.5	1067㎜	直流1500V	3			駅数に横山は含まず
	粟生線	鈴蘭台～粟生	29.2	1067㎜	直流1500V	19			駅数に鈴蘭台は含まず
	神戸高速南北線	新開地～湊川<第２種>	0.4	1067㎜	直流1500V	1			駅数に湊川は含まず
						48	48	69.6	
神戸新交通	ポートアイランド線	三宮～神戸空港	8.2	案内軌条	交流 600V	9			
		市民広場～北埠頭～中公園	2.6	案内軌条	交流 600V	7			駅数に市民広場・中公園は含まず
	六甲アイランド線	住吉～六甲アイランド	4.5	案内軌条	交流 600V	6	22	15.3	
神戸市交通局	西神線	西神中央～名谷～新長田	15.1	1435㎜	直流1500V	9			
	山手線	新長田～新神戸	7.6	1435㎜	直流1500V	7			
	北神線	新神戸～谷上	7.5	1435㎜	直流1500V	1			
	海岸線	新長田～三宮・花時計前	7.9	1435㎜	直流1500V	10	27	38.1	鉄輪式リニアモーター方式
北条鉄道	北条線	粟生～北条町	13.6	1067㎜	内燃		8	13.6	
智頭急行	智頭線	上郡～智頭	56.1	1067㎜	内燃		14	56.1	
岡山電気軌道	東山本線	岡山駅前～東山	3.1	1067㎜	直流 600V	10			路面電車
	清輝橋線	柳川～清輝橋	1.6	1067㎜	直流 600V	6	16	4.7	路面電車。停留所数に柳川は含まず

事業者名	路線名	運転区間	路線キロ	軌間	動力	駅数	駅数	営業キロ	備考
水島臨海鉄道	水島本線	倉敷市～三菱自工前	10.4	1067㎜	内燃	10			
	港東線	水島～東水島	3.0	1067㎜	内燃				貨物線
							10	13.4	
井原鉄道	井原線	清音～神辺	38.3	1067㎜	内燃	14			
	井原線	総社～清音＜第２種＞	3.4	1067㎜	内燃	1			西日本旅客鉄道伯備線使用
							15	41.7	駅数に清音は含まず
広島電鉄	宮島線	広電西広島～広電宮島	16.1	1435㎜	直流 600V	21			広島駅から②系統が直通運転
	本線	広島駅～広電西広島	5.4	1435㎜	直流 600V	20			路面電車。停留所数に広電西広島を含む 紙屋町東、紙屋町西は停留所数に含む
	宇品線	紙屋町～広島港	5.9	1435㎜	直流 600V	18			路面電車。停留所数に紙屋町は含まず
	江波線	土橋～江波	2.6	1435㎜	直流 600V	6			路面電車。停留所数に土橋は含まず
	横川線	十日市町～横川	1.4	1435㎜	直流 600V	4			路面電車。停留所数に十日市町は含まず
	皆実線	的場町～皆実町六丁目	2.5	1435㎜	直流 600V	5			路面電車。停留所数に的場町、皆実町六丁目は含まず
	白島線	八丁堀～白島	1.2	1435㎜	直流 600V	4	82	35.1	路面電車。停留所数に八丁堀は含まず
広島高速交通	広島新交通１号線	本通～広域公園前	18.4	案内軌条	直流 750V		22	18.4	路線愛称はアストラムライン
スカイレールービス	広島短距離交通瀬野線	みどり口～みどり中央	1.3	懸垂式	交流440V		3	1.3	みどり口はＪＲ山陽本線瀬野駅と接続
錦川鉄道	錦川清流線	川西～錦町	32.7	1067㎜	内燃		12	32.7	川西からＪＲ岩徳線に乗入れ、岩国まで運転
若桜鉄道	若桜線	郡家～若桜＜第２種＞	19.2	1067㎜	内燃		9	19.2	
一畑電車	北松江線	松江しんじ湖温泉～電鉄出雲市	33.9	1067㎜	直流1500V	22			路線愛称は「ばたでん」
	大社線	川跡～出雲大社前	8.3	1067㎜	直流1500V	4	26	42.2	駅数に川跡は含まず
高松琴平電気鉄道	琴平線	高松築港～琴電琴平	32.9	1435㎜	直流1500V	22			
	志度線	瓦町～琴電志度	12.5	1435㎜	直流1500V	15			駅数に瓦町は含まず
	長尾線	瓦町～長尾	14.6	1435㎜	直流1500V	15	52	60.0	駅数に瓦町は含まず
伊予鉄道　鉄道線	高浜線	高浜～松山市	9.4	1067㎜	直流 600V	10			
	横河原線	松山市～横河原	13.2	1067㎜	直流 750V	14			駅数に松山市は含まず
	郡中線	松山市～郡中港	11.3	1067㎜	直流 750V	11			駅数に松山市は含まず
			33.9			35			
市内線	城北線	古町～平和通一丁目	2.7	1067㎜	直流 600V				路面電車
	城南線	道後温泉～西堀端	3.5	1067㎜	直流 600V				路面電車
		平和通一丁目～上一方	0.1	1067㎜	直流 600V				路面電車
	本町線	西堀端～本町六丁目	1.5	1067㎜	直流 600V				路面電車
	大手町線	西堀端～松山駅前	0.6	1067㎜	直流 600V				路面電車
		古町～松山駅前	0.8	1067㎜	直流 600V				路面電車
	花園線	松山市駅前～南堀端	0.4	1067㎜	直流 600V	29			路面電車。停留所数は市内線の全停留所数
			9.6				64	43.5	
とさでん交通	伊野線	はりまや橋～伊野	11.2	1067㎜	直流 600V	34			路面電車
	ごめん線	はりまや橋～後免町	10.9	1067㎜	直流 600V	32			路面電車。停留所数にはりまや橋は含まず
	桟橋線	はりまや橋～桟橋通５丁目	2.4	1067㎜	直流 600V	7			路面電車。停留所数にはりまや橋は含まず
	駅前線	高知駅前～はりまや橋	0.8	1067㎜	直流 600V	3			路面電車。停留所数にはりまや橋は含まず
						76	76	25.3	駅数は76駅(停留所)
土佐くろしお鉄道	中村線	窪川～中村	43.0	1067㎜	内燃	15			
	宿毛線	中村～宿毛	23.6	1067㎜	内燃	7			駅数に中村は含まず
	ごめん･なはり線	後免～奈半利	42.7	1067㎜	内燃	20	42	109.3	
阿佐海岸鉄道	阿佐東線	海部～甲浦	8.5	1067㎜	内燃		3		
		阿波海南～海部	1.5	1067㎜	内燃			10.0	2020.11.01　ＪＲ四国から経営を承継
四国ケーブル		八栗登山口～八栗山上	0.7	1067㎜	鋼索		2	0.7	交走式
西日本鉄道	天神大牟田線	西鉄福岡(天神)～大牟田	74.8	1435㎜	直流1500V	49			
	太宰府線	西鉄二日市～太宰府	2.4	1435㎜	直流1500V	2			駅数に西鉄二日市は含まず
	甘木線	花畑～甘木	20.8	1435㎜	直流1500V	11			駅数に花畑は含まず
	貝塚線	貝塚～西鉄新宮	17.9	1067㎜	直流1500V	10	72	115.9	
筑豊電気鉄道		黒崎駅前～筑豊直方	16.0	1435㎜	直流 600V		21		2015.03.01 黒崎駅前～熊西は第１種鉄道事業者に
皿倉登山鉄道		山麓～山上＜第２種＞	1.1	1067㎜	鋼索		2	1.1	交走式。2015.04.01 帆柱ケーブルから社名変更
北九州高速鉄道	北九州モノレール小倉線	小倉～企救丘	8.8	跨座式	直流1500V		13	8.8	
福岡市交通局	空港線	姪浜～福岡空港	13.1	1067㎜	直流1500V	13			
	箱崎線	中洲川端～貝塚	4.7	1067㎜	直流1500V	6			駅数に中洲川端は含まず
	七隈線	天神南～橋本	12.0	1435㎜	直流1500V	16			鉄輪式リニアモーター方式
		博多～天神南	1.6	1435㎜	直流1500V	1	36	31.4	2023.03.27開業。駅数に博多、天神南は含まず
平成筑豊鉄道	伊田線	直方～田川伊田	16.1	1067㎜	内燃	15			
	糸田線	金田～田川後藤寺	6.8	1067㎜	内燃	5			駅数に金田は含まず
	田川線	行橋～田川伊田	26.3	1067㎜	内燃	16			駅数に田川伊田は含まず。2019.08.24=令和コスタ行橋駅開業
						36	36	49.2	
	門司港レトロ観光線	北九州鉄道記念館～関門海峡めかり＜第２種＞	2.1	1067㎜	内燃	4	4	2.1	路線愛称=北九州銀行レトロライン

事業者名	路線名	運転区間	路線キロ	軌間	動力	駅数	駅数	営業キロ	備考
甘木鉄道	甘木線	基山～甘木	13.7	1067㎜	内燃		11	13.7	
松浦鉄道	西九州線	有田～伊万里～佐世保	93.8	1067㎜	内燃		57	93.8	
島原鉄道	島原鉄道線	諫早～島原外港	43.2	1067㎜	内燃		24	43.2	
長崎電気軌道	赤迫支線	赤迫～住吉	0.3	1435㎜	直流 600V	1			路面電車。停留所数に住吉は含まず
	本線	住吉～正覚寺下	7.0	1435㎜	直流 600V	25			路面電車
	桜町支線	長崎駅前～公会堂前	0.9	1435㎜	直流 600V	2			路面電車。停留所数に長崎駅前は含まず
	大浦支線	新地中華街～石橋	1.1	1435㎜	直流 600V	4			路面電車。停留所数に築町は含まず
	蛍茶屋支線	西浜町～蛍茶屋	2.2	1435㎜	直流 600V	7			路面電車。停留所数に西浜町、公会堂前は含まず
						39	39	11.5	
岡本製作所	別府ラクテンチケーブル線	雲泉寺～乙原	0.3	1067㎜	鋼索		2	0.3	交走式
熊本電気鉄道	菊池線	上熊本～御代志	10.6	1067㎜	直流 600V	16			
	藤崎線	北熊本～藤崎宮前	2.3	1067㎜	直流 600V	2			駅数に北熊本は含まず
						18	18	12.9	運行は藤崎宮前～御代志、上熊本～北熊本
熊本市交通局	幹線	熊本駅前～水道町	3.3	1435㎜	直流 600V				路面電車
	水前寺線	水道町～水前寺公園	2.4	1435㎜	直流 600V				路面電車
	健軍線	水前寺公園～健軍町	3.0	1435㎜	直流 600V				路面電車
	上熊本線	辛島町～上熊本駅前	2.9	1435㎜	直流 600V				路面電車
	田崎線	熊本駅前～田崎橋	0.5	1435㎜	直流 600V		35	12.1	路面電車。停留所数は全停留所数を一括表示 停留所ナンバリングは田崎橋～健軍町 1～26(26)、 上熊本駅前～西辛島町 B1～B9(9) と表示
南阿蘇鉄道	高森線	立野～高森	17.7	1067㎜	内燃		10	17.7	
くま川鉄道	湯前線	人吉温泉～湯前	24.8	1067㎜	内燃		14	24.8	人吉温泉はＪＲ肥薩線人吉と接続
肥薩おれんじ鉄道	肥薩おれんじ鉄道線	八代～川内	116.9	1067㎜	内燃		16	116.9	
鹿児島市交通局	第一期線	武之橋～鹿児島駅前	3.0	1435㎜	直流 600V				路面電車
	第二期線	高見馬場～鹿児島中央駅前	0.9	1435㎜	直流 600V				路面電車
	谷山線	武之橋～谷山	6.4	1435㎜	直流 600V				路面電車
	唐湊線	鹿児島中央駅前～郡元	2.8	1435㎜	直流 600V		36	13.1	路面電車。停留所数は全停留所数を一括表示 停留所ナンバリングは鹿児島駅前～谷山 1-1～1-25[25]、 ②系統は鹿児島駅前～鹿児島中央駅前～郡元にて運行 加治屋町(2-09)～中郡(2-19) [11]をカウント
沖縄都市モノレール	沖縄都市モノレール線	那覇空港～首里～てだこ浦西	17.0	跨座式	直流1500V		19	17.0	愛称は ゆいレール。首里～てだこ浦西間(4.1㎞)は2019.10.01開業
民鉄　営業キロ数							5,174	**7982.3**	停留所を含む駅数は一部重複駅を計上。貨物駅は駅数に含まず

第三種　鉄道事業者

2023.04.01 現在

企業体名	路線名	運転区間	路線キロ					路線合計	第二種事業者
青森県		目時～八戸～青森	121.9					121.9	青い森鉄道
成田空港高速鉄道	成田空港高速鉄道線	ＪＲ成田線分岐点～成田空港	8.7						東日本旅客鉄道
		京成本線分岐点～成田空港	2.1					10.8	京成電鉄
成田高速鉄道アクセス		印旛日本医大～成田空港高速鉄道分岐点	17.0					17.0	京成電鉄
千葉ニュータウン鉄道		小室～印旛日本医大	12.5					12.5	北総鉄道
横浜高速鉄道	こどもの国線	長津田～こどもの国	3.4					3.4	東急電鉄
上飯田連絡線		味鋺～上飯田	2.3						名古屋鉄道
		平安通～上飯田	0.8					3.1	名古屋市交通局
中部国際空港連絡	空港線	常滑～中部国際空港	4.2					4.2	名古屋鉄道
四日市市	内部線	近鉄四日市～内部	5.7						四日市あすなろう鉄道
	八王子線	日永～西日野	1.3					7.0	四日市あすなろう鉄道
一般社団法人養老線管理機構	養老線	揖斐～大垣～桑名	57.5					57.5	養老鉄道
伊賀市	伊賀線	伊賀上野～伊賀神戸	16.6					16.6	伊賀鉄道
西日本旅客鉄道	七尾線	和倉温泉～穴水	28.0					28.0	のと鉄道
甲賀市		貴生川～信楽	14.7					14.7	信楽高原鐵道
奈良生駒高速鉄道	けいはんな線	生駒～学研奈良富美ケ丘	8.6					8.6	近畿日本鉄道
大阪外環状鉄道	おおさか東線	放出～久宝寺	9.2					9.2	西日本旅客鉄道、日本貨物鉄道
		新大阪～放出	11.0					11.0	西日本旅客鉄道、日本貨物鉄道　2019.03.16開業
関西高速鉄道	東西線	京橋～尼崎	12.5					12.5	西日本旅客鉄道
大阪港トランスポートシステム	OTSニュートラムテクノポート線	コスモスクエア～中ふ頭	1.3						大阪市高速電気軌道
	OTSテクノポート線	大阪港～コスモスクエア	2.4					3.7	大阪市高速電気軌道
関西国際空港	空港連絡鉄道線	りんくうタウン～関西空港	6.9						西日本旅客鉄道
								6.9	南海電気鉄道
中之島高速鉄道		中之島～天満橋	3.0					3.0	京阪電気鉄道
西大阪高速鉄道		西九条～大阪難波	3.8					3.8	阪神電気鉄道
神戸高速鉄道	東西線	西代～高速神戸	3.5						阪急電鉄(高速神戸～新開地)
									阪神電気鉄道
									山陽電気鉄道
		高速神戸～神戸三宮	2.2						阪急電鉄
									山陽電気鉄道
		高速神戸～元町	1.5						阪神電気鉄道
									山陽電気鉄道
	南北線	新開地～湊川	0.4					7.6	神戸電気鉄道
和歌山県		県社分界点～和歌山港	2.0					2.0	南海電気鉄道
北近畿タンゴ鉄道	宮津線	西舞鶴～宮津～豊岡	83.6						京都丹後鉄道
	宮福線	福知山～宮津	30.4					114.0	京都丹後鉄道
若桜町・八頭町	若桜線	郡家～若桜	19.2					19.2	若桜鉄道
北九州市		九州鉄道記念館～関門海峡めかり	2.1					2.1	平成筑豊鉄道
北九州市		山麓～山上	1.1					1.1	皿倉登山鉄道
㈳佐賀・長崎鉄道管理センター	長崎本線	江北～諫早	60.8					60.8	九州旅客鉄道　江北～交流２万Ｖ～肥前浜～非電化～諫早間
一般社団法人 南阿蘇鉄道管理機構	南阿蘇鉄道高森線	立野～高森	17.7					17.7	南阿蘇鉄道高森線 2023.04.01～
第３種鉄道事業者　総キロ								**562.2**	

▽ 駅数は旅客駅。貨物駅は含まず
▽ 駅数(路面電車は停留所数)は、各会社発表の資料に基づき掲載(路線図・駅ナンバリング等を含む)。
なお、同企業体における他路線との接続駅は注釈のない場合は駅数に含んで掲載
▽ 駅数合計は各事業者のホームページ等から掲出
▽ 最近(２～３年)の主な動きも極力掲載

会社別車両数総括表 ①

2023.04.01 現在

	電車(鉄道線)							路面電車														
	Ｍｃ	Ｍ	Ｔｃ	Ｔ	他	非営	計	Ｍｃ	連接	非営	計	モノ	新交	ＤＣ	ＥＬ	ＤＬ	ＳＬ	ＰＣ	ＦＣ	鋼索	トロ	両数計
札幌市交通局		172	126	70			368	31	5	5	41											409
函館市企業局							0	28	4	5	37											37
道南いさりび鉄道							0				0			9								9
青函トンネル記念館							0				0									1		1
津軽鉄道							0				0			5		2		5	5			17
青い森鉄道	11		11				22				0											22
ＩＧＲいわて銀河鉄道	7		7				14				0											14
弘南鉄道	24						24				0				2				4			30
八戸臨海鉄道							0				0					3			4			7
秋田内陸縦貫鉄道							0				0			11								11
由利高原鉄道							0				0			3								3
三陸鉄道							0				0			26								26
岩手開発鉄道							0				0					3			45			48
仙台空港鉄道	3		3				6				0											6
仙台臨海鉄道							0				0					5						5
仙台市交通局	30	72	42				144				0											144
山形鉄道							0				0			6								6
福島交通	8	2	6	0			16				0											16
福島臨海鉄道							0				0					4						4
阿武隈急行	10		10				20				0											20
会津鉄道	0		0				0				0			11								11
野岩鉄道	2		2				4				0											4
わたらせ渓谷鐵道							0				0			9		2		4				15
上信電鉄	16		7				23				0				3				3			29
上毛電気鉄道	9		8				17				0								0			17
秩父鉄道	19	13	19	2			53				0				17		1	4	134			209
ひたちなか海浜鉄道							0				0			8								8
関東鉄道							0				0			55		1						56
真岡鐵道							0				0			9		1	1	3				14
筑波観光鉄道							0				0									2		2
鹿島臨海鉄道							0				0			15		3						18
銚子電気鉄道	5		3				8				0				1							9
いすみ鉄道							0				0			6								6
千葉都市モノレール							0				0	32										32
小湊鐵道							0				0			18		1		4	3			26
京葉臨海鉄道							0				0					7						7
流鉄	10						10				0											10
埼玉新都市交通							0				0		84									84
埼玉高速鉄道		30	20	10			60				0											60
北総鉄道	14	34		16			64				0											64
千葉ニュータウン鉄道	10	20		10			40				0											40
新京成電鉄	18	71	38	29			156				0											156
山万							0				0		9									9
東葉高速鉄道		55	22	33			110				0											110
舞浜リゾートライン							0				0	36										36
①　小計	196	469	324	170	0	0	1,159	59	9	10	78	68	93	191	23	32	2	20	198	3	0	1,867

会社別車両数総括表 ②

2023.04.01 現在

	電車(鉄道線)							路面電車														
	Mc	M	Tc	T	他	非営	計	Mc	連接	非営	計	モノ	新交	DC	EL	DL	SL	PC	FC	鋼索	トロ	両数計
芝山鉄道	2	2					4				0											4
京成電鉄	177	273	2	154			606				0											606
東京都交通局	172	744	130	170			1,216	33		0	33	0	100		4							1353
京浜急行電鉄	256	270		264		6	796				0											796
東武鉄道	147	909	439	328			1,823				0					2	2	8	2			1837
西武鉄道	27	658	319	211			1,215				0		12									1227
京王電鉄	5	470	229	173		4	881				0											881
小田急電鉄	4	562	292	204		1	1,063				0											1063
多摩都市モノレール							0				0	64										64
東急電鉄	36	637	311	300		3	1287	20			20							1				1308
東京地下鉄	193	1450	479	600			2722				0											2722
首都圏新都市鉄道		152	83	14			249				0											249
東京臨海高速鉄道		48	16	16			80				0											80
ゆりかもめ							0				0		156									156
横浜高速鉄道	3	24	15	12			54				0											54
東京モノレール							0				0	126										126
御岳登山鉄道							0				0									2		2
高尾登山電鉄							0				0									2		2
大山観光電鉄							0				0									2		2
相模鉄道	0	236	90	100		4	430				0											430
横浜シーサイドライン							0				0		90									90
神奈川臨海鉄道							0				0					7						7
横浜市交通局	34	188	74				296				0											296
湘南モノレール							0				0	21										21
江ノ島電鉄	30						30				0											30
箱根登山鉄道	21	3				1	25				0									4		29
伊豆箱根鉄道	17	17	17			1	52				0				2							54
十国峠							0				0									2		2
伊豆急行	14	32	24	1	2	1	74				0											74
富士山麓電気鉄道	15	8	7	1			31				0								1			32
岳南電車	5		1				6				0				0							6
上田電鉄	5		5				10				0											10
長野電鉄	31	11	7	7			56				0											56
しなの鉄道	36	10	10				56				0											56
アルピコ交通	5		5				10				0											10
明知鉄道							0				0			6								6
大井川鐵道	8		2				10				0				9	6	5	47	20			97
天竜浜名湖鉄道							0				0			15								15
静岡鉄道	13		13				26				0											26
遠州鉄道	14		14				28				0				1				3			32
豊橋鉄道	10	10	10				30	15	1		16											46
愛知環状鉄道	20		20				40				0											40
東海交通事業							0				0			2								2
名古屋臨海高速鉄道		16	16				32				0											32
愛知高速交通	16	8					24				0											24
名古屋市交通局	43	459	227	53			782				0											782
名古屋鉄道	227	345	389	115			1,076				0				2				10			1088
名古屋ガイドウェイバス							0				0			28								28
名古屋臨海鉄道							0				0					6			1			7
② 小計	1,586	7,542	3,246	2,723	2	21	15,120	68	1	0	69	211	358	51	18	21	7	56	37	12	0	15,960

会社別車両数総括表 ③

2023.04.01 現在

	電車(鉄道線)							路面電車														
	Mc	M	Tc	T	他	非常	計	Mc	連接	非常	計	モノ	新交	DC	EL	DL	SL	PC	FC	鋼索	トロ	両数計
衣浦臨海鉄道							0				0					4						4
三岐鉄道	20	5	10	10			45				0				12							57
四日市あすなろう鉄道	5		5	4			14															14
養老鉄道	12	3	12	4			31				0											31
伊賀鉄道	5		5				10				0											10
伊勢鉄道							0				0			4								4
西濃鉄道							0				0					3						3
樽見鉄道							0				0			6								6
長良川鉄道							0				0			11		1						12
北越急行	12						12				0											12
えちごトキめき鉄道	11	1	11				23				0			10								33
立山黒部貫光							0				0									6	8	14
富山地方鉄道	42		1	2			45	15	15		30				1	5			2			83
万葉線							0	5	6		11					1						12
黒部峡谷鉄道							0				0			2	24	2		129	145			302
あいの風とやま鉄道	25	3	25				53				0					1						54
ＩＲいしかわ鉄道	8		8				16				0											16
北陸鉄道	15		9				24				0				1							25
のと鉄道							0				0			9								9
えちぜん鉄道	21		6				27		2		2				2							31
福井鉄道	0		0				0		14		32				0	0						32
近江鉄道	36						36				0				0				0			36
信楽高原鐵道							0				0			4								4
叡山電鉄	22					1	23				0											23
鞍馬寺							0				0									1		1
嵯峨野観光鉄道							0				0					1		5				6
京福電気鉄道	27					1	28				0									2		30
比叡山鉄道							0				0									2		2
京都市交通局	38	114	36	34			222				0											222
近畿日本鉄道	503	558	598	218		8	1,885				0									10		1895
京阪電気鉄道	194	176	35	289			694				0									2		696
阪急電鉄	312	360	129	490		4	1,295				0											1295
阪神電気鉄道	62	193	90	13		2	360				0											360
南海電気鉄道	259	148	125	160			692				0									4		696
泉北高速鉄道	8	50	38	16			112				0											112
大阪市高速電気軌道	96	647	310	241			1,294				0		80									1374
北大阪急行電鉄	8	23	6	33			70				0											70
大阪モノレール							0				0	92										92
能勢電鉄	21	7	5	19			52				0									2		54
山陽電気鉄道	67	57	37	46			207				0											207
神戸電鉄	91	36		20			147				0											147
神戸新交通							0				0		162									162
六甲山観光							0				0									4		4
こうべ未来都市機構							0				0									2		2
神戸市交通局	26	125	66	39			256				0											256
③　小計	1,946	2,506	1,567	1,638	0	16	7,673	20	37	0	75	92	242	46	40	18	0	134	147	35	8	8,510

会社別車両数総括表 ④

2023.04.01 現在

	電車(鉄道線)							路面電車														
	Mc	M	Tc	T	他	非営	計	Mc	連接	非営	計	モノ	新交	DC	EL	DL	SL	PC	FC	鋼索	トロ	両数計
阪堺電気軌道							0	31	4		35											35
和歌山電鐵	6		6				12				0											12
水間鉄道	10						10				0											10
紀州鉄道							0				0			3								3
北条鉄道							0				0			4								4
京都丹後鉄道							0				0			35								35
丹後海陸交通							0				0									2		2
智頭急行							0				0			44								44
水島臨海鉄道							0				0			11		2						13
岡山電気軌道							0	19	3		25											25
井原鉄道							0				0			12								12
広島電鉄							0	55	81	1	291											292
スカイレールサービス							0				0	7										7
広島高速交通							0				0		150									150
錦川鉄道							0				0			5								5
若桜鉄道							0				0			4		1		3				8
一畑電車	20		2				22				0											22
高松琴平電気鉄道	78		4			1	83				0								1			84
伊予鉄道	14	10	29				53	38			38					2		3				96
とさでん交通							0	59	3	1	63											63
土佐くろしお鉄道							0				0			21								21
阿佐海岸鉄道							0				0			3								3
四国ケーブル							0				0									2		2
西日本鉄道	72	77	135	13		3	300				0											300
福岡市交通局	42	138	48				228				0											228
北九州高速鉄道							0				0	36										36
筑豊電気鉄道							0		14		25											25
皿倉登山鉄道							0				0									2		2
平成筑豊鉄道							0				0			13								13
北九州市							0				0					2		2				4
甘木鉄道							0				0			8								8
松浦鉄道							0				0			23								23
島原鉄道							0				0			15								15
長崎電気軌道							0	65	6	1	72											72
熊本電気鉄道	10		6				16				0											16
熊本市交通局							0	36	9	0	54											54
南阿蘇鉄道							0				0			7		2		3				12
くま川鉄道							0				0			5								5
鹿児島市交通局							0	39	17	2	58											58
岡本製作所							0				0									2		2
肥薩おれんじ鉄道							0				0			19								19
沖縄都市モノレール							0				0	42										42
① 小計	196	469	324	170	0	0	1,159	59	9	10	78	68	93	191	23	32	2	20	198	3	0	1,867
② 小計	1,586	7,542	3,246	2,723	2	21	15,120	68	1	0	69	211	358	51	18	21	7	56	37	12	0	15,960
③ 小計	1,946	2,506	1,567	1,638	0	16	7,673	20	37	0	75	92	242	46	40	18	0	134	147	35	8	8,510
総両数	3,980	10,742	5,367	4,544	2	41	24,676	489	184	15	883	456	843	520	81	80	9	221	383	58	8	28,219

【凡例】

▽項目　Mc＝制御電動車　M＝電動車　Tc＝制御車　T＝付随車　他＝サロ・クロなど、そのほかの客扱い車両
非営＝電動貨車などの客扱いしない車両　連接＝連接車　モノ＝モノレール　新交＝新交通システム　ＤＣ＝ディーゼルカー
ＥＬ＝電気機関車(蓄電池機関車を含む)　ＤＬ＝ディーゼル機関車　ＳＬ＝蒸気機関車　ＰＣ＝客車　ＦＣ＝貨車
鋼索＝ケーブルカー　トロ＝トロリーバス

▽連接車は連接車の項では編成数を示すが、両数計では１車体を１両とする事業者(３車体連接車ならば３両)や連接車を１両と計上する事業者と、それが混在する事業者などがあるため、数え方は各掲載頁を参照

▽黒部峡谷鉄道　保線車はＤＣの項に加えた

編集担当　坂　正博（ジェー・アール・アール）

編集協力　楠居　利彦

校正協力　交通新聞クリエイト（株）

表紙デザイン　早川さよ子（栗八商店）

本書の内容に関するお問合せは、
（有）ジェー・アール・アール までお寄せください。
☎03-6379-0181　／　mail：jrr@home.nifty.jp
ご購読・販売に関するお問合せは、
（株）交通新聞社 出版事業部 までお寄せください。
☎03-6831-6622　／　FAX：03-6831-6624

私鉄車両編成表　2023

2023年7月13日発行

発行人　伊藤　嘉道
編集人　太田　浩道
発行所　株式会社　交通新聞社
〒101-0062　東京都千代田区神田駿河台2－3－11
☎03-6831-6560（編集）
☎03-6831-6622（販売）
印刷所　大日本印刷株式会社

ISBN978-4-330-04223-7
※ 定価は裏表紙に表示してあります
※ 乱丁・落丁はお取り替えします